KAREN GRAHAM, DIÉTÉTISTE ET ÉDUCATRICE AGRÉÉE EN DIABÈTE

Mieux vivre avec le
diabète de type 2

CAR
ACT
ÈRE

Les Éditions Caractère inc.
5800, rue Saint-Denis, bureau 900
Montréal (Québec) H2S 3L5 Canada
editionscaractere.com

Titre original : *Canada's Complete Diabetes Guide for Type 2 Diabetes*
Publié en 2013 par Robert Rose Inc.

Coordination éditoriale : Colette Laberge
Traduction : Raymond Roy
Révision : Françoise Major-Cardinal
Correction : Richard Bélanger et Noémie Bourdages
Mise en pages : Quick Sort (India) Pvt. Ltd.
Conception de la couverture : Geneviève Laforest
Photographie : Brian Gould, Brian Gould Photography inc.
Styliste culinaire : Judy Fowler

ISBN : 978-2-89642-922-6
Imprimé au Canada
© Les Éditions Caractère inc.
Dépôt légal – Bibliothèque et Archives nationales du Québec, 3ᵉ trimestre 2014
Bibliothèque et Archives Canada

Les Éditions Caractère inc. remercient le gouvernement du Québec – Programme de crédit d'impôt pour l'édition de livres – Gestion SODEC.
Nous reconnaissons l'aide financière du gouvernement du Canada par l'entremise du Fonds du livre du Canada pour nos activités d'édition.
Nous remercions également la SODEC de son appui financier (programmes Aide à l'édition et Aide à la promotion).

Mise en garde

Le présent ouvrage se veut un guide pratique et n'entend pas remplacer la compétence, les connaissances et l'expérience d'un professionnel
de la santé qualifié connaissant les faits, les circonstances et les symptômes propres à un cas en particulier.

Les informations de nature nutritionnelle, médicale et sanitaire présentées dans le présent ouvrage sont fondées sur la recherche, la formation
et l'expérience professionnelle des auteurs et sont, pour autant qu'ils sachent, complètes. Cependant, le présent livre se veut uniquement un
guide pour les personnes qui souhaitent s'informer sur les questions touchant la santé, la nutrition et la médecine. Son intention n'est pas de
remplacer ou de contredire les conseils fournis par le médecin de famille du lecteur. Comme chaque sujet est unique, tout comme la situation
dans laquelle il se trouve, les auteurs et l'éditeur incitent le lecteur à consulter un professionnel de la santé avant d'adopter quelque procédure
que ce soit dès qu'un doute s'installe quant à son bien-fondé. Avant d'entreprendre un programme d'exercice, il faut consulter un médecin.
Les auteurs et l'éditeur ne sont en aucun cas responsables des éventuels effets ou conséquences indésirables découlant de l'utilisation des
informations fournies dans le présent livre. Il incombe au lecteur de consulter un médecin ou un autre professionnel de la santé qualifié
concernant les questions touchant son bien-être.

Les produits auxquels le présent ouvrage fait référence ne sont pas nécessairement en vente partout. Les informations fournies ici le sont à des
fins utilitaires ; cependant, aucune garantie n'est accordée quant aux résultats associés aux renseignements donnés. L'emploi de marques de
commerce ne sert qu'à des fins éducatives et n'équivaut pas nécessairement à une recommandation.

Les recettes proposées dans le présent livre ont été testées rigoureusement dans nos cuisines et essayées par nos goûteurs. Pour autant
que nous le sachions, elles sont nutritives et sans danger lorsqu'elles sont réalisées selon une utilisation normale, faite par un consommateur
normal dans des conditions normales. La personne ayant des allergies, alimentaires ou autres, ayant des besoins alimentaires ou éprouvant
des problèmes de santé particuliers a tout intérêt à lire ces recettes attentivement et à décider si elles lui conviennent. Toutes sont aux risques
et périls du consommateur. Les auteurs et l'éditeur ne peuvent être tenus responsables des risques, pertes et dommages susceptibles de
découler de l'usage qui sera fait de ces recettes. Dans le doute, la personne ayant des besoins, allergies ou problèmes de santé particuliers
devra, avant d'exécuter une recette, consulter un professionnel de la santé.

Table des matières

REMERCIEMENTS

À Robert Rose Inc.

Au cours des 20 dernières années, la maison d'édition Robert Rose s'est illustrée dans la promotion du mieux-être avec la publication de livres de recettes et d'ouvrages portant sur l'art de vivre. Ces titres constituent des trésors de documentation pour ceux qui souhaitent en savoir davantage sur le diabète et les maladies chroniques.

Je suis donc fort heureuse de voir ce livre s'ajouter à la collection de Robert Rose. Et je suis fière de rappeler que mon premier livre, *La santé au menu*, a aussi été publié chez Robert Rose en 2010.

Il y a plusieurs années, Bob Dees, président de la société Robert Rose, m'a poussée à rédiger un guide complet sur le diabète. Bob partage ma vision et mon engagement, lesquels consistent à proposer aux gens atteints de diabète un ouvrage pratique et accessible, qui les aidera à mieux cerner cette maladie et les complications qu'elle peut entraîner. Ce livre a été écrit dans le but de répondre aux besoins des personnes qui souhaitent vivre en aussi bonne santé que possible.

Aux rédactrices

J'apprécie l'expertise et les conseils de mes rédactrices, que je tiens ici à nommer et à remercier : Joanne Seiff (rédactrice principale), Janice Madill et Roslyn Graham.

Aux photographes, styliste culinaire, modèles et illustratrice

Merci à Brian Gould, photographe et à Judy Fowler, styliste culinaire, pour votre magnifique travail de photographie, toujours à la hauteur ! Chaque page de ce livre est aussi votre œuvre.

Merci à ceux et à celles qui ont servi de modèles. Tous et toutes, vous avez contribué à enrichir ce livre par votre enthousiasme, votre patience et votre bonne humeur.

Merci à vous, Sandy Storen. Votre talent a donné naissance à des dessins aussi signifiants qu'esthétiques.

Aux créateurs et aux goûteurs des recettes

J'ai moi-même élaboré les recettes proposées dans ce livre, et veux témoigner ma reconnaissance à ma famille et à mes amis pour leurs idées. Merci à Carol Fraize, à France Marcoux, à Maize Regular, à Mary Vivian, à Carl Durand, à Marg Graham et à Sharon Maciejko, qui ont tous et toutes apporté leur contribution à une recette. Un immense merci aussi à Rick Durand et à ceux qui ont testé les plats cuisinés.

Merci à tous ceux et celles qui ont partagé leurs témoignages sur le diabète.

Je sais que vous êtes nombreux à avoir surmonté des difficultés, prévenu des complications et apporté des changements profonds à votre mode de vie. Je tenais à ce que tout le monde profite de votre expérience et de votre sagesse. Ce livre contient donc des histoires vécues. Pour protéger la vie privée des contributeurs, les noms ont été modifiés. Mon photographe a travaillé avec des modèles pour illustrer la plupart des témoignages.

Des professionnels de la santé ont révisé ce livre à titre gracieux afin de s'assurer que les informations qu'il fournit sont exactes et actuelles. Ces professionnels sont des experts du diabète et d'autres disciplines médicales. Un grand merci à vous d'avoir pris de votre précieux temps pour apporter à l'ouvrage cette contribution essentielle.

Analyse nutritionnelle

Barbara Selley, diététiste, et Cathie Martin de Food Intelligence ont révisé les calculs des éléments nutritifs des repas, collations et recettes.

Merci à la National Aboriginal Diabetes Association, et surtout à Anita Ducharme et à Dina Bruyere, pour leur lecture du livre et pour leur collaboration dans la lutte contre le diabète.

Réviseurs professionnels

- Ce livre a été révisé dans son intégralité par : le Dr Jim Price, MB, ChB, CMFC, médecin de famille à Portage la Prairie, Manitoba ; Teresa Bodin, RN (*Registered Nurse*), EAD, infirmière éducatrice à The Pas, Manitoba ; Wilma J. Koersen, B.Sc., enseignante de mathématique et de sciences à l'école secondaire, Grand Prairie, Alberta ; et Diane Unruh, diététiste, EAD, éducatrice à Carman, Manitoba.

- Ce livre a été révisé en partie par le Riverside-San Bernardino County Diabetes Project de Californie, soit : le Dr Kendall Shumway, DPM (docteur en médecine podiatrique), podiatre et directeur du programme sur le diabète ; Marcia Ruhl, diététiste ; Antonia Roots du American College of Sports Medicine, spécialiste du conditionnement physique, et Kristopher Hamlin, assistant en conditionnement physique.

- Le Dr Sheldon Tobe, M.D., FRCPC, FACP, chercheur associé, Sunnybrook Health Sciences Centre, Toronto, a révisé les sections « Infarctus du myocarde », « Accident vasculaire cérébral », « Affections rénales » et « Infections des voies urinaires ».

- Le Dr Blair Lonsberry, MSc, OD, M.D., FAAO (Foundation of the American Academy of Ophthalmology), directeur de la Portland Vision Clinic et professeur agrégé d'optométrie à la Pacific University College of Optometry, a révisé la section « Affections oculaires » et agi comme conseiller dans les questions touchant l'ophtalmologie pour l'ensemble de l'ouvrage.

- Casey Hein, baccalauréat en hygiène dentaire, MBA, éducation interprofessionnelle et dentisterie à l'Université du Manitoba, Winnipeg, et présidente de Casey Hein & Associates à Evergreen, Colorado, a révisé les sections du livre portant sur les dents.

- Gina Sunderland, MSc., RD, diététiste exerçant à Winnipeg, a révisé les points 1, 2, 3, 6 et 10 de «Dix points essentiels touchant l'alimentation».

- Joan Rew, diététiste, éducatrice en nutrition au Red River College, Winnipeg, a révisé le point 4 de «Dix points essentiels touchant l'alimentation».

- Shannon Roode, diététiste, EAD, éducatrice du programme sur le diabète du Collingwood General and Marine Hospital, a révisé les points 7, 8 et 9 de «Dix points essentiels touchant l'alimentation».

- Les physiothérapeutes Sam Steinfeld, B.Sc. BMR(PT) (baccalauréat en réadaptation médicale et physiothérapie), Tim Thiessen, BMR(PT) et Shanna Semler, B.Sc., BMR(PT) du Sports Physiotherapy Centre de la Pan Am Clinic de Winnipeg ont révisé «Mesure 2: Demeurer actif». Le Dr Brian Lukie, M.D., également de la Pan Am Clinic, a révisé la section «Précautions» (mesure 2).

- Murray Gibson, directeur administratif de la Manitoba Tobacco Reduction Alliance (MANTRA) à Winnipeg, a révisé «Mesure 3: Abandonner le tabac».

- De l'Association canadienne du soin des plaies à Toronto: Kimberly Stevenson, RN (*Registered Nurse*), BN (baccalauréat en sciences infirmières), IIWCC (International Interprofessional Wound Care Course); Heather Orsted, diététiste, BN (baccalauréat en sciences infirmières), Infirmière ST, B.Sc. et Mariam Botros, DcH (podologie) ont révisé les sections «Infections du pied et de la jambe» et «Mesure 4: Prévention des infections», «Préserver la santé des pieds». Merci également à la D^{re} Karen Philp, directrice générale.

- Mary Bertone, RDH (hygiéniste dentaire), Centre communautaire pour la santé de la bouche, Université du Manitoba, Winnipeg et Roxena Trembath, B.Sc., RDH (hygiéniste dentaire), ont révisé les sections «Affections gingivales» et «Dix conseils pour l'hygiène buccale».

- Le Dr J. Robin Conway, M.D., Clinique du diabète, Smith Falls, Ontario, et la D^{re} Sora Ludwig, M.D., FRCPC, Département d'endocrinologie et de métabolisme, Université du Manitoba, Winnipeg, ont révisé «Mesure 5: Prise de médicaments et examens de laboratoire» dans l'édition de 2011 et, dans celle de 2013, la D^{re} Maureen Clement, M.D., CCPF, Vernon, Colombie-Britannique, a revu les principales sections de la *mesure 5*.

Ma famille

Mes enfants, Carl Durand et Roslyn Graham, ainsi que mes parents, Marg et Bill Graham, m'ont donné des idées essentielles, qui ont nourri ce projet. Mon mari Rick Durand, la personne qui m'est la plus proche au quotidien, y est allé régulièrement de ses inspirations, réactions et commentaires des plus pertinents. Ce livre représente une tranche importante de ma vie, et Rick m'a offert souplesse et temps pour en faciliter l'écriture. Merci, Rick.

- Les pharmaciens Scott McGibney, B.Sc. (pharmacie) de Portage la Prairie, Manitoba, et Travis Petrisor, B.Sc., BSP (baccalauréat en sciences pharmaceutiques), de Penticton, Colombie-Britannique, ont révisé le point 7 de « Dix points essentiels touchant l'alimentation » et « Mesure 5 : Prise de médicaments et examens de laboratoire ».

- Stephanie Staples, Life Planning Network, coach de vie certifiée et conférencière motivatrice, Winnipeg, a révisé « Mesure 6 : Rester optimiste ».

- L'équipe de ressources éducatives sur le diabète infantile, Winnipeg, a révisé la section « De l'âge préscolaire à l'adolescence » (mesure 7). L'équipe réunissait Phyllis Mooney, MSW (maîtrise en service social), RSW ; Julie Dexter, BN (baccalauréat en sciences infirmières), EAD et Pam Matson, BN, EAD ; Nicole Aylward, diététiste, EAD et Norma Van Walleghem, diététiste, EAD ; la D^{re} Heather Dean, M.D., FRCPC, et les Drs E. Sellers, M.D., FRCPC et B. Wicklow, M.D., FRCPC.

- Holliday Tyson, RM (sage-femme), RN (Registered Nurse), MHSc (maîtrise en science de la santé), sage-femme autorisée, directrice, International Midwifery Pre-registration Program, Université Ryerson, Toronto, a révisé la section « Grossesse et diabète gestationnel » (mesure 7).

- La D^{re} Stacy Elliott, M.D., directrice du Centre for Sexual Medicine de Colombie-Britannique, professeure clinicienne, Départements de psychiatrie et d'urologie, Université de la Colombie-Britannique, Vancouver, et le Dr Richard J. Wassersug, Département d'urologie, Université de la Colombie-Britannique, Vancouver, ont révisé la section « Diabète et sexualité » (mesure 7).

- Barb Komar, RN (Registered Nurse), MC, RCC (Masters in Counselling and Registered Clinical Counsellor), St. Paul's Hospital, Vancouver, et consultante en pratique privée, a révisé les sections « Grossesse et diabète gestationnel » et « Diabète et sexualité » (mesure 7).

Introduction

Le voyage même le plus long débute toujours par un premier pas.

> **Témoignage de Lise**
>
> En recevant mon diagnostic de diabète, j'ai encaissé un choc brutal. Je croyais que ma vie allait prendre un tournant funeste. Cependant, moyennant de légères adaptations, elle s'est plutôt s'enrichie de façon inattendue. J'imagine qu'après avoir traversé une crise ou réussi à composer avec la maladie chronique, on apprécie la vie davantage. J'ai dû m'adapter et je ne fais donc plus les choses comme avant. J'ai appris à estimer les choses simples et les gens autour de moi. Je me permets encore de manger des mets délicieux, mais en quantité moindre. Je regarde toujours mes émissions préférées à la télé, mais je sais aussi éteindre l'appareil. Je profite du temps ainsi récupéré pour marcher, faire de l'exercice, mettre de l'ordre dans tous les médicaments que je dois ingérer et prendre rendez-vous avec mes médecins. Je me trouve chanceuse d'être encore en mesure de faire ce que j'aime et, surtout, de pouvoir consacrer du temps à mes petits-enfants.

Il y a plus de 2 500 ans déjà que le philosophe chinois Lao-tseu prononçait ces sages paroles. Il avait compris que les périples difficiles s'amorcent par de petits changements. Dès que vous recevez le diagnostic de diabète, vous entreprenez un voyage qui durera toute votre vie et qui se fera à coup de petites adaptations. Comme dans tout voyage, vous pourriez avoir à demander votre chemin en cours de route. Vous devrez peut-être faire des deuils difficiles, par exemple cesser de manger votre mets préféré. Cependant, peut-être ferez-vous de nouvelles rencontres, découvrirez-vous de nouveaux aliments et apprendrez-vous de nouvelles façons d'apprêter la nourriture. Au début, vous aurez sans doute l'impression de vous trouver en pays étranger, mais après un certain temps, toutes ces nouveautés seront devenues routinières.

Au cours de mes 30 années d'exercice de la profession d'éducatrice agréée en diabète, j'ai eu l'occasion de constater que les gens ont toujours les mêmes questions et préoccupations au sujet de cette maladie. Je présenterai dans les trois pages qui suivent quelques-unes des questions fréquemment posées par les patients au moment où ils reçoivent leur diagnostic. J'y apporte des réponses simples et directes. Avec le temps, d'autres doutes pourraient surgir. Le présent livre devrait alors vous venir en aide. Vous trouverez ici des indications sur les sections qui vous seront éventuellement utiles.

Le livre propose aussi les témoignages de gens ordinaires atteints de diabète. Ces récits vous inspireront sans doute dans la prise en charge de votre état.

Ce livre vous est destiné si :

- vous risquez de développer le diabète de type 2 ;

- vous venez de recevoir un diagnostic de diabète de type 2 ;

- vous êtes atteint de diabète de type 2 depuis des années.

Sauf indication contraire, le mot « diabète » désigne dans cet ouvrage le « diabète de type 2 ». On trouvera aux pages 16 et 17 la définition des différents types de diabète.

La santé au menu

Peut-être voudrez-vous vous procurer mon premier livre, *La santé au menu*. Il s'agit d'un guide complet de planification des repas, incluant des renseignements sur la taille des portions et la saine alimentation. Dans le présent ouvrage, j'y ferai référence, ainsi qu'aux précieuses informations qu'il fournit sur la nutrition.

Réponses à quelques questions fréquentes sur le diabète

SUIS-JE VRAIMENT ATTEINT DU DIABÈTE ?

Peut-être vous sentez-vous comme à l'ordinaire et vous posez-vous la question : « Suis-je véritablement atteint de diabète ? » Souvent, la personne atteinte n'éprouve pas de symptômes. Ce sont les analyses sanguines qui révèlent l'existence de la maladie. Pour approfondir le sujet, lisez les sections « Qu'est-ce que le diabète de type 2 ? » aux pages 18 à 19, « Facteurs de risque du diabète de type 2 » aux pages 21 à 22, « Symptômes du diabète de type 2 » à la page 20, et « Examens de laboratoire de pratique courante » aux pages 343 à 340.

EST-CE QUE JE DOIS DIRE ADIEU AU CHOCOLAT ET AUX DESSERTS ?

Non, vous n'avez pas à abandonner ces aliments. Vous pouvez continuer de manger vos mets préférés, mais avec modération. Limitez votre consommation de chocolat. Si vous avez l'habitude d'en manger tous les jours, commencez à faire preuve de modération. Sachez qu'il existe quantité de délicieux desserts légers qui conviennent aux diabétiques. Réservez les desserts plus caloriques pour les grandes occasions. Pour approfondir le sujet, lisez les sections « Desserts légers et édulcorants hypo-caloriques » aux pages 100 à 108, et « Un plan pour les grandes occasions » aux pages 75 à 77.

QU'AI-JE LE DROIT DE MANGER ?

Vous avez le droit de manger à peu près les mêmes choses qu'avant, mais en quantité moindre. Si vous avez l'habitude de consommer des aliments gras et sucrés en abondance, vous devrez les remplacer en partie par des fruits, des légumes et d'autres choix alimentaires sains. Pour approfondir le sujet, lisez la mesure 1, « Une saine alimentation » aux pages 54 à 218.

EST-CE QUE JE VAIS PERDRE LA VUE ?

Le diabète n'entraîne pas forcément la cécité. Un diabète mal équilibré expose toutefois le patient à des risques accrus d'affections oculaires. En maîtrisant bien votre glycémie (le taux sanguin de glucose) et en consultant l'ophtalmologiste à intervalles réguliers, vous faites le nécessaire pour garder la vue toute votre vie. Pour approfondir le sujet des soins à apporter aux yeux, lisez les pages 38 à 41, 316 et 346.

EST-CE QUE JE DEVRAI UN JOUR ME SOUMETTRE À LA DIALYSE ?

Il n'y a pas de relation obligatoire entre diabète et dialyse. Vous protégerez vos reins en surveillant votre glycémie, votre tension artérielle et votre taux de cholestérol, ainsi qu'en évitant le tabac. Pour approfondir le sujet, lisez la section « Affections rénales » aux pages 33 à 37.

EST-CE QUE JE DEVRAI PRENDRE DE L'INSULINE ?

Les individus atteints de diabète ne doivent pas tous prendre de l'insuline. Si votre glycémie est trop élevée, l'insuline est une bonne façon de la ramener à la normale : certains n'en auront jamais besoin, alors que d'autres devront commencer à en prendre dès qu'ils recevront leur diagnostic. Il arrive aussi qu'elle devienne nécessaire 5, 10 ou 20 ans après le diagnostic. Pour approfondir le sujet, lisez la section « Antidiabétiques oraux et insuline » aux pages 319 à 334.

EST-CE QUE JE PERDRAI UNE JAMBE, COMME C'EST ARRIVÉ À MON GRAND-PÈRE ?

La bonne nouvelle, c'est qu'il est possible de prévenir l'amputation chez la grande majorité des personnes atteintes de diabète. En prenant soin de ses pieds quotidiennement, on empêche d'abord les infections de survenir. Pour réduire le risque d'infection, il est aussi essentiel de normaliser sa glycémie. Avec des soins appropriés, vous garderez vos pieds toute votre vie. Pour approfondir le sujet de la santé des pieds, lisez les pages 30 à 32, ainsi que 282 à 298.

EST-CE QUE JE DOIS CESSER DE FUMER ?

Cette question est très pertinente. Songez sérieusement à abandonner le tabac. Si vous êtes atteint de diabète et fumez, vous êtes plus susceptible qu'un non-fumeur de souffrir de complications liées à la maladie. On pense notamment aux affections gingivales, aux amputations du pied, à l'infarctus du myocarde, aux troubles rénaux et à la cécité. Pour approfondir le sujet, lisez la section « Abandonner le tabac » aux pages 265 à 280.

EST-CE QUE JE PEUX MANGER AU RESTAURANT ?

Oui ! Cela dit, les plats servis au restaurant renferment souvent de grandes quantités de sucre, de gras et de sel. Commandez des portions plus petites et optez pour des mets santé. On conseille d'aller moins souvent au restaurant et de prendre l'habitude de manger à la maison. Pour approfondir le sujet, lisez les sections « Perdre du poids sans le reprendre » aux pages 60 à 84, et « Bien manger au restaurant » aux pages 70 à 75.

PUIS-JE CONTINUER À CONSOMMER DE ALCOOL ?

Oui ! Boire de l'alcool peut être bienfaisant, à condition de le faire avec modération. Par ailleurs, il existe aussi des raisons de ne pas en boire ou d'en boire moins : l'alcool apporte des calories vides, qui risquent de compromettre une perte de poids souhaitée ; de plus, si vous recevez de l'insuline ou des antidiabétiques oraux (médicaments contre le diabète), vous devrez prendre certaines précautions afin de consommer de l'alcool en toute sécurité. Pour approfondir le sujet, lisez les sections « L'alcool » aux pages 135 à 138, et « Hypoglycémie » aux pages 335 à 341.

QUELS CHANGEMENTS LE DIABÈTE ENTRAÎNERA-T-IL DANS LA CUISINE FAMILIALE ?

Comme le diabète est souvent héréditaire, tous les membres de la famille sont exposés à des risques relativement élevés de le développer. Il serait donc une bonne idée que toute la famille mange santé, c'est-à-dire : des portions plus petites, et moins d'aliments gras et sucrés. Si vous modifiez votre façon de cuisiner de manière lente et progressive, votre famille n'y verra peut-être même pas de différence. Essayez de nouvelles recettes, de nouveaux condiments (fines herbes et épices) et de nouveaux desserts. Pour approfondir le sujet, lisez les sections « Facteurs de risque du diabète de type 2 » aux pages 21 à 22, « Desserts légers et édulcorants hypo-caloriques » aux pages 100 à 108, « Plan de repas de sept jours avec recettes » aux pages 151 à 203, et « À prescrire/À proscrire » aux pages 203 à 218.

Vous trouverez aussi des conseils pour éviter et prendre en charge le diabète chez les enfants d'âge préscolaire ou scolaire (voir pages 374 à 385), et chez la femme enceinte (voir pages 386 à 395).

SI JE SUIS ATTEINT DU DIABÈTE, EST-CE QUE JE VAIS ME SENTIR MAL ?

Durant les épisodes d'hyperglycémie, vous éprouverez peut-être un malaise et de la fatigue ; si vous faites de l'exercice physique, améliorez votre alimentation, et normalisez votre glycémie, vous vous sentirez peut-être mieux que jamais. Le diabète vous pousse à cesser de fumer ? Si vous réussissez, vous commencerez à vous sentir mieux. Pour approfondir le sujet, lisez les sections « Symptômes du diabète de type 2 » à la page 20, « Demeurer actif » aux pages 220 à 264, et « Abandonner le tabac » aux pages 265 à 280.

La recherche démontre que c'est au patient (vous !) qu'il incombe de prendre sa santé en main. Plus la maladie est diagnostiquée et traitée pré-cocement, meilleures sont les chances de vivre une vie longue et en santé.

EST-CE QUE LE DIABÈTE ABRÉGERA MES JOURS ?

Les statistiques montrent que les gens atteints de diabète vivent généralement moins longtemps que les autres. Cependant, il ne tient qu'à vous de modifier vos habitudes de vie, de pratiquer quotidiennement un exercice physique modéré, de perdre du poids et, ainsi, de vivre une vie plus longue et en santé. Pour approfondir le sujet, lisez les « Sept mesures pour prévenir ou atténuer les complications du diabète » aux pages 53 à 416.

EST-CE QUE JE VAIS DEVOIR ME PIQUER LE DOIGT TOUS LES JOURS POUR MESURER MA GLYCÉMIE ?

Non, pas nécessairement. Parlez-en au médecin ou à l'éducateur agréé en diabète. Vous pourriez vous tirer d'affaire en effectuant peu de mesures de la glycémie à la maison, et en vous en remettant aux analyses sanguines demandées régulièrement par le médecin. Chez certains patients, la mesure quotidienne de la glycémie se révèle cependant utile, surtout chez ceux qui prennent de l'insuline ou qui risquent de subir des épisodes d'hypoglycémie. Pour approfondir le sujet de la mesure de la glycémie, lisez les pages 313 à 356.

COMMENT VAIS-JE COMPOSER AVEC UN PROBLÈME SUPPLÉMENTAIRE ?

Le médecin diagnostiquera peut-être le diabète à une étape de votre vie où vous avez d'autres chats à fouetter. Cela rend les choses difficiles, pour ne pas dire impossibles. La première étape, essentielle, consiste à consulter le médecin ou une équipe spécialisée en éducation sur le diabète. Après avoir décrit vos symptômes à ces professionnels, vous pourrez, ensemble, trouver des façons de mieux faire face à la maladie. Il suffit de surmonter les obstacles un à la fois. Pour approfondir le sujet, lisez la section « Rester optimiste » aux pages 357 à 371.

EST-CE QUE LA MALADIE M'EMPÊCHERA DE DEMEURER ACTIF ?

Si vous êtes naturellement actif, tant mieux. Continuez de pratiquer les activités, les sports et les passe-temps que vous adorez. La marche et l'exercice physique font partie intégrante de la prise en charge du diabète. Vous devrez toutefois prendre certaines précautions afin de réduire le risque de traumatismes liés à l'exercice, par exemple porter des chaussures qui soutiennent bien le pied. Pour approfondir le sujet, lisez les sections « Demeurer actif » aux pages 219 à 264, « Précautions » aux pages 257 à 264, et « Chaussures » aux pages 291 à 295.

EST-CE QUE LE DIABÈTE INFLUERA SUR MA VIE SEXUELLE ?

Après avoir apporté quelques modifications à vos habitudes de vie et normalisé votre glycémie, vous constaterez que vous avez davantage d'énergie pour tout, y compris pour les rapports sexuels ; santé et vie sexuelle épanouie vont de pair. Après quelques années de maladie, certains diabétiques notent toutefois des changements dans leur sexualité. Il existe de nos jours des mesures préventives et thérapeutiques afin de contrer cela. Pour approfondir le sujet, lisez la section « Diabète et sexualité » aux pages 396 à 416.

PUIS-JE GUÉRIR DU DIABÈTE ?

Le diabète de type 2 ne se guérit pas. Souvent, grâce aux médicaments et à la modification des habitudes de vie, on parvient à mener la glycémie très près des valeurs normales, voire à l'intérieur de celles-ci. Le risque de complications se trouve alors diminué. Lorsque vous serez prêt, lisez « Sept mesures pour prévenir ou atténuer les complications du diabète » aux pages 53 à 416. Cette lecture vous fournira les outils nécessaires pour apporter des modifications douces et progressives à vos habitudes, afin de bien prendre en charge votre diabète et d'éviter qu'il ne prenne le dessus sur votre vie.

Connaître le diabète

Types de diabète

Le diabète est une affection caractérisée par des glycémies trop élevées.

ÉTAT PRÉDIABÉTIQUE

L'état prédiabétique est caractérisé par des concentrations sanguines de glucose supérieures à la normale, mais inférieures aux valeurs permettant de conclure à un diabète de type 2.

L'état prédiabétique s'appelle aussi :

- prédiabète ;

- hyperglycémie à jeun ;

- diminution de la tolérance au glucose.

Si le médecin découvre chez vous un prédiabète, vous avez de bonnes chances de prévenir le diabète de type 2 en apportant les modifications nécessaires à vos habitudes de vie. De même, afin de réduire votre risque de développer un diabète de type 2, le médecin peut vous recommander la prise d'un antidiabétique administré par voie orale.

DIABÈTE DE TYPE 2

La forme de diabète la plus commune

Partout dans le monde, le nombre de cas de diabète de type 2 est en hausse. Cette croissance peut s'expliquer par la sédentarité et l'obésité, de plus en plus répandues.

Le diabète s'explique par la génétique et les habitudes de vie.

Le diabète de type 2 est héréditaire. Si l'un des parents — ou encore les deux —, un frère ou une sœur a le diabète, le risque de développer à son tour la maladie s'en trouve accru. En plus d'hériter des gènes de la famille, nous apprenons en son sein une certaine façon de nous nourrir et d'être actif. Les gens issus d'un même foyer mangent généralement des aliments semblables et ont des niveaux d'activité physique comparables. L'enfant à qui les parents transmettent de saines habitudes d'alimentation et d'activité physique sera exposé à des risques moindres, même en présence d'antécédents familiaux de diabète.

Que se passe-t-il si vous souffrez de diabète de type 2 ?

Chez les personnes atteintes de diabète de type 2, le pancréas continue de produire de l'insuline. C'est pourquoi certaines n'ont pas besoin de médicaments et peuvent se soigner seulement grâce à des modifications de l'alimentation et à la pratique d'exercice physique. D'autres doivent prendre des antidiabétiques oraux, de l'insuline ou les deux. La prise d'antidiabétiques oraux ou d'insuline en début de maladie permet souvent de normaliser la glycémie et de retarder l'apparition de complications.

DIABÈTE GESTATIONNEL

Le diabète gestationnel est une forme de diabète qui apparaît pendant la grossesse.

Deux facteurs sont susceptibles d'élever la glycémie chez la femme :

1) La prise de poids durant la grossesse impose une surcharge au pancréas, qui doit produire plus d'insuline. La glande se surmène et ne suffit plus à la tâche : la glycémie s'élève alors.

2) Les hormones produites durant la grossesse compromettent l'efficacité de l'insuline. La perte de poids consécutive à la naissance du bébé amènera une réduction de la charge de travail pour le pancréas ; il en résultera une baisse de la glycémie.

Pour approfondir le sujet du diabète gestationnel, lisez les pages 386 à 395.

DIABÈTE DE TYPE 1

Chez la personne atteinte de diabète de type 1, le pancréas élabore de moins en moins d'insuline et finit par ne plus en produire du tout. En l'absence d'insuline, le glucose n'est pas éliminé du sang et a tôt fait de s'y accumuler. Ce type de diabète est habituellement diagnostiqué chez les enfants âgés de plus de cinq ans et chez les adolescents. Il se rencontre plus rarement chez les enfants âgés de moins de cinq ans et chez les adultes.

Les symptômes classiques du diabète de type 1 rappellent ceux d'une grippe grave :

- soif très intense ;
- mictions fréquentes ;
- douleurs gastriques ;
- perte de poids ;
- haleine de « pomme de reinette » causée par la production de substances nuisibles, appelées corps cétoniques ;
- etc. (Consultez la liste des autres symptômes du diabète à la page 20.)

Les examens de laboratoire facilitent le diagnostic du diabète gestationnel.

Si vous en êtes entre la 24ᵉ et la 28ᵉ semaine de grossesse, le médecin pourrait vous demander de passer un test de tolérance au glucose. On vous fera avaler un verre de liquide sucré, après quoi on mesurera votre glycémie sur une période d'une à trois heures.

Le diabète gestationnel accroît chez la mère et l'enfant le risque de souffrir de diabète de type 2 plus tard dans la vie.

Le pancréas des personnes atteintes du diabète de type 1 ne produit plus du tout d'insuline.

Le pancréas des individus atteints du diabète de type 2 peut encore élaborer une certaine quantité d'insuline par lui-même.

Des études révèlent que le fait d'avoir été nourri au sein procure une certaine protection contre le diabète de type 1. Elle est à son meilleur lorsque le bébé est nourri exclusivement au sein, c'est-à-dire sans administration de lait maternisé ni d'aliments solides avant l'âge de quatre à six mois. Une autre forme de protection peut être assurée par des doses élevées de vitamine D, d'origine alimentaire ou reçue par exposition au soleil.

En quelques jours ou semaines habituellement, le pancréas cesse de produire de l'insuline, et les symptômes s'aggravent en peu de temps. Pour survivre, le jeune patient doit recevoir de l'insuline au quotidien.

Le diabète de type 1 est héréditaire, lui aussi. Les caucasiens (Blancs) risquent davantage de le développer. Des études montrent que les gènes du diabète et l'exposition à certains virus sont des facteurs importants dans l'apparition de la maladie. L'infection virale peut avoir été contractée jusqu'à deux années avant l'apparition du diabète. Elle fait en sorte que le système immunitaire s'attaque aux cellules du pancréas responsables de la production d'insuline.

Qu'est-ce que le diabète de type 2 ?

DANS LE CAS D'UNE PERSONNE QUI NE SOUFFRE PAS DE DIABÈTE, LES CHOSES SE DÉROULENT DE LA FAÇON SUIVANTE

Glycémie avant le repas

La glycémie à jeun normale se situe autour de 4 à 7 mmol/l (70 à 130 mg/dl).

Glycémie suivant le repas

Chez la personne non diabétique, la glycémie augmente de quelques points après un repas, peut-être jusqu'à 8 mmol/l (150 mg/dl), mais revient rapidement à la normale sous l'effet de l'insuline, qui retire l'excédent de glucose du sang, et le fait transiter vers les tissus et les organes.

Votre glycémie s'élève, car la majeure partie des aliments digérés se transforme en un sucre qui porte le nom de « glucose ». Le glucose est véhiculé par le sang, et la concentration à laquelle il s'y trouve est désignée par le terme « glycémie ».

L'insuline a pour effet d'abaisser rapidement la glycémie.

L'insuline est une hormone élaborée par le pancréas. Elle joue un rôle extrêmement important au moment où, suivant un repas, elle pénètre dans le flux sanguin et en retire l'excédent de glucose. L'insuline stimule des « récepteurs » situés sur certaines cellules de l'organisme, notamment celles des muscles et du foie, afin qu'ils absorbent cet excédent.

Glycémie normale

Avant le repas :

4 à 7 mmol/l
(70 à 130 mg/dl)

Après le repas :

8 mmol/l ou moins
(150 mg/dl)

Le glucose retiré du flux sanguin puis stocké dans les cellules musculaires et hépatiques peut être utilisé ultérieurement afin de combler un besoin pressant en « carburant ».

L'insuline est une hormone élaborée par le pancréas.

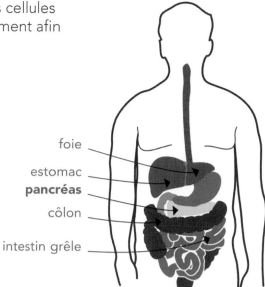

foie

estomac

pancréas

côlon

intestin grêle

VOICI MAINTENANT CE QUI SE PRODUIT LORSQU'UNE PERSONNE EST ATTEINTE DE DIABÈTE

Glycémie avant le repas

Le matin, la glycémie à jeun est souvent élevée, dépassant le seuil des 7 mmol/l (130 mg/dl).

Glycémie suivant le repas

Après un repas, la glycémie s'élève rapidement puis atteint ou même dépasse le seuil des 10 mmol/l (180 mg/dl). Elle met davantage de temps à redescendre.

L'accumulation excessive de tissus adipeux cause l'insulinorésistance (résistance à l'insuline).

Dans l'insulinorésistance, les récepteurs situés sur les cellules de l'organisme se trouvent en état de blocage, le plus souvent à cause d'un excédent de tissus adipeux; le glucose en surplus n'est pas retiré du sang. Afin de parvenir à l'éliminer, le pancréas produit à son tour davantage d'insuline. Malheureusement, ce surplus d'insuline libéré dans le sang stimule l'appétit et favorise une consommation excessive de nourriture.

Un excédent de glucose s'accumule ainsi dans le sang. Avec le temps, cette situation risque de s'aggraver, car elle influe sur le fonctionnement de certains organes:

- Le **pancréas** s'épuise à produire de l'insuline, ce qui le conduit à un surmenage; à la longue, il ne suffit plus à la tâche, et une quantité excessive de glucose demeure dans le sang. Conséquemment, les muscles se trouvent privés de leur source d'énergie, et le sujet ressent de la fatigue.

Le diabète provoque les trois processus suivants:

Un excédent de glucose s'accumule dans le sang.

Comme les muscles manquent de glucose, soit leur combustible, le sujet ressent de la fatigue.

Avec le temps, l'excédent de glucose présent dans le sang endommage prématurément les vaisseaux sanguins, le cœur, les nerfs, les yeux et les reins.

- Le **foie** libère l'excédent de glucose emmagasiné, même lorsque celui-ci n'est pas requis.

- L'**estomac** élabore une quantité moindre d'hormones qui viendraient soutenir le travail de l'insuline.

Symptômes du diabète de type 2

Un symptôme est un signe visible et tangible. Certaines personnes consultent leur médecin en raison de symptômes du diabète, par exemple une soif extrême; voir 1) ci-dessous. Cependant, comme le glucose peut s'accumuler très progressivement dans le sang, il est possible que vous n'observiez pas les symptômes reconnaissables du diabète; voir 2) ci-dessous.

1) SYMPTÔMES DE L'HYPERGLYCÉMIE (GLYCÉMIE ÉLEVÉE)

- soif ou faim très intenses
- mictions fréquentes
- perte de poids inexpliquée
- fatigue extrême
- vision floue
- infection des voies urinaires
- coupure qui tarde à se cicatriser

Votre médecin ou vous-même reconnaîtrez un ou deux de ces symptômes, et les analyses sanguines confirmeront le diagnostic.

2) DIABÈTE ASYMPTOMATIQUE (SANS SYMPTÔMES)

Diabète dépisté lors d'un bilan de santé annuel

Si vous consultez le médecin une fois l'an pour réaliser un bilan de santé complet, les analyses sanguines de pratique courante incluent la mesure de la glycémie. Si elles révèlent une glycémie élevée, le médecin demandera d'autres examens en vue de diagnostiquer un éventuel diabète, même si vous ne présentez pas de symptômes de cette maladie.

Diagnostic du diabète suivant l'apparition de complications

Si vous ne vous soumettez pas à des bilans de santé à intervalles réguliers, le diabète peut passer inaperçu pendant de nombreuses années. Votre organisme se sera adapté aux glycémies élevées, et vous n'aurez observé aucun symptôme. Toutefois, pendant ce temps, votre pancréas se sera épuisé à produire beaucoup d'insuline afin d'éliminer l'excédent de glucose dans le sang; un excédent qui aura fait la vie dure à vos vaisseaux sanguins, nerfs, yeux et reins. Un jour, vous consulterez le médecin à cause de symptômes de complications du diabète :

- picotements ou fourmillements dans les mains, les pieds ou les jambes ;

- infection ou ulcère, au pied ou à la jambe ;

- dysfonctionnement érectile (difficulté à obtenir ou à maintenir une érection) chez les hommes ;

- modification ou détérioration de la vision ;

- essoufflement, enflure des jambes, douleur dans les mollets (ces symptômes peuvent révéler des troubles circulatoires ou cardiaques).

Dans certains cas, ce n'est qu'après un infarctus du myocarde ou un accident vasculaire cérébral (AVC) que le diabète est découvert.

Facteurs de risque du diabète de type 2

Il est essentiel de connaître les risques de développer le diabète de type 2, car les symptômes de la maladie peuvent ne pas se manifester pendant de nombreuses années. Si vous présentez un ou plusieurs des risques mentionnés plus bas, consultez le médecin une fois par année afin de réaliser un bilan de santé complet.

Tabagisme

Des données recueillies récemment semblent indiquer que le tabagisme est un facteur de risque de diabète.

- Souffrir d'embonpoint, surtout situé autour de la taille ou dans la partie supérieure du corps.

- Avoir un mode de vie sédentaire.

- Être de descendance :

  – autochtone (au Canada, cela comprend les Amérindiens, les Inuits et les Métis) ;

  – autochtone américaine ;

  – hispano-américaine, africaine ou asiatique.

- Avoir un parent, une sœur ou un frère atteint de diabète de type 2.

- Être âgé de 40 ans ou plus ; le risque augmente avec l'âge.

- Souffrir d'hypertension ou avoir un taux de cholestérol sanguin trop élevé (hypercholestérolémie).

- Développer un diabète gestationnel ou donner naissance à un gros bébé, pesant 4 kg (9 lb) ou plus.

- Stress majeur, par exemple décès du conjoint.

- Stress physique, par exemple infarctus du myocarde, accident vasculaire cérébral ou infection.

- Intervention chirurgicale ou infection du pancréas.

- Hémochromatose (maladie génétique dans laquelle un excès de fer endommage le pancréas).

- Hausse de la glycémie ou entravement de l'action de l'insuline dus à des médicaments (On pense ici à certains antihypertenseurs et aux stéroïdes.)

- Prise de poids due à des médicaments, par exemple ceux administrés dans le traitement de la dépression ou de la schizophrénie.

- Prise de poids provoquée par une maladie, par exemple l'hypothyroïdie.

- Autres maladies associées à l'insulinorésistance, comme le syndrome des ovaires polykystiques (désordre hormonal féminin) ou l'acanthosis nigricans (dystrophie papillaire et pigmentaire), un obscurcissement cutané de la nuque et des aisselles.

- Le fait d'être né d'une mère ayant souffert de diabète gestationnel.

- Le fait d'avoir été obèse alors qu'on était nourrisson, enfant ou adolescent.

- Le fait d'avoir été nourri de lait maternisé plutôt qu'au sein (Selon l'état actuel de la recherche, le fait de nourrir son bébé au sein pendant une période prolongée réduit le risque de diabète de type 2.)

- Sommeil de mauvaise qualité, insuffisant, trop prolongé, ou apnée du sommeil (maladie dans laquelle la respiration s'interrompt brièvement durant le sommeil).

> **Si vous êtes à risque de développer le diabète, réalisez un bilan de santé annuel chez le médecin.**
>
> *Le médecin demandera les analyses sanguines d'usage, dont la mesure de la glycémie. Pour en apprendre davantage sur les différents examens de laboratoire, consultez les pages 343 à 350.*

Complications du diabète

Ce chapitre, qui porte sur les complications du diabète, vous permettra de comprendre pourquoi cette affection a des répercussions partout dans l'organisme. Il est essentiel de prendre des mesures pour prévenir ces complications.

L'hyperglycémie subie pendant des années endommage les vaisseaux sanguins et les nerfs. Ces deux réseaux fonctionnent main dans la main et parcourent l'organisme dans son entier. C'est pourquoi les complications du diabète risquent de se manifester dans toutes les parties du corps.

Le diabète peut causer des maladies rénales et la cécité; la normalisation de la glycémie et de la tension artérielle permet de réduire ce risque. Après un infarctus du myocarde, bien des gens affirment que s'ils avaient su que le diabète est la principale cause des maladies cardiaques, ils auraient apporté des modifications à leur mode de vie plus tôt. Savoir, c'est pouvoir. Comprendre pourquoi un problème risque de survenir est la première étape permettant de prévenir ou de résoudre celui-ci.

Les infections et amputations du pied sont des complications graves du diabète; il est possible de les prévenir. Si vous comprenez comment le diabète se répercute sur les pieds et pourquoi il peut y causer des infections, vous devriez avoir suffisamment de motivation pour examiner les vôtres tous les jours. Cette petite précaution devrait protéger vos pieds durablement et éviter leur amputation.

Complications du diabète

Témoignage de Marie

En me diagnostiquant diabétique, le médecin m'a envoyée suivre des cours dans un centre d'éducation sur le diabète. Au premier cours, l'infirmière nous a exposé les conséquences pernicieuses possibles de la maladie. Elle a évoqué la perte de la vue et l'amputation du pied. Comme j'ai un oncle qui a perdu un pied à cause du diabète, cela m'a fait peur. L'infirmière nous a ensuite rappelé que le diabète est la principale cause des accidents vasculaires cérébraux et des infarctus du myocarde. J'ignorais cela. Chose certaine, je ne veux pas subir d'AVC.

En rentrant de ce cours, je me suis sentie bien seule. Je me suis assise et j'ai pleuré. J'étais à la fois perturbée et préoccupée, ne comprenant pas pourquoi cela m'arrivait à moi. Ma plus grande crainte était de perdre la vue. Si cela m'arrivait, je ne pourrais plus conduire. Je serais alors démunie, devant compter sur les autres pour me déplacer. À l'époque, je me débattais avec de nombreux problèmes familiaux, et prendre soin de mes petits-enfants était presque devenu un travail à temps plein. Je n'avais pas le loisir de penser à moi. Je continuais à effectuer mes tâches quotidiennes, et me faisais croire que mon diabète n'était pas si sérieux que cela, que tout allait bien. Après tout, ma vision était bonne et je conduisais sans problème.

Je ne suis jamais retournée à ces cours.

Trois mois plus tard, j'ai dû consulter mon médecin de nouveau. Elle m'a informée que ma glycémie était encore trop élevée. Elle m'a demandé si j'avais assisté aux cours sur le diabète. Je lui ai raconté ce qui était arrivé et la frousse que j'avais eue.

Elle m'a rappelé qu'il était important d'être au fait des complications du diabète que l'infirmière avait évoquées. Cependant, elle m'a demandé de ne pas en faire une fixation, mais de me concentrer sur un changement que je pourrais apporter à mes habitudes de vie dans l'immédiat. J'ai décidé de commencer par une promenade quotidienne de 15 minutes. Mon médecin a dit que ce petit changement pourrait avoir beaucoup d'effets sur ma glycémie, et qu'il diminuerait le risque de complications futures. Elle m'a priée de rédiger un plan d'action et de me récompenser en glissant une pièce de monnaie dans ma tirelire chaque jour que j'irais marcher. Elle m'a fixé un rendez-vous un mois plus tard. J'allais devoir lui apporter le journal dans lequel je consignerais mes promenades.

C'est ainsi que j'ai élaboré mon plan de prise en charge du diabète afin de garder la santé. Avec le temps, j'ai apporté d'autres changements à mes habitudes, par exemple boire davantage d'eau, surtout au retour de la marche. Peu à peu, ma glycémie s'est normalisée. Je suis finalement retournée au centre d'éducation sur le diabète et j'y ai rencontré l'infirmière et la diététiste ; cette fois, je n'ai pas été aussi ébranlée et j'ai su prêter l'oreille à d'autres suggestions.

Lésions vasculaires causées par l'hyperglycémie

Avec les années, une glycémie trop élevée (hyperglycémie) peut :

- faire en sorte que la tunique interne des vaisseaux sanguins absorbe davantage de sang qu'il n'est normal, ce qui provoque un épaississement et un affaiblissement de la paroi des vaisseaux ;

- élever les taux sanguins de cholestérol et de triglycérides (lipides sanguins) ;

- épaissir le sang (à cause de l'excédent de glucose et de gras) et augmenter le risque de formation de caillots.

En conséquence de ces changements, les vaisseaux sanguins se rétrécissent et s'obstruent. La fluidité de la circulation sanguine s'en trouve compromise. Tous les organes du corps, ainsi moins irrigués, écopent.

L'hyperglycémie peut donc causer : un infarctus du myocarde ou un accident vasculaire cérébral, des problèmes aux pieds, une perte de la vision, l'insuffisance rénale, le dysfonctionnement érectile, des troubles digestifs, des affections gingivales et la carie dentaire.

Vaisseaux sanguins jeunes et sains

Quand on est jeune, l'intérieur de nos vaisseaux sanguins est lisse et le sang y circule librement. À l'effort, les vaisseaux sanguins, souples, s'étirent aisément afin de transporter davantage de sang.

Rétrécissement des vaisseaux sanguins

Avec l'âge, les parois des vaisseaux sanguins épaississent, durcissent et perdent de leur élasticité. Des dépôts graisseux, du

> Nos habitudes de vie et les gènes dont nous héritons peuvent provoquer une accélération du processus de rétrécissement des vaisseaux sanguins. Les facteurs ici en cause sont le diabète (hyperglycémie), l'hypertension et l'hypercholestérolémie (taux de cholestérol trop élevé). Le tabagisme, le stress, l'ingestion excessive de gras, la trop faible consommation de fruits et de légumes, l'abus d'alcool, l'obésité et la sédentarité sont aussi à l'œuvre.

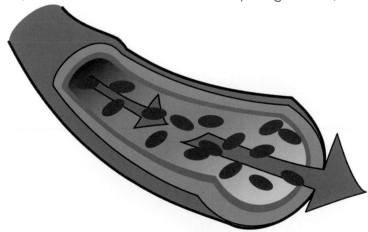

vaisseau sanguin normal

Cette réduction de la circulation signifie maintenant que:

- *moins d'oxygène, d'éléments nutritifs et d'hormones, y compris l'insuline, parviennent aux muscles, aux tissus et aux organes;*
- *les déchets métaboliques s'accumulent.*

cholestérol et différentes cellules s'accumulent sous la tunique interne de la paroi vasculaire. En langage médical, on appelle ce dépôt «plaque athéromateuse» ou tout simplement «plaque». Le durcissement des artères est quant à lui désigné par le terme «athérosclérose». Ainsi, la lumière (le diamètre interne) des vaisseaux sanguins se trouve réduite du fait de l'épaississement de leurs parois, ce qui compromet la circulation. Pour pomper le sang vers les organes, le cœur doit fournir un effort supérieur. Ce phénomène est souvent accompagné d'une élévation de la tension artérielle; cette hypertension exerce un excès de pression sur les parois internes des vaisseaux sanguins.

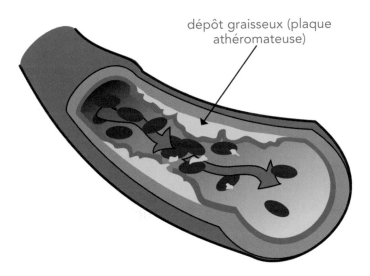

dépôt graisseux (plaque athéromateuse)

Après des années d'hyperglycémie et d'hypertension, la tunique interne des vaisseaux sanguins s'enflamme, devient rugueuse et s'affaiblit. La plaque peut se rompre, déversant son contenu dans le sang: il y a alors un risque que se forme un caillot sanguin.

Obstruction d'un vaisseau sanguin

Un caillot sanguin ou un fragment de gras peut obstruer complètement un vaisseau sanguin. Cette situation est très grave. Si le caillot est situé dans la jambe, celle-ci et le pied peuvent être privés de sang. Une infection située dans ces parties du corps n'arriverait alors pas à guérir, ce qui rendrait probable une amputation. Si le vaisseau obstrué irrigue plutôt le cœur, vous risquez d'être victime d'un infarctus du myocarde. Si c'est le cerveau qui est irrigué par le vaisseau obstrué, vous risquez l'AVC.

L'embolie est un autre problème grave susceptible de survenir. Elle se produit lorsqu'un caillot se détache de la plaque et est transporté dans le sang. Ce caillot risque alors de bloquer un vaisseau sanguin dans une autre partie du corps, par exemple une jambe ou un poumon.

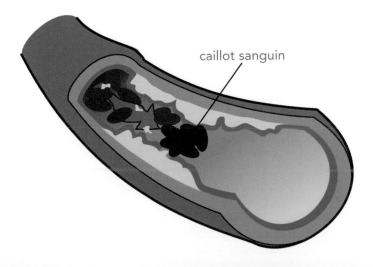

caillot sanguin

Lésions nerveuses causées par l'hyperglycémie

Avec les années, l'hyperglycémie (glycémie trop élevée) endommage les nerfs, et ce, de deux façons essentiellement :

L'apport sanguin aux nerfs se trouve réduit.

Le système nerveux et l'appareil circulatoire sont très étroitement liés. Pour bien fonctionner, les vaisseaux sanguins doivent s'appuyer sur des nerfs sains. À l'inverse, les nerfs comptent sur des vaisseaux sanguins sains pour leur approvisionnement en oxygène et en nutriments. Des dommages aux vaisseaux sanguins entraînent donc aussi des lésions nerveuses. À mesure que la lumière des vaisseaux se rétrécit, les lésions nerveuses se multiplient, notamment dans les petits vaisseaux sanguins qui irriguent les mains, les pieds et les yeux.

Lésions nerveuses directes

Une quantité excessive de glucose pénètre dans les neurones (cellules nerveuses). Ce glucose est converti en protéines nuisibles et en d'autres glucides qui endommagent les nerfs. La partie du nerf qui subit le plus de dommages est la gaine extérieure ; pensons à une gaine de plastique protégeant un fil électrique qui laisserait désormais voir ce fil, dénudé.

Quelques effets des lésions nerveuses

- douleurs dans les jambes ou les pieds
- engourdissement ou perte de sensation dans les mains ou les pieds
- plaie du pied qui n'est pas ressentie et qui s'infecte
- perte partielle de la vision
- troubles digestifs, constipation ou diarrhée
- problèmes de contrôle de la vessie
- changements sur le plan sexuel, comme le dysfonctionnement érectile chez l'homme ou la diminution de la lubrification et de la sensation chez la femme

AUTRES FACTEURS SUSCEPTIBLES D'ACCROÎTRE LE RISQUE DE LÉSIONS NERVEUSES

- tabagisme
- consommation excessive d'alcool

NERFS SAINS

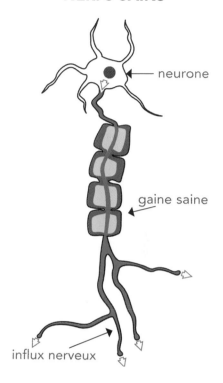

neurone

gaine saine

influx nerveux

NERF ENDOMMAGÉ PAR LE DIABÈTE

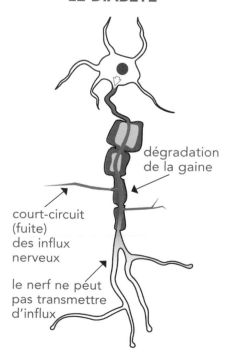

dégradation de la gaine

court-circuit (fuite) des influx nerveux

le nerf ne peut pas transmettre d'influx

- hypertension
- taux trop élevé de triglycérides (type de lipides sanguins qui croît lorsque la glycémie est élevée)
- embonpoint
- malnutrition

> *Si vous êtes diabétique depuis de nombreuses années, il se peut que vous souffriez de lésions nerveuses au cœur et cela, sans forcément éprouver la douleur caractéristique d'un infarctus du myocarde. C'est pourquoi il est très important de vous soumettre à intervalles réguliers à un bilan de santé.*

Infarctus du myocarde et accident vasculaire cérébral

Consultez le médecin pour faire mesurer votre taux de cholestérol et votre tension artérielle afin de dépister à temps le durcissement et le rétrécissement de vos vaisseaux sanguins (voir pages 343 à 347 et 351).

Informez le médecin de symptômes inhabituels que vous auriez observés et qui pourraient révéler un blocage d'un gros vaisseau sanguin, par exemple :

• enflure des doigts ou des pieds

Un cœur plus faible et des vaisseaux rétrécis limitent la circulation rénale ; les reins retiennent alors un excédent de sodium et d'eau. Lorsque vous passez une longue journée en position debout, le sodium et l'eau se trouvent piégés dans les tissus des pieds, ce qui cause un œdème (enflure).

• présence de protéines dans les urines

Si des protéines se trouvent dans vos urines, vous êtes exposé à un risque accru d'infarctus du myocarde et d'AVC (accident vasculaire cérébral). Cette présence de protéines révèle aussi une affection rénale (voir page 33). En effet, de minuscules vaisseaux sanguins filtrent le sang dans les reins : s'ils sont endommagés, les protéines passent dans les urines. Lorsque les vaisseaux sanguins des reins sont atteints, les autres vaisseaux sanguins de l'organisme risquent de l'être également.

• essoufflement

L'essoufflement apparaît même après un exercice léger. Il pourrait révéler que le muscle cardiaque est incapable d'acheminer suffisamment de sang et d'oxygène dans le reste du corps.

• douleurs thoraciques

La diminution de la circulation dans le cœur peut être à l'origine de douleurs thoraciques, surtout après un exercice. Des lésions nerveuses au cœur sont susceptibles de perturber le rythme cardiaque.

- **difficultés de concentration ou maux de tête**

Ces troubles peuvent être attribuables à une réduction de l'apport en oxygène et en éléments nutritifs au cerveau.

- **douleurs ou crampes au mollet**

Une réduction de la circulation sanguine dans les jambes peut être à l'origine de douleurs aux mollets, au moment de la marche et même au repos.

Si vous observez des signes d'infarctus du myocarde ou d'accident vasculaire cérébral, composez le 911 ou rendez-vous au service des urgences de l'hôpital le plus près de chez vous.

Parfois, quelques minutes font toute la différence.

SIGNES PRÉCURSEURS DE L'INFARCTUS DU MYOCARDE

Consultez le médecin sans délai si vous notez :

- une douleur soudaine, une lourdeur ou un malaise dans la poitrine, le cou, la mâchoire, les épaules, les bras ou le dos, persistant plus de quelques minutes ;
- des douleurs thoraciques à l'effort ;
- un essoufflement ;
- des nausées, une indigestion ou des vomissements ;
- une sudation soudaine ;
- un sentiment de peur ou d'angoisse inhabituel.

SIGNES PRÉCURSEURS DE L'ACCIDENT VASCULAIRE CÉRÉBRAL

Consultez le médecin sans délai si vous notez :

- une faiblesse (même temporaire) ;
- des troubles d'élocution (même temporaires) ;
- des troubles de la vision (même temporaires) ;
- des maux de tête ;
- des vertiges.

Infections du pied et de la jambe

Après plusieurs années, l'hyperglycémie peut provoquer différents changements aux pieds qui vous exposent aux infections, non seulement des pieds mais aussi des jambes. Le risque croît avec le temps et selon la gravité de votre hyperglycémie. Il est difficile d'établir exactement votre niveau de risque ou le moment à partir duquel il augmente. C'est pourquoi il importe d'examiner vos pieds tous les jours.

SIX RAISONS QUI AUGMENTENT LES RISQUES DE SOUFFRIR D'INFECTIONS DES PIEDS ET DES JAMBES

Perte de sensation (lésions nerveuses)

Symptômes de lésions nerveuses aux pieds :

- sensation de picotements, de brûlure ou de douleur (qui peuvent se manifester dans les jambes, les doigts et les bras) ;

- sensibilité extrême au toucher (par exemple, au lit, le simple poids d'une couverture pourrait être pénible) ;

- perte de sensation sous la plante des pieds ;

- chute des poils des jambes, du dessus des pieds et des orteils (pour pousser, les poils ont besoin de stimulation nerveuse) ;

- sécheresse des pieds (les nerfs stimulent les glandes sébacées qui gardent la peau souple) ;

- perte d'équilibre et sensation d'instabilité, en position debout ou en marchant.

Ces symptômes peuvent être légers ou marqués. Par la normalisation de la glycémie, on parvient à atténuer les lésions nerveuses.

Les sensations de picotement et les douleurs sont incommodantes, mais la perte de sensation est plus inquiétante. Celle-ci vous empêche de sentir un léger effleurement, l'eau bouillante ou la douleur. Par la douleur, le corps vous informe que quelque chose ne va pas ; sans elle, vos chaussures seront trop serrées sans que vous ne vous en rendiez compte. Vous ne remarquerez donc pas la friction sur la peau, qui causera un cor ou un traumatisme prenant la forme d'un oignon. Vous ne sentirez pas non plus une envie infectée ni un caillou dans votre chaussure. En somme, vous ignorerez que vous avez une lésion qui nécessite des soins urgents.

Après 10 années de diabète, vos risques d'avoir des lésions nerveuses sont de 50 %.

Une plaie à vif sur la plante ou le côté du pied pourrait passer tout à fait inaperçue.

Ressentez-vous de la douleur, de la faiblesse ou des crampes au mollet ?

Vous pourriez être atteint d'artériopathie oblitérante des membres inférieurs (AOMI), ce qui signifie qu'un vaisseau sanguin irriguant la jambe se trouve obstrué. Parlez-en à un médecin.

Troubles de la circulation

Les grands vaisseaux sanguins qui irriguent les jambes et ceux, plus petits, qui irriguent les pieds et les orteils se sténosent, perdent leur élasticité, ce qui entrave la circulation sanguine. En position debout, les troubles de la circulation affectent surtout les pieds et les orteils, à cause du phénomène de la gravité: les nutriments, l'oxygène et les globules blancs nécessaires pour combattre les infections ne parviennent plus aussi facilement aux orteils. Les ongles jaunissent, deviennent friables ou durs, tandis que les pieds sont souvent froids ou présentent une couleur anormale. Les petites coupures ne guérissent plus aussi rapidement qu'avant.

L'hyperglycémie alimente les micro-organismes.

Les micro-organismes (bactéries et champignons microscopiques) se nourrissent de glucose. Quand votre sang en contient une quantité excédentaire, les micro-organismes prolifèrent, et les infections bactériennes se propagent vite. Une infection grave peut, dès lors, survenir très rapidement. Ces champignons sont susceptibles d'infecter le pied (pied d'athlète), surtout les espaces situés entre les orteils et sous les ongles.

L'hyperglycémie compromet aussi l'immunité, soit la capacité de votre organisme à combattre l'infection.

Peau sèche et crevassée

Les nerfs stimulent les glandes sébacées et sudoripares qui assurent l'hydratation de la peau des pieds. Si la fonction nerveuse est perturbée, la capacité de suer peut disparaître, provoquant une sécheresse cutanée. De surcroît, en hyperglycémie, l'organisme attire l'eau hors des tissus afin de produire davantage d'urine et d'excréter l'excédent de glucose, ce qui aggrave la sécheresse cutanée. Sèche, la peau se crevasse et se fendille plus aisément, permettant aux micro-organismes de la pénétrer et de s'y multiplier, causant de l'infection. L'infection peut dégénérer en gangrène et risque même de rendre nécessaire une amputation.

Déformations du pied

Les nerfs commandent les muscles qui soutiennent les pieds et assurent l'équilibre du corps. Le diabète causant des lésions nerveuses, il provoque parfois un affaiblissement des muscles du pied. Dans certains cas, les os des pieds et leurs articulations s'affaiblissent aussi.

Chez la plupart des gens, la plante du pied est normalement arquée. Si les muscles s'affaiblissent, l'arc se déforme: ce sont les pieds plats. Dans la marche, certains os et éléments du pied auparavant surélevés se trouvent alors en contact avec le sol, créant une pression qui provoque l'usure des éléments concernés.

Fumer est mauvais pour la circulation. Le tabagisme est souvent à l'origine des amputations. Tournez le dos au tabac! Consultez le chapitre «Abandonner le tabac» aux pages 265 à 280.

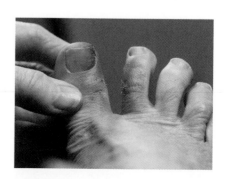

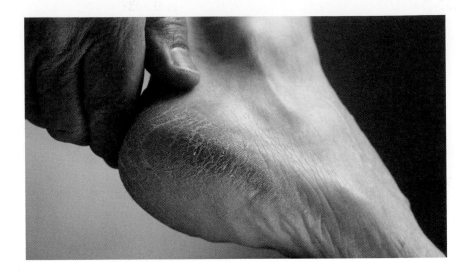

La déformation des pieds peut entraîner les problèmes suivants :

- perte d'équilibre ;

- inflexion des orteils vers l'intérieur ou l'extérieur ;

- formation de cors ou de cals ;

- amincissement des coussins de la plante des pieds.

Excédent de poids corporel

Plus votre poids corporel est élevé, plus est élevée la charge que vous imposez à vos pieds en position debout ou en marchant. La pratique d'exercices à impact élevé (par exemple, la course à pied) accroît davantage le poids et la pression sur la plante des pieds.

VOICI COMMENT PEUT SURVENIR UNE INFECTION

1. Les lésions nerveuses entraînent une perte de sensibilité du pied.

2. Vous vous coupez à l'orteil, mais ne le sentez pas.

3. Des micro-organismes pénètrent dans la plaie et s'y multiplient rapidement, à la faveur de l'hyperglycémie.

4. La coupure s'infecte.

5. Vous voyez du sang sur votre chaussette et constatez la présence d'une plaie rouge et infectée au pied.

Quelques jours plus tard, la plaie est encore plus rouge. Vous prenez rendez-vous avec le médecin, sans demander de consultation immédiate. Lorsque vous voyez le médecin 10 jours plus tard, la gangrène est déjà en train de se répandre. La gangrène est une nécrose des tissus et elle doit être retranchée. Pour empêcher l'infection de se propager au reste de l'organisme, il faudra peut-être vous amputer un orteil, un pied ou une partie de la jambe.

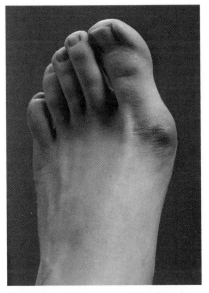

Oignon créant un point de pression dans une chaussure trop serrée.

Faites votre examen des pieds tous les jours.

Prévenez les blessures et traitez les coupures, même anodines, immédiatement.

Consultez les pages 282 à 298.

Grâce à des soins adéquats, on peut prévenir jusqu'à 85 % des amputations des pieds chez les personnes atteintes de diabète.

Affections rénales

Les reins contiennent de minuscules filtres, encerclés de nombreux nerfs et de vaisseaux sanguins très fins. Avec les années, l'hyperglycémie et l'hypertension endommagent ces vaisseaux et ces nerfs ; cela compromet la fonction de filtration des reins, qui cessent de fonctionner comme avant. À mesure que progresse l'insuffisance rénale, une sensation de malaise s'installe chez le patient ; cet état peut même rendre nécessaire la dialyse.

COMMENT LES REINS FONCTIONNENT-ILS NORMALEMENT ?

Le rein agit comme le filtre installé sur une chambre de combustion ou une voiture : il intercepte les substances indésirables et assure ainsi la propreté du moteur. Chaque rein est doté d'un réseau étendu de filtres minuscules, au nombre d'un million environ, dont la tâche est de nettoyer le sang. Cette opération maintient les fluides et les électrolytes à des concentrations normales dans le sang, et aide à normaliser la tension artérielle.

Les reins ont les rôles suivants :

- Assurer l'équilibre des fluides et des électrolytes (sodium, potassium, calcium, phosphore, etc.) dans l'organisme. Les quantités excédentaires sont éliminées avec l'urine.

- Normaliser la tension artérielle. Les lésions rénales entraînent une élévation des concentrations sanguines de sodium et donc de la tension artérielle.

- Retenir les déchets du sang et les éliminer dans les urines. Il s'agit ici de substances produites par la digestion et le métabolisme, comme l'urée et la créatinine. On retrouve aussi dans l'urine les médicaments présents en quantité excédentaire dans l'organisme.

- Contribuer à la formation des globules rouges. C'est pourquoi les troubles rénaux peuvent provoquer l'anémie.

- Assurer la présence dans le sang de ces globules rouges, essentiels, ainsi que des leucocytes (globules blancs) et des protéines. Les reins n'éliminent pas ces cellules et protéines.

EMPLACEMENT DES REINS DANS LE CORPS

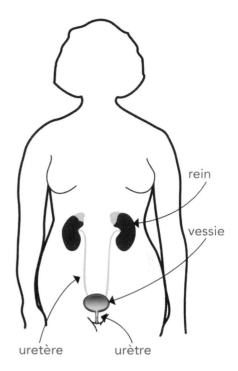

rein

vessie

uretère   urètre

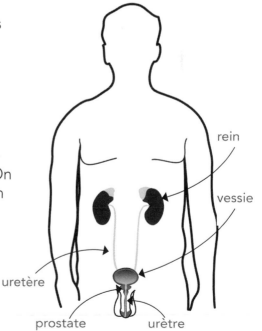

rein

vessie

uretère

prostate   urètre

DES REINS EN SANTÉ

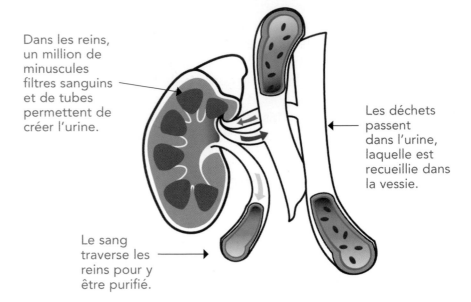

Dans les reins, un million de minuscules filtres sanguins et de tubes permettent de créer l'urine.

Les déchets passent dans l'urine, laquelle est recueillie dans la vessie.

Le sang traverse les reins pour y être purifié.

Quelle est la structure d'un filtre rénal et comment fonctionne-t-il ?

Chaque rein réunit environ un million de filtres. Et chacun de ces filtres comprend deux éléments : un glomérule, qui joue le rôle de filtre principal, et un néphron, le filtre secondaire.

GLOMÉRULE ET NÉPHRON VUS AU MICROSCOPE

Le glomérule
Il s'agit d'un minuscule nœud de vaisseaux sanguins. Chacun d'entre eux est comparable à un petit puits filtrant, ou à un tuyau d'arrosage percé de minuscules orifices. C'est ici que s'opère le premier filtrage du sang. Le liquide filtré est ensuite acheminé au néphron.

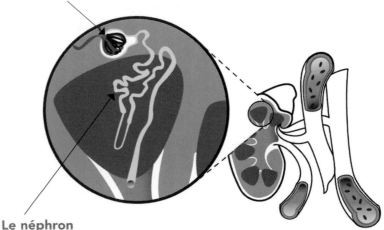

Le néphron
Ce minuscule tube poursuit le travail de filtration.
Il réintroduit dans le sang les nutriments à conserver, élimine les déchets et peut même extraire les toxines du sang. Il en résulte une concentration des déchets dans l'urine.

AFFECTION RÉNALE AU STADE PRÉCOCE
(microalbuminurie)

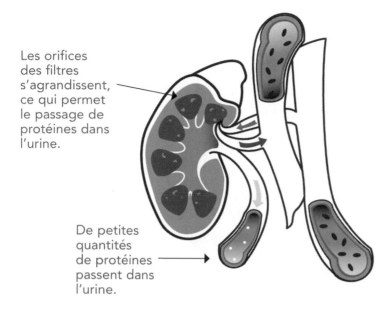

Les orifices des filtres s'agrandissent, ce qui permet le passage de protéines dans l'urine.

De petites quantités de protéines passent dans l'urine.

L'excédent de sucre dans le sang et l'hypertension endommagent les glomérules (filtres principaux) qui s'obstruent et cessent de fonctionner. Le néphron fixé à chaque glomérule cesse à son tour de fonctionner et devient inutile. Le nombre de filtres se trouve ainsi réduit ; les filtres restants tentent de les suppléer en augmentant leur propre pression interne. Cela a pour effet de créer des orifices plus grands dans les glomérules restants et de précipiter leur détérioration. Les protéines passent alors dans les urines.

Si des analyses répétées révèlent de petites quantités de protéines dans les urines, on est en présence d'une affection rénale au stade précoce. L'albumine est l'une des protéines que l'on mesure en laboratoire. On désigne par le terme « microalbuminurie » la présence de petites quantités d'albumine dans les urines.

Consultez la page 345 pour en apprendre davantage sur les différents examens de laboratoire servant à évaluer la fonction rénale.

Si vous avez récemment subi une infection aux reins ou à la vessie, vos urines pourraient renfermer un taux anormalement élevé de protéines. Une fois l'infection guérie, la protéinurie disparaît.

AFFECTION RÉNALE AU STADE AVANCÉ
(macroalbuminurie)

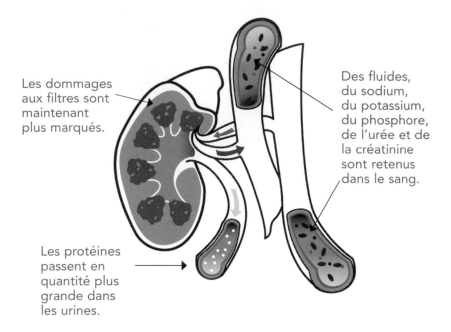

Les dommages aux filtres sont maintenant plus marqués.

Des fluides, du sodium, du potassium, du phosphore, de l'urée et de la créatinine sont retenus dans le sang.

Les protéines passent en quantité plus grande dans les urines.

Plan alimentaire convenant aux personnes atteintes d'affection rénale avancée ou subissant la dialyse

Vous devrez suivre la même diète que les diabétiques, mais d'autres restrictions viendront s'ajouter.

Pour obtenir des conseils personnalisés, consultez une diététiste.

De plus en plus de glomérules et de néphrons sont endommagés : de plus en plus de protéines passent dans les urines. Ce phénomène est désigné par le nom de « macroalbuminurie ».

Plus la fonction rénale est compromise, moins les filtres restants sont en mesure d'assurer l'équilibre des liquides, des sels minéraux et des déchets. Le sodium, le potassium, le phosphore, l'urée et la créatinine sont des composés normalement présents dans le sang, mais à cause de l'affection rénale, leur concentration atteint désormais des niveaux dangereux.

QUAND DES LIQUIDES ET SUBSTANCES S'ACCUMULENT DANS LE SANG, CERTAINS SYMPTÔMES DE L'INSUFFISANCE RÉNALE APPARAISSENT :

- enflure des chevilles ou des jambes
- fatigue
- essoufflement
- nausées et parfois vomissements
- sécheresse de la peau et démangeaisons

Lorsque les reins sont endommagés à ce point, ils ne réussissent plus à éliminer suffisamment de toxines, et celles-ci s'accumulent dans le sang. Les symptômes d'insuffisance rénale s'aggravent. La dialyse peut alors s'avérer nécessaire. Dans certains cas, le patient sera candidat à la transplantation rénale.

Qu'est-ce que l'hémodialyse ?

La dialyse est une procédure qui s'impose lorsque l'insuffisance rénale parvient à un stade où les reins n'accomplissent plus leur tâche et où le patient ressent un très grand malaise. Le fonctionnement de l'appareil d'hémodialyse reproduit celui du rein. Quand le patient est branché à l'appareil, son sang est retiré de son corps pour être filtré et purifié, puis il retourne à l'intérieur du corps. L'opération dure en général quatre heures et doit être répétée trois fois par semaine, soit le jour, soit la nuit. L'hémodialyse se déroule normalement à l'hôpital ou dans un centre de dialyse. Toutefois, le patient peut dans certains cas effectuer l'opération à domicile. Il utilise pour cela un appareil d'hémodialyse spécial.

Dialyse péritonéale

La dialyse péritonéale est la forme la plus courante de dialyse pratiquée à domicile. (Si cette solution s'offre à vous, sachez qu'elle est plus pratique que l'hémodialyse effectuée à domicile.) Le dyalisat, une solution de dialyse stérile, est introduit dans les tissus de l'abdomen à travers un fin tube de silicone : les déchets s'échappent alors du sang et passent dans le dialysat. Le liquide peut être remplacé jusqu'à quatre fois par jour (ou par nuit) grâce à un petit appareil. Cette façon de procéder offre davantage de souplesse parce que le patient n'est pas relié à une machine de longues heures durant et qu'il peut tout faire à la maison.

PROTÉGER LES REINS DES DOMMAGES ET RÉDUIRE LE BESOIN DE DIALYSE

Afin de protéger les reins, bien des médecins prescrivent aujourd'hui des médicaments tôt dans le traitement, afin de normaliser la glycémie et la tension artérielle. Le patient pourrait devoir prendre ces médicaments dès qu'il reçoit le diagnostic de diabète. Pour prévenir ou ralentir l'insuffisance rénale, il est essentiel de normaliser la glycémie et la tension artérielle.

Vous demandez-vous si vous finirez un jour par devoir subir la dialyse ?

Tout dépend des résultats des examens de laboratoire et de la nature de vos symptômes. Parlez-en au médecin, au néphrologue (spécialiste des maladies du rein) ou à une infirmière spécialisée.

Affections oculaires

Tout comme les reins, les yeux sont parcourus de nombreux nerfs et de vaisseaux sanguins très fins, susceptibles d'être endommagés par l'hyperglycémie et l'hypertension artérielle.

LE DIABÈTE PEUT COMPROMETTRE VOTRE VISION DE TROIS FAÇONS :

- vision floue ;

- cataracte et glaucome ;

- rétinopathie (dommages touchant la rétine, soit le fond de l'œil).

La dégénérescence maculaire peut toucher la vision centrale. Cette affection oculaire frappe les personnes âgées, mais il n'a pas été établi que le diabète ait une incidence sur elle.

Vision floue

Ce trouble apparaît lorsque la glycémie est élevée ou que son niveau oscille d'élevé à bas. Dans la partie antérieure du globe oculaire se trouve le cristallin (voir le schéma à la page suivante). Lorsque la glycémie s'élève, l'eau y pénètre et le fait gonfler. Cette modification de la forme rend la vision floue. Vous n'êtes cependant pas en train de perdre la vue pour autant. Une fois la glycémie normalisée, le cristallin reprend sa forme originelle, et la vision redevient nette.

Cataracte et glaucome

Chez le diabétique, ces affections oculaires sont plus susceptibles d'apparaître à un âge précoce que chez le sujet sain.

- La *cataracte* est un obscurcissement du cristallin (voir page suivante). Une vision floue et la sensation d'avoir sur les yeux une pellicule qui ne se dissipe pas lorsqu'on bat des paupières comptent parmi ses symptômes. Elle évolue en général lentement. Le chirurgien peut, par une intervention, retirer le cristallin obscurci et le remplacer par un implant.

- Le *glaucome* découle d'une lésion du nerf optique qui entraîne une perte de la vision. Se produit d'abord une perte de la vision périphérique (la partie extérieure du champ de vision ; voir page suivante). À ce stade, la perte de vision peut passer inaperçue. Avec le temps, la vision centrale est également affectée. Puisque la maladie s'installe sans prévenir, il est essentiel de se faire examiner la vue à intervalles réguliers. Si vous êtes atteint de glaucome, vous devrez suivre un traitement ou subir une intervention chirurgicale.

La rétinopathie est la pathologie la plus grave associée au diabète. Non traitée, elle peut conduire à la cécité.

Une vision floue s'améliore avec la normalisation de la glycémie.

Facteurs influant sur l'évolution des affections oculaires :

- *âge*

- *diabète*

- *tabagisme*

- *consommation excessive d'alcool*

- *mauvaises habitudes alimentaires*

- *hypertension*

- *exposition excessive à la lumière du soleil*

- *grossesse*

VUE LATÉRALE DE L'ŒIL (AGRANDISSEMENT)

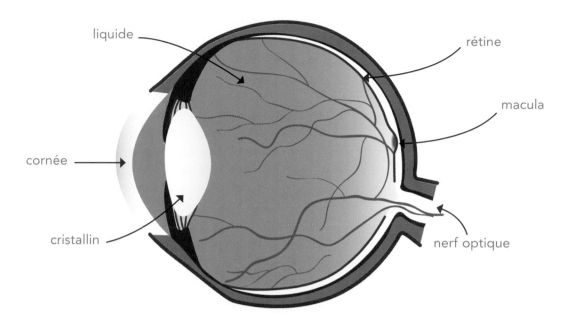

liquide

rétine

macula

cornée

cristallin

nerf optique

COMMENT VOIENT-ILS LE MONDE ?

Vision normale

Vision floue

Cataracte

Glaucome

Dégénérescence maculaire

Rétinopathie avancée

Aucun signe avant-coureur ne permet de détecter la rétinopathie. Consultez l'ophtalmologiste une fois par année : il est le seul en mesure de reconnaître les signes précurseurs de la maladie grâce à l'examen du fond d'œil. Consultez la page 346.

SIGNES PRÉCURSEURS

Rétinopathie avancée

Consultez le médecin sans délai si vous notez :

- une vision floue non associée aux fluctuations de la glycémie ;

- une diminution ou une perte soudaine de la vision, dans un œil ou dans les deux ;

- la présence d'éclairs, de points noirs ou de « toiles d'araignée » ;

- une distorsion des formes et des objets ;

- une coloration rouge (elle sera causée par une hémorragie oculaire).

Rétinopathie (affection de la rétine)

La rétinopathie survient lorsque l'hyperglycémie, avec les années, cause des dommages au fond de l'œil (rétine), ainsi qu'une prolifération anormale de vaisseaux sanguins. Consultez les schémas à la page 41.

Rétinopathie au stade précoce (non proliférante)

- Micro-anévrismes (néo-vaisseaux) dans les vaisseaux sanguins. Ils peuvent révéler une réduction de la circulation sanguine vers la rétine. Les vaisseaux sanguins risquent de se rompre, donnant lieu à des hémorragies et à des épanchements de liquide. Ce phénomène provoque une enflure (œdème) de la rétine, susceptible d'affecter la macula et, ainsi, de compromettre une vision nette.

- Dépôts de lipides jaunâtres et secs, causés par l'épanchement de sang hors des vaisseaux sanguins.

- Taches blanchâtres causées par la réduction de la circulation sanguine vers les nerfs rétiniens.

Rétinopathie avancée (proliférante ou maligne)

- Prolifération de capillaires fins et fragiles à la surface de la rétine. Cette croissance s'explique par les « efforts » déployés par la rétine pour trouver de l'oxygène et des nutriments. Les capillaires se développent sous l'effet des substances que produit la rétine.

- Taches de sang. Ces taches indiquent que les nouveaux vaisseaux sanguins sont faibles et ont tendance à se rompre (hémorragie). Les vaisseaux sanguins rompus laissent derrière eux du tissu cicatriciel. Ces deux phénomènes conjugués risquent de compromettre la vision.

- Sang dans la cavité orbitaire. Sa présence s'explique par l'éclatement de vaisseaux sanguins fragiles, nouvellement formés (les néo-vaisseaux).

Si on néglige de traiter la rétinopathie avancée, plusieurs phénomènes pourraient provoquer la perte de vision :

- Décollement de la rétine : cet accident survient lorsque la rétine se détache de la paroi antérieure du globe oculaire.

- Hémorragies du corps vitré : celles-ci surviennent lors d'une extravasation du sang dans la cavité orbitaire.

- Œdème maculaire : exsudation de liquide hors des vaisseaux sanguins entourant la macula.

Traitement

Le dépistage précoce de la rétinopathie permet d'instaurer un traitement qui consiste à diriger des tirs au laser.

VUE DU FOND DE L'ŒIL

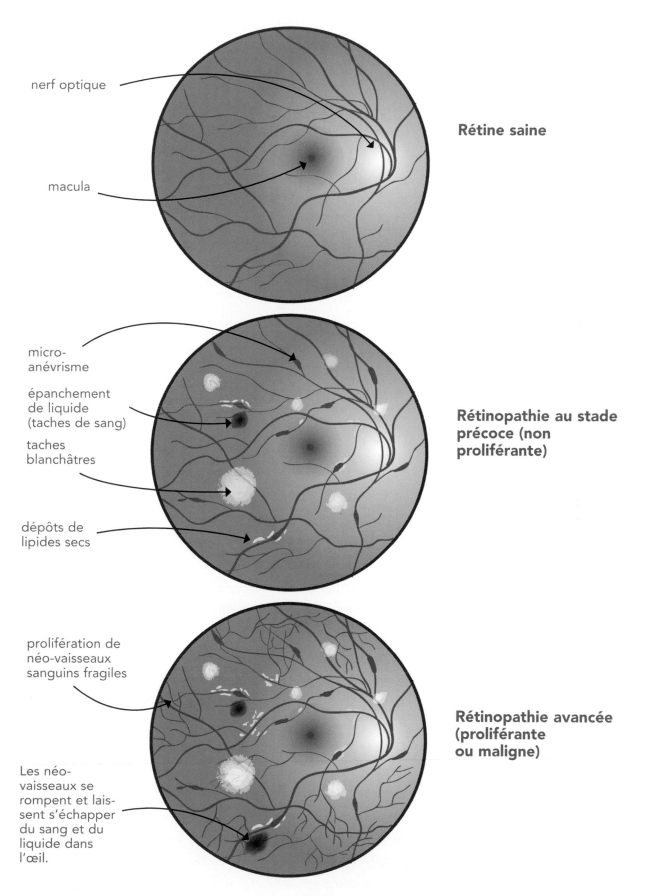

nerf optique

macula

Rétine saine

micro-
anévrisme

épanchement
de liquide
(taches de sang)

taches
blanchâtres

dépôts de
lipides secs

**Rétinopathie au stade
précoce (non
proliférante)**

prolifération de
néo-vaisseaux
sanguins fragiles

Les néo-
vaisseaux se
rompent et lais-
sent s'échapper
du sang et du
liquide dans
l'œil.

**Rétinopathie avancée
(proliférante
ou maligne)**

Autres complications

AFFECTIONS CUTANÉES

L'hyperglycémie et la diminution de la fonction nerveuse affectent la peau située sur les jambes et les pieds, ainsi que partout sur le corps.

La question des soins cutanés est abordée à la page 299.

Pour prévenir et traiter les affections cutanées associées au diabète, il est essentiel de normaliser votre glycémie et de bien prendre soin de votre peau.

Exemples d'affections cutanées observées chez les diabétiques :

- petites plaies sur les tibias ou à l'avant des jambes

- différentes affections apparaissant sur une peau sèche, qui présente des démangeaisons ou des desquamations

- infections bactériennes susceptibles de produire des plaies

- infections à champignons microscopiques se développant sous les seins ou dans les replis de la peau, sous les aisselles, à l'aine ou sur les mains

- cloques ou furoncles (le plus souvent aux pieds, aux jambes et aux mains)

- obscurcissement de la peau du cou, des aisselles, des coudes ou de l'aine

- bosses ou cavités apparaissant sur la peau si vous vous injectez de l'insuline toujours au même site (Il est donc essentiel de varier les points d'injection. Abordez la question avec le médecin ou l'infirmière.)

Signalez au médecin toute affection cutanée qui ne disparaît pas. Les problèmes de peau peuvent changer d'apparence d'une personne à l'autre. Certains sont peu communs, voire rares.

Douleur cutanée

La douleur cutanée est due aux dommages provoqués au fil des années par l'hyperglycémie sur les nerfs innervant la peau. Cette douleur est dite névropathique. Il se peut que vous ayez des engourdissements ou des picotements, ou que vous éprouviez des sensations de brûlure ou de douleur profonde. Ces douleurs touchent le plus souvent les pieds et les jambes, mais certaines personnes ressentent de la douleur aux mains. La douleur peut être légère ou intense.

Mesures susceptibles de vous aider :

- Faites de l'exercice physique et cessez de fumer afin d'améliorer votre circulation.

Parimit_

- Si votre glycémie est élevée, normalisez-la afin de réduire la douleur.

- Massez-vous doucement.

- Appliquez des compresses chaudes ou froides sur la peau.

Si la douleur devient plus intense, parlez-en au médecin. Demandez-lui quelles en sont les causes et ce que vous pouvez faire pour les soulager. Il pourrait vous prescrire un onguent pour atténuer la douleur à appliquer sur la peau, ou un médicament à prendre par voie orale, par exemple des analgésiques ou des antidépresseurs. Si la douleur est difficile à supporter, le médecin vous recommandera de consulter un médecin spécialiste de la douleur.

AFFECTIONS GINGIVALES

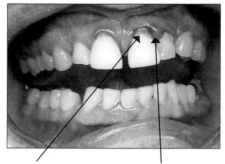

plaque dentaire

rougeur et enflure des gencives, qui saignent aisément

Les affections gingivales sont des infections bactériennes graves touchant les gencives et l'os maxillaire, qui soutient les dents.

Elles se développent plus souvent à la faveur de l'hyperglycémie.

Les affections gingivales comptent parmi les infections les plus courantes chez les individus atteints de diabète. Pourtant, elles passent souvent inaperçues.

Si la maladie gingivale n'est pas traitée, elle peut provoquer la perte de dents.

Comment savoir si on est atteint d'une affection gingivale ?

On peut avoir une affection gingivale sans le savoir. En effet, cette pathologie est en général indolore au début.

Signes précurseurs d'une affection gingivale :

- rougeur et enflure des gencives
- saignements lors du brossage, du passage du fil dentaire ou de la mastication d'aliments durs

Signes d'une affection gingivale avancée :

- gencives qui rétrécissent, faisant paraître les dents plus longues
- mauvaise haleine
- hyperglycémie possible
- ulcérations ou douleurs buccales
- écoulement de pus entre les gencives et les dents
- instabilité ou douleurs dentaires

Éprouvez-vous de la difficulté à normaliser votre glycémie ? Une affection gingivale pourrait être en partie responsable du problème.

Il y a deux raisons à cela :

Si vous souffrez d'une infection gingivale accompagnée d'une inflammation (tissus rouges), votre insuline n'est peut-être pas efficace.

Une infection gingivale, comme toute infection, peut amener l'organisme à produire moins d'hormones. Cette situation risque d'élever à son tour la glycémie.

Pour vous assurer que vous ne souffrez pas d'une affection gingivale, il est essentiel de consulter le dentiste ou l'hygiéniste dentaire au moins deux fois l'an.

- dents ou dentier qui ne s'emboîtent plus comme avant au moment de mordre

- difficulté à mastiquer des fruits et légumes crus

Les trois principales causes des affections gingivales

Plaque dentaire

Des bactéries faisant partie de la flore buccale sont fixées en tout temps aux gencives et aux dents. Les infections gingivales débutent lorsque l'accumulation de bactéries forme un dépôt collant et transparent appelé plaque dentaire. Négliger la brosse à dents ou le fil dentaire permet à cette plaque de se développer à la limite gingivale (début des gencives). Elle se combine souvent au tartre, un dépôt solide susceptible de se former sous les gencives, autour des racines des dents. Quand cela se produit, les gencives et les os qui servent d'assise aux dents se trouvent contaminés par les bactéries présentes dans la plaque : cette situation cause la gingivite. C'est pourquoi il est essentiel de se brosser les dents tous les jours et de se faire nettoyer les dents par un hygiéniste tous les six mois. Ces mesures permettent de vaincre la plaque.

Tabagisme

Fumer ou chiquer du tabac est mauvais pour la circulation sanguine. En effet, le tabagisme réduit de beaucoup la capacité de l'organisme à combattre l'infection et expose ainsi le fumeur à des risques accrus de maladies gingivales. De plus, il ralentit la cicatrisation des plaies à la suite d'une intervention chirurgicale aux gencives.

Hyperglycémie

L'hyperglycémie, surtout après de nombreuses années, risque d'endommager les vaisseaux sanguins et les nerfs. Même en ne sévissant qu'une brève période, elle rend la salive plus sucrée.

- Dommages aux vaisseaux sanguins : l'organisme est moins apte à combattre les infections.

Il en va de la bouche comme des autres parties du corps : les vaisseaux sanguins qui l'irriguent risquent d'être endommagés par l'hyperglycémie. Plus s'amenuisent les vaisseaux sanguins, moins de sang parvient aux gencives, ce qui ralentit leur combat contre les infections et leur processus de cicatrisation.

- Lésions nerveuses : les glandes salivaires produisent moins de salive.

Les nerfs stimulent les glandes salivaires, notamment quand on mange. La salive facilite la déglutition des aliments, ce qui réduit les bactéries et la plaque, à l'origine d'affections gingivales. La salive a aussi pour fonction d'assurer la propreté et l'humidité de la bouche. En présence d'hyperglycémie, les nerfs des glandes salivaires risquent de subir des dommages. Par conséquent, la bouche produit moins de salive.

- Des taux de sucre plus élevés dans le sang et la salive favorisent la prolifération bactérienne.

Un excédent de glucose dans le sang favorise la prolifération bactérienne dans une région infectée. De même, lorsque la glycémie est élevée, l'excédent de glucose passe en partie dans la salive. Ainsi, plus la salive est sucrée dans la zone infectée, plus les bactéries disposent de glucose pour assurer leur multiplication. Dans ces conditions, l'infection devient difficile à traiter et peut s'aggraver.

MUGUET

Le muguet est une infection causée par une levure. Une infection à levures touche la bouche, les gencives, les lèvres ou la langue.

Que des bactéries et des levures soient hébergées dans la bouche est un phénomène normal. Cependant, ces levures risquent de proliférer à la faveur de la prise d'antibiotiques, d'un affaiblissement du système immunitaire ou d'une hyperglycémie. Si vous êtes diabétique, vous risquez davantage de souffrir de muguet qu'un individu non atteint.

Signes courants d'une infection à levures:

- plaques blanches ou jaunâtres recouvrant la muqueuse buccale, la langue, ou le bord des lèvres

- commissures des lèvres parfois sèches et crevassées

Carie dentaire

La carie dentaire est le phénomène au cours duquel l'émail de la dent est altéré, ce qui entraîne la formation d'une cavité détruisant la dent.

La carie dentaire est causée par la présence d'acide.

Lorsque les bactéries colonisant la plaque entrent en contact avec le sucre contenu dans les aliments ingérés, il y a production d'acide. Cet acide attaque la surface des dents (l'émail). L'ingestion d'aliments acides (agrumes ou boissons gazeuses) risque aussi d'entamer l'émail dentaire. La corrosion dure 20 minutes après le repas ou davantage. Avec le temps, elle altère l'émail des dents et cause la carie. La salive de la personne diabétique renferme davantage de sucre et l'expose donc à des risques accrus de carie dentaire.

LA BONNE NOUVELLE MAINTENANT !

Des études montrent que si vous maintenez votre glycémie à des niveaux optimaux, vous risquez moins de souffrir de gingivite, de muguet et de carie dentaire. L'encadré de la page 352 indique les valeurs optimales de glycémie. Il est essentiel de maintenir sa glycémie dans la plage des valeurs normales. En guérissant de la maladie gingivale, vous parviendrez à réduire vos besoins en insuline.

Aux pages 300 à 304, vous trouverez des conseils santé sur les soins à apporter aux dents et aux gencives.

INFECTIONS DES VOIES URINAIRES

Les infections des voies urinaires (IVU) touchent les reins, la vessie ou l'urètre (le canal qui transporte l'urine de la vessie hors du corps). Chez la femme, les IVU sont souvent associées à des infections vaginales. Chez l'homme, elles sont souvent associées à une hypertrophie de la prostate ou à des calculs rénaux. Une IVU peut survenir si la glycémie est trop élevée ne serait-ce que quelques jours ou une semaine.

Lorsque le sang contient un excédent de glucose, c'est tout l'organisme qui en est envahi. Les reins filtrent ce glucose et l'excrètent dans l'urine, recueillie dans la vessie et éliminée lors de la miction. Quand la glycémie est élevée, par exemple à 15 mmol/l (270 mg/dl) ou plus, du sucre passe dans l'urine.

Les bactéries et les levures se nourrissent du sucre et prolifèrent donc rapidement lorsqu'un excédent de glucose est présent dans les reins, la vessie et l'urine : une infection risque de se développer. De plus, lorsque la glycémie est élevée, l'efficacité du système immunitaire de l'organisme se trouve compromise (les globules blancs sont ralentis) ; l'organisme est moins apte à combattre les infections.

Deux choses se produisent. D'abord, l'hyperglycémie favorise l'apparition des IVU. Puis, l'IVU hausse les niveaux d'hormones de stress dans l'organisme. À leur tour, celles-ci élèvent encore davantage la glycémie. Si cette infection n'est pas traitée, l'individu atteint peut devenir très malade.

Les IVU à répétition risquent d'endommager les reins. C'est pourquoi il est essentiel d'intervenir rapidement.

Consultez les pages 305 à 309 pour la prévention et le traitement des IVU.

Symptômes de l'IVU :

- *besoin pressant ou urgent d'uriner*
- *douleur à la miction ou durant les relations sexuelles*
- *présence de sang ou de pus dans les urines*
- *crampes ou douleurs abdominales (douleurs lombaires en cas d'infection aux reins ou à la prostate)*
- *odeur nauséabonde des urines*
- *démangeaisons ou brûlures, odeur de levure ou pertes blanches chez les femmes atteintes d'infections vaginales à levures*

À cause des lésions nerveuses touchant la vessie, il devient difficile pour le diabétique de sentir que sa vessie est pleine. Celui-ci ne la vide donc pas aussi souvent qu'il le faudrait, ou pas complètement. Par conséquent, l'urine séjourne plus longtemps dans la vessie, et les bactéries ont davantage le loisir de s'y multiplier, ce qui élève le risque d'IVU.

Dans certains cas, les lésions nerveuses de la vessie provoquent les symptômes opposés. Le patient aura besoin d'uriner fréquemment ou souffrira d'incontinence.

Chez la femme

Les femmes souffrant d'hyperglycémie ont davantage de glucose dans leurs urines et sécrétions vaginales.

Les selles représentent la principale source de bactéries. La vulve de la femme se trouvant à proximité de l'anus, les bactéries y migrent aisément. Ces bactéries peuvent alors coloniser l'urètre (le canal reliant la vessie et le méat urinaire) et remonter de la vessie aux reins. L'urètre de la femme ne mesure que 4 cm (1 ½ po) environ ; les bactéries ne mettent donc pas de temps à parcourir cette distance. Un excédent de glucose dans la région des organes génitaux peut aussi être à l'origine d'une infection à levures.

Les rapports sexuels aggravent le risque d'infection, car des bactéries se trouvent alors enfoncées dans le vagin et l'urètre.

Chez l'homme

Les hommes sont exposés à des risques d'IVU bien plus faibles que les femmes. Cet avantage s'explique en grande partie par la longueur supérieure de leur urètre, qui fait 20 cm (8 po). Chez l'homme, l'urètre se prolonge hors de la vessie dans le pénis. Normalement, les bactéries provenant de l'extérieur ne peuvent parcourir cette distance, et les IVU sont donc moins fréquentes. De plus, le méat urinaire à l'extrémité du pénis est situé à bonne distance de l'anus. La contamination par les selles est donc moins probable.

Cependant, le risque d'IVU est accru en cas d'hypertrophie de la prostate. En effet, une prostate hypertrophiée exerce une pression sur l'urètre ou sur la vessie, et rend difficile la vidange complète de cette dernière. Les bactéries prolifèrent alors dans les urines qui séjournent dans la vessie. Par ailleurs, le port d'un cathéter permettant la vidange de la vessie peut aussi accroître le risque d'IVU.

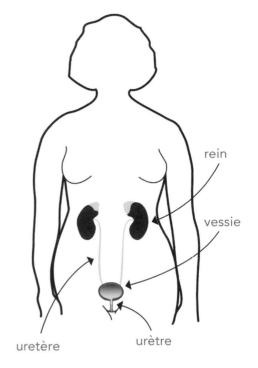

rein

vessie

uretère

urètre

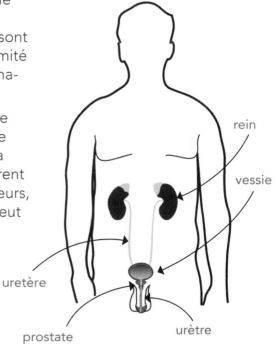

rein

vessie

uretère

prostate

urètre

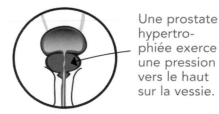

Une prostate hypertrophiée exerce une pression vers le haut sur la vessie.

PROBLÈMES GÉNITAUX ET SEXUALITÉ

Les organes génitaux (voir schémas ci-dessous) sont extrêmement sensibles, à cause de leur innervation et vascularisation importantes. Toutefois, comme le diabète risque à la longue d'endommager les nerfs et les vaisseaux sanguins, il se peut que vous perdiez de la sensation à la région génitale ou que vous notiez une perte de fonctionnalité sexuelle. Dans certains cas, ces changements sont temporaires. La normalisation de la glycémie et de la tension artérielle permet d'atténuer ces inconvénients.

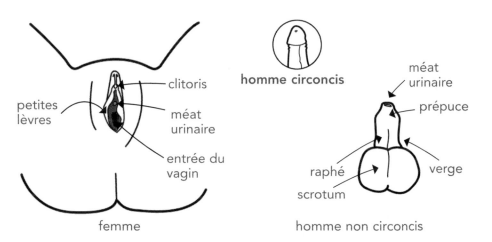

femme

homme circoncis

homme non circoncis

Au contraire, il se peut que votre libido connaisse un réveil. Ce regain de désir peut s'expliquer par le fait que vous disposez de plus de temps, surtout de temps d'intimité avec votre conjoint, une fois à la retraite ou lorsque les enfants sont partis de la maison. Vous avez maintenant le loisir de vous adonner à des activités sexuelles n'importe quand durant la journée. En outre, lorsque la femme a dépassé l'âge de procréer, elle n'a plus à craindre de grossesses non désirées.

Les changements suivants sont *susceptibles* d'apparaître chez les individus, hommes ou femmes, atteints de diabète de type 2

- Votre libido pourrait chuter. Faire face à une maladie chronique comme le diabète coûte parfois beaucoup d'énergie et rend difficiles certaines activités qui étaient autrefois aisées. Si vous vous sentez fatigué ou déprimé, peut-être perdrez-vous le goût aux plaisirs de la vie, y compris à la sexualité. Chez l'homme, une baisse du niveau de testostérone influe aussi sur la libido. Cette baisse accompagne normalement le vieillissement, mais le diabète risque de l'accentuer. Chez la femme, la production d'œstrogène (et même de testostérone) chute après la ménopause, et les effets de cette baisse peuvent modifier la libido. De même, certains médicaments, par exemple des antidépresseurs, ont parfois pour effet de réduire la pulsion sexuelle.

- Vous souffrez peut-être de douleurs et malaises (l'arthrose dans les genoux ou le dos, par exemple) qui rendent les activités sexuelles pénibles ou même douloureuses.

Autres changements *susceptibles* d'être observés chez la femme

- Il est possible que vos sensations soient amenuisées ou que vous souffriez de sécheresse vaginale. Après la cessation des règles (ménopause), l'organisme produit aussi moins d'œstrogène, ce qui entraîne une baisse de la lubrification vaginale. Cela rend les rapports sexuels moins agréables et parfois même douloureux.

- Comme nous l'avons exposé aux pages 46 à 48, le diabète est susceptible de causer des infections vaginales ou des voies urinaires. Les démangeaisons, les douleurs et les odeurs qui en découlent peuvent influer négativement sur l'appétit sexuel de la femme comme de l'homme, pour une brève période.

- En tant que femme mûre, vous savez probablement comment parvenir à l'orgasme, mais vous pourriez mettre davantage de temps à l'atteindre.

Autres changements *susceptibles* d'être observés chez l'homme

- Vous constaterez parfois que vous mettez davantage de temps à atteindre l'orgasme. Cela pourrait s'expliquer par le vieillissement et, éventuellement, par une baisse de la production de testostérone.

- Peut-être éprouvez-vous de la difficulté à obtenir ou à maintenir une érection (dysfonctionnement érectile). Dans certains cas, ces problèmes s'expliquent par des lésions nerveuses ou vasculaires. L'hyperglycémie et l'hypertension s'aggravant avec le temps, la situation peut empirer. Vous trouverez aux pages 396 à 416 des solutions et suggestions pour améliorer votre vie sexuelle.

Facteurs influant sur la rigidité de l'érection:

- *stress psychologique*

- *stress physique (fatigue, douleur, maladie ou intervention chirurgicale)*

- *effets secondaires de certains médicaments, tels les antihypertenseurs ou les antidépresseurs*

- *tabagisme ou consommation excessive d'alcool*

Toutefois, si le problème s'installe lentement, la cause pourrait être liée au diabète.

> On appelle *gastroparésie* l'ensemble des modifications provoquées par le diabète dans le fonctionnement de l'estomac et de l'intestin. Ce trouble est caractérisé par une absorption inégale des glucides, qui se manifeste parfois par des fluctuations inattendues de la glycémie.

TROUBLES GASTRIQUES ET INTESTINAUX

L'estomac, l'intestin grêle et le côlon sont de grands muscles qui digèrent les aliments avec le concours :

- d'un réseau de nerfs ;
- d'une circulation sanguine efficace ;
- d'enzymes digestifs et d'acides.

Les lésions nerveuses et vasculaires découlant du diabète affectent donc aussi le fonctionnement de l'estomac et de l'intestin.

Certains changements peuvent survenir. Une diminution de la fonction nerveuse fera peut-être en sorte que les muscles de l'estomac et des intestins se contractent moins bien, ou, dans certains cas, qu'ils se contractent trop. Des nausées et des ballonnements pourraient être provoqués par un séjour trop long des aliments dans l'estomac. Les glucides et nutriments seront possiblement absorbés à des vitesses variables à cause d'un fonctionnement inconstant des nerfs ou des vaisseaux sanguins. Tout cela entraîne des fluctuations de la glycémie. Des lésions nerveuses de l'intestin pourraient quant à elle vous faire souffrir de constipation (ralentissement du transit intestinal) ou de diarrhée (accélération du transit intestinal).

Pour prévenir la constipation, il convient d'enrichir son assiette de fibres alimentaires, de boire beaucoup d'eau et de pratiquer l'exercice physique. Pour en apprendre davantage sur les aliments riches en fibres, consultez les pages 57, 91 et 93. En cas de gastroparésie grave accompagnée de diarrhée, une diète faible en fibres alimentaires et en matières grasses est souvent salutaire. Il est recommandé de consulter une diététiste. En cas de constipation ou de diarrhée, il se peut qu'on vous prescrive des médicaments.

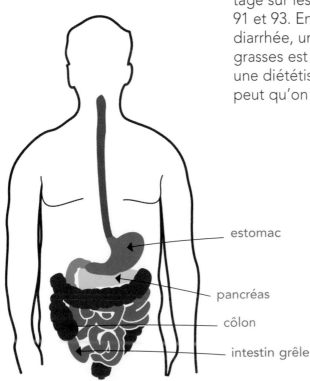

estomac

pancréas

côlon

intestin grêle

STRESS, DÉPRESSION ET TROUBLES DU SOMMEIL

Stress

Être atteint de diabète est parfois un fardeau lourd à porter. Vous serez tour à tour en proie à des réactions de déni, de peur, de contrariété, de tristesse, de colère ou de culpabilité. Ce stress risque d'aggraver les complications du diabète parce qu'il hausse la tension artérielle et la glycémie. Pour en apprendre davantage sur la gestion du stress, consultez les pages 358 à 369.

Dépression

Pour une raison inexpliquée, la dépression est plus répandue chez les individus atteints de diabète. Cette statistique ne signifie pas que vous souffrirez forcément de dépression, mais vous devrez être à l'affût des signes de cette maladie (voir page 370). Si vous êtes en proie à la dépression, vous serez sans doute fatigué et moins enclin à soigner votre diabète. Vous risquez ainsi de prendre du poids et de faire monter votre glycémie. Les antidépresseurs que l'on pourrait vous prescrire sont souvent à l'origine d'une prise de poids. Pour briser ce cercle vicieux, il est essentiel de reconnaître la dépression à ses premiers stades et de prendre les mesures nécessaires pour la surmonter. Pour en apprendre davantage sur la dépression, consultez les pages 370 à 372.

Troubles du sommeil

Le manque de sommeil, l'apnée du sommeil et l'excès de sommeil peuvent découler du diabète. L'hyperglycémie risque d'aggraver ces problèmes.

Manque de sommeil

Les soucis et le stress occasionnent régulièrement des problèmes de sommeil. Les lésions nerveuses liées au diabète peuvent provoquer des plaies aux jambes ou le syndrome des jambes sans repos, ce qui risque de vous empêcher de dormir. De plus, l'hyperglycémie provoque la soif, laquelle vous pousse à boire davantage, puis à vous lever durant la nuit pour aller aux toilettes.

Le manque de sommeil perturbe la production des hormones responsables de l'appétit. Une fois éveillé, vous mangez davantage. En outre, ne pas dormir suffisamment augmente la production d'hormones du stress et élève donc la glycémie.

Apnée du sommeil

Les personnes qui traînent un excédent de poids et qui ronflent beaucoup sont susceptibles de souffrir d'apnée du sommeil. Pour un bref moment, la respiration du dormeur se trouve interrompue, plusieurs fois par nuit. Il s'ensuit parfois des réveils, parfois non, mais la qualité du sommeil est compromise dans tous les cas. Les individus qui en souffrent se réveillent avec l'impression de ne pas s'être reposés. L'apnée du sommeil contribue à aggraver l'hypertension artérielle, la résistance à l'insuline, le manque d'énergie durant l'exercice physique, la prise de poids et le dysfonctionnement érectile.

Excès de sommeil

L'hyperglycémie peut être à l'origine d'une très forte sensation de lassitude et d'un besoin exagéré de sommeil. Une telle fatigue risque de vous détourner de l'activité physique; votre métabolisme ralentira, vous prendrez du poids et votre glycémie augmentera.

Avez-vous des problèmes de sommeil?

Le diagnostic et le traitement précoces sont essentiels dans la prise en charge du diabète.

Pour en apprendre davantage sur la qualité du sommeil, consultez les pages 367 à 369.

Sept mesures pour prévenir ou atténuer les complications du diabète

Mesure 1 : Une saine alimentation

Cette partie du livre portant sur la saine alimentation s'appuie sur les renseignements concernant la planification des repas ainsi que sur les plans de repas proposés dans mon premier ouvrage, *La santé au menu*, incluant en partie la populaire section « À prescrire/À proscrire ». Vous trouverez ici mon guide alimentaire pratique, des réponses aux questions fréquemment posées concernant les « Dix points essentiels touchant l'alimentation », et un nouveau menu d'une semaine. Vous découvrirez également des renseignements sur les difficultés inhérentes aux modifications des habitudes alimentaires ainsi que des conseils sur la façon de surmonter ces obstacles.

Le guide alimentaire pratique de Karen Graham

Puisez avec bonheur dans les cinq groupes alimentaires. Pour maintenir un poids santé, choisissez les bonnes portions. Prenez trois repas équilibrés par jour. Permettez-vous des collations au besoin. Optez pour des aliments riches en fibres alimentaires. Buvez beaucoup d'eau. Faites de l'exercice physique tous les jours.

Pour mesurer les portions, servez-vous de vos mains.

Protéines

Céréales et féculents

Produits laitiers

Légumes

Nourrissons

Pendant ses six premiers mois, n'offrez au nourrisson que du lait maternel. Continuez à lui donner du lait maternel jusqu'à ce qu'il atteigne un an ou plus.

À partir de l'âge de six mois, ajoutez des aliments tendres, riches en fer et en vitamines.

Enfants et adolescents

Les mains grandissent avec l'enfant. Vous pouvez donc vous servir de ses mains pour mesurer la taille des portions. Durant les poussées de croissance, il faudra peut-être augmenter les portions.

Adultes

Les adultes qui mènent une vie très active ont souvent besoin de portions plus grosses que celles suggérées dans ce guide alimentaire. La femme enceinte ou qui allaite aussi doit manger davantage.

Personnes âgées

Mangez toute sorte d'aliments de couleurs variées et riches en éléments nutritifs, mais en portions plus petites qu'avant.

Céréales et féculents

Commencez par les céréales et les féculents.

main

Quelle quantité ?

√ Consommez-en une poignée à chaque repas, jusqu'à trois ou quatre par jour.

√ Les adolescents, et les adultes jeunes ou actifs peuvent avoir besoin de portions équivalant à deux poignées par repas ; soit de cinq à huit poignées par jour.

Choix sensés :

√ Optez plus souvent pour les féculents de grains entiers ; ils sont une excellente source de fibres.

Faites le plein de légumes et de fruits.

Quelle quantité de légumes ?

√ Une portion correspond à une poignée.

√ Consommez-en une ou plusieurs portions au dîner, deux ou plus au souper.

√ Remplissez vos mains à ras bord de légumes ; voilà votre ration quotidienne.

Choix sensés :

√ Optez pour des légumes de toutes les couleurs. Les légumes vert foncé et orange sont particulièrement bons pour la santé.

Légumes et fruits

Quelle quantité de fruits ?

√ Définition de « portion » :

• Une portion de fruit frais correspond à une poignée.

• Une portion de fruits séchés équivaut à une ou deux fois la taille du pouce.

• Une portion de jus correspond à un volume de 125 ml (½ tasse).

√ Consommez trois portions de fruits ou plus quotidiennement.

Aliments riches en calcium

Buvez du lait et optez pour des aliments riches en calcium.

Quelle quantité?

√ Définition de «portion»:

- 250 ml (1 tasse) de lait ou de yogourt

- Un bol de légumes riches en calcium, comme le chou ou le brocoli

- Un morceau de fromage, de tofu ou une quantité de noix de la taille du pouce

√ À chaque repas, choisissez au moins un aliment riche en calcium; trois ou quatre portions par jour.

√ Chez les adolescents âgés de 10 à 16 ans ainsi que chez les femmes enceintes ou qui allaitent, une portion quotidienne supplémentaire est recommandée.

Choix sensés :

√ Optez plus souvent pour des aliments faibles en matières grasses.

Consommez la bonne quantité de protéines.

Quelle quantité?

√ Limitez votre portion à l'équivalent d'une poignée au repas principal, et à la moitié ou moins aux deux autres repas.

√ Chez les enfants et les femmes, cela signifie de 90 à 150 g (3 à 5 oz) environ de viande cuite (ou d'une autre protéine), et chez les hommes et les adolescents actifs, de 125 à 210 g (4 à 7 oz), pour le repas principal.

Viandes et autres sources de protéines

Choix sensés :

√ Choisissez de préférence des viandes et volailles maigres.

√ Enlevez tout le gras visible.

√ Pour la cuisson des viandes, le four et le gril sont préférables à la friture.

√ Remplacez parfois la viande par des œufs, du fromage, des haricots et lentilles, ou des noix et des graines oléagineuses.

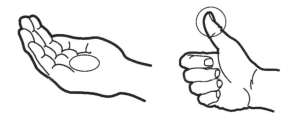

Aliments riches en gras bons pour la santé

Consommez aussi des gras bons pour la santé.

Quelle quantité ?

√ Une portion de poisson ou de fruits de mer correspond à la taille de la paume de la main environ.

√ Une portion d'olives, de noix ou de graines, d'avocat ou de graines de lin moulues correspond à la quantité tenant dans le creux de la main.

√ Prenez tous les jours au moins une portion d'aliment enrichi d'acides gras oméga-3 ou d'un autre gras bon pour la santé.

√ Une portion d'huile d'olive, d'huile végétale ou de margarine molle correspond à une fois ou deux le volume du pouce.

Choix sensés :

√ Le poisson est la meilleure source d'acides gras oméga-3.

√ Les olives et les avocats sont d'excellentes sources de gras mono-insaturés.

Autres points importants

Faites de l'exercice physique tous les jours !

√ Pour garder la forme, pratiquez la marche, le vélo ou une autre activité.

Buvez beaucoup d'eau !

√ Buvez six verres d'eau par jour ou davantage. S'il fait très chaud ou si vous êtes très actif, buvez-en plus. L'eau du robinet fluorée est bonne pour les dents et pour les os.

Optez pour des aliments riches en fibres alimentaires !

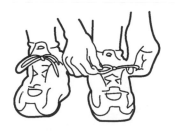

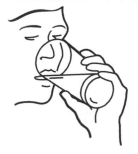

Aliments et boissons à consommer avec modération

Aliments comportant de grandes quantités de gras saturés ou de gras trans

Beurre, saindoux, huile de palme, certaines margarines, fritures, croustilles de pommes de terre, frites, beignes, chocolat et desserts sucrés

Boissons extrêmement sucrées

Cappuccino, laits frappés, boissons glacées, boissons énergétiques, boissons énergisantes, laits aromatisés, bière, vin doux, thé et café sucrés, jus de fruits et boissons sucrées

Ces aliments et boissons sucrés renfermant beaucoup de matières grasses ont bon goût. Il est donc facile d'en abuser. Vous pouvez vous les permettre à l'occasion, mais pas tous les jours.

REPAS PRIS AU RESTAURANT

Les repas du restaurant sont souvent servis en portions trop grosses, et ils apportent de grandes quantités de matières grasses, de sel et de sucre.

Mangez moins souvent au restaurant et apprenez à apprécier les repas santé préparés à la maison.

ALIMENTS SALÉS

La majeure partie du sel que nous ingérons provient des produits industriels ou des plats mangés au restaurant. Il faut user avec parcimonie de cette nourriture, tout comme de la salière.

ALCOOL

Demandez au médecin si vous pouvez consommer un peu d'alcool. Pour les enfants et les femmes enceintes, il n'existe pas de quantité sans risque. Les médecins recommandent généralement de s'abstenir de prendre de l'alcool durant l'allaitement.

Déterminer la portion qui vous convient est entre vos mains.

Dix points essentiels touchant l'alimentation

I. Perdre du poids sans le reprendre

> L'idée n'est pas de perdre beaucoup de poids en peu de temps pour le reprendre dans l'année, mais bien de se défaire de quelques kilos pour la vie.
>
> Qui veut aller loin ménage sa monture !

ENTREPRENDRE UN LONG VOYAGE

Le corps est pour la vie ; ne visez pas le court terme en optant pour un régime miracle !

Pour manger mieux et atteindre un poids santé, l'étape la plus importante consiste à prendre la décision d'améliorer son style de vie. Les changements seront introduits progressivement. Se renseigner sur l'alimentation signifie déjà que l'on est sur le bon chemin et sur le point de faire des choix positifs !

Si, au fil des ans, vous avez pris quelques kilos, le simple fait de mettre un frein à cette tendance représente déjà une victoire. Lorsque vous vous sentez prêt à amorcer votre nouveau mode de vie, contentez-vous d'abord d'une perte de poids modeste, peut-être 0,5 kg (1 lb) par mois. Mine de rien, au bout d'un an, vous aurez perdu 5,5 kg (12 lb). Une perte pondérale (perte de poids) progressive est moins éprouvante pour vous et votre organisme. Des études révèlent qu'une légère perte de poids, ne serait-ce que de 2 à 5 kg (5 à 10 lb), surtout au stade prédiabétique ou dès le diagnostic, contribue énormément à normaliser la glycémie. Toutes les personnes désireuses de perdre du poids souhaitent profiter d'une méthode miracle, comme on en annonce à la télévision. Cependant, la voie à suivre est celle de la patience. Attendez-vous à des revers et entretenez des espoirs réalistes quant à la vitesse de vos progrès. Petit à petit, vos efforts porteront leurs fruits.

Témoignage d'Antoine

Au cours des 3 dernières années, j'ai perdu plus de 18 kg (40 lb), et ma glycémie est redevenue normale !

Pendant des années, mon poids suivait le mouvement du yoyo. Je perdais du poids, j'en reprenais, j'en reperdais, et ainsi de suite. Durant un régime, on se dit parfois : «Allez, je me paie une petite douceur, juste une fois !» Maintenant que je suis atteint du diabète, je sais que l'enjeu n'est pas seulement le respect d'une diète, mais aussi ma santé. C'est ainsi que j'ai compris qu'il me fallait échapper aux montagnes russes. Je devais à la fois perdre du poids et changer mes habitudes de vie. Je savais que j'en avais la force. Il n'y a que le premier pas qui coûte. J'adorais cuisiner ; il me suffisait de modifier un peu mes recettes. C'était là le type de changements que je pouvais rendre permanents.

J'ai confié à mes amis et à ma famille que c'était sans doute le tournant le plus heureux de mon existence. Le diabète est une maladie affreuse que je ne souhaite à personne. Cependant, je suis parvenu à transformer positivement mon mode de vie, sans trop de difficultés.

Vous aurez à composer avec le diabète toute votre vie. Une saine alimentation et l'exercice physique doivent donc définir votre quotidien. Tous les aliments trouvent leur place dans une saine alimentation; l'essentiel réside dans la taille des portions. De temps à autre, récompensez-vous avec une petite gâterie. Dégustez-la sans sentiment de culpabilité. Des études montrent que pour demeurer fidèle à une saine alimentation, il faut absolument faire de la place à ses aliments favoris.

NOTEZ VOS PROGRÈS.

Des études révèlent que la tenue d'un journal alimentaire contribue à une perte de poids durable.

Même si cet exercice paraît fastidieux, il est salutaire de noter quotidiennement tout ce que l'on mange! Le journal alimentaire nous aide à voir où l'on en est, et il récompense nos efforts.

Je recommande de le tenir pendant une semaine. Reprenez-le dès que vous vous éloignez de vos bonnes habitudes alimentaires.

Pourquoi tenir un journal alimentaire?

- Il vous aide à prendre conscience des aliments que vous avez l'habitude de manger et des quantités ingérées. En règle générale, nous banalisons nos mauvaises habitudes. La tenue du journal alimentaire nous permet d'échapper à ce déni de la réalité. Mes clients me disent qu'un des aspects les plus intéressants de la tenue du journal est qu'il les met face à la réalité de ce qu'ils mangent vraiment.

Tenue du journal alimentaire

- **Notez tout ce que vous mangez et buvez, y compris l'eau.**

- **Consignez la quantité ingérée de tous les aliments que vous consommez.** Plutôt que d'écrire *1 verre de jus de fruits*, indiquez la mesure exacte, par exemple *250 ml (1 tasse) de jus de fruits*. De la même manière, au lieu d'indiquer *1 bol de céréales*, inscrivez le volume des céréales consommées en millilitres ou en tasses. Les quantités vous étonneront. Vous en viendrez à connaître intuitivement la taille des portions et n'aurez plus besoin de les mesurer.

- **Lisez les étiquettes.** D'une marque à l'autre, les aliments varient.

Récompensez-vous pour vos efforts quotidiens:

- *Chaque jour où vous atteignez les objectifs fixés, mettez une pièce dans la tirelire. Laissez les pièces s'accumuler, puis faites-vous un cadeau.*

- *Parfois, cette récompense sera une petite gâterie. Voir le « budget gâteries » à la page 68.*

Si vous prenez un repas ou une collation équivalant aux portions des pages 151 à 202, notez le nombre de calories indiqué. Un plan de repas quotidiens figure à la page 153.

- **Notez tous les gras ajoutés et les tartinades que vous mangez.** Les matières grasses sont les aliments les plus caloriques qui soient. Il est donc essentiel de remarquer toute consommation de beurre, de margarine, d'huile végétale, d'huile d'olive, de shortening, de saindoux, etc. Notez une quantité aussi infime que 2 ml (½ c. à thé) de gras ajouté dans une préparation ou à table. Toutes les calories s'additionnent. Notez aussi les quantités de tartinades et de condiments ajoutés, tels les confitures, le ketchup, etc.

- **Évaluez les ingrédients et les portions des plats préparés à la maison.**

Autres éléments à inscrire dans le journal alimentaire

- Comment vous sentez-vous à différents moments de la journée?

- Où et quand avez-vous mangé?

- À quel moment faites-vous de l'exercice? Des études montrent que tout en sous-évaluant les quantités d'aliments ingérées, nous surestimons l'exercice accompli. Raison de plus pour tout noter (voir page 256)!

- Quelle est votre glycémie à différents moments de la journée?

- Combien pesez-vous? Se peser une fois par semaine peut soutenir la motivation, mais quand on vise une perte pondérale progressive, il est habituellement préférable de ne se peser qu'une fois par mois.

Vous conservez maintenant dans vos dossiers ce que vous mangez. Que faire avec ces données?

D'abord, comptez les calories que vous consommez quotidiennement. Si vous consultez une diététiste, vous pouvez lui demander de vous guider. Sinon, utilisez l'application «compteur de calories» de votre téléphone intelligent ou de votre tablette. Vous pouvez aussi vous baser sur le compteur de calories qui suit, très pratique. Déterminez quels sont les aliments apportant un nombre élevé de calories, et que vous devez donc consommer en quantité plus modérée.

Ensuite, parcourez vos notes afin de découvrir ce qui vous amène à trop manger et ce qui vous aide à mieux manger. Posez-vous les questions suivantes:

- À quel moment de la journée ai-je tendance à trop manger?

- Qu'est-ce qui m'a amené à trop manger?

- Est-ce que je mange moins lorsque je prends mes repas à heures régulières ?

- Avais-je vraiment faim ou bien ai-je mangé en réaction à l'ennui, à la fatigue, à la frustration ou à la colère ? Ai-je mangé uniquement pour faire comme tout le monde ?

- Quels sont les facteurs qui m'incitent à respecter ma diète ?

- Est-ce que boire de l'eau m'aide à manger ou à boire moins ?

- En général, est-ce que je mange de plus grosses quantités devant la télévision et l'ordinateur qu'à la cuisine ou à table ?

- Est-ce que je mange plus au restaurant ou dans ma voiture qu'à la maison ?

- Est-ce que je mange différemment les jours où je suis occupé et actif ?

- Est-ce que je me permets des gâteries et, si oui, en quelles quantités et à quelle fréquence ?

- Comment puis-je éviter ou changer les situations qui m'amènent à trop manger ?

Le simple fait de vous poser ces questions ouvrira des pistes de solutions. Modifiez vos habitudes, une à la fois.

Il est difficile d'abandonner ses aliments préférés. Toutefois, la tenue du journal a cela d'intéressant qu'elle procure une gratification dès que l'on fait un choix sensé.

> ### Il arrive que l'on flanche.
>
> *Ne vous en tenez pas rigueur ! Il n'est pas facile de modifier ses habitudes alimentaires. Vous serez parfois excédé, angoissé ou même en colère. Reprenez vos saines habitudes dès que possible, et entreprenez la tenue d'une autre semaine de journal. Tentez de comprendre ce qui vous a amené à flancher, puis de prévenir cette faute ou de mieux gérer la situation la prochaine fois qu'elle se présentera. Imaginez la situation se reproduire et prévoyez votre réaction. Au besoin, allez chercher le soutien d'un proche ou d'un professionnel.*

Le compteur de calories de Karen

- Pour simplifier les calculs, j'ai arrondi les portions à 25, 50, 75 et 100 calories.

- Sauf indication contraire, les calories sont indiquées pour le produit courant, tel que vendu dans le commerce, et je n'ai pas tenu compte des versions légères, allégées ou préparées à la maison. Notez que la composition des produits varie en fonction de la marque.

- Abréviations utilisées : c. à table = cuillerée à table ; c. à thé = cuillerée à thé ; oz = once ; g = gramme. Les portions de viandes pèsent le plus souvent 150 g (5 oz).

amandes, 30 ml (2 c. à table)	**100**
amandes, 125 ml (½ tasse)	**425**
ananas, 2 tranches ou 125 ml (½ tasse) dans le sirop	**75**
arachides (écalées), 125 ml (½ tasse)	**450**
avocat, ½ de taille moyenne	**100**
bacon croustillant, 2 tranches	**75**
bagel de 15 cm (6 po)	**325**
banane de taille moyenne, 1	**100**
barbotine (boisson glacée de type «sloche»), 1 petite, 341 ml (12 oz)	**175**
barbotine (boisson glacée de type «sloche») format géant, 1,1 l (40 oz)	**550**
barre de céréales, 1	**150**
beigne farci de crème ou de gelée, 1	**300**
beigne sans levure, 1	**200**
beurre, 7 ml (1 ½ c. à thé)	**50**
beurre d'arachide, 15 ml (1 c. à table)	**100**
bière américaine, bouteille de 341 ml (12 oz)	**150**
bière canadienne, bouteille de 341 ml (12 oz)	**175**
bifteck cuit, 150 g (5 oz)	**275**
biscuit pour le thé, 1 de taille moyenne	**250**
biscuits, 2 «digestive» ou 3 biscuits Graham^{MD}	**75**
biscuits, 4 soda, 2 Breton^{MD} ou 2 biscottes Melba^{MD}	**50**
biscuits aux brisures de chocolat, 2 de 6 cm (2 ½ po)	**100**

bleuets, 250 ml (1 tasse)	**75**
boisson Crystal Light^{MD}, 250 ml (1 tasse)	**0**
boisson frappée (*smoothie*) grand format, 568 ml (20 oz)	**500**
boisson gazeuse, cannette de 355 ml (12 oz)	**150**
boisson gazeuse hypocalorique, cannette de 355 ml (12 oz)	**0**
brioche à la cannelle, 1 grosse	**500**
café double crème et sucre, grand format	**75**
café noir ou thé noir, grand format	**0**
cappuccino au lait entier, moyen, 375 ml (12 oz)	**100**
carotte crue de taille moyenne, 1	**25**
céréales cuites, 250 ml (1 tasse)	**150**
céréales pour déjeuner, sèches, non sucrées, 250 ml (1 tasse)	**100**
céréales pour déjeuner, sèches, sucrées, 250 ml (1 tasse)	**150**
céréales pour déjeuner du commerce, sèches, 250 ml (1 tasse)	**500**
cheddar, 30 g (1 oz)	**125**
cheddar faible en matières grasses, 30 g (1 oz)	**75**
chili con carne du restaurant, 300 ml (1 ¼ tasse)	**300**
chocolat, 1 tablette de taille normale (65 g)	**275**
chocolat chaud léger, 250 ml (1 tasse)	**50**
cocktail de canneberges, 250 ml (1 tasse)	**125**
cocktail de canneberges léger, 250 ml (1 tasse)	**50**

cola classique, cannette de 355 ml (12 oz)	**150**
confiture, 7 ml (1 ½ c. à thé), ou 15 à 30 ml (1 à 2 c. à table) de légère	**25**
côtelettes rôties, nappées de sauce, 4	**500**
cottage à 2% M.G., 125 ml (½ tasse)	**100**
crème à 10% M.G. (crème à café), 22 ml (1 ½ c. à table)	**25**
crème à fouetter, fouettée, 125 ml (½ tasse)	**200**
crème de tomates, ½ boîte de 284 ml (10 oz) avec lait	**125**
crème glacée, une cuillerée	**125**
crêpe, 1 petite de 10 cm (4 po) de diamètre	**75**
croissant de taille moyenne, 1	**225**
danoise, 1	**275**
dinde blanche ou brune, cuite, 150 g (5 oz)	**225**
édulcorant hypocalorique, 5 ml (1 c. à thé)	**0**
fraises fraîches, 250 ml (1 tasse)	**50**
frites, petite portion avec 1 sachet de ketchup	**225**
frites, portion géante avec 2 sachets de ketchup	**650**
fromage à pâte fondue (fromage en tranches de type Single), 1 tranche épaisse	**75**
fruits conservés dans le sirop, 125 ml (½ tasse)	**75**
fruits, quantité équivalant à 1 poignée	**75**
galette de riz aromatisée, 1	**50**
gâteau au chocolat avec cerises, ¹⁄₁₂ du gâteau	**325**
gâteau au chocolat avec glaçage, ¹⁄₁₂ du gâteau	**200**
gâteau des anges, ¹⁄₁₂ du gâteau	**75**
gaufre surgelée, 1 petite de 10 cm (4 po)	**100**
gelée de type Jell-O^{MD} légère, 250 ml (1 tasse)	**0**
gratin dauphinois du commerce, 250 ml (1 tasse)	**250**
hamburger de la taille d'un Big Mac^{MD}, avec fromage	**700**
hamburger de restauration rapide,	**300**
haricots en conserve cuits avec sauce tomate, 250 ml (1 tasse)	**125**
huile d'olive, de canola ou de maïs, 15 ml (1 c. à table)	**125**
jambon cuit, 150 g (5 oz)	**250**
jujubes, 10	**100**
jus de pomme non sucré, 250 ml (1 tasse)	**125**

jus de tomate ou de légumes, 250 ml (1 tasse)	**50**
jus d'orange, 250 ml (1 tasse)	**125**
jus d'un demi-pamplemousse	**50**
ketchup, 22 ml (1 ½ c. à table)	**25**
lait au chocolat à 2% M.G., 250 ml (1 tasse)	**200**
lait écrémé, 250 ml (1 tasse)	**100**
lait entier à 3,25% M.G., 250 ml (1 tasse)	**150**
lasagne, 1 portion de 10 x 7,5 cm (4 po x 3 po)	**300**
légumes (brocoli, chou-fleur, courgette, chou, céleri, navet, oignon et tomate), 250 ml (1 tasse)	**25**
légumes (pois, carotte, betterave ou panais) 125 ml (½ tasse)	**50**
lentilles ou haricots cuits, 250 ml (1 tasse)	**125**
macaroni au fromage fait maison, 250 ml (1 tasse)	**250**
macaroni Kraft Dinner^{MD}, cuit selon les instructions, 250 ml (1 tasse)	**400**
macaroni sans sauce, cuit, 250 ml (1 tasse)	**200**
maïs en épi, 1 de taille moyenne	**125**
maïs en grains, 125 ml (½ tasse)	**75**
maïs soufflé comme au cinéma, avec beurre, grand format, 5 l (20 tasses)	**1 500**
maïs soufflé éclaté à l'air, 750 ml (3 tasses)	**100**
mesclun, 500 ml (2 tasses)	**25**
miel, 5 ml (1 c. à thé)	**25**
muffin anglais, 1	**125**
muffin du commerce, 1 gros	**400**
muffin fait maison, faible en matières grasses, 1 petit	**150**
œuf, 1 gros	**75**
olives vertes ou noires, petites, 4	**25**
orange de taille moyenne, 1	**50**
orge cuite, 125 ml (½ tasse)	**100**
pain, 1 rôtie du restaurant beurrée	**175**
pain, 1 rôtie nature (28 g)	**75**
pain, 1 tranche épaisse (48 g)	**125**
pain bannique, morceau de 7,5 cm (3 po)	**200**
pain blanc, 1 tranche (25 g)	**75**
pain de blé entier, 1 tranche (28 g)	**75**
petit pain, pain à hamburger ou à hot-dog, 1	**125**

pizza à croûte épaisse, 2 garnitures, 1 pointe	**400**
pizza à croûte mince, 2 garnitures, 1 pointe	**300**
poisson maigre (à chair blanche) frais, cuit, 150 g (5 oz)	**175**
pomme, 1 de taille moyenne	**75**
pommes, compote non sucrée, 125 ml (½ tasse)	**50**
pomme de terre, 1 de taille moyenne ou 250 ml (1 tasse) de purée de pomme de terre sans beurre	**150**
pomme de terre, 1 grand sac de croustilles, 300 g	**1 625**
pomme de terre, 1 petit sachet de croustilles, 45 g	**250**
pommes de terre rissolées, 125 ml (½ tasse)	**175**
porc, 1 côtelette cuite, 150 g (5 oz)	**300**
pouding à base de lait à 2% M.G., 125 ml (½ tasse)	**150**
pouding à base de lait écrémé, sans sucre ajouté, 125 ml (½ tasse)	**50**
poulet, ailes rôties avec la peau, 4 ailes	**400**
poulet, poitrine cuite au four sans la peau, 150 g (5 oz)	**225**
poulet frit, pilon et cuisse	**500**
potage aux champignons, ½ boîte de 284 ml (10 oz) avec lait	**150**
pruneaux, 2 ou 60 ml (¼ tasse) de jus de pruneaux	**50**
raisins ou cerises, 10	**50**
raisins secs, 30 ml (2 c. à table)	**50**
riz blanc à grain long, cuit, 250 ml (1 tasse)	**225**
riz blanc à grain long instantané, cuit, 250 ml (1 tasse)	**175**
riz complet à grain long, cuit, 250 ml (1 tasse)	**225**
riz frit, 250 ml (1 tasse)	**325**

salade César, comme au restaurant, 500 ml (2 tasses)	**400**
salade de chou du commerce, 125 ml (½ tasse)	**150**
salade de pommes de terre du commerce, 125 ml (½ tasse)	**200**
salade du chef faite maison, 500 ml (2 tasses)	**250**
sandwich, 1 tranche de fromage ou de viande et 10 ml (2 c. à thé) de margarine ou de beurre	**350**
sauce à salade, 15 ml (1 c. à table)	**75**
sauce à salade légère, 15 ml (1 c. à table)	**25**
sauce à spaghetti en pot, 125 ml (½ tasse)	**100**
saucisses à déjeuner cuites, 2	**100**
saucisson de Bologne, 1 tranche (21 g)	**50**
saumon ou thon en conserve, 105 g (3 ½ oz)	**175**
saumon frais cuit, 150 g (5 oz)	**250**
soupe au poulet et aux nouilles, ½ boîte de 284 ml (10 oz) avec eau	**100**
sous-marin, avec sauce et garniture, 30 cm (12 po)	**1000 +**
spaghettis cuits, 250 ml (1 tasse)	**100**
spiritueux (rye, gin, rhum, vodka), 45 ml (1 ½ oz)	**75**
sucre blanc ou cassonade, 7 ml (1 ½ c. à thé)	**25**
taco, 1 coquille ou 1 petite tortilla de maïs	**50**
tarte aux pommes à deux croûtes, ⅛ de tarte	**300**
tarte aux pommes à deux croûtes, ⅛ de tarte et une petite portion de crème glacée	**425**
tartinade au fromage Cheez Whiz[MD], 15 ml (1 c. à table)	**50**
thé glacé, bouteille de 355 ml (12 oz)	**150**
tomates en conserve, 250 ml (1 tasse)	**75**
tortilla, 1 grande, de 20 cm (8 po) de diamètre	**175**
vin sec, 125 ml (4 oz)	**75**
yogourt à 2% M.G., non sucré, 175 g (¾ tasse)	**175**
yogourt faible en matières grasses, non sucré, 175 g (¾ tasse)	**100**

PRISE DES REPAS À DES HEURES RÉGULIÈRES ET RÉDUCTION DES PORTIONS

De grands résultats dans une petite assiette !

Sachez apprécier des portions plus petites.

Équipez-vous d'assiettes, de verres et de bols plus petits, voire de cuillères plus petites. Plutôt que de manger les croustilles de pomme de terre à même le sac, servez-vous une portion dans un petit bol, et rangez le reste hors de la vue. Ainsi, vous en mangerez moins. Ici font exception le verre à eau et le bol à salade : ils ne seront jamais trop grands ! Préparez votre assiette dans la cuisine au lieu de déposer le plat de service sur la table. Si la formule buffet vous amène à trop manger, tentez de l'éviter.

Pour calmer la faim, mangez à des heures régulières.

Pour maîtriser la sensation de faim, habituez-vous à manger trois repas par jour, à des heures régulières. Quand vous ressentez une fringale, votre organisme vous dit que vous manquez de carburant et qu'il est sur le point de puiser dans ses réserves de graisse. Voilà une bonne nouvelle, puisque vous voulez brûler des graisses !

Mangez lentement.

En prenant votre temps, vous laissez au cerveau la possibilité d'éprouver la sensation de satiété. Assoyez-vous pour manger ; cela vous aidera à ralentir le tempo. Mastiquez bien les aliments, surtout les premières bouchées ; ce sont elles qui donnent le ton. Entre les bouchées, déposez votre fourchette et buvez de l'eau.

Éteignez la télévision.

Des études révèlent qu'on mange davantage devant le téléviseur. La télévision est une distraction qui vous empêche d'évaluer la quantité de nourriture ingérée ou d'éprouver la sensation de satiété. De plus, les publicités montrant des aliments éveillent l'appétit, peu importe que vous ayez faim ou non.

Des plans de repas pour vous montrer la voie à suivre

Consultez les pages 151 à 202, de même que les 70 autres plans de repas proposés dans mon livre *La santé au menu*. Laissez-vous inspirer par cette grande variété de repas et de collations. Choisissez des repas légers ou copieux, en fonction de vos besoins caloriques. Ces plans vous permettent de manger de nombreux aliments santé tout en tenant compte des calories. Les repas suggérés comportent beaucoup de fibres et une petite quantité de protéines ; celles-ci vous aident à tenir le coup jusqu'au prochain repas ou jusqu'à la prochaine collation. En incluant plus de fruits et

---

Avec les années, les boissons et aliments ingérés en trop se traduisent en une prise de poids. Par exemple, en consommant chaque semaine ces extras, on peut prendre 4,5 kg (10 lb) par année :

- *5 cannettes de boisson gazeuse ou*
- *5 cannettes de bière ou*
- *2 Big Macs^{MD} ou*
- *2 grosses portions de frites ou*
- *5 cuillerées de crème glacée*

Il suffit de les éliminer pour commencer à perdre du poids.

Témoignage de Paméla

Paméla prépare les repas de son mari et l'aide à adhérer aux plans de repas légers proposés dans *La santé au menu*.

Je devais le faire. Je suivais à la lettre les portions recommandées pour garnir nos assiettes. À l'aide de cuillères et de tasses à mesurer, je calculais tout. Ma résolution était ferme. C'est ainsi que nous cuisinons maintenant. Je prépare moi-même tous les petits desserts et à-côtés. Je constate qu'ils viennent compenser le fait de ne pas pouvoir nous resservir. Parfois, ces repas nous rassasient à un tel point que nous en oublions même le dessert.

de légumes dans votre alimentation et en buvant davantage d'eau, vous éprouvez une sensation de satiété plus complète. L'eau remplace les boissons gazeuses sucrées, qui ont des conséquences néfastes sur le bilan calorique et le tour de taille. Vous commencerez à perdre du poids et serez fier de vos efforts. Vous vous concentrerez sur une saine alimentation, plutôt que de vous considérer «au régime».

LOIN DES YEUX, LOIN DU CŒUR

Plus vous achetez, plus vous mangerez !

Rangez hors d'atteinte les aliments tentateurs ou, mieux, n'en achetez pas. À l'inverse, placez les aliments peu caloriques (par exemple, les fruits et légumes) dans des endroits faciles d'accès.

Quel est votre péché mignon ? Le pain blanc ? Les boissons gazeuses ? La bière ? Les croustilles ? Les arachides ? Les biscuits ? La crème glacée ? Les chocolats ? Certains choix en apparence santé, comme les sachets à 100 calories, présentent des risques, entre autres si vous mangez tous les sachets du paquet d'un seul coup ! Évitez d'acheter les produits qui présentent un «risque» pour vous.

Faites votre épicerie en suivant une liste établie d'avance.

- Ne vous rendez pas à l'épicerie alors que vous avez faim.

- N'achetez que ce dont vous avez besoin.

- À l'épicerie, évitez les allées les plus «tentatrices».

- Ne vous attardez pas inutilement dans la section des pains et pâtisseries.

- Sachez dire non aux tablettes de chocolat des présentoirs de la caisse.

Prévoyez un «budget gâteries».

Notez d'abord le nombre de friandises que vous vous permettez en une semaine. On pense ici aux croustilles, au chocolat, aux bonbons, aux beignes, à la crème glacée, aux frites, aux pâtisseries, etc.

Maintenant, accordez-vous le droit de consommer de telles gâteries une fois ou deux par semaine. Bien sûr, vous n'êtes pas obligé de les manger! Mais le simple fait de savoir qu'une gâterie est prévue vous aidera à patienter.

Au moment de faire l'épicerie, évitez les séduisants présentoirs de croustilles et de boissons gazeuses.

MAÎTRISEZ VOS FRINGALES.

Visez l'amélioration de votre glycémie et la perte de poids.

La plupart des gens connaissent à certains moments des envies compulsives. « Je ne voulais manger qu'un chocolat, mais en moins de temps qu'il n'en faut pour le dire, j'avais vidé la boîte. » Cela arrive à tout le monde, pas seulement aux personnes en surplus de poids. Les gens minces mangent compulsivement aussi ; seulement, ils le font en général moins souvent.

Qu'est-ce qui cause les fringales ?

Parfois, vous avez faim. Parfois, la simple vue ou l'odeur d'aliments vous donne l'eau à la bouche, même si vous sortez à peine de table. Ainsi, une annonce télévisée montrant des mets appétissants ou un présentoir en magasin peuvent déclencher une fringale ; les états d'âme (joie, tristesse, colère, fatigue, sentiment de solitude ou d'ennui) aussi.

L'ABC de la maîtrise des fringales

A. Avalez un bon bol d'air et respirez profondément !

B. Buvez de l'eau — prenez-en un grand verre.

C. Cultivez d'autres intérêts que la nourriture. Changez-vous les idées — faites autre chose. Manger n'est pas la seule activité que vous pouvez pratiquer.

Établissez un rituel anti-grignotage.

- Prenez vos repas et collations à heures régulières.

- Pourquoi ne pas vous « interdire » de manger après le souper ?

- Au travail ou à la maison, efforcez-vous de prendre tous vos repas au même endroit. La table de la cuisine ou de la salle à manger manque peut-être d'originalité, mais elle reste un choix valable ! Vous en viendrez progressivement à rompre l'association entre nourriture et sofa, ordinateur, chambre à coucher ou voiture.

- Après un repas ou une collation, rincez-vous bien la bouche. Se brosser les dents ou laver son dentier, ainsi que passer le fil dentaire en soirée, sont aussi de bonnes façons de mettre un point final au repas.

- Pour vous préparer à une bonne nuit de sommeil, prenez une douche ou un bain. Un sommeil réparateur est essentiel pour perdre du poids.

Aux pages 277 et 278, on propose de nombreuses méthodes pour résister aux fringales et aux envies soudaines.

Avez-vous l'impression que plus vous mangez, moins vous appréciez la nourriture ? Pour éviter les secondes portions ou le grignotage, mettez en pratique « l'ABC de la maîtrise des fringales ».

Bien entendu, vous mangerez parfois trop. Il n'y a pas de mal à cela. Le lendemain, commencez la journée par un solide déjeuner puis reprenez rapidement vos bonnes habitudes, sans perdre de vue « l' ABC de la maîtrise des fringales ».

BIEN MANGER AU RESTAURANT

Prenez moins de repas au restaurant.

La chose la plus importante à retenir est d'éviter le restaurant ou, du moins, de ne pas y manger aussi souvent. Si vous avez l'habitude d'y manger quotidiennement, pourquoi ne pas ramener cette fréquence à deux fois par semaine ? Si vous y allez une fois par semaine, tentez de vous contenter d'une ou deux fois par mois. Vous connaissez le vieux dicton « loin des yeux, loin du cœur » ? Ne vous exposez pas à la tentation outre mesure. Des études révèlent que la saveur a plus d'influence sur nous que les considérations relatives à la santé. Autrement dit, lorsqu'on est au restaurant attablé devant une multitude de bons plats, on flanche aisément. Si vous ne vous payez ce plaisir que rarement, il n'y a pas de mal. Mais si vous êtes comme la majorité des Nord-Américains, près du tiers de votre budget est consacré aux repas pris à l'extérieur. Dans ce cas, les choix que vous faites au restaurant sont déterminants pour votre santé.

Des études montrent que les gens qui prennent leurs repas en famille à la maison jouissent d'une meilleure santé physique et émotionnelle. Les repas pris dans les établissements de restauration rapide ou sur le pouce sont avalés à toute vitesse, ce qui ne permet pas aux gens d'apprendre à cuisiner ni d'échanger en famille. Comparativement aux mets préparés à la maison, les plats servis au restaurant le sont en portions plus grandes. Ils comportent peu de légumes et renferment trop de sel, de sucre et de gras.

On prend les adultes pour des bébés.

Les restaurants servent des hamburgers mous, faits de pains mous, accompagnés de frites molles et de grands verres de boissons gazeuses. Et ces aliments transformés créent une dépendance ! Il s'agit là d'une nourriture pauvre en fibres alimentaires, qui exige peu de mastication et qui peut donc être avalée rapidement, en grande quantité.

Des étages de malbouffe

Un repas au restaurant est composé d'aliments gras ou sucrés combinés à d'autres aliments gras ou sucrés. Ainsi, tout ce qu'on nous sert, hamburgers, sous-marins, desserts ou cappuccinos, s'additionne afin de nous faire saliver.

Et on en redonne !

Dans certains restaurants, on veille à sans cesse remplir la corbeille à brioches ou à pain, ou encore le verre de boisson gazeuse. Avant même que ne soit servi votre plat, vous avez déjà reçu un apport excessif de glucides et de calories.

Cette façon d'ingérer en peu de temps une quantité excessive de calories entraîne une prise de poids et nuit à la santé.

Quand vous mangez au restaurant, restez raisonnables.

1. **Établissez d'avance où et quand vous allez manger.**
Optez pour un restaurant offrant des plats santé qui vous plaisent. Les restaurants qui proposent des salades ou des viandes non frites sont de bonnes solutions. Essayez de manger à votre heure habituelle, en tolérant un écart de plus ou moins une ou deux heures. Le fait de dîner ou de souper très tard risque de vous pousser à trop manger, car vous vous mettrez à table affamé.

2. **Prévoyez ce que vous allez manger.** S'il est possible de consulter sur Internet les données nutritives des repas et aliments offerts au restaurant, faites-le. Peut-être serez-vous choqué de constater la quantité de calories, de gras, de sucre et de sel correspondant à bon nombre des mets proposés. Étudiez bien les options offertes et choisissez le repas qui apporte le nombre approximatif de calories dont vous avez besoin. Ainsi, si vous optez normalement pour un des soupers copieux proposés dans ce livre, choisissez un repas apportant de 700 à 750 calories. En sachant quoi commander avant d'arriver au restaurant, vous n'aurez pas à parcourir le menu — si vous le faites, vous risquez de changer d'idée et de commander plus que prévu.

Si le menu ne fournit pas de données nutritives, repérez les plats santé ou les portions plus petites. Il est conseillé de commander en premier, afin de ne pas être tenté par les choix des personnes qui vous accompagnent.

> *Vous est-il déjà arrivé de commander un repas « santé », par exemple un sous-marin faible en gras, puis de vous « récompenser » avec une gâterie mauvaise pour la santé, comme des biscuits ?*

Dans mon livre *La santé au menu*, on trouve des exemples de repas de restaurant pour le déjeuner, le dîner et le souper.

3. **N'arrivez pas au restaurant affamé.** Si vous le pouvez, prenez une collation légère avant d'aller au restaurant, par exemple un fruit, des bâtonnets de carotte, cinq ou dix pacanes ou amandes, ou encore quelques craquelins avec du fromage. Ainsi, vous aurez moins faim et serez moins tenté d'en commander trop puis de trop manger.

4. **Commandez moins, mangez moins !** Commandez des repas plus légers, et évitez les portions géantes et les extras. Au lieu des combinaisons qui apportent une quantité effarante de calories, commandez les plats séparément, ou choisissez les repas pour aînés, les portions pour enfants ou les demi-portions. Vous pouvez également partager un plat ou une partie de repas avec un ami ou un membre de la famille. Par exemple, partagez une portion de frites ou de dessert, et épargnez à la fois votre santé et votre portefeuille. Si les plats principaux s'annoncent plutôt copieux, pourquoi ne pas combiner une salade ou une soupe avec une entrée ? Commandez un bifteck plus petit que celui que vous aviez l'habitude de manger. Nous aimerions tous manger plus, mais le corps n'en a tout simplement pas besoin.

5. **Redoublez de prudence devant le buffet !** Devant un buffet, bien peu de gens savent résister à la tentation de surcharger leur assiette. Même les buffets de salades proposent des choix mauvais pour la santé, qui finissent par atterrir mystérieusement dans votre assiette avant de disparaître dans votre estomac… Devant le buffet, adoptez cette règle : ne faites la queue qu'une fois, et ne prenez que de petites portions.

6. **Demandez à ce qu'on vous emballe les restes.** Les portions servies au restaurant suffisent parfois pour deux repas. Et voilà résolue la question du souper du lendemain !

Témoignage de Sarah

Sarah nous entretient des défis que représente pour son mari et elle le fait de manger au buffet.

C'est pour mon mari que ce fut le plus difficile, car il adore le sucré et mangeait beaucoup de desserts. Pendant les six premiers mois, il a bougonné, mais maintenant, quand nous sortons, il évite le comptoir des desserts sans rechigner. Je crois qu'une fois qu'il a été sevré, son appétit pour les desserts a diminué. Bien qu'il adore le gâteau au chocolat, on peut désormais lui en passer un morceau sous le nez sans qu'il succombe. Quand nous mangeons à un buffet, nous nous efforçons de choisir des salades et des plats santé. Mon mari recherche les desserts peu sucrés, et il ne s'en permet qu'à l'occasion. Il mange beaucoup de fruits. Prendre un dessert n'est pas une obligation. Au comptoir à salades, nous sommes raisonnables avec les vinaigrettes… Je constate qu'à table, nous faisons preuve de plus de retenue qu'avant. Et on ressent la différence ! Quand il nous arrive d'exagérer, nous nous sentons mal. Dès le lendemain, nous reprenons nos bonnes habitudes et nous sentons bien mieux.

7. Informez-vous du mode de préparation des aliments et, au besoin, faites des demandes spéciales ou proposez une substitution.

- Au déjeuner, remplacez les pommes de terre rissolées par une salade de fruits ou un petit verre de jus de tomate. Faites remplacer l'œuf au plat par un œuf poché ou à la coque, le bacon ou les saucisses par du jambon, et la danoise ou le gros bagel par une rôtie (non beurrée de préférence).

- Dans les sandwiches, demandez à ce qu'on ne tartine pas le pain de beurre.

- La garniture renferme souvent de la mayonnaise ; vous n'avez donc pas à ajouter de beurre. Ma mère le disait bien : « Une tartinade par sandwich ! »

- Prenez votre sous-marin sans mayonnaise, et remplacez celle-ci par un peu de moutarde.

- Buvez des boissons gazeuses hypocaloriques plutôt que régulières.

- Remplacez les boissons gazeuses ordinaires, les laits frappés et les frappés aux fruits par un petit verre de lait faible en gras.

- Contentez-vous d'un simple hamburger au lieu du combiné (voir page 210).

- Pourquoi ne pas prendre la petite portion de frites au lieu de la grande, ou opter pour la pomme de terre au four sans beurre (ou demander le beurre et la crème sure à part) ? La purée de pommes de terre et le riz sont en principe des choix plus légers que les frites, même si on leur ajoute habituellement un corps gras (voir page 213).

Bagels et muffins

Un bagel de 15 cm (6 po) tel qu'on en trouve parfois au restaurant équivaut à quatre tranches de pain. Les muffins à faible teneur en matières grasses sont souvent si gros qu'ils apportent beaucoup de calories, de gras et de sucre. Consultez les pages 206 et 216 (on trouve à la page 205 des exemples de déjeuners comportant des œufs).

Salades à teneur élevée en matières grasses

Avec sa sauce, une salade César peut apporter autant de calories qu'un hamburger avec frites (voir page 214). Une salade regorgeant de mayonnaise, comme la salade de pommes de terre ou la salade de chou, contient aussi beaucoup de gras et est très calorique.

La section «À prescrire/À proscrire» des pages 203 à 218 donne des conseils pour choisir un restaurant.

- Au lieu de frites ou de pain à l'ail, commandez une double portion de légumes vapeur (sans beurre), une salade végétarienne, une soupe aux légumes à base de bouillon, ou encore un petit pain nature.

- Optez pour une salade verte ou une salade du chef. Demandez qu'on l'accompagne de poulet grillé et d'un petit pain. Avec toutes les salades, exigez une vinaigrette légère au lieu de la sauce ordinaire, ou demandez du citron en guise d'accompagnement.

- Demandez à ce qu'on n'accompagne votre plat ni de sauce ni de beurre, ou à ce qu'ils vous soient servis à part.

- Commandez du riz nature plutôt que du riz frit; un burrito plutôt qu'une coquille à taco, frite; des légumes sautés à l'orientale plutôt que des aliments cuits en grande friture.

- Accordez votre préférence à la viande, au poulet ou au poisson au four ou grillé plutôt qu'à leurs équivalents sautés ou cuits en grande friture.

- Pour la pizza, une croûte mince est préférable à une croûte épaisse. Essayez les variétés dont la garniture est majoritairement composée de légumes; à l'inverse, évitez les viandes grasses et les suppléments de fromage.

- Au lieu d'un beigne ou d'une danoise accompagnée d'un café aromatisé, contentez-vous de deux ou trois trous de beigne et d'un cappuccino mousseux contenant du lait faible en gras.

8. **Demandez de l'eau avec votre repas, et buvez-la.** C'est gratuit! Quand vient le temps des boissons alcoolisées, imposez-vous des limites. Non seulement elles apportent des calories, mais, en buvant, vous risquez de baisser la garde et de trop manger. Quelques apéros représentent un apport de 300 à 600 calories, et ce, avant même le début du repas proprement dit. Si vous voulez commander une boisson alcoolisée, pourquoi ne pas opter pour un verre de vin, une bière légère ou un spiritueux avec une boisson gazeuse hypocalorique? Si vous préférez une boisson non alcoolisée, choisissez une boisson gazeuse hypocalorique, ou de l'eau gazéifiée ou minérale avec citron. Si vous faites une réservation ou attendez qu'une place se libère, installez-vous dans l'aire d'attente plutôt qu'au bar. Vous écarterez ainsi la tentation de trop boire avant le repas.

9. **Pourquoi ne pas sauter le dessert, sauf à votre anniversaire?** Si vous tenez mordicus à un dessert, un bon compromis consisterait à vous permettre une cuillerée

de crème glacée ou de sorbet. Partager une portion de dessert avec quelqu'un est également une bonne option.

10. **Après un repas pris au restaurant, allez marcher.**

   Cet exercice est particulièrement important si vous avez trop mangé.

UN PLAN POUR LES GRANDES OCCASIONS

Sachez fêter tout en évitant de trop manger.

En Amérique du Nord, les occasions de fêter sont aussi variées que les origines ethniques des gens. Peu importe l'occasion soulignée, ces quelques conseils vous aideront à limiter les « dégâts ». Il s'agit de trucs pour éviter la prise de poids et l'élévation intempestive de la glycémie.

Boustifaille des fêtes — les longues célébrations peuvent nous amener à trop manger. Ma grand-mère, qui avait passé son enfance au Danemark, nous parlait de Noël comme d'une occasion très spéciale. Au réveillon, la famille partageait un repas de cinq services soigneusement préparé. Le matin de Noël, tous les enfants recevaient une orange importée en guise de présent. Les célébrations de Noël duraient alors un peu plus de deux jours, tandis qu'aujourd'hui, les fêtes s'étendent parfois sur une période de deux ou trois mois. Les occasions de faire des excès de table sont ainsi multipliées.

Manger au temps des fêtes — savoir ne pas abuser des bonnes choses. La quantité gargantuesque d'aliments ingérée, voilà une autre caractéristique du temps des fêtes. On célèbre les mets « traditionnels », préparés à la maison, qu'on complète par des aliments du commerce, souvent des friandises et du chocolat. Vous aurez remarqué que les friandises de Noël font leur apparition sur les étalages dès la fin d'octobre ou le début de novembre. Elles seront vite suivies, en février, par le chocolat de Pâques, qui, pourtant, ne sera fêté que deux mois plus tard. Dans les années 1970, un lapin de Pâques tenait dans le creux de la main ; maintenant, il dépasse les 30 cm. Par ailleurs, si vous achetez vos bonbons d'Halloween dès septembre, ils auront disparu avant le 31 octobre, de sorte que vous devrez en racheter d'autres ! Les paquets de friandises devenant de plus en plus gros, il pourrait vous en rester non seulement après l'Halloween, mais aussi après l'Action de grâces, le ramadan, Noël, le dimanche du Super Bowl, Diwali, la Pâque juive, le Nouvel An chinois, le Mardi gras, Pâques et d'autres fêtes encore ! Ces « extras » poursuivent leur œuvre tentatrice pendant plusieurs jours ou semaines, jusqu'à ce que nous ayons tout mangé.

REPAS D'ANNIVERSAIRE

Venez-vous d'une grande famille, qui célèbre de nombreux anniversaires ? Une telle situation risque d'être problématique pour le diabétique, car toutes les calories et les sucres s'additionnent. Vous est-il possible de célébrer certains anniversaires en mangeant du gâteau, et d'autres en mangeant des aliments plus légers ?

Prenez-vous de l'insuline à action rapide ?

Si vous suivez une insulinothérapie souple, vous pouvez augmenter la dose d'insuline quand vous mangez plus. Cela vous dépannera lors d'une occasion spéciale, mais si vous mangez à l'excès pendant des jours ou des semaines, le supplément d'insuline et d'aliments se matérialisera en une prise de poids.

La prise de poids du temps des fêtes. Un excès occasionnel ou la prise d'un repas relativement copieux provoque un pic glycémique temporaire, qui sera corrigé. Cependant, des semaines d'abus et d'inactivité peuvent entraîner des problèmes glycémiques et pondéraux graves. Au cours du mois de décembre, les Nord-Américains de sexe masculin prennent de 1,5 à 2,5 kg (3 à 5 lb) en moyenne, et les femmes, de 1 à 1,5 kg (2 à 3 lb). Il faut plus qu'une portion de dinde au réveillon pour en arriver là! Pour prendre 1,5 kg (3 lb), il faut ingérer 10 500 calories en trop. Cela signifie que les abus de table se sont sans doute prolongés de novembre à début janvier. Perdre les kilos accumulés au temps des fêtes n'est certes pas une partie de plaisir. Ceux-ci s'accumulent parfois au fil des ans.

Résistez à la frénésie alimentaire du temps des fêtes.

1. **Essayez de juguler les excès du temps des fêtes.** Cette période exige beaucoup de planification et de préparation. Il est bien de sortir les décorations des fêtes à l'avance, mais ne servez les spécialités culinaires qu'une journée ou deux avant le début des festivités si possible, ou le jour de la fête proprement dit. Mettez la pédale douce sur les achats de nourriture et la préparation des repas.

2. **Instaurez une tradition de saine alimentation.** Pourquoi ne pas adapter vos recettes traditionnelles du temps des fêtes et en réduire la teneur en matières grasses (voir pages 100 à 108)? Les mets santé peuvent s'intégrer à la culture de votre foyer et sauront plaire aux gens à qui vous rendrez visite. Consultez le texte dans la marge.

3. **Prenez des repas normaux.** Le jour où une réunion de famille est prévue, vous serez peut-être tenté de sauter le déjeuner et le dîner afin de mettre des calories «en banque» pour plus tard. Malheureusement, ce calcul se retourne souvent contre vous. En effet, vous arrivez au souper affamé et oubliez toutes vos bonnes résolutions: vous vous jetez sur les amuse-gueule avant d'attaquer un repas trop copieux. En plus des repas normaux, prenez un fruit avant de sortir, histoire d'émousser votre appétit. Gardez votre estomac rempli d'eau et d'aliments faibles en calories.

4. **Planifiez de la place pour vos mets favoris.** À moins que vous ne soyez doté d'une volonté de fer, ne prévoyez pas vous passer de vos mets préférés. Si vous vous en privez, vous risquez d'éprouver un sentiment de frustration puis de sombrer dans l'abus. Permettez-vous ce qui

vous plaît le plus, un ou deux mets favoris, en quantité modérée. Vous n'avez pas besoin de tout goûter.

5. **Limitez votre consommation d'alcool.** Les calories de l'alcool viennent s'ajouter à celle de la nourriture. De surcroît, en buvant, vous vous rendez vulnérable à la tentation. Optez pour des boissons moins caloriques (liste à la page 138). Essayez du soda avec du jus de canneberge et de la lime.

6. **Des portions plus petites font l'affaire aussi !** Des études révèlent que nous mangeons plus quand nous nous trouvons devant de grosses portions. Par exemple, si la dinde est présentée à table dans une grande assiette de service, nous en prenons davantage, et si la sauce est proposée dans une grande saucière, nous avons tendance à en verser plus sur nos pommes de terre. À l'inverse, si l'hôte nous sert à partir d'une assiette plus petite, nous en prenons moins, par politesse. Sachant cela, devant un buffet, servez-vous dans une assiette plus petite. La taille de vos portions s'en trouvera automatiquement réduite. Goûtez plusieurs plats si vous le souhaitez, mais en plus petites portions.

7. **Garder la forme au temps des fêtes.** Le temps des fêtes peut être magique, mais il peut aussi être pénible, par exemple si des querelles divisent la famille. L'exercice physique est une bonne façon d'évacuer ce stress. Tenez-vous loin des irritants. Sortir vous aidera aussi à brûler les sucres et les calories excédentaires éventuellement ingérées. Après un repas copieux, posez la question : « Quelqu'un aimerait-il venir marcher ? » Le simple fait de marcher, ne serait-ce que 15 minutes, contribue à dissiper la léthargie consécutive aux excès de table. Si vous devez participer à une série de rencontres au temps des fêtes, efforcez-vous de marcher quotidiennement.

Gardez les enfants actifs et occupés.

Si les adultes ont trop mangé, les enfants auront fait de même. Ils ont alors besoin de grand air, de bouger pour brûler une partie de leur énergie. Pourquoi ne pas aller à la piscine ou à la patinoire ? Organisez un match de hockey ou une autre activité de plein air.

AU TRAVAIL, SACHEZ GÉRER LES TENTATIONS

Aménagez un milieu de travail sain pour vos collègues et pour vous-même.

Au travail, gardez-vous des réserves de nourriture dans les tiroirs de votre bureau? Est-ce que des friandises sont offertes en tout temps dans les aires communes, les salles de pause-café ou durant les réunions?

Bien des milieux exposent les travailleurs à de telles tentations. Ainsi, il se peut qu'en quittant le travail, vous ayez déjà dépassé votre seuil quotidien de calories recommandées. Vous trouverez plus loin des solutions pour contourner ce problème. Cependant, comme vous ne contrôlez pas l'ensemble de votre milieu de travail, vous augmenterez vos chances de succès si vous convainquez des collègues d'adopter votre démarche.

Réduisez l'offre de nourriture au bureau.

De nos jours, le problème de la nourriture au bureau se compare à celui de la cigarette dans les années passées. Il n'était pas normal que les fumeurs imposent leur fumée secondaire aux non-fumeurs. Le gouvernement et les entreprises ont donc mis en place des politiques visant à corriger cette situation. Ne serait-il pas juste qu'une personne qui ne souhaite pas manger durant les heures de travail ne soit pas exposée tous les jours à l'odeur et à la vue des irrésistibles aliments consommés par ses collègues?

N'apportez pas de nourriture dans votre bureau. Abordez la question avec vos collègues. En réalité, combien de gens souhaitent être constamment confrontés à la vue d'aliments alléchants? S'ils sont peu nombreux, ils accepteront peut-être de garder ces aliments hors de la vue de leurs collègues.

Réduisez les collations au moment des pauses-café.

Les pauses-café ont été introduites au milieu des années 1940, avant tout pour permettre aux ouvriers qui travaillaient toute la journée debout de s'asseoir. Si vous occupez ce genre d'emploi, vous méritez une telle pause. Cependant, de nos jours, nous sommes nombreux à occuper un emploi de bureau qui nous oblige à passer la majeure partie de la journée assis. Même si nous avons hâte au coup de fouet que nous donnera la caféine, notre corps et notre cerveau ont besoin de bouger, et non de rester encore plus longtemps immobiles. L'exercice nous aide à retourner au bureau frais et dispos. Pour cela, quoi de mieux que d'aller marcher pendant 15 minutes? Si le café vous est essentiel, rapportez-en une tasse à votre bureau. Peut-être en viendrez-vous à sauter occasionnellement un café et à le remplacer par de l'eau.

La pause-café est le bon moment pour engager une conversation légère avec les collègues. Tentez d'en convaincre un ou plusieurs de profiter de la pause pour sortir marcher tout en bavardant.

Témoignage de Judith

Au travail, nous avons un comité chargé du conditionnement physique des employés. Nous marchons maintenant avec un podomètre en nous lançant des défis. Je me suis moi-même convertie à ce gadget! C'était il y a un peu plus d'un an. Je sais maintenant à quoi équivalent 10 000 pas en une journée. Je suis heureuse de faire partie de notre comité du mieux-être et de la bonne forme physique. Cela me permet d'en apprendre plus sur la nutrition et l'exercice physique. Personnellement, je concentre mes efforts sur la marche et la réduction de mes portions aux repas. À elles seules, ces deux démarches peuvent changer une vie! Cet engagement me passionne. Quand on voit survenir des changements positifs, on en tire une satisfaction qui nous pousse à continuer. On souhaite convertir d'autres personnes. Si on est en mesure de les éclairer, on les aide beaucoup. Au travail, bien des gens font des choses qu'ils n'avaient jamais faites auparavant, par exemple emprunter les escaliers plutôt que l'ascenseur. Nous travaillons dans un édifice qui compte quatre étages. Nous nous lançons régulièrement des défis et calculons les étages grimpés. C'est une excellente activité pour consolider l'esprit d'équipe! Depuis que nous avons commencé ces défis, je n'ai pas repris l'ascenseur. Je suis tellement contente d'y participer! Dire je n'avais jamais fait d'exercice de ma vie!

Réduisez la nourriture lors des réunions.

On attire souvent les employés aux réunions en leur offrant de la nourriture. Lorsque la réunion est tout sauf passionnante, grignoter est une bonne façon de passer le temps! Le problème, c'est que si vous vous gavez de friandises, votre glycémie s'élève. La somnolence vous guette!

Souvent, quand de la nourriture nous est proposée, la volonté seule ne suffit pas pour y résister. Idéalement, c'est à la direction qu'il incombe de prendre une initiative à ce sujet. Doit-on absolument proposer des beignes, des muffins géants, des boissons gazeuses, de la pizza et des biscuits lors des réunions? Celles-ci ne pourraient-elles pas être de bonnes occasions de servir des plateaux de fruits frais et de légumes? Et peut-on prévoir une pause de 10 minutes pour marcher ou se dégourdir les jambes? Si c'est vous qui êtes le patron, apportez des changements pour le mieux; l'employé ne dispose pas du pouvoir de changer les choses. Cela dit, même une voix isolée peut parvenir à se faire entendre. Vous n'êtes sans doute pas la seule personne de votre groupe à vouloir perdre du poids, ou aux prises avec le diabète ou un taux de cholestérol élevé. Mettez ce point à l'ordre du jour d'une réunion. Cela agira peut-être comme un point de départ pour vos collègues, et les amènera à apporter des changements dans leur vie.

Nourriture santé pour les réunions :

- *plateaux de fruits frais avec trempette de yogourt*
- *plateaux de légumes crus*
- *muffins miniatures de 6 cm (2 ½ po) ou plus petits*
- *sandwiches sur pain de blé complet, sans beurre et contenant moins de garniture*
- *assortiment de craquelins de grains entiers, de galettes de riz et de cubes de fromage faible en matières grasses*
- *soupes et biscuits sodas*
- *sushis ou rouleaux de printemps non frits*
- *desserts présentés en petites portions*
- *pichet d'eau, verres et glaçons*
- *café et thé avec lait faible en gras*

EN VOYAGE, GARDEZ LE CAP

Découvrez le monde tout en améliorant votre santé.

Si vous conduisez un camion ou une autocaravane, ou si vous exercez une profession qui exige de nombreux déplacements, essayez ces trucs qui vous aideront à ne pas perdre de vue vos objectifs.

Au restaurant, faites des choix sensés.

Les repas copieux élèvent la glycémie ; efforcez-vous de prendre des repas plus légers et répartissez-les sur toute la journée (voir pages 70 à 74).

Quand vous vous déplacez en voiture, emportez avec vous des aliments bons pour la santé.

- Emportez de l'eau et des boissons hypocaloriques. Oubliez les boissons gazeuses, les desserts et la malbouffe. Évitez d'en acheter, tout simplement ! Contentez-vous de gomme à mâcher.

- Ayez avec vous une glacière ou un sac isolant. Peut-être avez-vous déjà un réfrigérateur dans votre véhicule ? Gardez la glacière bien remplie de fruits frais, de légumes crus précoupés (bâtonnets de carotte, de céleri, ou pois mange-tout), d'œufs cuits dur, de fromage en tranches, de mozzarella en tresses ou de yogourt en petites portions.

- Plutôt que de vous attabler au restaurant, pourquoi ne pas faire un arrêt à l'épicerie ? Achetez du pain, de la viande ou du fromage en tranche, et du concombre. Vous avez le nécessaire pour composer un repas !

- Pour le déjeuner, apportez de petits contenants de plastique préalablement remplis de céréales non sucrées ou de flocons d'avoine nature. Ajoutez-y 250 ml (1 tasse) de lait, et vos céréales sont prêtes à manger à la cuillère ! Mélanger les flocons d'avoine avec de l'eau chaude, du robinet ou de la machine à café de votre chambre d'hôtel.

- Voici des exemples de repas et de collations pratiques pour manger sur une aire de pique-nique ou dans la voiture :

  – sandwich au beurre d'arachide ou au fromage

  – boîte de thon ou de saumon pour confectionner un sandwich au poisson (ou mélangez la chair du poisson avec de jeunes feuilles d'épinard, des tomates hachées et une vinaigrette légère)

Munissez-vous des ustensiles essentiels :

Un couteau d'office ou de poche, des couverts de plastique et quelques tasses, bols et assiettes réutilisables.

Graines oléagineuses et noix :

Une quantité de 250 ml (1 tasse) de graines de tournesol dans leur écale équivaut à 75 ml (⅓ tasse) de graines de tournesol écalées. Ces quantités apportent 240 calories.

Attention : *Une quantité de 250 ml (1 tasse) de noix ou de graines oléagineuses écalées et prêtes à manger apporte de 700 à 800 calories !*

Bonbons : *Plutôt que de traîner dans votre véhicule un sac de bonbons — ce qui représente une tentation constante ! —, optez plutôt pour un paquet de bonbons miniatures, par exemple des Tic Tac^MD.*

- œufs cuits dur avec pain

- fromage et craquelins

- petit sachet d'amandes

- petit sachet de graines de tournesol ou d'arachides en écale (et non le grand sac)

- fruits frais, poudings en boîte ou quelques barres de céréales faibles en matières grasses.

- Si vous possédez une autocaravane ou si vous êtes routier, peut-être disposez-vous d'un congélateur ou d'un four à micro-ondes à bord de votre véhicule. Réchauffez-y des plats surgelés ou des restes rapportés de la maison. Si vous optez pour les repas copieux proposés dans ce livre, achetez des plats surgelés apportant moins de 400 calories pour le dîner, et moins de 700 pour le souper.

- Si vous êtes routier, ou si vous roulez sur de longues distances et que le temps vous presse, il peut s'avérer difficile de faire des arrêts à intervalles réguliers. Cependant, si vous vous abstenez de nourriture trop longtemps, vous risquez de souffrir de la faim puis de trop manger une fois devant un buffet à volonté ou au restaurant. Idéalement, essayez de faire plusieurs brefs arrêts plutôt qu'un seul relativement long. De la sorte, vous pourrez prendre vos repas à des heures régulières. Cela est essentiel si vous prenez de l'insuline ou des antidiabétiques oraux. Consultez les précautions à prendre, dans la marge.

Vacances et croisières «tout compris»

La «gratuité» de la nourriture et des boissons vous expose à la tentation de trop manger et de trop boire, car tout le monde autour de vous le fait. Tout en étant agréables, ces vacances risquent d'annihiler vos efforts pour perdre du poids et de déstabiliser votre glycémie. En rentrant, vous constaterez que vous avez pris 2,5 kg (5 lb). Rappelez-vous l'attitude à adopter devant un buffet: ne faites la queue qu'une fois et contentez-vous de petites portions. Prendre ses vacances dans un établissement donnant accès à une cuisinette est une bonne idée. Arrivé à destination, faites des provisions pour le déjeuner et le dîner à l'épicerie.

Exercice physique en voyage

Quand vous conduisez, prévoyez 10 minutes d'arrêt supplémentaires lorsque vous faites le plein, prenez une pause-café ou cassez la croûte. C'est le moment idéal pour une marche

PRÉCAUTIONS

Un épisode subi d'hypoglycémie alors que vous êtes au volant peut être extrêmement dangereux, pour vous, pour les autres conducteurs et pour les piétons. Consultez les pages 335 à 342 pour en apprendre davantage à ce sujet.

L'hyperglycémie présente aussi des risques, car elle induit une sensation de fatigue et vous rend moins alerte.

Si vous planifiez un vol qui traverse plusieurs fuseaux horaires, demandez conseil à votre éducateur agréé en diabète ou au médecin afin d'ajuster la posologie de vos médicaments pour le diabète ou le cœur, s'il y a lieu.

rapide dans le terrain de stationnement ou l'aire de repos. Rester assis longtemps provoque une élévation de la glycémie, et amène le sang à stagner dans les jambes et les pieds. Il est surprenant de voir à quel point 10 minutes d'exercice abaissent la glycémie et stimulent la circulation. De plus, ces brèves pauses permettent de brûler des calories et détendent les muscles du dos.

Bien sûr, une marche plus longue sera encore plus bienfaisante.

Lors d'un long vol, déambulez dans les couloirs ou faites des rotations de la cheville afin de stimuler la circulation dans vos pieds.

Exercice durant les vacances : Emportez un maillot de bain ou un short et un tee-shirt, et choisissez un hôtel équipé d'un gymnase. Prenez des vacances qui favorisent la marche et les activités de plein air. Les vacances au soleil permettent de faire beaucoup de marche, de natation et bien d'autres activités. Amusez-vous !

BOUGEZ !

Ouvrez la porte de la maison et non celle du frigo.

Tenez-vous occupé afin de ne pas penser à la nourriture. Au lieu de manger, sortez de la maison ou du bureau, et allez vous promener. Intégrez l'exercice physique à votre quotidien. Si vous avez des enfants, profitez du plein air avec eux. À la maison, montez et descendez les escaliers, parcourez les corridors, dansez, exercez-vous sur le vélo stationnaire ou le tapis roulant. Commencez par 5 minutes sans interruption et passez progressivement à 15, à 30 ou davantage. Consacrez moins de temps à la télévision ; les émissions de cuisine et les publicités gastronomiques ne font qu'éveiller votre appétit. De plus, le temps passé devant le téléviseur peut être consacré à l'exercice et au mouvement. Une fois que vous avez atteint le plateau en deçà duquel vous ne perdez plus de poids, vous devez absolument faire de l'exercice pour stimuler votre métabolisme et brûler l'excédent de calories.

La marche vous donne de l'énergie.

Des études scientifiques montrent qu'on est plus productif au travail et à la maison quand on consacre ses pauses à l'exercice. Si vous arrivez au travail avant l'heure, faites d'abord une petite promenade matinale. À l'heure du dîner ou en soirée, sortez pour marcher. Une promenade quotidienne vous permettra d'entreprendre la journée du bon pied tout en vous faisant perdre quelques kilos.

Ne prenez pas l'exercice physique comme prétexte pour manger davantage ! Ne vous est-il jamais arrivé de vous dire : «J'arrive d'une promenade ; je peux donc me permettre une seconde portion»? Eh bien, cette mentalité réduit à néant les bienfaits de la marche.

Quel est le secret de la bonne forme physique ? Il faut y consacrer du temps. Chaque effort compte. L'objectif est de faire au moins 150 minutes d'exercice aérobique par semaine. Cela signifie au moins 20 minutes par jour d'un exercice comme la marche.

Bon nombre d'entre nous mènent des vies très occupées. Il est difficile de faire de notre santé une priorité. Pourtant, l'exercice physique nous donne plus d'énergie pour toutes les autres activités de notre vie.

Témoignage de Dorothée

À la suite d'un deuil terrible, j'ai cherché consolation dans la nourriture. C'est ainsi que j'ai pris plus de 13 kilos (30 livres). Puis j'ai découvert le livre de Karen, *La santé au menu*, qui est maintenant une bible pour moi. J'ai perdu tout ce poids en trop, et ma glycémie est revenue à la normale. Pour éviter de reprendre le poids perdu, je surveille mon alimentation, je bois de l'eau et je fais de l'exercice physique. L'exercice est un élément important d'un mode de vie qui permet de maîtriser son poids. Tous les jours que la météo le permet, je promène mon chien. Quand je ne peux pas sortir, je danse à la maison au son d'une bande sonore appelée *Walk Off the Pounds*.

FRÉQUENTEZ DES GENS QUI MANGENT BIEN

Les amis qui vivent une vie saine peuvent vous aider.

Est-ce que des amis et des membres de votre famille vous incitent à trop manger ? Cela peut représenter un grand problème, surtout quand il s'agit de la famille. Curieusement, les changements positifs que nous faisons dans notre vie déteignent parfois sur notre entourage. Tentez par ailleurs de découvrir des passe-temps, compagnons ou groupes de soutien susceptibles d'épauler vos efforts par du renforcement positif. Le simple fait de trouver un nouvel ami ou un groupe à l'extérieur de votre cercle régulier peut exercer une grande influence sur vos habitudes.

Des études démontrent l'influence déterminante des personnes avec lesquelles on mange. Si vous venez d'une famille de grands mangeurs, vous serez porté à manger beaucoup vous aussi. Les hommes mangent davantage avec leurs amis masculins qu'en compagnie de leur conjointe ou copine. Lors des fêtes et des rencontres, les femmes rivalisent souvent entre elles, attitude qui favorise les excès de table. Certaines personnes mangent seules, alors que d'autres recherchent de la compagnie. Si vous souhaitez manger moins, il peut être salutaire de revoir avec qui vous vous mettez à table.

L'union fait la force.
Entraîner un membre de la famille ou de son entourage à modifier ses habitudes alimentaires et à faire de l'exercice profite souvent aux deux parties.

Ayez confiance en vous et en votre capacité de changement.

JOIGNEZ-VOUS À UNE ÉQUIPE

Tout le monde a besoin d'orientation et d'approbation.

Vous bénéficierez de parler de votre volonté de changement. Le voyage qui vous mènera à la normalisation de votre poids et à la maîtrise du diabète durera toute votre vie. Il est donc essentiel de vous entourer d'une équipe de soutien. Son appui vous aidera à garder le cap, et récompensera vos efforts et progrès.

C'est vous qui choisissez votre équipe. Les échanges par téléphone ou par courriel avec la diététiste, l'infirmière, l'éducateur agréé en diabète ou le médecin sont des éléments de motivation importants pour ne pas perdre de vue votre objectif. Ces professionnels vous aideront à surveiller votre poids, votre tension artérielle, et vous communiqueront les résultats de vos examens de laboratoire. Un ami, un membre de la famille, un collègue de travail, un compagnon de marche ou un groupe de soutien de type « Outremangeurs Anonymes » peuvent aussi vous aider. Si vous aimez naviguer sur Internet, essayez de trouver des groupes de soutien pour les personnes diabétiques ou désireuses de perdre du poids. Les mots-clés à utiliser dans la recherche sont « groupe », « soutien », « perte », « poids », etc.

N'apportez qu'un changement à la fois dans votre vie. Chacun d'eux vous rapproche de votre but.

Témoignage de Paul

Depuis que le médecin m'a diagnostiqué un diabète, mon assureur a mis à ma disposition une conseillère qui m'appelle tous les trois mois. Elle m'offre un service très utile. Elle répond notamment à toutes mes questions sur la glycémie et l'alimentation. Cette aide est précieuse, car elle agit comme un renforcement positif.

2. Glucides et glycémie

La majeure partie des glucides que nous ingérons proviennent de féculents, de sucres et desserts, de fruits, de lait et de légumes. La présente section explique de quelle façon les différents glucides influent sur la glycémie.

Aux pages 85 à 89, vous apprendrez comment abaisser votre glycémie en réduisant votre consommation de sucre de table, de boissons sucrées et de desserts. Ces aliments ont la propriété d'élever la glycémie rapidement. Quand vous en ingérez une grande quantité, le pancréas ne parvient pas à produire assez d'insuline, et votre glycémie demeure élevée pendant une période prolongée.

Même s'il est conseillé de réduire sa consommation de sucre et de boissons sucrées, les glucides ingérés sous forme de féculents, de légumes, de fruits et de lait font partie intégrante d'une saine alimentation. Aux pages 90 à 93, vous découvrirez les aliments glucidiques à indice glycémique bas. Ces aliments élèvent la glycémie lentement. En quantité adéquate, ils sont bons pour la santé, car ils n'exigent pas que le pancréas produise de l'insuline en grande quantité.

RÉDUISEZ VOTRE CONSOMMATION DE SUCRE ET DE BOISSONS SUCRÉES.

Le sucre ajouté, les boissons gazeuses, les desserts et les friandises sont rapidement convertis en glucose. Les jus de fruits apportent certes des vitamines, mais ils sont du fructose sous forme liquide. On doit aussi en consommer avec modération.

Sucre de table

- Le sucre blanc, la cassonade, le miel, le sirop de maïs, le sirop d'érable, les confitures et les gelées ne sont que différentes formes d'un même produit appelé sucre.

- Il est permis de consommer du sucre ajouté lors de certains repas ou collations, mais en *petite quantité*. N'en consommez que 5 à 10 ml (1 à 2 c. à thé), c'est-à-dire une quantité qui tient sur le bout du pouce.

Règle de base:

Lors d'un repas, ne consommez pas plus de sucre de table, de miel ou de confiture que la quantité qui tiendrait sur le bout du pouce.

Dans l'étiquetage alimentaire, tous ces mots sont synonymes de *sucre*:			
• sucre de canne • glucose monohydraté • sirop de maïs	• dextrose • concentré de jus de fruits • glucose	• sirop de maïs à haute teneur en fructose • miel • maltose	• mélasse • saccharose • sucre • sirop

Le sorbitol, le mannitol et le xylitol sont des édulcorants entrant dans la composition de certains produits dits diète. Ces substances élèvent deux fois moins la glycémie que le sucre ordinaire.

Évitez ces aliments contenant du sucre ajouté, ou consommez-les avec modération.

Rappelez-vous que les desserts et muffins apportent énormément de sucre (et de matières grasses) lorsqu'ils sont proposés en format géant.

Optez pour les desserts légers suggérés dans la section de ce livre consacrée aux repas, dans mon premier ouvrage, **La santé au menu**, *ainsi que dans d'autres livres de recettes consacrés au diabète. Vous trouverez aussi des idées pour adapter des recettes aux pages 100 à 108.*

Évitez les boissons et les jus de fruits sucrés, ou consommez-les avec modération.

Évitez les boissons gazeuses ordinaires.

Le Nord-Américain ingurgite en moyenne 100 litres (26,5 gallons) de boissons gazeuses chaque année. Une telle quantité équivaut à un apport de 42 800 calories. Pour prendre 0,5 kg (1 lb), il faut ingérer un excédent de 3 500 calories environ. Une telle consommation peut donc vous faire prendre plus de 4,5 kg (10 lb) par année.

cola de 170 ml (6 oz)	cola de 1 l (32 oz)
22 ml (4 ½ c. à thé) de sucre	125 ml (25 c. à thé) de sucre
(80 calories)	(430 calories)

En avalant une cannette de 355 ml (12 oz) de boisson gazeuse sucrée, vous ingérez 50 ml (10 c. à thé) de sucre inutile.

Les portions sont maintenant plus grandes.

Dans les années 1960, un verre de cola ordinaire contenait 170 ml (6 oz) de boisson gazeuse. C'était un plaisir qu'on s'offrait à l'occasion. Aujourd'hui, c'est le verre de 1 l (32 oz) qui est la norme. Cette boisson n'apporte que des calories «vides», c'est-à-dire du sucre sans valeur alimentaire.

Les jus de fruits sans sucre ajouté contiennent aussi beaucoup de sucre.

Vous serez peut-être étonné d'apprendre qu'un verre de 375 ml (12 oz) de jus d'orange sans sucre ajouté renferme autant de sucre qu'un cola, soit 50 ml (10 c. à thé). Le jus de pomme en contient même un peu plus. Certes, le jus de fruits renferme de la vitamine C et les autres éléments nutritifs contenus dans les fruits. Toutefois, il faut se contenter d'un petit verre, soit 125 ml (4 oz) de jus de pomme, d'orange ou de canneberges, ou encore 60 ml (2 oz) de jus de raisin ou de pruneaux. Ne buvez pas une grande bouteille de jus de fruits d'un coup ; cela provoquerait une élévation trop rapide de votre glycémie. Lorsque vous avez soif, optez pour l'eau, pour les boissons hypocaloriques ou pour les cocktails sans sucre.

Les boissons ci-dessus contiennent 300 ml (60 cuillerées à thé) de sucre, soit un apport de 1 200 calories :

Une bouteille de 1 l (32 oz) de cola, trois verres de 250 ml (8 oz) de jus de pomme sans sucre ajouté et un cappuccino glacé de 450 ml (16 oz).

375 ml (12 oz)   125 ml (4 oz)

En buvant un verre de 375 ml (12 oz) de jus de fruits sans sucre ajouté, vous ingérez 50 ml (10 c. à thé) ou plus de sucre inutile. N'en buvez qu'un petit verre, comme celui qui se trouve à droite, et comptez-le comme une portion de fruit. Encore mieux : optez plutôt pour un fruit frais et profitez des bienfaits des fibres alimentaires.

Un verre de 375 ml (12 oz) de jus de pomme renferme en sucre l'équivalent de 4 pommes. Vous ne mangeriez pas autant de pommes d'un seul coup, mais sous forme liquide, une telle quantité de sucre est vite avalée.

> *Ne tombez pas dans le panneau et n'allez pas croire que les jus de fruits aromatisés aux herbes ou à d'autres produits ajoutés sont meilleurs pour la santé. Ils contiennent en général autant de sucre qu'un jus de fruits régulier.*

LES FAÇONS DE RALENTIR L'ABSORPTION DES GLUCIDES

Quand on ingère un aliment glucidique qui s'absorbe rapidement, le glucose passe sans délai dans le sang. Le pancréas n'est alors pas en mesure de sécréter suffisamment d'insuline pour faire face à cette soudaine élévation de la glycémie. Si la quantité de glucides ingérée est importante, votre glycémie demeurera élevée pendant plusieurs heures.

Vous pouvez faciliter le travail de votre pancréas et normaliser votre glycémie.

Réduisez la taille de vos portions.

Inspirez-vous des plans de repas proposés aux pages 151 à 202. La section « À prescrire/À proscrire » aux pages 203 à 218 fournit aussi des informations sur la taille des portions.

Pour déterminer si un aliment provoque un pic glycémique soutenu, il faut mesurer la glycémie avant le repas et deux heures après.

Répartissez votre consommation de glucides uniformément sur toute la journée.

Prenez trois repas par jour, en intercalant des collations au besoin.

Consommez moins de glucides rapides.

Cela signifie consommer moins de sucre de table, de boissons gazeuses, de desserts et de friandises. De plus, consommez avec modération les aliments qui, selon vos mesures, provoquent un pic glycémique ou une élévation soutenue de la glycémie.

Avec un repas ou une collation copieuse, accompagnez les glucides de protéines ou de graisses.

Par exemple, si vous mangez des craquelins avec du fromage, les protéines du fromage ralentissent l'absorption des glucides des craquelins. Ces glucides seront absorbés plus lentement que si vous aviez mangé les craquelins sans fromage.

Consommez quotidiennement des aliments à indice glycémique bas.

Pour approfondir le sujet, poursuivez votre lecture.

Mangez lentement.

Vous ralentissez ainsi l'absorption des glucides.

Après avoir mangé, allez marcher d'une demi-heure à une heure.

Cette activité permet de brûler les glucides contenus dans les aliments tout juste ingérés.

Certains antidiabétiques oraux sont parfois utiles.

L'insuline et d'autres médicaments aident à corriger l'élévation de la glycémie qui survient immédiatement après le repas (voir pages 319 à 334).

Consommez quotidiennement des aliments à indice glycémique bas.

L'indice glycémique indique la vitesse à laquelle un aliment glucidique élève la glycémie. On y fait aussi référence par l'abréviation «IG». Les aliments à indice glycémique bas élèvent la glycémie lentement, et constituent donc de bons choix alimentaires. **Regardez les photos des pages 91 et 93.**

Choisissez des glucides de différentes provenances (féculents, fruits et légumes, lait) et essayez de consommer quotidiennement des aliments à IG bas. Tenez-vous-en à des portions raisonnables. N'oubliez pas qu'une **grosse portion** d'un aliment glycémique à IG pourtant bas risque de provoquer une hyperglycémie à cause de la quantité totale de glucides ingérée. Ainsi, consommer une **grande quantité** d'un aliment à IG bas, comme le pain complet, peut provoquer une hyperglycémie aussi marquée que la consommation d'un aliment à IG élevé,

Le fait qu'un aliment renferme un ingrédient à IG bas ne signifie pas qu'il possède lui-même un IG bas. Une barre de céréales composée d'avoine et d'orge peut contenir beaucoup de sucre ajouté, ce qui en élève l'indice glycémique.

tel le pain blanc, **en faible quantité** ou en tranches plus fines. La taille des portions joue un rôle crucial. Orientez-vous grâce au présent ouvrage pour les portions de vos repas et collations.

Qu'est-ce qui fait qu'un glucide possède un IG bas?

C'est la quantité de fibres alimentaires! Il existe deux principaux types de fibres alimentaires:

Les **fibres insolubles** se trouvent dans le blé complet, les céréales, les fruits et les légumes. Ces aliments contiennent des acides, comme l'acide phytique, qui ralentissent l'absorption des glucides. L'acide phytique est aussi présent dans certains aliments riches en fibres solubles, comme les haricots et les lentilles.

Les **fibres solubles** se trouvent dans les flocons d'avoine, l'orge, les haricots ainsi que dans certains fruits et légumes. Elles se fixent aux glucides et en ralentissent l'absorption. Elles contribuent également à abaisser le taux de cholestérol de l'organisme.

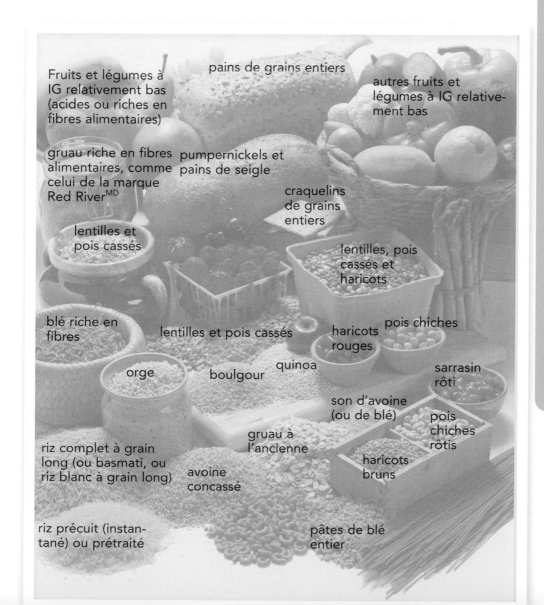

Fruits et légumes à IG relativement bas (acides ou riches en fibres alimentaires)

pains de grains entiers

autres fruits et légumes à IG relativement bas

gruau riche en fibres alimentaires, comme celui de la marque Red River^MD

pumpernickels et pains de seigle

craquelins de grains entiers

lentilles et pois cassés

lentilles, pois cassés et haricots

blé riche en fibres

lentilles et pois cassés

haricots rouges

pois chiches

orge

boulgour

quinoa

sarrasin rôti

son d'avoine (ou de blé)

pois chiches rôtis

gruau à l'ancienne

riz complet à grain long (ou basmati, ou riz blanc à grain long)

avoine concassé

haricots bruns

riz précuit (instantané) ou prétraité

pâtes de blé entier

- Optez pour les produits riches en fibres (consultez les étiquettes).

- Pour varier, remplacez les pommes de terre ou le riz par de l'orge.

- Mangez du pain de blé entier, de seigle complet ou de céréales complètes en tranches fines de 30 g (soit 70 calories) environ.

- Essayez quelques recettes à IG bas, comme le gruau d'avoine (déjeuner 1), la soupe avec tacos (dîner 2) et la salade aux racines de pissenlit (souper 3). De mon livre *La santé au menu*, essayez le riz mexicain aux haricots et le pot-pourri aux noix de Grenoble et à l'orge.

Acidité : En plus de l'acide contenu dans les aliments riches en fibres alimentaires, d'autres acides ralentissent l'absorption des glucides, notamment le citron, le vinaigre ainsi que les tannins du thé.

- En mangeant, buvez du thé.

- Aromatisez vos légumes avec du citron ou du vinaigre (et non pas avec des corps gras). Le citron accompagne bien le poisson et le thé.

- Pour créer une marinade faible en sel, essayez le vinaigre et l'aneth avec les betteraves en conserve ou les concombres en tranches.

Aliments moins transformés : La glycémie a moins tendance à atteindre des pics lorsque l'aliment glucidique est cru (plutôt que cuit), peu cuit (plutôt que trop cuit), entier (au lieu de haché), et ferme (plutôt que trop mûr, dans le cas d'un fruit).

- Consommez du pain de grains entiers de préférence au pain blanc.

- Utilisez des pommes de terre fraîches plutôt que de la purée instantanée.

- Au lieu de consommer du gruau instantané, préparez-le à partir d'avoine à cuisson lente.

- Donnez la préséance aux fruits et aux légumes crus plutôt qu'aux fruits trop cuits et aux jus de fruits.

- Préparez vos repas vous-même, à partir d'ingrédients entiers et frais.

Le **fructose** (sucre des fruits) et le **lactose** (sucre du lait) sont convertis en glucose plus lentement que certains autres sucres et même que certains féculents. En guise de collation ou d'accompagnement des repas, consommez des fruits frais ou des produits laitiers.

Aliments glucidiques à IG bas : voici ceux qu'il faut choisir !

3. Étiquetage alimentaire

C'est à l'épicerie que s'amorce une saine alimentation. Les aliments que vous y achetez représentent ce que votre famille et vous-même mangerez à la maison. Pour faire l'épicerie, faites une liste et respectez-la. Les aliments les meilleurs pour la santé sont généralement placés sur les étagères du haut et du bas, ainsi que sur les murs extérieurs du supermarché. L'offre d'aliments est très vaste, et cette richesse est source de beaucoup de confusion au moment de l'achat. Vous n'avez pas besoin d'essayer tous les nouveaux produits qui arrivent sur le marché. Lisez les étiquettes et optez pour les aliments de consommation courante que vous savez être bons.

Si vous tentez de perdre du poids, il est essentiel de faire attention au nombre de calories total et à la taille des portions recommandée pour chaque produit. Ce sont les glucides, les protéines et les gras qui apportent les calories. Un produit alimentaire est mauvais s'il contient trop de sucre ajouté, de gras (notamment les gras saturés ou les gras trans) ou de sel. Les aliments relativement riches en vitamines et en minéraux sont des choix plus intéressants.

LISTE D'INGRÉDIENTS

Les fabricants énumèrent les ingrédients d'un produit du plus important au moins présent, en fonction du poids. Ceux qui sont présents en plus grande quantité figurent donc en début de liste, et ceux qui entrent dans la composition en quantité moindre sont mentionnés à la suite. Si vous constatez que le sucre, le gras ou le sel figurent parmi les premiers ingrédients d'un aliment, celui-ci est habituellement un mauvais choix.

La liste d'ingrédients est parfois difficile à déchiffrer. Elle peut contenir des ingrédients similaires, pourtant mentionnés séparément. Ainsi, une étiquette de fruits en conserve pourrait très bien mentionner : «pêches, eau, sucre, sirop et sucre de canne». À première vue, on a l'impression que le sucre occupe la troisième place. Cependant, le sucre, le sirop et le sucre de canne sont tous du sucre sous différentes formes. En réalité, si on additionnait ces trois types de sucre, la quantité totale obtenue pourrait bien occuper la première ou la deuxième position. C'est pourquoi on conseille de jeter un coup d'œil aux tableaux de valeur nutritive, qui fournissent de plus amples détails. Comparez les quantités de sucre par portion des différentes marques d'un même aliment.

VALEUR NUTRITIVE

Taille des portions

Faites attention à la taille des portions. Le fabricant mesure les calories et les autres données en s'appuyant sur cette valeur. La taille de la portion mentionnée ne correspond pas forcément à celle que vous mangeriez... souvent, elle est plus petite ! Par exemple, le tableau de valeur nutritive d'une tablette de chocolat peut ne porter que sur trois morceaux. Toutefois, la plupart du temps, on mange la tablette en entier. Vous ingérez ainsi beaucoup plus de calories, de gras et de sucre que ce qu'indique le tableau. De même, le tableau de valeur nutritive d'une boîte de céréales pour déjeuner pourrait porter sur une quantité de 250 ml (1 tasse), mais vous pourriez très bien en consommer 500 ml (2 tasses) chaque matin. Si vous mangez le double de la portion indiquée, vous ingérez le double de calories et d'éléments nutritifs.

Éléments nutritifs énumérés et quantités indiquées

La quantité d'un élément nutritif que contient un aliment du commerce est exprimée en pourcentage du besoin quotidien d'une personne de poids moyen. Cette quantité figure sur l'étiquette de l'aliment en termes de « % valeur quotidienne » (ce qui sous-entend : « de la quantité recommandée »). Ainsi, si une portion d'un quelconque aliment apporte 30 % de vitamine C, la consommation de cette portion fournit 30 % (soit le tiers environ) de la vitamine C dont on a besoin durant la journée. Vous pouvez puiser le reste de votre vitamine C (de manière à obtenir environ 100 % de la quantité recommandée) dans des légumes et fruits frais. Le pourcentage de la valeur quotidienne recommandée indique donc si l'aliment apporte peu ou beaucoup de l'élément nutritif en question.

Consommez une quantité suffisante :

- de fibres alimentaires ;
- de vitamines et de minéraux ;
- de gras mono-insaturés et d'acides gras oméga-3 (pas toujours indiqués).

Consommez une quantité moindre :

- de calories (si vous cherchez à perdre du poids) ;
- de matières grasses ;
- de gras saturés ;
- d'acides gras trans ;
- de cholestérol ;

En règle générale :

- 5 % ou moins de la valeur quotidienne recommandée est considéré comme un apport FAIBLE ;

- 15 % ou plus de la valeur quotidienne recommandée est considéré comme un apport ÉLEVÉ (aux États-Unis, c'est à partir de 20 % que l'on considère l'apport nutritionnel comme élevé).

Valeur nutritive Par tablette (14 g)	
Teneur	% valeur quotidienne
Calories 50	
Lipides 0 g	0 %
saturés 0 g + trans 0 g	0 %
Cholestérol 0 mg	0 %
Sodium 5 mg	1 %
Glucides 12 g	4 %
Fibres 1 g	3 %
Sucres 11 g	
Protéines 2 g	
Vitamine A	0 %
Vitamine C	2 %
Calcium	0 %
Fer	0 %

- de sodium;

- de sucres (surtout ajoutés).

Si vous faites des efforts pour perdre du poids, optez pour les aliments qui apportent relativement peu de calories et de matières grasses. Si l'aliment renferme trop de glucides, il fera monter votre glycémie. On pense ici aux féculents, aux sucres naturels contenus dans le lait, les légumes et les fruits, ainsi qu'aux sucres ajoutés, comme le sucre de table et le miel. Les fibres sont aussi considérées comme des glucides, mais elles n'élèvent pas la glycémie.

DÉCHIFFRER LES ÉTIQUETTES (QUELQUES EXEMPLES)

Ce qu'affirme l'étiquette	Ce que cela signifie
Faible en sucre ou à faible teneur en sucre	Ne contient pas plus de 2 g de sucre par portion (équivaut à 2 ml, soit ½ c. à thé de sucre). Un bon choix! **Avertissement:** Si vous consommez plus d'une portion de l'aliment, la quantité de sucre ingérée se trouve augmentée.
Sans sucre ajouté ou non sucré	Aucun sucre de table n'a été ajouté au produit. **Avertissement:** Cet aliment peut renfermer des produits naturellement sucrés, comme du concentré de jus de raisin.
Sans sucre	Ce produit est très faible en sucre de table ajouté (0,5 g ou moins). **Avertissement:** Cet aliment peut contenir des sucres alcool, comme le sorbitol, ainsi que des gras, des protéines ou du sel.
Hypocalorique	Cet aliment apporte au moins 50% moins de calories que le produit d'origine offert par le même fabricant. **Avertissement:** Le produit peut quand même apporter beaucoup de calories s'il renfermait au départ beaucoup de gras ou de sucre.
Faible en calories	Le produit apporte 15 calories ou moins par portion. Une telle teneur calorique est très faible. Cet aliment devrait donc peu influer sur votre poids ou sur votre glycémie. **Avertissement:** L'aliment peut contenir beaucoup de sodium (sel).
Faible teneur en lipides	L'aliment contient moins de 3 g de lipides. En consommer une portion constitue un bon choix. **Avertissement:** Si vous en mangez plusieurs portions, les lipides s'additionnent.
Sans lipides	Il s'agit d'une teneur très faible en lipides, soit moins de 0,1 g par portion. **Avertissement:** L'aliment peut avoir une teneur élevée en sucre ou en sodium.
Faible teneur en cholestérol	Ce produit contient peu de cholestérol. **Avertissement:** Il peut tout de même apporter beaucoup de calories et, ainsi, favoriser une prise de poids, ce qui élèvera votre taux de cholestérol.

En résumé: Consultez les tableaux de valeur nutritive et comparez les produits! Ce que prétendent les étiquettes quant aux effets sur la santé et à la valeur nutritive des produits ne trace pas toujours un portrait complet.

CONSEILS POUR LE CHOIX D'ALIMENTS SANTÉ

Céréales

Fibres alimentaires: Les céréales à teneur élevée en fibres alimentaires en contiennent 3 g ou plus par portion.

Sucre ajouté: Optez pour les céréales contenant 4 g de sucre ou moins par portion. Ainsi, une portion ne fournira pas plus que 5 ml (une cuillerée à thé) de sucre ajouté.

Gras ajouté: Choisissez des céréales contenant 2 g de gras ou moins par portion.

Comparez les étiquettes: Parcourez les étiquettes des différents produits. Si vous tentez de perdre du poids, comparez des portions de taille égale. Essayez de choisir les céréales qui apportent le moins de calories.

Pains et bagels

Pains: Optez pour un pain qui apporte 70 calories par tranche environ. Cela équivaut à 140 calories pour deux tranches.

Bagels: Les bagels sont fabriqués à partir d'une pâte dense et apportent donc davantage de glucides et de calories que le pain.

- Un petit bagel de 7,5 cm (3 po) de diamètre environ apporte près de 160 calories. Cette quantité équivaut à 2 tranches de pain.

- Un gros bagel de 12,5 cm (5 po) de diamètre environ apporte près de 320 calories et équivaut à 4 tranches de pain.

Pain et bagels:

- La mention «blé entier» signifie que la totalité du grain (couche extérieure fibreuse et germe), y compris ses bienfaits pour la santé, se trouve dans le pain. C'est donc un choix santé.

- Les pains de blé entier (à 60 % ou à 100 %), de seigle ou multigrains, sont en général de bons choix alimentaires sur le plan des fibres, bien qu'ils ne contiennent pas toujours le germe de blé. Le germe de blé s'achète tel quel, et vous pouvez en enrichir céréales, riz, yogourt et autres aliments.

- Lors d'un repas, si vous optez pour le pain blanc ou un bagel, complétez ce choix par des aliments riches en fibres alimentaires. Par exemple, accompagnez votre sandwich de légumes crus.

- L'épithète «enrichi» signifie que le fabricant a ajouté des vitamines et des minéraux à son produit.

Céréales santé:

Valeur nutritive Par tasse (30 g)		
Teneur	Céréales seules	Avec 125 ml de lait écrémé
Calories	120	160
	% valeur quotidienne	
Lipides 2 g	3%	3%
saturés 0,2 g + trans 0 g	2%	2%
Cholestérol 0 mg	0%	0%
Sodium 270 mg	11%	13%
Glucides 22 g	7%	9%
Fibres 3 g	12%	12%
Sucres 1 g		
Protéines 4 g		

Fibres et étiquetage

Les fibres alimentaires traversent le tube digestif sans être absorbées. Les calories et glucides apportés par les fibres n'influent donc pas sur votre glycémie ou sur votre poids. Les fabricants doivent cependant tenir compte de ces glucides et calories dans l'étiquetage. Les aliments riches en fibres apportent en réalité moins de glucides et de calories que ne le mentionne leur étiquette.

Voir l'étiquette de céréales ci-dessus. La présence de 3 g de fibres signifie que le produit ne contient en réalité que 19 (22 moins 3) g de glucides susceptibles d'influer sur la glycémie.

Lait au chocolat

250 ml (1 tasse) de lait au chocolat renferment 15 ml (3 c. à thé) de sucre supplémentaire.

Si vous voulez boire du lait au chocolat, vous pouvez réduire sa teneur en sucre en le mélangeant avec une quantité égale de lait écrémé blanc.

Soupe aux tomates en conserve réduite en sel:

Valeur nutritive Par 125 ml (½ tasse)	
Teneur	% valeur quotidienne
Calories 80	
Lipides 0 g	0%
saturés 0,2 g + trans 0 g	0%
Cholestérol 0 mg	0%
Sodium 360 mg	15%
Glucides 19 g	6%
Fibres 2 g	8%
Sucres 11 g	
Protéines 2 g	
Vitamine A	4%
Vitamine C	15%
Calcium	2%
Fer	4%

Les aliments renfermant beaucoup de fibres représentent normalement de bons choix alimentaires.

Fruits en conserve

Achetez des fruits conservés dans l'eau ou dans le jus. Si vous optez pour des fruits dans le sirop, rincez-les afin de réduire la quantité de sucre.

Jus de fruits

Une quantité de 125 ml (½ tasse) de jus de fruits (60 ml ou ¼ tasse pour le jus de raisin ou de pruneaux) compte comme une portion de fruits. Réduisez votre consommation de jus de fruits et préférez-leur les fruits frais. Les jus de fruits légers contenant un édulcorant faible en calories (dit hypocalorique) comptent comme des choix alimentaires faibles en sucre.

Lait

Optez pour le lait écrémé ou le lait à 1% M.G. Ces laits sont faibles en gras et constituent une source naturelle de sucre (lactose). Évitez ou limitez la consommation de lait contenant du sucre de table ajouté, comme les laits au chocolat ou parfumés (sucrés). Étudiez les étiquettes, et comparez la teneur en sucre du lait sucré par rapport au lait nature. Si l'étiquette indique qu'il contient 4 g de sucre (glucides) **de plus** que le lait ordinaire, une quantité de 5 ml (1 c. à thé) de sucre a été ajoutée par volume de 250 ml (1 tasse). Si l'étiquette fait état de 16 g de sucre **de plus**, ce sont 20 ml (4 c. à thé) de sucre qui ont été ajoutés. Le lait enrichi de vitamine D est un excellent choix.

Fromage

Achetez plus souvent du fromage faible en gras (bloc ou tranches). L'étiquette doit indiquer une teneur en M.G. (matières grasses du lait) égale ou inférieure à 20%.

Crème sure

La meilleure est la version sans matière grasse (0% M.G.). À défaut de la trouver, la crème sure à 5% M.G. est acceptable aussi.

Soupes en conserve ou en sachet

Bonne nouvelle: Il est de plus en plus facile de trouver des soupes réduites en sel. Cependant, elles fournissent quand même souvent le quart du sodium requis pour la journée (la fameuse «valeur quotidienne»). Le produit d'origine, quant à lui, en contient parfois le tiers, voire davantage. La variété réduite en sel est préférable à l'originale, et elle constitue un bon point de départ. N'oubliez pas que certaines soupes contiennent parfois beaucoup de gras ajouté. Lisez bien les étiquettes.

Pizzas, lasagnes et plats surgelés

Ces mets apportent souvent beaucoup de calories, de gras et de sodium. Certains plats contiennent même du sucre ajouté. Avant de les ajouter à votre panier d'épicerie, comparez les produits et optez pour le meilleur. Essayez de consommer moins de prêt-à-manger.

Margarine, beurre et huile

Tous ces corps gras apportent le même nombre de calories, soit 45 par 5 ml (1 c. à thé) environ. Les lipides sont une source très concentrée de calories. Même en petite quantité, ils apportent un excédent de calories indésirables. Si vous faites des efforts pour perdre du poids, vous devez réduire tous les gras. Cherchez les aliments faibles en gras saturés et en gras trans.

Matières grasses allégées

La margarine et le beurre allégés comptent moins de calories, car de l'eau entre dans leur composition. Si vous appliquez du beurre allégé sur des rôties chaudes ou du maïs soufflé, il dégorgera un peu d'eau, mais dans les sandwiches froids, il a bon goût. L'huile dite « légère » l'est sur le plan de la couleur plutôt qu'en nombre de calories. Consultez les étiquettes et comparez les produits.

Beurre ou margarine

Le beurre et la margarine sont essentiellement composés de gras. Si vous en mangez trop, votre consommation totale de gras augmente. Cela risque de vous faire prendre du poids et d'augmenter vos taux sanguins de cholestérol et de glucose. Allez-y doucement !

Huile d'olive et huiles végétales

Ces huiles contiennent des gras bons pour la santé. Il faut tout de même en consommer avec modération à cause du nombre élevé de calories qu'elles apportent.

Mayonnaise et sauces à salade

Les meilleurs produits sont ceux qui ne contiennent pas de gras. Les produits apportant moins de 30 calories par cuillerée à table (15 ml) sont plus légers que les produits réguliers.

Préparez-vous des repas maison vite faits ; vous avez ainsi un meilleur contrôle sur les ingrédients.

Règle de base

Calculez le gras que contient votre nourriture. N'en mangez pas plus que la quantité qui tient au bout du pouce (5 à 10 ml, soit 1 ou 2 c. à thé environ).

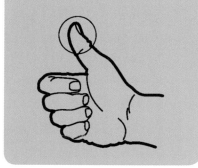

Gras bons pour la santé

L'huile d'olive surtout ainsi que l'huile de canola contiennent un type de gras bon pour la santé appelé gras mono-insaturé. Les huiles végétales, comme les huiles de canola et de soya, apportent une petite quantité de gras oméga-3 bienfaisants.

Avec le temps, les choix alimentaires judicieux se traduisent par de grands avantages.

4. Desserts légers et édulcorants hypocaloriques

 KAREN GRAHAM RÉPOND À VOS QUESTIONS: LES DESSERTS.

> **Amir:** *J'ai appris que j'avais le diabète l'année dernière. Depuis, j'ai perdu 4 kg (8 lb), et ma glycémie s'est normalisée. C'est avec ma femme que j'ai des problèmes. Elle s'inquiète à propos de ma santé et ne me laisse plus manger quoi que ce soit de sucré. Adieu gâteaux, biscuits, tartes, confitures! À cause d'elle, la nourriture ne m'apporte plus de plaisir. Il me faut voir les choses en face: j'adore manger, cela fait partie de ma vie.*
>
> *Je sais que ma femme est bien intentionnée, mais cette histoire de diabète est frustrante pour nous deux. Je peux quand même manger un peu de sucré et de dessert, n'est-ce pas?*

Réponse de Karen: Félicitations pour ce poids perdu et pour la normalisation de votre glycémie!

La réduction des sources évidentes de sucre vous a certainement aidé à maîtriser votre diabète.

Être atteint de diabète ne signifie pas que vous deviez vous priver de dessert pour la vie. Mais la maladie vous oblige à vous contenter de portions plus petites, à choisir des desserts plus légers, plus faibles en sucre et en gras.

Les préoccupations de votre femme paraissent légitimes. Après tout, votre bien-être lui tient à cœur! On a l'impression qu'elle a pris le contrôle de votre alimentation. Elle peut toutefois desserrer l'étau un petit peu, et voici pourquoi.

D'abord, l'excès de sucre et les desserts ne sont pas les seuls responsables de l'hyperglycémie. C'est le fait de trop manger et de trop boire (viande, gras, féculents et sucre) qui provoque une prise de poids et une élévation de la glycémie. En perdant du poids, vous faites baisser votre glycémie. Quand vous faites de l'exercice, vous consommez le sucre stocké dans votre organisme, et votre glycémie s'abaisse encore davantage.

Je vous suggère donc de vous concentrer sur la taille des portions. Dans les plans de repas proposés dans ce livre et dans mon premier ouvrage, *La santé au menu*, les portions indiquées sont celles qui conviennent à une alimentation équilibrée au quotidien. Je fais de la place à de petites portions de confitures régulières ou légères au déjeuner, et j'emploie du sucre ordinaire dans certains desserts légers. Les collations et les desserts prévoient des fruits, des poudings et autres desserts relativement légers: biscuits nature, petites portions de crème glacée ou de sorbet, gâteau sans glaçage. En guise de collation, du chocolat à l'occasion, des bonbons durs et même des guimauves sont permis. Vous trouverez des conseils sur la lecture des étiquettes aux pages 94 à 99. Votre épouse et vous-même aurez peut-être envie d'essayer mes recettes de desserts ou d'adapter vos recettes préférées (voir pages 104 et 105).

En vous contentant de portions réduites, une quantité de sucre raisonnable peut avoir sa place dans votre alimentation. N'oubliez pas que la marche aide à abaisser la glycémie, surtout si elle est faite une heure environ après le repas. Marcher est d'ailleurs une excellente activité à faire avec votre épouse. Bonne chance!

SUCRE DE TABLE

Le sucre n'est qu'une source de glucides parmi d'autres dans l'alimentation. Vous n'avez pas à l'éviter à table ou dans la cuisine, mais il faut en limiter votre consommation. Ainsi, si vous voulez en utiliser dans vos recettes, réduisez-en la quantité. Pour ajouter du sucre (miel, cassonade ou confiture) à un plat, prenez le bout du pouce comme mesure, ce qui équivaut à 5 à 10 ml (1 à 2 c. à thé). Chez certaines personnes, la consommation d'une petite quantité de miel ou de confiture permet de satisfaire une fringale de sucre. Cette façon de faire est certainement préférable à une privation suivie d'un abus. Pour ce qui est de la maîtrise de la glycémie, sachez que l'organisme est capable de faire face à un surplus de sucre de temps à autre.

C'est l'abus qui pose problème.

BISCUITS

Tous les biscuits renferment du sucre et du gras ! Optez pour des biscuits qui ne sont ni trop épais ni trop gros. Idéalement, un biscuit devrait apporter 40 calories au plus ; trois biscuits apporteraient ainsi 120 calories. Contentez-vous d'une portion de deux ou trois biscuits.

Les barres de céréales paraissent peut-être meilleures pour la santé que les biscuits, mais elles contiennent souvent beaucoup de sucre et de gras ; comparez les étiquettes.

YOGOURT

Choisissez un yogourt apportant de 100 à 120 calories par 175 ml (¾ tasse). Un tel yogourt est faible en gras, et le sucre est remplacé par un édulcorant hypocalorique.

Sucre naturel ou sucre de table ?

Malheureusement, le tableau de valeur nutritive ne distingue pas les sucres naturels du sucre de table ajouté (le sucre naturel vient du lait, des fruits et des légumes). Pour découvrir si un produit contient du sucre ajouté, il est nécessaire d'étudier la liste d'ingrédients.

POUDINGS

Voici une façon de découvrir si un pouding instantané est faible en sucre : soulevez-en la boîte. Si elle semble très légère, le produit est faible en sucre. À l'inverse, une boîte de pouding standard, renfermant du sucre, sera beaucoup plus lourde. En consultant l'étiquette, vous verrez que la version faible en sucre en contient 0 g, et que le produit régulier en renferme de 15 à 20 g.

Certains diabétiques décident d'éviter le sucre ajouté autant qu'ils le peuvent. À table et en cuisine, ils utilisent des édulcorants hypocaloriques. C'est une question de choix personnel et, sur le plan de la santé, les deux attitudes se défendent.

Biscuits faibles en sucre et en gras :

Valeur nutritive	
Pour 3 biscuits (22 g)	
Teneur	% valeur quotidienne
Calories 98	
Lipides 3 g	5%
saturés 1 g + trans 0 g	5%
Cholestérol 0 mg	0%
Sodium 94 mg	4%
Glucides 17 g	5%
Fibres 1 g	
Sucres 5 g	4%
Protéines 2 g	

Lorsque vous achetez un pouding prêt-à-manger, recherchez la mention «faible en sucre» sur l'étiquette.

Crème glacée:

Valeur nutritive Par 125 ml (½ tasse)	
Teneur	% valeur quotidienne
Calories 120	
Lipides 5 g	8%
saturés 3,5 g + trans 0,2 g	19%
Cholestérol 15 mg	2%
Sodium 80 mg	3%
Glucides 17 g	6%
Fibres 0 g	4%
Sucres 15 g	
Protéines 1 g	
Vitamine A	6%
Vitamine C	0%
Calcium	4%
Fer	0%

La plupart des crèmes glacées couvrent moins de 5 % des besoins quotidiens de l'organisme en matière de calcium ; elles ne sauraient donc remplacer le lait.

Certains des produits dits « sans sucre » apportent en fait plus de gras et de calories que les bonbons et chocolats ordinaires.

CRÈME GLACÉE, YOGOURT GLACÉ ET SORBET

Optez pour les produits qui apportent 120 calories ou moins par quantité de 125 ml (½ tasse). Vous serez stupéfait d'apprendre que certains desserts réduits en gras renferment davantage de sucre, et que certaines crèmes glacées faibles en sucre contiennent plus de gras que la crème glacée régulière. Au final, rappelez-vous que tous ces mets sont des desserts… N'en mangez qu'à l'occasion une portion de 125 ml (½ tasse).

BONBONS ET CHOCOLATS SANS SUCRE

Ces produits renferment normalement peu de sucre de table, mais contiennent d'autres types de sucres ajoutés, comme le sorbitol, le mannitol ou l'isomalt. Il s'agit de sucres appelés sucres alcool (ou polyol), mais ce ne sont pas, en réalité, des alcools. Les sucres alcool ne sont absorbés qu'à moitié par l'organisme ; seule la moitié de leurs sucres et calories ont une répercussion sur la glycémie et le poids corporel. Toutefois, comme les sucres alcool ne sont pas aussi sucrés que le sucre de table, le fabricant en ajoute davantage ou ajoute plus de gras pour rehausser la saveur du produit. Il est donc, encore une fois, essentiel de bien lire les étiquettes. Comparez ces friandises sans sucre aux produits réguliers. Le fait que la mention « sans sucre » figure sur le produit ne signifie pas forcément qu'il soit sans calories ou sans gras. Contentez-vous d'un bonbon ou d'un chocolat ou deux à l'occasion.

Remarque : Il n'y a pas de mal à consommer quelques bonbons sans sucre. Mais si vous abusez des bonbons au sorbitol, vous risquez de souffrir de diarrhée et de ballonnements. Cela peut se produire si vous ingérez en une journée 10 g ou plus de sucres alcool, parce que l'organisme les absorbe difficilement. Une partie « passe tout droit ».

SIROPS DE TABLE LÉGERS

Les sirops légers contiennent généralement moins de sucre et de glucides que les sirops réguliers, et constituent donc un bon choix. Ces sirops renferment davantage d'eau et sont épaissis à la fécule. Ils peuvent contenir des sucres alcool ou un édulcorant hypocalorique.

CONFITURES SANS SUCRE

Certaines confitures dites « sans sucre » peuvent en contenir autant que les confitures régulières. Dans les confitures « sans sucre », le concentré de jus de raisin remplace parfois le sucre de table ; il est presque aussi sucré que le sucre ordinaire.

D'autres confitures sans sucre renferment davantage de fruits et moins de sucre ajouté que les confitures ordinaires. Vous pouvez aussi préparer vos propres confitures avec de la pectine réduite en sucre ou sans sucre. Ces confitures contiennent moins de sucre et apportent moins de calories, souvent de 5 à 10 calories seulement par 5 ml (1 c. à thé). En revanche, comme elles ne sont pas aussi sucrées que les autres, on a tendance à en tartiner plus sur les rôties ! Que vous mangiez 15 ml (1 c. à table) de confitures réduites en sucre ou bien 5 ml (1 c. à thé) de confitures ordinaires, le compte de calories reste à peu près le même.

Si vous optez pour des confitures ou un sirop réduit en sucre et que vous vous en tenez à la quantité indiquée plus haut, vous réduisez les apports glucidique et calorique.

GÉLATINE SANS SUCRE, BOISSONS GAZEUSES HYPOCALORIQUES OU GOMME À MÂCHER SANS SUCRE

Les aliments qui n'apportent que très peu de calories, soit 20 ou moins par portion, sont sans effet sur le poids ou la glycémie. Choisissez-les en guise de collations hypocaloriques ou en complément de repas (voir page 199). On pense notamment à la gelée, aux boissons gazeuses et à la gomme à mâcher sans sucre. L'eau est toujours une option valable, car elle n'apporte pas de calories !

Exemple de bon choix : sirop de table léger sans sucre ajouté

Valeur nutritive Par quantité de 45 ml (3 c. à table)	
Teneur	**% valeur quotidienne**
Calories 30	
Lipides 0 g	0 %
Cholestérol 0 mg	0 %
Sodium 75 mg	2 %
Glucides 7 g **Sucres** 6 g	2 %
Protéines 0 g	

Règle de base

Lors d'un repas, limitez la quantité de confitures, de sirop ou de miel ordinaires à la quantité qui tient sur le pouce ; on parle d'environ 5 à 10 ml (1 à 2 c. à thé) ou, si votre pouce est gros, de 15 ml (1 c. à table).

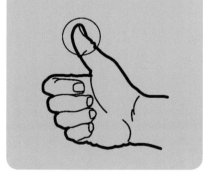

Comme les poudings, la gelée sans sucre est très légère comparativement à la gélatine contenant du sucre.

Remarque : Certains livres de cuisine proposent des recettes légères dans lesquelles le gras, le sucre et le sel sont déjà réduits. Il n'est pas nécessaire de les adapter.

RÉDUIRE EN GRAS ET EN SUCRE LES RECETTES DE DESSERT

- **Adaptez vos recettes et celles de votre famille.**

  Les substitutions énumérées à la page 105 vous aideront à modifier vos propres recettes de manière à les alléger en gras, en sucre ou en sel.

- **N'apportez qu'un changement à la fois.**

  Dans vos recettes, ne modifiez qu'un seul ingrédient à la fois. Si les changements concernent plusieurs ingrédients à la fois, la recette risque de ne pas donner le résultat escompté.

- **Tous les changements comptent, même les petits.**

  Afin d'obtenir des gâteaux et des muffins dorés et bien dodus, on a généralement besoin de gras, de sucre et de sel. Pour être savoureux, certains desserts exigent d'être préparés avec des ingrédients tels le beurre, la crème à fouetter, le miel ou la mélasse. Il n'est pas question pour vous de renoncer à tout gras et à tout sucre, et de cuisiner des mets qui ne vous plaisent pas ! Apportez plutôt de petites modifications à vos recettes pour les rendre meilleures pour la santé. Avec le temps, vous en viendrez à apprécier des desserts moins sucrés et moins gras. De même, en petites portions, beaucoup de desserts conviennent à votre nouvelle alimentation.

- **Rehaussez les saveurs à l'aide de condiments et d'épices.**

  Après avoir éliminé le gras, le sucre ou le sel, il faut rehausser la saveur des mets d'autres façons. Quelques suggestions :

  – les épices, par exemple la muscade, le piment de la Jamaïque, la cannelle, le clou de girofle, la cardamome, le gingembre ;

  – les fines herbes, comme la mélisse et la menthe ;

  – le jus de citron ou de lime ;

  – le zeste de citron, de lime ou d'orange ;

  – les extraits de vanille, de noix de coco ou de menthe poivrée ;

  – un soupçon de poudre pour boissons, comme le Kool-Aid^MD.

REMPLACEMENTS D'INGRÉDIENTS DANS LES RECETTES

Si une recette exige...	... voici des trucs pour les remplacer :
du sucre, du miel, du sirop ou de la mélasse	Le sucre apporte la douceur, mais il est aussi important pour la tendreté, le moelleux et la coloration dorée des mets. Si l'on retire tout sucre d'un produit, celui-ci ne gonflera pas et sa texture laissera à désirer. Pour réduire le sucre tout en obtenant un produit savoureux : coupez de moitié la quantité de sucre ou d'édulcorant. Si le mets n'est pas assez sucré, remplacez la totalité ou une partie du sucre éliminé par un édulcorant hypocalorique. **Remarque :** Certains édulcorants hypocaloriques (comme l'aspartame) perdent leurs propriétés sucrantes lorsqu'ils sont exposés aux températures élevées du four. D'autres édulcorants, comme le sucralose (Splenda^{MD}), supportent bien la cuisson au four.
une préparation à gelée ou à pouding contenant du sucre	Utilisez une préparation à gelée ou à pouding sans sucre.
du lait entier ou à 2% M.G. (frais ou concentré en conserve)	Utilisez du lait à 1% M.G. ou écrémé. Essayez l'une de ces deux méthodes pour obtenir un lait frappé ou un frappé aux fruits bien épais, sans vous servir de lait gras ni de crème glacée : 1) Mettez du lait écrémé (ou du lait écrémé concentré en conserve) dans un bol et laissez-le 30 minutes dans le congélateur ou jusqu'à la formation de cristaux en surface. Faites-le ensuite épaissir en le battant au malaxeur électrique ou au mélangeur. 2) Ajoutez des cubes de glace dans votre lait et mélangez la préparation. Vous pouvez ajouter du yogourt ou des fruits pour enrichir la saveur et la valeur nutritive de votre boisson.
de la crème à 10% M.G.	Utilisez du lait concentré en conserve non dilué, ou bien du lait à 1% M.G. ou à 2% M.G.
du gras (huile, margarine, saindoux ou shortening)	La plupart des recettes de gâteau exigent un corps gras pour obtenir légèreté, tendreté et saveur. Commencez par réduire la quantité de gras de moitié. Ajoutez une quantité égale de compote de pommes, de lait ou de yogourt aux gâteaux et aux muffins, ou bien de pruneaux réduits en purée dans les carrés au chocolat. On augmente ainsi légèrement la quantité de glucides tout en réduisant le gras et les calories. **Remarque :** En n'enlevant qu'une cuillerée à table de gras dans votre recette, vous éliminez 100 calories. Les produits épaissis à la fécule, comme les soupes, sauces et desserts, se passent généralement de l'ajout de corps gras.
de la mayonnaise régulière ou de la crème sure régulière (14% M.G.)	Utilisez de la mayonnaise sans gras ou légère, de la crème sure sans gras ou légère (7% M.G.), du yogourt nature faible en gras (le yogourt sans gélatine est moins aqueux) ou du fromage cottage à 1% M.G. ou à 2% M.G., battu jusqu'à homogénéité.
du fromage gras régulier (plus de 28% M.G.)	Utilisez du fromage faible en gras (20% M.G. ou moins).
du fromage à la crème régulier	Utilisez du fromage à la crème léger (14% de M.G. ou moins).
du sel, de la levure chimique ou du bicarbonate de soude	Dans vos préparations, réduisez les quantités de sel, de levure chimique ou de bicarbonate de soude. Ces trois produits contiennent beaucoup de sodium. Pour que les gâteaux, muffins ou biscuits lèvent convenablement, vous avez habituellement besoin, pour 250 ml (1 tasse) de farine, de 0,5 ml (⅛ c. à thé) de sel et de 5 ml (1 c. à thé) de levure chimique. Pour les pains au bicarbonate, ne calculez que 1 à 2 ml (¼ à ½ c. à thé) de levure chimique par 250 ml (1 tasse) de farine. Remplacez le sel épicé (comme le sel d'ail) par de la poudre d'ail, de l'ail frais ou des fines herbes.
de la farine tout-usage (blanche)	Remplacez la moitié de la farine blanche par de la farine de blé entier, ou ajoutez 30 ml (2 c. à table) de son de blé à 220 ml (⅞ tasse) de farine blanche, de manière à obtenir 250 ml (1 tasse). Aussi, utilisez des pâtes de blé complet et du riz complet plutôt que des pâtes blanches et du riz blanc.

ÉDULCORANTS HYPOCALORIQUES

Qu'est -ce qu'un édulcorant hypocalorique ?

Le sucralose (Splenda^{MD}) et l'aspartame (Equal^{MD}, NutraSweet^{MD} et Sweet 'N Low^{MD}) sont des substances fabriquées par l'homme. Leur goût est extrêmement sucré. Une très petite quantité d'édulcorant suffit donc pour sucrer la nourriture, ce qui en fait un supplément faible en calories. L'aspartame est apparu dans les épiceries au cours des années 1980; il fut suivi par le sucralose. Au Canada, les autorités ont approuvé la vente du sucralose en 1991. Les États-Unis firent de même en 1998. Les édulcorants hypocaloriques représentent toute une percée dans l'alimentation, grâce à leur faible apport calorique et à leur saveur sucrée. Ils permettent de consommer des boissons sans calories, et des desserts qui contiennent beaucoup moins de sucre et de calories qu'un dessert fait de manière traditionnelle.

Sucre ou édulcorant hypocalorique : qu'est-ce qui convient le mieux aux diabétiques ?

La surconsommation de boissons et d'aliments sucrés élève la glycémie. Si vous devez choisir entre une cannette de cola contenant 50 ml (10 c. à thé) de sucre ou un cola hypocalorique ne contenant pas de sucre, je recommanderais sans hésiter le cola hypocalorique. Celui-ci n'élève pas la glycémie. Quand votre glycémie est trop élevée, la réduction de la consommation de sucre contribue beaucoup à la normaliser.

La grande question est de savoir de *combien* de produits dits diète avons-nous vraiment *besoin* à long terme ? Avons-nous besoin de boire des boissons gazeuses tous les jours ? Devrions-nous apprendre à boire plus d'eau ? Même si les boissons gazeuses hypocaloriques ne contiennent pas de sucre, elles renferment d'autres ingrédients qui ne sont pas bons pour la santé. Dans bien des cas, il s'agit de caféine, de phosphates (qui privent les os de leur précieux calcium) et d'acides dommageables pour les dents.

En s'habituant à consommer ses céréales sans sucre plutôt qu'en leur ajoutant des édulcorants hypocaloriques, on fait toute la différence. Il est bien avisé aussi de consommer en quantité réduite un produit sucré avec du sucre naturel plutôt que des quantités considérables d'un produit dit diète. Une suggestion : essayez de manger 125 ml (½ tasse) de yogourt régulier au lieu de 175 ml (¾ tasse) de yogourt sucré à l'aspartame ou au sucralose. Par ailleurs, à mesure que vous vous habituez à une saine alimentation, l'envie de produits sucrés avec des édulcorants hypocaloriques vous passera peut-être. Remplacez une partie de vos boissons hypocaloriques par de l'eau. À long terme, vous réduirez ainsi votre consommation totale d'édulcorants hypocaloriques.

Dans certains desserts, j'utilise des édulcorants hypocaloriques. Il existe aussi la possibilité d'utiliser du sucre si on y tient, mais d'en mettre moins. En toutes choses, je crois à la modération et à l'équilibre. Cette sagesse s'applique aussi aux édulcorants hypocaloriques.

Si vous buvez 2 litres de cola quotidiennement, vous ingérez 250 ml (50 c. à thé) de sucre. Le passage au cola hypocalorique équivaut presque à renoncer au sucre. Sur le plan de la normalisation de la glycémie, cette privation vous procurera des bienfaits énormes.

Perd-on vraiment du poids grâce aux édulcorants hypocaloriques ?

J'ai vu des gens parvenir à maîtriser leur diabète et à perdre du poids en apportant des modifications à leur alimentation, entre autres en adoptant les édulcorants hypocaloriques. Ces produits leur permettent de mettre de la variété sur leur table tout en respectant leur projet de réduction de calories. Cependant, il est intéressant de savoir que selon certaines études, les gens qui consomment beaucoup de produits dits diète ne perdent pas plus de poids. Ces personnes compensent souvent leurs efforts en consommant d'autres aliments en trop grande quantité. Il n'est pas rare que l'on se dise : « Comme j'ai bu une boisson hypocalorique, je peux donc maintenant me récompenser avec une bonne portion de frites ! » D'autres études semblent indiquer que la consommation régulière de produits dits diète risque de déclencher des fringales de sucré. C'est un autre inconvénient possible dits des produits contenant des édulcorants hypocaloriques.

Pour étancher la soif, rien ne bat l'eau.

107

Les effets à long terme des édulcorants hypocaloriques ne sont peut-être pas encore connus.

Est-ce que les édulcorants hypocaloriques sont inoffensifs?

La Food and Drug Administration des États-Unis et Santé Canada jugent que l'aspartame et le sucralose sont sûrs. L'American Diabetes Association et l'Association canadienne du diabète considèrent aussi ces produits comme sans risque.

Cela est rassurant. Cependant, en tant que diététiste ayant étudié les additifs alimentaires, j'estime que nous n'avons peut-être pas réponse à toutes les questions. En effet, nous ne disposons toujours pas de données sur la sécurité des édulcorants hypocaloriques consommés en grande quantité au sein de grands groupes de personnes. Les recommandations changent au gré de la parution de nouvelles données.

Le cas des gras trans en est un bon exemple. Les gras trans, fabriqués en usine, étaient considérés comme un aliment « miracle » par l'industrie alimentaire. Ils ont été utilisés pour la première fois dans les années 1920 en Angleterre, et plus largement en Amérique du Nord après la Seconde Guerre mondiale. On en a rapidement trouvé dans presque tous les aliments transformés. Ils étaient bon marché, avaient bon goût, supportaient la friture et la cuisson au four. Qui plus est, contrairement aux huiles végétales et aux autres gras naturels, les produits fabriqués avec du gras trans se conservaient longtemps en magasin, sans rancir.

Ce n'est qu'à la fin des années 1980, près de 30 ans après l'introduction à grande échelle des gras trans dans notre alimentation, qu'on a sonné l'alarme. Des études ont établi un lien entre la consommation excessive de gras trans et les maladies cardiaques. Dix autres années d'études poussées ont été nécessaires avant de confirmer ces effets néfastes. Dix autres années encore ont passé avant que certains pays se mettent à interdire ou à restreindre l'utilisation des gras trans dans l'industrie. Aujourd'hui, les gras trans figurent dans l'analyse nutritionnelle des aliments, mais les gouvernements américain et canadien ne les ont pas encore interdits. Bien sûr, rien ne dit qu'il en ira de même avec les édulcorants artificiels. L'histoire nous enseigne cependant que la prudence et la modération sont toujours de mise.

5. Réduction de la consommation de sodium

LA CONSOMMATION QUOTIDIENNE D'UNE PETITE QUANTITÉ DE SODIUM EST ESSENTIELLE POUR LE MAINTIEN DE LA VIE.

Le sel, ou chlorure de sodium, est un minéral dont les cellules de notre organisme ont besoin. Il est à la fois nécessaire pour les contractions musculaires et cardiaques, pour le transport des influx nerveux et celui des éléments nutritifs vers les cellules de l'organisme. Des reins en santé éliminent efficacement le sodium excédentaire de l'organisme. Les athlètes et travailleurs manuels, surtout ceux qui travaillent dans les climats chauds et humides, doivent ingérer davantage de sodium pour compenser les pertes par sudation. Le sel de table renferme de l'iode ajouté (par contre, le sel marin et le sel cachère n'en contiennent pas), essentiel pour le développement du cerveau et pour la santé de la thyroïde — celle-ci joue un rôle dans le maintien du poids santé.

5 ml (1 c. à thé) de sel équivalent à 2 300 mg de sodium environ. Cette quantité correspond à nos besoins quotidiens (l'«apport quotidien recommandé»).

L'EXCÈS DE SODIUM EST NÉFASTE.

Toute bonne chose comporte un risque d'abus. C'est certainement le cas avec le sel. La plupart d'entre nous consomment trop de sel alimentaire, le plus souvent dans des aliments transformés et des repas pris au restaurant. La quantité maximale recommandée pour l'individu moyen est de 2 300 mg, ce qui correspond à un peu moins de 5 ml (1 c. à thé) de sel par jour. Cela peut sembler beaucoup. Cependant, certaines soupes en conserve renferment à elles seules cette quantité ! Les milligrammes de sodium s'additionnent rapidement.

INFLUENCE DU SODIUM SUR LA SANTÉ DU DIABÉTIQUE

La consommation excessive de sodium et d'aliments salés n'élève pas la glycémie, mais elle risque d'augmenter la tension artérielle. L'ingestion de grandes quantités de sel contribue aussi à augmenter le risque d'ostéoporose, du cancer de l'estomac et de formation de calculs rénaux. Et — le saviez-vous? — une consommation élevée de sel accroîtrait les risques de souffrir de démence. Les études démontrent par ailleurs que les personnes diabétiques éprouvent davantage de difficultés à éliminer le sodium en trop que les sujets normaux. Le taux d'insuline fait sans doute partie du problème. En outre, le diabète influe sur la façon dont les

D'autres mesures très importantes pour normaliser la tension artérielle :

- *perdre les kilos en trop ;*
- *faire de l'exercice physique quotidiennement ;*
- *consommer des aliments riches en potassium et en calcium, entre autres des fruits, des légumes et des produits laitiers ;*
- *réduire sa consommation d'alcool ;*
- *ne pas consommer de tabac ;*
- *prendre ses médicaments selon la prescription ;*
- *gérer son stress ;*
- *toute mesure bienfaisante pour les vaisseaux sanguins, par exemple consommer des aliments faibles en gras saturés et trans, et riches en antioxydants (voir pages 120 à 123).*

reins réagissent aux hormones responsables de l'excrétion du sodium : l'organisme retient davantage de sodium et, à son tour, le sodium retient l'eau. Cet excédent d'eau dans l'organisme exerce une pression excessive à l'intérieur des vaisseaux sanguins. L'hypertension endommage la paroi des vaisseaux sanguins et accroît le risque d'infarctus du myocarde et d'accident vasculaire cérébral. L'hypertension cause aussi des dommages aux reins et aux yeux.

Du sodium est caché dans certains aliments dont la teneur en gras est par ailleurs très élevée (frites et hamburgers, croustilles, charcuterie, etc.), à tel point qu'il est parfois ardu de distinguer lequel des deux est le plus dommageable. En réduisant sa consommation d'aliments salés, on se trouve à manger moins gras. Votre santé globale en profitera.

RÉDUIRE SA CONSOMMATION DE SODIUM

Environ les trois quarts du sel que nous consommons sont dissimulés dans les repas que nous prenons au restaurant et les aliments transformés. Malheureusement, les industriels et les restaurateurs ne sont pas tenus par la loi de réduire la quantité de sodium de leurs aliments. Ils savent que les aliments salés se vendent bien, car le sel rehausse la saveur. La plupart ne veulent donc pas réduire les quantités de sodium ajoutées tant que l'ensemble de l'industrie et de la restauration ne sera pas obligé de le faire.

Certaines entreprises alimentaires commencent à diminuer les quantités de sodium ajouté à leurs produits en réaction aux demandes récentes des consommateurs. Les progrès sont toutefois d'une lenteur désespérante. Nous devons aiguiser notre sens critique au moment de comparer les étiquettes et les menus, et opter pour les aliments les moins salés.

Réduction du sodium : 5 conseils

Réduisez la taille de vos portions. Ainsi, en mangeant moins, vous ingérez moins de sodium.

Consommez moins souvent les aliments mentionnés aux pages 117 et 118 (aliments à teneur élevée en sodium et aliments à teneur très élevée en sodium). Ces listes regroupent les mets prêts-à-servir ou issus de la restauration. Les hot dogs, sous-marins, hamburgers, pizzas, viandes transformées, soupes en conserve, plats de pâtes et croustilles comptent parmi les aliments les plus salés. Il faut aussi vous demander si l'aliment mentionné dans la liste fait partie d'un repas comprenant d'autres mets salés, ou s'il constitue la totalité du repas. Si l'ingrédient fait partie d'une recette, tenez compte de la quantité de sodium par portion. Lorsque vous mangez un mets plus salé lors d'un repas ou d'une collation, optez pour des aliments réduits en sodium au prochain repas ou à la prochaine collation.

Mettez moins de sel et de condiments salés sur la table et dans vos plats. (Il vous sera vraiment difficile de vous passer de sel pour certains mets. Lorsque vous utilisez du sel ponctuellement, contentez-vous de deux ou trois « coups » de salière. Cette quantité équivaut à 50 mg de sodium environ.)

Remplacez le sel par du poivre, des condiments, des fines herbes et des épices non salées, ou par du jus de citron ou de lime.

Rincez et égouttez les aliments en conserve salés, comme les haricots rouges, le poisson ou le maïs. Vous vous débarrassez ainsi du tiers ou même de la moitié du sodium ajouté.

La photo des pages 113 et 114 ainsi que les listes des pages 115 à 118 vous renseigneront sur la quantité de sodium contenue dans différents aliments. Ceux-ci sont classés en cinq groupes, des moins salés aux plus salés. Les aliments à très faible teneur en sodium contiennent très peu de sel. Les aliments à teneur très élevée en sodium sont très salés ; ils apportent 1,5 ml (⅓ c. à thé) de sel ou plus par portion.

Les portions indiquées dans les tableaux sont basées sur les choix alimentaires du Guide pratique de l'Association canadienne du diabète. Les seules exceptions sont :

- les portions de certains extras, faibles en calories mais salés, qui sont indiquées en quantités plus petites ;

- certaines portions de viande ou de féculents, qui sont indiquées en quantités plus grandes que celles montrées sur les étiquettes ou dans le Guide pratique ;

- certaines portions des groupes d'aliments à teneur élevée et très élevée en sodium, qui sont basées sur les portions normales offertes au restaurant ou sur les portions préemballées.

Dans l'étiquetage alimentaire, la quantité de sodium est aussi exprimée sous forme de pourcentage. Par exemple, sous la colonne « % valeur quotidienne », on pourrait lire « 20 % » ; cela signifie qu'en consommant la portion indiquée, on ingère 20 % du sodium total recommandé pour une journée. Les autres aliments consommés au cours de la journée pourront apporter les 80 % de sodium manquant.

La teneur en sodium des aliments varie d'une marque ou d'un restaurant à l'autre, selon que l'aliment est produit en Amérique du Nord ou qu'il est importé, ou selon qu'il s'agit du produit régulier ou du produit « réduit en sodium ». Dans certains cas, les plages de valeurs de sodium sont indiquées afin d'exprimer cette variabilité. J'ai élaboré des listes de teneur en sodium des aliments (voir pages 113 à 118) en partant des fiches sur les éléments nutritifs mis à notre disposition par les gouvernements, des tables nutritives utilisées par les restaurants ainsi que d'un survol des produits offerts sur les étagères des épiceries.

100 %
75 %
50 %
25 %

Les portions suivantes fournissent moins de 1 % de l'apport quotidien recommandé.

ALIMENTS À TRÈS FAIBLE TENEUR EN SODIUM

Les portions suivantes contiennent entre 0 et 24 mg de sodium. Ces valeurs correspondent à moins de 1 % de l'apport quotidien recommandé. Sur une étiquette, la mention «sans sodium» ou «sans sel» indique que chaque portion renferme moins de 5 mg de sodium.

1. Fruits frais ou en conserve

2. Fruits séchés

3. Jus de fruits ou compote

4. Légumes frais, crus ou cuits

5. Légumes en conserve ou surgelés, non salés

6. Ail, oignons, fines herbes, épices, poivre et mélanges d'épices sans sel

7. Le substitut de sel No Salt^MD contient

beaucoup de potassium. Demandez au médecin s'il vous convient (une interaction avec certains médicaments est possible).

Optez pour des aliments non transformés.

La grande majorité des aliments non transformés (naturels) contiennent très peu de sodium. On pense ici aux céréales fraîches et séchées, aux féculents, aux légumes, aux fruits, aux légumineuses et aux lentilles, aux noix et aux graines oléagineuses non salées, ainsi qu'aux corps gras non salés. On inclut aussi la plupart des légumes et fruits surgelés, ou ceux qui sont mis en conserve sans sel ajouté. Les viandes contiennent un peu de sodium naturel, mais une portion de 30 g (1 oz) ne possède qu'une très faible teneur en sodium.

8. Céréales et féculents sans sel ajouté (blé, pâtes alimentaires, couscous, riz, avoine, farine, maïs soufflé, etc.)

9. Haricots et lentilles

10. Noix et graines oléagineuses

11. Beurre d'arachide et beurres de noix non salés

12. Viande non salée, 30 g (1 oz)

13. Huiles et beurre ou margarine non salés

14. Eau, thé et café

15. Confitures, édulcorants et bonbons ordinaires

16. Condiments comme le cacao, les épices et le vinaigre

17. Bière, vin et alcool (à l'exclusion de certains cocktails)

Exemple d'aliment apportant 20% du sodium recommandé quotidiennement:

Valeur nutritive Par quantité de 125 ml (½ tasse)	
Teneur	% valeur quotidienne
Calories 100	
Lipides 0 g	0%
saturés 0 g + trans 0 g	0%
Cholestérol 0 mg	0%
Sodium 482 mg	20%
Glucides 24 g Fibres 0 g Sucres 6 g	8%
Protéines 2 g	

Pages 113 à 118	Quantité de sodium dans un aliment	
	milligrammes (mg)	% valeur quotidienne
Aliments à très faible teneur en sodium	0 à 24	moins de 1%
Aliments à faible teneur en sodium	25 à 140	de 1% à 6%
Aliments à teneur moyenne en sodium	141 à 480	de 6% à 20%
Aliments à teneur élevée en sodium	481 à 720	de 20% à 30%
Aliments à teneur très élevée en sodium	plus de 720	plus de 30%

Oui, il est possible de manger tous les jours des repas santé sans consommer trop de sodium. Guidez-vous avec le plan de repas de sept jours proposé aux pages 151 à 203.

ALIMENTS À FAIBLE TENEUR EN SODIUM

Les portions suivantes apportent entre 25 et 140 mg de sodium. Ces valeurs se situent entre 1 % et 6 % de l'apport quotidien recommandé.

Sur une étiquette, la mention « faible en sodium » ou « faible en sel » indique que chaque portion renferme moins de 140 mg de sodium.

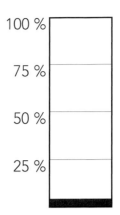

Les portions suivantes fournissent moins de 6 % de l'apport quotidien recommandé.

Féculents	mg
crêpe, 10 cm (4 po) de diamètre	110

Légumes	mg
carottes, 250 ml (1 tasse)	85
céleri, 2 branches de taille moyenne	70
macédoine de légumes surgelés, 250 ml (1 tasse)	75
patate douce cuite au four, 125 ml (½ tasse)	45
jus de légumes réduit en sel, 250 ml (1 tasse)	140

Lait et produits laitiers	mg
mélange pour chocolat chaud léger, 1 sachet	90
boisson de soya, 250 ml (1 tasse)	30
yogourt faible en matières grasses et sucré avec un édulcorant hypocalorique, 175 ml (¾ tasse)	110
yogourt nature, faible en matières grasses, 175 ml (¾ tasse)	115

Viandes et protéines	mg
poitrine de poulet cuite au four sans la peau, 125 g (4 oz)	85
œuf	60
poisson à chair blanche cuit au four, 125 g (4 oz)	65
boulette à hamburger cuite, 125 g (4 oz)	75
beurre d'arachide régulier (salé), 15 ml (1 c. à table)	65
arachides rôties et salées, 30 ml (2 c. à table)	35 à 55
thon conservé dans l'eau, égoutté, ⅓ de boîte	135

Corps gras	mg
beurre salé, 5 ml (1 c. à thé)	40
margarine non hydrogénée, 5 ml (1 c. à thé)	35
mayonnaise légère, 15 ml (1 c. à table)	110

Soupes	mg
soupe au poulet et aux nouilles en conserve, faible en sodium, 250 ml (1 tasse)	140
crème de champignons en conserve, faible en sodium, 250 ml (1 tasse)	60

Desserts et collations	mg
biscuits à l'arrow-root, 4	115
tablette de chocolat au lait nature, ½ tablette	35
crème glacée, 125 ml (½ tasse)	65
biscuits Style de vie^MD, 2	70

Boissons	mg
soda, cannette de 355 ml (12 oz)	80
7 Up^MD diète, cannette de 355 ml (12 oz)	45
soda au gingembre hypocalorique, cannette de 355 ml (12 oz)	120

Condiments	mg
sauce barbecue, 5 ml (1 c. à thé)	50
ketchup, 5 ml (1 c. à thé)	50
moutarde préparée, 5 ml (1 c. à thé)	65
olives vertes farcies, 4	60
crème sure à 1 % M.G., 30 ml (2 c. à table)	35
sauce Worcestershire, 5 ml (1 c. à thé)	55
cornichons marinés Yum Yum^MD, 7 tranches	100

Sels	mg

Sels utilisés à l'occasion, seulement en très petites quantités (¹⁄₁₆^e de cuillerée à thé, soit quatre petits coups de salière environ):

sel de table	145
sel marin	135
sel Hy's^MD sans glutamate monosodique	105
sel d'ail ou de céleri	75
substitut de sel Demi Sel^MD	65
Accent^MD (glutamate monosodique)	40

Limitez votre consommation de sel ajouté et puisez la majeure partie de votre sodium dans des aliments nutritifs.

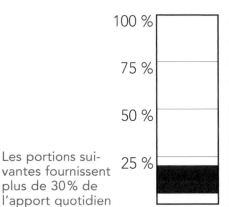

100 %
75 %
50 %
25 %

Les portions suivantes fournissent plus de 30 % de l'apport quotidien recommandé.

ALIMENTS À TENEUR MOYENNE EN SODIUM

Ces portions contiennent entre 141 et 480 mg de sodium : des valeurs qui se situent entre 6 % et 20 % de l'apport quotidien recommandé.

Les versions faibles en matières grasses

Les versions faibles en matières grasses de certains aliments, par exemple des fromages ou sauces à salade, renferment en général davantage de sodium. Cette donnée rend difficile le choix de bons produits. Si votre objectif premier est de perdre du poids, vous avez peut-être intérêt à opter pour des produits relativement faibles en calories. Si votre tension artérielle est élevée ou si vous souffrez de troubles rénaux, il est préférable de choisir les produits plus faibles en sel et de vous contenter de petites portions.

Féculents	mg
bagel, ½ de 7,5 cm (3 po)	155
pain bannique, ½ tronçon de 7,5 cm (3 po)	85 à 170
pain de blé entier, 1 tranche	170
flocons de son, 125 ml (½ tasse) secs	130
céréales Special K^{MD} ou Cheerios^{MD}, 150 ml (⅔ tasse), sèches :	145 à 165
frites de restauration rapide, petite portion sans ketchup	160 à 280
gruau d'avoine instantané, nature ou sucré, 1 sachet	225 à 300
mélange pour sauce à pâte Side Kicks^{MD}, ¼ paquet	350 à 370
riz prétraité Bistro Express^{MD} pour micro-ondes, aromatisé, 75 ml (⅓ tasse)	140 à 200
biscuits sodas non salés, 7	160
salés	275
préparation pour farce, ¼ sachet (30 g)	410 à 460
gaufre nature de 10 cm (4 po), surgelée	260

Légumes	mg
haricots jaunes en conserve, 250 ml (1 tasse)	225 à 340
betteraves marinées en conserve, 125 ml (½ tasse)	320
maïs en grains en conserve, salé, 125 ml (½ tasse)	150
champignons en conserve, salés, 125 ml (½ tasse)	350
petits pois surgelés, 250 ml (1 tasse) :	150
en conserve, avec sel	450
salsa, 60 ml (¼ tasse)	300 à 480
sauce à spaghetti, en pot ou en conserve, 125 ml (½ tasse)	360 à 480
jus de tomate, 125 ml (½ tasse)	325
sauce tomate en conserve, 30 ml (2 c. à table)	195

Lait et produits laitiers	mg
lait au chocolat, 250 ml (1 tasse)	200
lait faible en gras, 250 ml (1 tasse)	125
pouding sans sucre prêt-à-manger	180
pouding léger fait avec un sachet, 125 ml (½ tasse)	320

Viandes et protéines	mg
bacon, 1 tranche	185
fèves au lard en conserve, 125 ml (½ tasse)	420 à 550

	mg
cheddar régulier, 30 g (1 oz)	175
faible en matières grasses	205
feta, 30 ml (2 c. à table)	230
fromage à pâte fondue (fromage en tranche de type Single), 1 tranche (21 g)	310
bœuf salé en conserve Klik^{MD} ou Spam^{MD}, 28 g (1/12e boîte)	225 à 400
fromage cottage à 1 % M.G. ou à 2 % M.G., 60 ml (¼ tasse)	205 à 215
charcuterie (pastrami, jambon, etc.), 30 g (1 oz)	330 à 375
saumon rose en conserve, égoutté, ⅓ boîte	310
sardines conservées dans l'huile, égouttées, 2 de 7,5 cm (3 po)	240
saucisse italienne, ½	455
saucisses, porc et bœuf (39 g)	315
végé-burger, 1 (75 g)	480
saucisse de Francfort, 1	375

Corps gras	mg
sauce à salade crémeuse légère, 15 ml (1 c. à table)	190
sauce à salade italienne sans gras, 15 ml (1 c. à table)	210

Desserts et collations	mg
tablette de chocolat, p. ex. 1 Oh Henry !^{MD} (67 g)	160
croustilles de maïs ou nachos, petit sachet de 50 g	335 à 430
beigne sans levure, 1 de 7,5 cm (3 po)	260
maïs soufflé au micro-ondes, 5 tasses	250 à 350
croustilles de pomme de terre réduites en sel, 15 croustilles (25 g)	40 à 120
tarte aux pommes, ⅛^e de tarte	210
gâteau fait avec une préparation, 1/12e de gâteau	255 à 350

Boissons	mg
chocolat chaud du restaurant, 300 ml (10 oz)	360

Condiments et autres	mg
poudre à pâte, 5 ml (1 c. à thé)	300
sauce barbecue, 15 ml (1 c. à table)	150
sauce HP^{MD}, 15 ml (1 c. à table)	160
ketchup, 15 ml (1 c. à table)	140
moutarde préparée, 15 ml (1 c. à table)	200

ALIMENTS À TENEUR ÉLEVÉE EN SODIUM

Les portions suivantes contiennent entre 481 et 720 mg de sodium. Ces valeurs représentent entre 20 % et 30 % de l'apport quotidien recommandé. **Remarque :** Deux portions choisies à même ce groupe suffisent à remplir la moitié de vos besoins quotidiens en sodium.

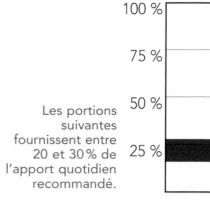

Les portions suivantes fournissent entre 20 et 30 % de l'apport quotidien recommandé.

> ### *Les produits varient en fonction de la marque.*
> *La teneur en sodium diffère d'une marque à l'autre, et selon qu'on a affaire à un produit canadien ou américain. Au supermarché, vérifiez et comparez les quantités de sodium contenues dans vos aliments préférés et dans les autres marques.*

Féculents	mg
bagel : de 6 po (15 cm)	350 à 600
frites de restauration rapide, grosse portion	350
avec 2 sachets de ketchup	570
macaroni Kraft Dinner[MD], sans gras ajouté, 250 ml (1 tasse)	615
riz cuit, à l'espagnole ou autre saveur, en boîte, 75 ml (⅓ tasse)	485

Viandes et protéines	mg
Jerky de bœuf, lanière de 23 cm (9 po)	570
saucisson de Bologne, 2 tranches	550

Soupes	mg
soupe au poulet et aux nouilles en conserve, préparée avec de l'eau, 250 ml (1 tasse)	650 à 890
soupe au poulet et aux nouilles, 25 % moins de sel, 250 ml (1 tasse)	410 à 660
crème de champignons en conserve, préparée avec de l'eau, 250 ml (1 tasse)	850 à 930
crème de champignons en conserve, 25 % moins de sel, 250 ml (1 tasse)	630 à 650
velouté de tomates en conserve, préparée avec de l'eau, 250 ml (1 tasse)	480 à 800
soupe aux tomates en conserve, 25 % moins de sel, 250 ml (1 tasse)	720

Préparation des repas	mg
hamburger au fromage (restauration rapide)	640 à 750
chili con carne en conserve, 250 ml (1 tasse)	650
Hamburger Helper[MD], préparé avec de la viande et du lait, ⅕e paquet, 250 ml (1 tasse)	695
pizza, ⅛e d'une pizza de 30 cm (12 po)	350 à 650
pizza surgelée, croûte à la levure, ⅕e de pizza (128 g)	540
plat surgelé léger (Voyez aussi le groupe des aliments à teneur très élevée en sodium.)	480 à 540

Desserts et collations	mg
bâtonnets au fromage de type Cheetos[MD], 175 ml (¾ tasse)	440 à 520
maïs soufflé tel qu'au cinéma, grosse portion	530 mg ou plus
croustilles de pomme de terre, normalement salées, 30 croustilles (50 g)	600

Condiments	mg
cornichon à l'aneth Bick's[MD], 1 (60 g)	570
bouillon de bœuf ou de poulet réduit en sel, 1 sachet	530
sauce soya réduite en sodium, 15 ml (1 c. à table)	550

Sels	mg
Accent[MD] (glutamate monosodique), 5 ml (1 c. à thé)	640
sel de table, 1 ml (¼ c. à thé)	580

Sel de mer, sel cachère et sel de table, tous ces produits sont du sel !

En général, le sel marin ou le sel cachère ne sont pas aussi raffinés et moulus finement que le sel de table. Le premier est constitué à 2 % environ d'autres minéraux. La teneur en sodium des différents sels est très semblable d'un produit à l'autre quand on se base sur le poids. Cependant, si l'on se réfère à leur volume, le sel marin et le sel cachère sont un peu moins denses, de sorte que leur teneur en sodium est légèrement plus faible.

Médicaments et sodium

Certains médicaments renferment du sodium. On pense entre autres à certains laxatifs ou antiacides. Repérez le mot « sodium » dans le nom du médicament ou dans la liste des ingrédients. En général, les médicaments effervescents en contiennent aussi. Demandez au pharmacien si vos médicaments renferment du sodium et, si c'est le cas, en quelle quantité.

100 %

75 %

50 %

25 %

Les portions suivantes fournissent plus de 30% de l'apport quotidien recommandé.

ALIMENTS À TENEUR TRÈS ÉLEVÉE EN SODIUM

Les portions suivantes apportent plus de 720 mg de sodium. Cela représente 30% ou plus de l'apport quotidien recommandé.

Les aliments contenant plus de 1 000 mg de sodium sont indiqués par un astérisque (*).

Les aliments contenant plus de 1 500 mg de sodium sont indiqués par deux astérisques (**).

Les aliments contenant plus de 2 000 mg de sodium sont indiqués par trois astérisques (***).

La nourriture servie dans les restaurants est très salée !

Avant de manger dans un établissement, demandez à voir les informations nutritionnelles des plats (offertes dans la plupart des restaurants à succursales) ou consultez-les sur Internet.

Soupes	
ragoût de bœuf en conserve, prêt-à-manger, 250 ml (1 tasse)	**770**
crème de champignons préparée avec de l'eau, 250 ml (1 tasse)	**800 à 850**
soupe en sachet Cup-a-Soup^{MD}, (11 g)	**730 à 750**
Mr. Noodles^{MD} dans un bol (110 g)	**1 320 à 1 430 mg***
nouilles instantanées Mr. Noodles^{MD}, (85 g)	**1 340 à 2 640 mg*****
soupe de chez Subway^{MD} ou Tim Hortons^{MD}, 300 g (10 oz)	**820 à 1 390***

Autres aliments	
corned-beef ou Klik^{MD}, 125 g (4 oz)	**900 à 1 140 mg***
jambon ou Spam^{MD}, 125 g (4 oz)	**1 500 à 1 600 mg****
calzone Pizza Pochette^{MD}	**770**
mini-raviolis, ½ conserve	**830**
repas surgelé léger	**jusqu'à 900**

Repas pris au restaurant	
hamburger double au fromage et petite portion de frites avec 2 sachets de ketchup	**1 720 mg****
hamburger au fromage et petite portion de frites avec 1 sachet de ketchup	**1 020 mg***
chili con carne de chez Tim Hortons^{MD}, 300 ml (10 oz)	**1 320 mg***
mets chinois de restauration rapide — 300 g (10 oz) de riz frit, 150 g (5 oz) de porc laqué et 1 rouleau de printemps végétarien	**2 750 mg*****
salade de poulet grillé avec sauce, restauration rapide	**990 à 1 350 mg***
hamburger de type Whopper^{MD} ou Big Mac^{MD}	**930 à 1 020 mg***
poitrine de poulet PFK^{MD}	**1 050 à 1 310 mg* (grillée: 400 mg)**
repas méga-boîte de PFK^{MD} — pilon, 2 bâtonnets croustillants, poulet pop-corn, 2 à-côtés traditionnels et 1 boisson hypocalorique de 896 ml [32 oz]	**2 970 mg*****
macaroni au fromage PFK^{MD} acheté en restaurant, 250 ml (1 tasse)	**880 à 945**
penne aux trois fromages cuit au four (Boston Pizza^{MD}), petite portion	**1 030 mg***
pita au four d'Extreme Pita^{MD}	**1 115 à 1 660 mg****

pizza hawaïenne Pizza Hut^{MD} de 6 po (15 cm)	**1 180 mg***
poulet pop-corn PFK^{MD}, grosse portion	**1 600 mg****
poutine, 1 portion (restauration rapide)	**2 720 mg*****
sandwich Boston Pizza^{MD} avec frites	**1 370 à 4 200 mg*****
sandwiches de charcuterie McDonalds^{MD} ou Tim Hortons^{MD}	**780 à 1 730 mg****
sous-marin Subway^{MD} de 15 cm (6 po)	**1 160 à 2 850 mg*****
salade de tacos	**1 400 mg***
ailes de poulet panées Boston Pizza^{MD}, 1 portion individuelle	**3 770 mg*****
sandwich roulé (*wrap*) à déjeuner Subway^{MD}	**1 260 à 1 750 mg****

Collations	
muffin Tim Hortons^{MD}, 1 gros	**510 à 790**
croustilles de pomme de terre, 1 sac de 350 g	**2 640 mg*****
croustilles de pomme de terre réduites en sel, régulières, 1 sachet de 235 g (117 croustilles)	**300 à 960**
croustilles de pomme de terre ondulées, 1 sachet de 235 g (117 croustilles)	**1 270 mg***
croustilles de pomme de terre sel et vinaigre, 1 sachet de 235 g (145 croustilles)	**2 915 mg*****
bretzels, 12 (50 g)	**720 à 1 000 mg***

Condiments	
sauce aux huîtres, 15 ml (1 c. à table)	**750**
choucroute, 125 ml (½ tasse)	**825 à 1 650 mg****
sauce soya, 15 ml (1 c. à table)	**1 030 mg***

Sels et substituts:	
bicarbonate de soude, 5 ml (1 c. à thé)	**1 285 mg***
sel d'ail ou de céleri, 5 ml (1 c. à thé)	**1 170 mg***
substitut de sel Demi Sel^{MD}, 5 ml (1 c. à thé)	**1 040 mg***

Substituts de sel: La plupart des substituts du sel contiennent du chlorure de potassium au lieu du chlorure de sodium. La consommation de ce produit risque d'entraver l'action des anti-hypertenseurs; consultez le médecin ou le pharmacien à ce sujet.

sel épicé Hy's^{MD} sans glutamate mono-sodique, 5 ml (1 c. à thé)	**1 700 mg****
sel marin ou cachère grossièrement moulu, 5 ml (1 c. à thé)	**2 130 mg*****
sel de table, 5 ml (1 c. à thé)	**2 325 mg*****

6. Réduction du taux de cholestérol

KAREN GRAHAM RÉPOND À VOS QUESTIONS : LE CHOLESTÉROL.

Rosita : *Je suis en état prédiabétique et souffre d'hypertension depuis plusieurs années. À la suite des examens de laboratoire effectués récemment, mon médecin m'a annoncé qu'en plus, mes taux de cholestérol et de triglycérides étaient trop élevés. Entendre cela fut un choc pour moi. Même si j'ai engraissé au fil des ans (je mesure 1 m 58 (5 pi 2 po) et pèse environ 73 kg (160 lb), je ne pensais pas que mon état était si grave. Le médecin songeait à me prescrire des comprimés contre le cholestérol. Mais comme je détestais l'idée de prendre d'autres médicaments, il m'a suggéré de perdre du poids et d'améliorer mon alimentation afin de voir si je parvenais à abaisser mon taux de cholestérol. Il a indiqué qu'il était tout de même possible que j'aie éventuellement un jour besoin d'autres médicaments. Il souhaite faire de nouvelles analyses sanguines dans trois mois. J'aimerais ramener mes taux vers le bas, mais sans médicaments. Que me conseillez-vous ? Comment puis-je éliminer le cholestérol de mon alimentation ?*

Réponse de Karen : Votre médecin a parfaitement raison. Même si les médicaments sont très importants, il ne suffit pas d'avaler des comprimés pour rester en santé. Il faut s'en prendre à l'origine des taux trop élevés de glucose, de cholestérol, de triglycérides, et de l'hypertension. Tous ces symptômes sont interreliés.

Une certaine quantité de cholestérol est nécessaire dans le sang, puisqu'il joue un rôle essentiel pour les nerfs et les cellules. Il participe aussi à l'élaboration de la bile, de certaines hormones et de la vitamine D. Un excédent de cholestérol risque toutefois d'obstruer les vaisseaux sanguins. Outre l'apport alimentaire, bien des facteurs peuvent provoquer une élévation du taux de cholestérol. C'est le foie qui élabore la majeure partie du cholestérol présent dans l'organisme. En perdant du poids, on parvient à réduire la quantité de cholestérol synthétisé par le foie. Une perte de poids améliore également la capacité de l'organisme à extraire le cholestérol excédentaire du sang.

Consultez la liste de contrôle des pages 120 à 123. Découvrez les autres mesures susceptibles de normaliser le taux de cholestérol, notamment l'évacuation du stress, la pratique de l'exercice physique, et la réduction des gras saturés et trans. Consommer moins de sucre ajouté et boire moins d'alcool peut normaliser le taux de triglycérides ; la réduction du sel est quant à elle une mesure importante pour corriger l'hypertension. Après avoir répondu aux questions de la liste de contrôle, concentrez-vous sur la correction des comportements que vous ne faites « jamais » ou seulement « parfois ». Apporter une ou deux modifications à ses habitudes est déjà un bon début. Si vous faites déjà ce que recommande la liste de contrôle « la plupart du temps », alors bravo !

Avez-vous besoin d'un coup de main dans la planification des repas ?
Demandez au médecin de vous diriger vers une diététiste professionnelle.

LISTE DE CONTRÔLE POUR LE CHOLESTÉROL, LES TRIGLYCÉRIDES ET L'HYPERTENSION

Est-ce que vous...

○ la plupart du temps
○ parfois
○ jamais

1. mangez des portions plus petites?

Cette mesure vous aidera à perdre du poids. Si vous pesez moins, votre cœur n'a pas à travailler autant. De plus, les taux de cholestérol et de triglycérides baissent habituellement avec la perte de poids, tout comme la tension artérielle. Votre foie élabore moins de cholestérol.

○ la plupart du temps
○ parfois
○ jamais

2. mangez davantage de fibres solubles?

Cela permet de réduire le taux sanguin de cholestérol. Par exemple, vous trouverez des fibres solubles dans les flocons et le son d'avoine, le psyllium, l'orge, les pois, les légumineuses (p. ex. haricots rouges, haricots bruns et pois chiches), les lentilles, les pommes, les poires, les cœurs d'artichaut, les racines de chicorée et de pissenlit, les oignons, les poireaux et l'ail.

○ la plupart du temps
○ parfois
○ jamais

3. consommez moins de viande et de mauvais gras?

Réduisez les portions de viande et mangez davantage de légumes. Utilisez moins de gras dans votre cuisine; mangez moins de frites, de beignes, de croustilles, de biscuits et de poulet frit.

○ la plupart du temps
○ parfois
○ jamais

4. mangez davantage de bons gras?

Optez pour des aliments qui contiennent des gras oméga-3 polyinsaturés et mono-insaturés. Mangez du poisson ou des fruits de mer deux fois par semaine, ou consommez des graines de lin moulues ou de l'huile de lin, du germe de blé, ainsi que des œufs et du lait enrichis d'oméga-3. En quantité modérée, consommez des olives et de l'huile d'olive, de l'huile de canola ou de soya, des avocats, des noix de Grenoble, ainsi que des amandes, noisettes, pacanes, arachides, pistaches, noix de cajou, noix de macadamia, fèves de soya, et graines de citrouille, de tournesol ou de sésame. **Remarque:** L'autre avantage de ces aliments (ainsi que des légumineuses, des céréales, des légumes et des fruits), c'est qu'ils renferment des substances naturelles appelées stérols. Ces aliments contribuent à réduire le «mauvais» cholestérol dans le sang. Certains nouveaux produits, par exemple des yogourts et des margarines, contiennent des stérols végétaux ajoutés.

○ la plupart du temps
○ parfois
○ jamais

5. mangez des aliments riches en vitamines B?

Certaines vitamines B, tel l'acide folique, réduisent les dommages aux vaisseaux sanguins et le risque d'accident vasculaire cérébral en empêchant l'accumulation d'une substance appelée homocystéine. Mangez des légumes-feuilles vert foncé, des céréales complètes, des haricots et autres légumineuses. Les autres sources d'acide folique sont la farine, de nombreuses céréales sèches (lisez les étiquettes), le jus d'orange, les petits pois, le maïs, la betterave, les haricots verts, les noix et les graines oléagineuses.

6. consommez beaucoup d'antioxydants?

○ la plupart du temps
○ parfois
○ jamais

Les antioxydants sont des substances végétales et des vitamines qui aident à réduire l'inflammation des parois des vaisseaux sanguins. Mangez des fruits et des légumes de toutes les couleurs de l'arc-en-ciel :

- pommes avec la pelure, cerises, prunes, pruneaux et raisins secs

- toutes les variétés de petits fruits

- fruits et légumes orange et rouges, comme la carotte, la courge, la citrouille, la patate douce, le poivron, l'orange, le pamplemousse rouge, la mangue, le melon d'eau et la goyave

- raisins et grenades, et leurs jus, sans dépasser 75 ml (⅓ tasse) par jour, et vin rouge avec modération

- légumes vert foncé, tels épinards, brocoli et chou fourrager

- ail et oignon, brocoli, chou, choux de Bruxelles, pak-choï, chou-fleur, navet et rutabaga

- fines herbes et épices, par exemple romarin, thym, marjolaine, sauge, menthe poivrée, estragon, origan, basilic et cannelle

- pois, haricots et lentilles

- avocat, noix et graines oléagineuses, surtout noix de Grenoble

- boisson de soya, protéines de soya, graines de soya et tofu

- thé, surtout le thé vert et le thé noir

- chocolat chaud ou, à l'occasion, un petit morceau de chocolat noir riche en cacao

7. consommez moins de sodium et plus de potassium?

○ la plupart du temps
○ parfois
○ jamais

Moins de sodium : Limitez les aliments salés, comme les grignotines, les viandes transformées, les soupes en conserve ou en sachet, ainsi que tous les mets prêts-à-servir ou issus de la restauration. Ôtez la salière de la table. Place à la poivrière, aux fines herbes et aux épices !

Davantage de potassium : Choisissez des fruits et des légumes comme la banane, le melon, les fruits séchés, l'orange, le kiwi, la mangue, la poire, l'artichaut, l'avocat, les feuilles de betterave, les choux de Bruxelles, le céleri, les champignons, le panais, la pomme de terre, la citrouille, les épinards, les carottes, les ignames, les tomates et la courge. Vous trouverez aussi du potassium dans les céréales de son, les haricots et lentilles, la viande et le lait.

○ la plupart du temps
○ parfois
○ jamais

8. faites de la place au calcium ?

Des études révèlent que les aliments riches en calcium et faibles en matières grasses contribuent à normaliser la tension artérielle et à réduire le mauvais cholestérol. Ces aliments aident aussi à perdre du poids et à abaisser la tension artérielle. Choisissez du lait faible en gras, du yogourt ou du pouding léger, ou du fromage contenant moins de 20 % M.G.

○ la plupart du temps
○ parfois
○ jamais

9. réduisez votre consommation de sucre et de boissons sucrées ?

Les jus de fruits, boissons gazeuses et autres boissons sucrées, les desserts et les bonbons augmentent les taux sanguins de sucre et de triglycérides.

○ la plupart du temps
○ parfois
○ jamais

10. réduisez votre consommation d'alcool ?

Boire deux consommations alcoolisées ou plus par jour élève la tension artérielle. Toute quantité d'alcool risque d'augmenter le taux de triglycérides.

○ la plupart du temps
○ parfois
○ jamais

11. réduisez votre consommation de café ?

Limitez votre consommation de cafés aromatisés, chargés de gras et de sucre. Évitez le café au percolateur, car on a démontré qu'il élève le taux de cholestérol à cause de substances appelées terpènes ; le café filtre est un meilleur choix. Des études montrent qu'un abus de caféine peut aggraver les arythmies cardiaques et élever le taux d'homocystéine. Contentez-vous de 3 ou 4 tasses (750 ml à 1 l) de café quotidiennes. Buvez davantage d'eau.

○ la plupart du temps
○ parfois
○ jamais

12. faites de l'exercice physique régulièrement ?

La pratique de l'exercice physique stimule la circulation sanguine et le métabolisme, brûlant ainsi des calories. Les médecins recommandent au moins 20 à 25 minutes d'exercice par jour. Essayez la marche ou le vélo stationnaire. Commencez doucement, puis faites-en de plus en plus.

○ la plupart du temps
○ parfois
○ jamais

13. évitez le tabac ?

Essayez de réduire ou d'éliminer votre consommation de tabac. Peut-être avez-vous déjà tenté d'arrêter de fumer ; pourquoi ne pas essayer de nouveau ?

14. maîtrisez votre diabète ?

Améliorer la glycémie permet d'abaisser les taux sanguins de cholestérol et de triglycérides, et de normaliser la tension artérielle.

○ la plupart du temps
○ parfois
○ jamais

15. gérez votre stress ?

Le stress endommage la tunique interne des vaisseaux sanguins. Pour chasser les soucis, tenez-vous occupé. Lorsque vous faites de l'exercice physique ou riez, des «hormones du bonheur» inondent votre organisme et induisent la détente. Une promenade en soirée crée une saine fatigue qui vous aidera à mieux dormir. Si le stress est trop pénible, confiez-vous à un ami ou consultez un professionnel.

○ la plupart du temps
○ parfois
○ jamais

Eh bien, comment vous en êtes-vous tiré ?

Si vous avez coché «la plupart du temps» souvent, vous êtes dans la bonne voie.

Si vous avez souvent coché «jamais», envisagez des modifications dans ces sphères de votre vie.

7. Fines herbes et vitamines

FINES HERBES ET ÉPICES

Les fines herbes, fraîches ou séchées, et les épices sont des ajouts nutritifs à votre alimentation. Procurez-vous-les à l'épicerie ou faites-en pousser dans votre potager ou sur le rebord d'une fenêtre. Les vertus les plus intéressantes des fines herbes résident sans doute dans la richesse de leurs saveurs. Grâce aux arômes qu'ils confèrent aux mets, ils nous permettent de réduire notre consommation de sel, de sucre ou de gras.

Bienfaits des fines herbes et épices

THÉ

Partout sur terre, on boit du thé noir, vert et oolong depuis des milliers d'années. Après l'eau, il représente la boisson la plus répandue. Ses antioxydants contribuent à débarrasser les vaisseaux sanguins des substances dommageables. Des recherches déjà anciennes indiquent que le thé pourrait même améliorer l'efficacité de l'insuline. Il renferme des tannins (responsables de sa coloration foncée) qui aident à réduire l'indice glycémique des aliments ingérés lors d'un repas. Son plus grand bienfait est sans doute son effet apaisant et relaxant.

Évitez les préparations de thé glacé.

Sauf pour les produits sans sucre, le thé glacé en poudre et le thé glacé en flacon contiennent beaucoup de sucre. Le thé fait maison, chaud ou froid, est meilleur pour la santé.

SUPPLÉMENTS À BASE DE PLANTES MÉDICINALES

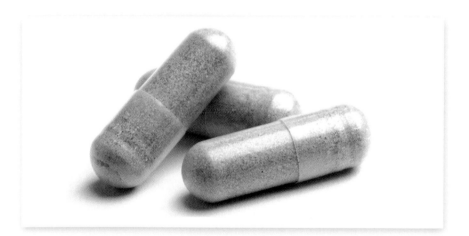

Bienfaits des suppléments à base de plantes médicinales

Environ le quart des médicaments délivrés sur ordonnance contiennent des principes actifs tirés des plantes. En général, les suppléments à base de plantes médicinales ne sont pas aussi puissants que ces médicaments. Pour cette raison, ils peuvent représenter des médicaments de choix : certaines personnes réagissent fortement aux médicaments délivrés sur ordonnance ou en vente libre, et préfèrent les suppléments à base de plantes médicinales, moins puissants. Ainsi, vous constaterez qu'une tasse de thé à la menthe soulage une douleur musculaire légère avec moins d'effets secondaires qu'un analgésique du commerce.

Si la médecine reconnaît les vertus potentielles des suppléments à base de plantes médicinales, elle hésite à les recommander parce qu'ils ne sont pas encore bien testés et réglementés. Contrairement aux médicaments fabriqués en laboratoire, les suppléments à base de plantes médicinales

Tisanes

Une tisane est une boisson préparée à partir d'une plante quelconque, sauf le thé. Les tisanes vendues dans les épiceries sont sans risque, n'apportent aucune calorie et ne contiennent normalement pas de caféine. Les tisanes préparées à la maison en faisant infuser herbes, racines ou feuilles peuvent être plus puissantes et donc comporter des bienfaits et des risques, tout comme les suppléments à base de plantes médicinales. L'infusion prolongée augmente la force des tisanes. Si vous souhaitez obtenir une boisson rafraîchissante, contentez-vous d'une infusion brève. Si vous recherchez un effet médicinal précis, il faut faire infuser la plupart des plantes au moins 10 ou 15 minutes. Les tisanes vendues ailleurs que dans les supermarchés, comme les suppléments à base de plantes médicinales, doivent être pris sur les conseils d'un médecin.

ne sont pas normalisés. Leurs bienfaits et risques peuvent donc varier. Si vous mesurez votre glycémie à domicile, vérifiez si la consommation de suppléments à base de plantes médicinales influe sur celle-ci. Il s'agit d'établir si ces suppléments sont bienfaisants pour vous ; si ce n'est pas le cas, il n'y a pas de raisons de dépenser de l'argent pour eux.

Préoccupations relatives aux suppléments à base de plantes médicinales

Insuffisance des études cliniques et de la réglementation

Les suppléments à base de plantes médicinales ne font pas l'objet d'études et de réglementations aussi rigoureuses que les médicaments délivrés sur ordonnance. Dans la plupart des cas, on ne peut confirmer l'innocuité ou les bienfaits sur la santé de ces préparations. Les plantes médicinales sont affectées par le climat, les contaminants présents dans le sol et l'eau, les pesticides et les engrais. C'est pour cette raison qu'il est difficile d'obtenir des posologies normalisées. Certains concentrés contiennent parfois des quantités inégales de substances bienfaisantes ou toxiques.

Par ailleurs, on a observé les problèmes suivants quant à plusieurs contenants de suppléments à base de plantes médicinales :

- le contenant ne renfermait pas le produit annoncé ;

- la posologie était supérieure ou inférieure à celle annoncée sur le flacon ;

- la présence de contaminants, tels le plomb et l'arsenic, a été constatée.

Tous ces facteurs augmentent les risques pour la santé associés aux suppléments à base de plantes médicinales.

Plusieurs fabricants de suppléments prétendent que ceux-ci permettent d'abaisser la glycémie. En réalité, rien ne dit que ces allégations soient fondées. Les suppléments à base de plantes médicinales n'ont pas encore fait l'objet de recherches suffisantes. Les risques et bienfaits de ces produits ne sont donc pas clairs. En Amérique du Nord, les gouvernements et sociétés pharmaceutiques ne réglementent pas et ne vendent pas encore ces suppléments de façon contrôlée. Par conséquent, leurs effets sur la glycémie peuvent varier.

Dans le doute, abstenez-vous.

Interactions médicamenteuses

Sachez que les plantes médicinales peuvent causer des effets secondaires ou interagir avec d'autres médicaments. Votre pharmacien a accès à de la documentation sur le sujet. Il est en mesure de vous indiquer les bienfaits et risques potentiels des produits, ainsi que leurs éventuelles interactions avec d'autres plantes ou médicaments. Fiez-vous davantage à ces informations qu'aux allégations que vous pouvez entendre, ou lire sur les contenants des produits.

Suppléments à base de plantes médicinales aux interactions médicamenteuses connues

- Si vous prenez régulièrement un anticoagulant telles la warfarine ou l'aspirine, le risque d'hémorragies augmente si vous prenez également de l'écorce de saule, de la griffe du diable, de la luzerne, de la camomille, de l'huile d'onagre, de la grande camomille, de l'ail, du gingembre, du *Ginkgo biloba*, du ginseng ou du trèfle rouge. La griffe du diable pourrait aussi élever la glycémie.

- Le millepertuis entrave l'action des antidépresseurs comme la fluoxétine (Prozac[MD]). Le millepertuis peut aussi interagir avec certains médicaments contre le cholestérol (hypocholestérolémiants).

- Si vous prenez un médicament qui vous rend sensible à la lumière solaire, comme le glybenclamide, le millepertuis décuple cette photosensibilité.

- Si vous prenez de la digoxine, un médicament pour le cœur, ou un diurétique thiazidique (contre l'hypertension), l'aloès séché, la Cascara Sagrada[MD], la séné ou la réglisse peuvent abaisser votre taux sanguin de potassium.

- Le ginseng, la réglisse, la yerba maté et la yohimbine peuvent élever la tension artérielle. Pour en apprendre davantage sur la yohimbine, consultez la page 405.

Suppléments à base de plantes médicinales reconnus comme dangereux

Vous devez éviter ces suppléments en raison des risques qu'ils représentent pour la santé (liste non exhaustive):

Larrea tridentata (créosotier), tussilage, consoude, éphédrine (*Ephedra sinica* ou *Ma huang*), germandrée, Huperzia serrata, lobélie, phénylalanine, sassafras, *Tinospora crispa* et L-tryptophane.

UN PRODUIT N'EST PAS FORCÉMENT SÛR PARCE QU'IL EST NATUREL.

Si vous prenez des suppléments à base de plantes médicinales, informez-en le médecin ou le pharmacien. Les médecins ne recommandent pas de suppléments à base de plantes médicinales aux femmes enceintes, car on dispose de trop peu de données sur leur innocuité pour la mère et l'enfant à venir.

Plantes médicinales et maladies rénales:

Si vous avez une affection rénale, cessez de prendre tout supplément à base de plantes médicinales (sauf sur indication contraire du médecin). En effet, les reins éliminent l'excédent de médicaments et d'herbes dans les urines. Si vos reins ne fonctionnent pas de manière optimale, ces substances s'accumuleront dans votre organisme.

Il est connu que ces substances présentent des risques en cas de maladie rénale:

feuilles de buchu

baies de genièvre

Arctostaphylos uva-ursi (raisin d'ours, busserole)

capsules de persil

armoise absinthe

colchique

chuifong tuokuwan

marron d'Inde

pervenche

sassafras

carambole

tung shueh

Vandellia cordifolia

SEPT SUPPLÉMENTS À BASE DE PLANTES MÉDICINALES CONTRE LE DIABÈTE

Racine de ginseng ou extrait de baies de ginseng

- **Bienfaits potentiels :** Certaines études révèlent que la racine du ginseng américain et que la racine ou l'extrait de la baie du ginseng asiatique abaissent la glycémie après un repas. Toutefois, d'autres études n'ont pas montré que le ginseng améliorait le taux d'hémoglobine glyquée. Le ginseng pourrait aussi réduire les taux de cholestérol et de triglycérides.

- **Effets secondaires possibles :** Les effets secondaires du ginseng sont mal connus à cause de la grande variabilité des échantillons utilisés dans les différentes études. À dose élevée, certaines espèces (autres que l'américain) possèdent des effets secondaires considérables, dont l'hypertension. Le ginseng peut interagir avec les antidiabétiques oraux et provoquer de l'hypoglycémie. Il peut également interagir avec les médicaments prescrits contre la dépression ou pour stabiliser l'humeur, ou encore avec les diurétiques.

Extrait de feuilles de *Ginkgo biloba*

- **Bienfaits potentiels :** Des études indiquent que l'extrait de feuilles de *Ginkgo biloba* pourrait protéger la tunique des vaisseaux sanguins et stimuler la circulation. En Europe, il est utilisé et vendu comme médicament approuvé mais, en Amérique du Nord, il n'est pas encore réglementé.

- **Effets secondaires possibles :** Le ginkgo est connu pour interagir avec certains antibiotiques, médicaments contre le cholestérol et anticoagulants. Pris en grande quantité, il peut causer des saignements.

Cannelle

La cannelle de Chine ou casse (*Cinnamomum aromaticum*) est la variété la plus courante dans le commerce.

- **Bienfaits potentiels :** Des études révèlent les bienfaits modérés de la consommation quotidienne d'environ 2 à 5 ml (½ à 1 c. à thé) de cannelle dans la réduction de la glycémie. Selon d'autres études, la consommation de cannelle n'exercerait aucun bienfait sur la glycémie. Si de nouvelles études confirment que la cannelle est bienfaisante, l'étape suivante consistera à tenter d'en extraire les principes actifs et à les concentrer, en vue d'en faire un usage médicinal sans risque.

AVERTISSEMENT

La majorité des médecins ne recommandent pas encore le ginseng et le ginkgo à cause de l'insuffisance des études et de la réglementation. Les éventuelles interactions avec d'autres médicaments n'ont pas fait l'objet de tests et demeurent donc inconnues.

Recommandation :

Les médecins déconseillent de prendre plus de 5 ml (1 c. à thé) de cannelle par jour (2,3 g) ou l'équivalent en capsules. Cependant, en petite quantité, la cannelle est une épice savoureuse et bonne pour la santé. On en saupoudre sur les céréales chaudes, le chocolat chaud ou les desserts légers.

- **Effets secondaires possibles:** La cannelle renferme une substance appelée coumarine, un composé modérément toxique. Une consommation quotidienne équivalant à 5 ml ou plus (1 c. à thé ou plus) de cannelle représente un excès de coumarine. Attention, il ne faut pas confondre «coumarine» avec le nom de commerce «Coumadin^MD», un agent anticoagulant. Cela dit, dans certaines situations, la coumarine se transforme en anti-coagulant. Si vous prenez des anticoagulants, comme l'aspirine, ne prenez pas de cannelle.

Cactus Opuntia et aloès

Le nom scientifique complet de ce cactus est *Opuntia streptacantha*. Peut-être connaissez-vous l'aloès comme plante ornementale. Ces deux plantes médicinales sont habituellement vendues en gélules.

- **Bienfaits potentiels:** Ces deux plantes sont connues pour la sève gélatineuse de leurs feuilles, qui contient des fibres solubles. En fait, des études à court terme montrent que leur principale vertu réside justement dans ces fibres solubles. Celles-ci peuvent abaisser la glycémie à jeun, en ralentissant le rythme d'absorption des glucides. Lisez sur l'indice glycémique aux pages 90 à 93 afin de découvrir les sources efficaces et sûres de fibres solubles, comme les flocons d'avoine, l'orge et les haricots bruns.

- **Effets secondaires possibles:** Le cactus *Opuntia* et l'aloès peuvent interagir avec les antidiabétiques oraux. Si vous prenez un diurétique comme Lasix^MD ou l'hydrochlorothiazide, ou le médicament pour le cœur appelé digoxine, vous devez en parler au médecin ou au pharmacien. Il a par ailleurs été observé que le cactus *Opuntia* provoque des réactions cutanées indésirables, comme l'eczéma. Chez certaines personnes, l'aloès cause de la diarrhée.

Gymnema sylvestre

- **Bienfaits potentiels:** Cette plante pourrait procurer des bienfaits au diabétique de trois façons:

  1) en réduisant l'absorption du sucre par l'intestin;

  2) en améliorant comment l'organisme utilise le glucose;

  3) en favorisant une production accrue d'insuline, consécutive à la stimulation du pancréas.

- **Effets secondaires possibles:** Comme certaines plantes médicinales hypoglycémiantes, la *Gymnema*

> ## AVERTISSEMENT
>
> **Indiquez toujours au pharmacien ou au médecin** les plantes médicinales et médicaments que vous prenez, et informez-vous des doses qui sont sûres pour vous. Les plantes médicinales, tout comme les médicaments officiels, peuvent causer des effets secondaires si elles sont prises en grande quantité.

Cette plante médicinale est tirée de la feuille d'une plante qui pousse en Inde.

peut elle aussi interagir avec les antidiabétiques oraux. Des études sont nécessaires pour découvrir ses bienfaits et effets secondaires.

Melon amer (*Momordica charantia*)

Le melon amer est un légume qui croît sous les tropiques. Il porte également les noms «pomme de merveille» ou «poire balsamique», entre autres. En cuisine, il est utilisé dans les plats sautés. On en extrait aussi le jus.

- **Bienfaits potentiels:** Les études effectuées sur les animaux donnent à penser que cette plante permet d'abaisser la glycémie de trois façons: 1) elle aide le pancréas à sécréter davantage d'insuline; 2) elle aide les tissus à absorber le glucose plus aisément; 3) elle réduit la quantité de glucose produite par le foie. Cependant, les études n'indiquent pas clairement que cette plante serait utile aux diabétiques.

- **Effets secondaires possibles:** Si vous prenez cette plante, vous devrez peut-être ajuster la posologie de votre antidiabétique oral. Le melon amer peut déclencher une excrétion excessive de potassium. Cet effet est susceptible d'être problématique si vous êtes sujet à la diarrhée, ou si vous prenez des laxatifs ou certains antihypertenseurs qui éliminent aussi le potassium de l'organisme. Le melon amer n'est pas recommandé aux femmes enceintes, car il est susceptible de provoquer une fausse couche.

VITAMINES ET MINÉRAUX

La nourriture est la meilleure source de vitamines et de minéraux.

Les aliments apportent les nutriments requis par votre organisme.

Pour maintenir la santé, il suffit de quantités minimes de vitamines et de minéraux. Par exemple, on a besoin de 70 à 90 mg de vitamine C par jour. En mangeant une grosse orange, vous obtenez déjà cette quantité. Si vous prenez en plus un supplément de 1 000 mg (1 g) de vitamine C tous les jours, vos reins doivent travailler plus fort pour éliminer l'excédent.

Si vous mangez des aliments variés, comme le préconisent mon Guide alimentaire pratique (voir pages 54 à 58) et les plans de repas de ce livre, vous obtiendrez toutes les vitamines et minéraux dont vous avez besoin. Le tableau des pages 133 et 134 présente les sources de vitamines et de minéraux, ainsi que le rôle joué par ces substances dans l'organisme. Ces aliments vous aideront à prévenir et à gérer les complications du diabète. En consommant des aliments complets, vous avez l'assurance que les vitamines et minéraux s'y trouvent en quantité saine. Qui plus est, ils y sont associés en proportions adéquates à d'autres nutriments, tels des fibres, des antioxydants et des substances qui facilitent l'absorption des éléments nutritifs.

Vous n'avez pas besoin des suppléments de vitamines ou de minéraux, à moins que le médecin ou la diététiste ne vous le recommandent. Dans ce cas, demandez qu'on vous explique cette recommandation, et priez le médecin ou la diététiste de vous indiquer la posologie à suivre.

Les bienfaits des suppléments sont remis en question.

Une étude à très grande échelle menée en 2009 (selon les archives de l'*Internal Medicine Journal*) auprès de femmes âgées de 50 à 79 ans a révélé que les préparations multivitaminiques ne protègent pas contre l'infarctus du myocarde, l'accident vasculaire cérébral, le cancer ou le décès prématuré. Ces résultats ont causé un choc. Près de la moitié des femmes (et presque autant d'hommes) prennent une préparation multivitaminique en croyant en tirer des bienfaits. De plus, de grandes études portant sur les vitamines C et E, sur le bêta-carotène (qui se transforme en vitamine A) et le sélénium n'ont pas davantage révélé de bienfaits concluants. Dans le cas du diabète, les études portant sur le chrome n'ont pas démontré d'amélioration concrète de la glycémie, sauf chez les personnes souffrant de malnutrition ou de déficience en chrome. On n'a pas réussi à obtenir de résultats tangibles non plus quant au traitement de la neuropathie diabétique à l'aide des vitamines B1, B6 et B12.

Quand les suppléments sont bienfaisants

Les suppléments sont clairement indiqués chez les personnes souffrant de carences vitaminiques ou minérales, ou encore de malnutrition. Voici des exemples de cas où des suppléments sont administrés à des personnes atteintes de diabète :

- pour favoriser la cicatrisation d'une plaie au pied ou à la jambe
- pour contrebalancer les effets de certains médicaments
- pour tenter de ralentir la dégénérescence maculaire
- à titre de supplément prénatal durant la grossesse
- en présence de maladie rénale attribuable à des restrictions alimentaires

Plus n'est pas synonyme de meilleur

Votre organisme, dans sa sagesse, emmagasine les vitamines et minéraux dont il aura besoin plus tard. Ainsi, les vitamines A, D, E et K, de même que le fer, peuvent être stockés dans les graisses et le foie. Si vous consommez des vitamines et des minéraux en grande quantité (mégadoses), vous risquez de vous retrouver avec un excédent. À doses élevées, les vitamines A et D, l'acide folique et la vitamine B6, le fer, le zinc, le calcium et le sélénium sont toxiques.

Les suppléments vitaminiques ne sauraient remplacer une saine alimentation.

Vivez-vous au Canada ou dans un pays nordique à faible ensoleillement hivernal ?

En vieillissant, la peau synthétise moins bien la vitamine D. Le gouvernement du Canada recommande aux personnes âgées de 50 ans et plus de prendre un supplément quotidien de 400 U.I. de vitamine D. Certains médecins vont même jusqu'à recommander des doses atteignant 1 000 U.I.

Hémochromatose :

Certaines personnes ont une maladie génétique rare, l'hémochromatose, qui cause une accumulation de fer dans l'organisme. Cet état peut mener au diabète, aux maladies cardiaques et à divers troubles. Si l'hémochromatose n'est pas traitée, elle risque d'être fatale.

> ## Qu'est-ce qu'une mégadose ?
>
> *C'est une dose massive, qui dépasse les besoins de l'organisme.*
>
> *Pour chaque vitamine et minéral, il existe un «apport nutritionnel recommandé» (ANR) précis, correspondant à la quantité nécessaire au maintien d'une bonne santé. Si vous prenez une dose de supplément dépassant la limite supérieure, vous vous exposez à un risque accru d'effets indésirables. C'est alors qu'on parle de mégadose. Pour déterminer l'ANR et la limite à ne pas dépasser de chaque vitamine et minéral, cherchez dans Internet les mots «tableaux des apports nutritionnels de référence». Les préparations multivitaminiques ne contiennent généralement pas de mégadoses. Cependant, si vous vous procurez les différents minéraux et vitamines séparément, chaque comprimé contient normalement une dose plus élevée. En ingérant tous les jours trop de comprimés, votre consommation totale augmente et vous pouvez atteindre une mégadose.*

Exemples d'effets secondaires consécutifs à la prise de mégadoses de suppléments pendant une période prolongée:

- Le bêta-carotène (vitamine A) accroît le risque de cancer du poumon (surtout chez les fumeurs et les ex-fumeurs) et de cancer de la prostate. Si vos reins ne fonctionnent pas bien, les mégadoses ne sont pas sans danger.

- La vitamine C augmente le risque de calculs rénaux et peut provoquer une absorption accrue du fer, surtout chez les hommes.

- La vitamine D peut élever le taux sanguin de calcium, endommager les reins et nuire à la croissance des enfants.

- La vitamine E accroît les risques d'hémorragie, de cancer du poumon et d'insuffisance cardiaque.

- L'acide folique augmente le risque de cancer de la prostate et de certains cancers du sein.

- Le magnésium peut aggraver les troubles rénaux, causer des dérangements d'estomac et de la diarrhée.

- Le chrome peut provoquer une prise de poids, des maux de tête, des troubles du sommeil et des dérangements d'estomac.

- Le sélénium élève le risque de diabète et d'hypercholestérolémie.

- Le zinc peut causer des dérangements d'estomac et affaiblir le système immunitaire.

- Certaines études récentes indiquent que les femmes âgées en bonne santé qui prennent trop de suppléments de calcium courent un risque accru d'infarctus du myocarde.

- L'excédent de fer est stocké dans le foie et accroît le risque d'infarctus du myocarde.

Vitamines	On les trouve ici	Rôle joué dans l'organisme
Vitamine A (Le bêta-carotène peut se convertir en vitamine A.)	La vitamine A est présente dans les abats rouges, les œufs, le poisson, le lait, les légumes vert foncé, jaunes ou orange, comme les carottes, la courge et les patates douces. La vitamine A est présente aussi dans les tomates, mangues, pamplemousses roses et cantaloups. L'industrie en ajoute au lait, à la margarine et au beurre.	La vitamine A est essentielle à une bonne vision, ainsi qu'à la santé des dents, des ongles, des cheveux et des glandes. Elle aide à protéger les cellules contre l'infection, et a des vertus antioxydantes. Elle favorise aussi la cicatrisation des plaies.
Vitamine B1 (thiamine)	La vitamine B1 est présente dans le son entier (blé et riz), la farine et les céréales enrichies, le germe de blé, la viande, les pois verts, les pois secs, les légumineuses et les noix.	La vitamine B1 aide l'organisme à métaboliser les glucides, et à les convertir en énergie et en mouvement. Elle joue un rôle dans la bonne coordination musculaire et dans la bonne santé des nerfs.
Vitamine B2 (riboflavine)	La vitamine B2 est présente dans le lait, les légumes verts, la viande (surtout les abats rouges), les légumineuses, le fromage, les œufs, le yogourt, le fromage cottage, les céréales entières, la farine et les céréales enrichies.	La vitamine B2 aide l'organisme à convertir les protéines, les graisses et les glucides en énergie. Elle contribue à entretenir la santé de la peau et des yeux, et à produire et à maintenir sains les tissus organiques.
Vitamine B3 (niacine)	La vitamine B3 est présente dans la viande (surtout les abats rouges), la volaille, le poisson, les arachides, les légumineuses, le maïs, les céréales entières, la farine et les céréales enrichies.	La vitamine B3 participe au métabolisme des protéines et convertit les aliments en énergie. Elle contribue au maintien de la santé des intestins et de la peau.
Vitamine B6 (pyridoxine)	La vitamine B6 est présente dans la viande (surtout les abats rouges), la volaille, les œufs, le poisson, les légumineuses, les noix de Grenoble, les légumes-feuilles verts, la banane, les raisins, le melon d'eau, les carottes, les pois, les pommes de terre, les céréales entières et le germe de blé.	Nécessaire à la synthèse et à l'utilisation de certaines protéines, la vitamine B6 aide le système nerveux à fonctionner correctement et protège l'organisme des infections. Elle est essentielle à la santé cardiaque.
Vitamine B12	La vitamine B12 est présente dans la viande (surtout les abats rouges), les crustacés, les œufs, le poisson (surtout le saumon et le hareng), le lait et les produits laitiers, particulièrement le fromage bleu. Certains produits du soya sont enrichis de vitamine B12.	La vitamine B12 est nécessaire à l'élaboration de l'hémoglobine et à la santé des globules rouges. Elle aide à entretenir la santé du système nerveux.
Acide folique	L'acide folique se trouve dans les abats rouges, les légumineuses, les épinards, le chou fourrager, le persil et les autres légumes-feuilles verts, les asperges, le maïs, les petits pois, les agrumes, le jus d'orange, les melons, les noix, les céréales complètes et la levure. Il est présent également dans la farine, les pâtes alimentaires et dans certains riz dits enrichis.	L'acide folique est nécessaire à la synthèse de certaines protéines et du matériel génétique des cellules. Il est essentiel pour le bon fonctionnement des cellules sanguines. Pris durant la grossesse, il réduit le risque d'anomalies congénitales. L'acide folique et la vitamine B12 favorisent le catabolisme de l'homocystéine et jouent un rôle dans la réduction des risques d'infarctus du myocarde et d'accidents vasculaires cérébraux.
Vitamine C	La vitamine C est présente dans les fruits, notamment les agrumes et leurs jus, les fraises, les kiwis, le cantaloup et la goyave. Les tomates, le chou, les poivrons, les pommes de terre, les oignons, le brocoli et les légumes-feuilles verts, par exemple le pissenlit, sont aussi des sources de vitamine C.	La vitamine C participe à la production du collagène et est nécessaire à la santé de la peau, des gencives, des vaisseaux sanguins, des muscles, des dents et des os. Elle aide à l'absorption du fer. Elle agit comme antioxydant et favorise la cicatrisation des plaies.
Vitamine D	La vitamine D est dite vitamine soleil, car notre peau en élabore quand elle y est exposée. On la trouve dans les poissons, notamment les poissons à chair grasse comme le saumon et les sardines, de même que le foie et les œufs. Le lait, la margarine et le beurre en sont enrichis.	La vitamine D fonctionne de concert avec le calcium et le phosphore dans l'élaboration et le maintien d'os et de dents robustes. Elle joue aussi un rôle dans la force musculaire. Elle soutient l'action de l'insuline et est importante chez les personnes atteintes de diabète. Une carence en vitamine D représente un risque de diabète, d'hypertension, de sclérose en plaques, de cancer et d'arthrose.

Vitamine E	On trouve la vitamine E dans l'huile végétale, les noix et les graines oléagineuses, le germe de blé, les légumes-feuilles verts, l'avocat, les légumineuses, les œufs, la margarine, le beurre, le foie, le lait, les céréales complètes et enrichies.	La vitamine E est un antioxydant et protège la membrane cellulaire. Elle est importante pour le bon fonctionnement des cellules sanguines et des tissus organiques.
Vitamine K	La vitamine K est synthétisée par les bactéries intestinales chez le sujet sain. Les légumes-feuilles verts en sont la meilleure source. On en trouve aussi dans les fruits, les céréales, les produits laitiers, la viande et les huiles végétales.	La vitamine K est nécessaire à la coagulation du sang et à la constitution d'une ossature en santé.

Minéraux	On les trouve ici	Rôle joué dans l'organisme
Calcium	Le calcium se trouve dans les produits laitiers, les dattes, la mélasse noire, les huîtres, les pétoncles, le saumon et les sardines avec leurs arêtes, les têtes de poisson, les légumineuses, les amandes, les légumes-feuilles verts et le brocoli. L'industrie en ajoute au tofu, aux boissons de soya et au jus d'orange.	Le calcium est important pour la formation des os et des dents. Il favorise aussi la coagulation sanguine. Il est essentiel au bon fonctionnement des nerfs, des muscles et du cœur. Il joue un rôle dans le maintien du poids santé et dans la normalisation de la tension artérielle.
Fer	Le fer est présent dans le foie et les abats rouges, la viande, les œufs, les mollusques, surtout les huîtres, les noix, les sardines, les légumineuses, le brocoli, les pois, les épinards, les pruneaux, les raisins, le son, les céréales enrichies, la mélasse noire et le germe de blé.	Le fer est important pour la santé du sang et des muscles, et pour la prévention de l'anémie ferriprive. Il aide aussi à la formation d'enzymes jouant différents rôles dans l'organisme.
Magnésium	Le magnésium se trouve dans les légumes-feuilles verts, les céréales complètes, les noix et les graines oléagineuses (y compris le beurre d'arachide). Il est également présent dans les légumineuses, les pois, le poisson et les fruits de mer, le yogourt, le riz complet, le son d'avoine et le cacao.	Le magnésium contribue à la formation des os et des dents ainsi qu'à la bonne fonction des nerfs, des muscles et des vaisseaux sanguins. Certaines études (mais pas toutes) indiquent qu'il pourrait jouer un rôle dans la normalisation de la glycémie à jeun. Les suppléments de magnésium soutiendraient l'action de l'insuline, notamment chez les personnes présentant une carence de ce minéral.
Chrome	Le chrome est présent dans les céréales pour déjeuner et dans le pain complet, surtout celui contenant beaucoup de son. Certaines bières, certains vins et le jus de raisin renferment aussi du chrome. On en trouve par ailleurs dans la viande, notamment les viandes transformées, la volaille, le poisson, les jaunes d'œufs et les légumes verts.	Le chrome soutient l'action de l'insuline. Il peut normaliser la glycémie ainsi que les taux sanguins de cholestérol et de lipides.
Potassium	Le potassium se trouve dans les fruits, surtout le jus d'orange, les bananes, les grenades et les fruits séchés. Les légumes comme les carottes, les pommes de terre, les épinards et les tomates, les viandes et le lait en renferment aussi.	Le potassium est nécessaire au fonctionnement des nerfs et des muscles, ainsi qu'au maintien des équilibres acido-basique et hydrique de l'organisme. Il joue un rôle dans la normalisation de la tension artérielle.
Sélénium	On trouve du sélénium dans les noix du Brésil, les noix de cajou, la viande, les fruits de mer et la volaille. Les céréales, les produits laitiers et les légumineuses en contiennent en quantité moindre.	Le sélénium est un antioxydant. Il aide à réguler les hormones thyroïdiennes, importantes dans le maintien d'un poids santé.
Zinc	Il se trouve dans les viandes, le foie, les œufs, les mollusques (notamment les huîtres), les sardines, le fromage, les légumes-feuilles verts, les oranges, les pruneaux, les fraises, les céréales complètes, ainsi que les noix et les graines oléagineuses.	Le zinc entre dans la composition des enzymes et de l'insuline. Il est important pour la santé et le développement de la peau, et il favorise la cicatrisation des plaies. Chez certains individus, le zinc, en association avec les vitamines antioxydantes, pourrait ralentir la dégénérescence maculaire avancée (maladie de l'œil) liée à l'âge.

8. Alcool

**KAREN GRAHAM RÉPOND À VOS QUESTIONS :
ALCOOL.**

Mathieu : *Ma compagne et moi avons engraissé dans les dernières années. Le soir, nous aimons relaxer sur la terrasse en discutant, tout en prenant quelques consommations et en grignotant des arachides ou des noix mélangées. En général, c'est ma compagne qui prépare les boissons et les goûters. Maintenant que je suis atteint de diabète, comment devrions-nous modifier nos habitudes ?*

Réponse de Karen : L'alcool sous toutes ses formes (vin, liqueurs, panachés, bière, spiritueux) apporte des calories. Peu importe que vous le buviez avec le repas ou la collation, il représente des calories superflues. En réduisant votre consommation d'alcool, vous vous aidez à perdre du poids. Le mieux serait que votre compagne et vous trouviez autre chose à boire et à grignoter.

Peut-être serez-vous étonné d'apprendre que trois consommations d'alcool accompagnant une demi-tasse d'arachides ou de noix mélangées peuvent apporter jusqu'à 920 calories (voir ci-dessous). En comparaison, les soupers copieux proposés dans ce livre apportent 730 calories, et les collations copieuses, 200.

Suggérez à votre compagne les collations des pages 199 à 202 (vous trouverez d'autres idées dans mon ouvrage *La santé au menu*). J'y propose un vaste éventail de possibilités. Pour commencer, pourquoi ne pas en remplacer une ou deux consommations d'alcool par une boisson hypocalorique ou par de l'eau glacée avec du citron ? Passez ensuite à des collations légères ou moyennes, et ne vous octroyez une collation copieuse qu'à l'occasion. Suggestion : optez pour du maïs soufflé fait maison, donc du maïs soufflé dans lequel *vous* déterminez la quantité de gras et de sel à ajouter. L'éclateur de maïs à agitateur motorisé fournit un très bon rendement ; 75 ml (⅓ tasse) de grains et 2 ml (½ c. à thé) d'huile donnent 2 l (8 tasses) de maïs soufflé. Votre compagne voudra peut-être même vous suivre dans vos résolutions.

125 ml (½ tasse) d'arachides et 3 Cuba libre contenant 45 ml (1,5 oz) de rhum et 125 ml (4 oz) de cola chacun

repas de 920 calories !

1 l (4 tasses) de maïs soufflé avec un peu d'huile, 45 ml (1,5 oz) de rhum et de cola hypocalorique, et de l'eau glacée avec tranches de citron

collation de 250 calories

POUR RÉSUMER

Avec leurs calories, les boissons alcoolisées risquent d'épaissir votre taille. De plus, quand vous buvez, vous risquez de manger beaucoup, et de vous retrouver ainsi avec un excédent de calories. Une seule consommation hebdomadaire, soit une bouteille de bière, ou 45 ml (1 ½ oz), peut entraîner une prise de poids annuelle de 1 kg (2 lb). Ainsi, 5 consommations par semaine peuvent provoquer une prise de poids annuelle de 4,5 kg (10 lb).

Non-buveur: *abstention totale*

Buveur modéré: *une consommation par jour pour les femmes, deux pour les hommes*

Gros buveur: *plus de trois consommations par jour*

Ne buvez pas:

- *si un membre de votre famille proche ou vous-même avez des antécédents de consommation excessive ou d'alcoolisme;*

- *si vous prenez certains médicaments ou souffrez d'une maladie incompatible avec l'alcool (demandez conseil au médecin);*

- *si vous prévoyez prendre la route;*

- *si vous êtes enceinte ou tentez de le devenir, ou bien si vous allaitez;*

- *si vous êtes atteint de pancréatite, d'une affection hépatique ou si votre taux de triglycérides est très élevé (hypertriglycéridémie).*

Vous pouvez aussi occuper vos soirées à faire des promenades. La marche est un excellent passe-temps. Demandez à votre conjointe de vous accompagner.

J'espère que mes quelques suggestions vous aideront à atteindre vos buts et à réduire votre consommation d'alcool. Persévérez, vous êtes sur la bonne voie! La prochaine fois que vous consulterez le médecin, demandez à votre conjointe de vous accompagner afin qu'elle entende des recommandations directement de la bouche d'un professionnel.

RISQUES ASSOCIÉS À L'ALCOOL

Les boissons alcoolisées font engraisser.

L'alcool fait engraisser davantage que les glucides. Il apporte 7 calories par gramme, contre 4 pour les glucides. (Ce sont les matières grasses qui sont les plus caloriques, avec 9 calories par gramme.) Une once et demie de whisky, de rhum ou de vodka apporte plus de 100 calories. De plus, la bière, les liqueurs, les panachés et les vins doux contiennent du sucre, ce qui en augmente l'apport calorique. Voir le tableau de la page 138.

L'alcool peut causer ou aggraver de nombreux problèmes de santé.

L'alcool est une substance qui crée une forte dépendance. À vous de voir si les éventuels bienfaits de l'alcool contrebalancent ce risque. Pour le foie, l'alcool est une toxine. Il peut en supporter de petites quantités, mais une consommation quotidienne importante entraînera de nombreux problèmes de santé. On pense entre autres:

- à l'hypertension, à l'hypertriglycéridémie et au risque d'AVC;

- aux maladies hépatiques et à la pancréatite;

- à la rétinopathie diabétique, une maladie de l'œil;

- à la neuropathie diabétique;

- aux risques de syndrome d'alcoolisme fœtal associés à la consommation d'alcool durant la grossesse;

- aux risques accrus de certains cancers, notamment ceux du sein ou du foie, et ce, même avec une consommation limitée à un ou deux verres par jour (incluant le vin);

- au risque de chute et de fractures (hanche ou autre), si vous êtes âgé et souffrez de problèmes d'équilibre;

- à des interactions importantes avec d'autres médicaments, causant des effets secondaires indésirables.

Alcool et boissons énergisantes

Ne mélangez pas boissons énergisantes et alcool. La plupart des boissons énergisantes ont une teneur élevée en caféine. La caféine comme l'alcool étant diurétiques, l'ingestion de ces substances peut provoquer la déshydratation et l'arythmie cardiaque. Si votre glycémie est élevée, vous êtes particulièrement sensible à la déshydratation.

Hypoglycémie consécutive à la prise d'insuline ou d'antidiabétiques oraux

Si vous buvez de l'alcool et prenez de l'insuline ou certains antidiabétiques oraux, vous risquez de connaître un épisode d'hypoglycémie. Lisez la section ci-dessous et les renseignements sur l'hypoglycémie aux pages 335-341. La consommation excessive d'alcool vous expose à un risque sérieux d'hypoglycémie, susceptible de survenir jusqu'à 24 heures après la consommation d'alcool. Si vous avez abusé de l'alcool, prenez soin de manger ou de boire quelque chose de glucidique. Quelqu'un devrait vous accompagner et mesurer votre glycémie toutes les deux à quatre heures, même durant la nuit.

Pour éviter l'hypoglycémie lorsque vous buvez de l'alcool:

- contentez-vous d'une consommation ou deux;

- ne buvez pas à jeun;

- ayez une provision de sucre sur vous;

- si vous faites aussi de l'exercice physique, par exemple si vous dansez, prenez une collation pour contrebalancer l'effet de cette dépense physique.

EST-CE QUE L'ALCOOL PROCURE DES BIENFAITS?

La recherche indique que la consommation modérée d'alcool, surtout de vin rouge, possède la propriété de réduire le risque de maladie cardiaque. Ces bienfaits pourraient être en partie attribuables au resvératrol, un antioxydant qui se trouve dans la pelure et les pépins des raisins, notamment les rouge foncé et les pourpres. On peut obtenir les mêmes bienfaits en mangeant 125 ml (½ tasse) de raisins rouges ou un petit verre de jus de raisin rouge (portion de 2 oz seulement). Une autre vertu possible de l'alcool consommé avec modération est que, chez certains individus, il soutient l'action de l'insuline.

Une consommation raisonnable aide certaines personnes à gérer le stress occasionnel en favorisant la détente. C'est bien, mais le mot-clé, ici, est «modération».

AVERTISSEMENT

La teneur élevée en caféine des boissons énergisantes risque de masquer les symptômes de l'ivresse. Ce phénomène peut conduire à la consommation excessive, car votre organisme ne vous envoie pas le signal qu'il serait bon d'arrêter de boire.

Si vous buvez de l'alcool, ne prenez pas le volant.

Si vous ne buvez pas, ne prenez pas l'habitude de consommer de l'alcool, car les risques qui y sont associés l'emportent sur ses bienfaits.

Boisson alcoolisée	Portion (portion le plus souvent servie)	Alcool (1 once = 9,6 g)	Sucre (glucides totaux convertis en cuillerées à table de sucre)	Calories
Spiritueux, par exemple whisky, rhum, brandy, vodka ou gin. 40 % d'alcool				
Avec de la glace, coupé d'eau ou de boisson gazeuse hypocalorique	45 ml (1 ½ oz)	45 ml (1 ½ oz)	0	**100**
Mélangé à 125 ml (4 oz) de boisson gazeuse (cola) ou de jus de fruits	165 ml (5 ½ oz)	45 ml (1 ½ oz)	16 ml (3 ¼ c. à thé)	**150**
Mélangé à 125 ml (4 oz) de jus de tomate ou de Clamato^{MD}	165 ml (5 ½ oz)	45 ml (1 ½ oz)	6 ml (1 ¼ c. à thé)	**120**
Bière				
Bière canadienne (7 % d'alcool)	341 ml (12 oz)	60 ml (2 oz)	12 ml (2 ½ c. à thé)	**185**
Bière américaine (5 % d'alcool)	341 ml (12 oz)	45 ml (1 ½ oz)	12 ml (2 ½ c. à thé)	**140**
Bière légère (canadienne, 4 % d'alcool)	341 ml (12 oz)	30 ml (1 oz)	5 ml (1 c. à thé)	**100**
Bière légère (américaine, 4 % d'alcool)	341 ml (12 oz)	30 ml (1 oz)	5 ml (1 c. à thé)	**100 à 110**
Bière faible en glucides (4 % d'alcool)	341 ml (12 oz)	30 ml (1 oz)	2 ml (½ c. à thé)	**90**
Bière sans alcool (0,5 % d'alcool)	341 ml (12 oz)	3 ml (0,1 oz)	12 à 20 ml (2 ½ à 4 c. à thé)	**65**
Vin La teneur en alcool du vin varie considérablement. Un vin blanc léger en contient 9 %, un vin rouge corsé 12 %, tandis que le xérès et le porto en renferment 20 %. Le champagne ne contient pas forcément beaucoup d'alcool, mais ses bulles en accélèrent le passage dans le sang.				
Vin de dessert, sucré (15 à 18 % d'alcool)	150 ml (5 oz)	52 à 75 ml (1 ¾ à 2 ½ oz)	20 à 25 ml (4 à 5 c. à thé)	**210 à 275**
Vin de dessert, sec (18 % d'alcool)	150 ml (5 oz)	75 ml (2 ½ oz)	2 ml (½ c. à thé)	**165**
Vin de table, rouge ou blanc (12 % d'alcool)	150 ml (5 oz)	45 ml (1 ½ oz)	1 à 2 ml (¼ à ½ c. à thé)	**100 à 110**
Champagne (8 à 14 % d'alcool)	150 ml (5 oz)	45 ml (1 ½ oz)	5 ml (1 c. à thé)	**105**
Vin sans alcool (0,5 % d'alcool)	150 ml (5 oz)	3 ml (0,1 oz)	17 ml (3 ½ c. à thé)	**65**
Cidres				
Cidre doux (6 % d'alcool)	341 ml (12 oz)	52 ml (1 ¾ oz)	17 ml (3 ½ c. à thé)	**170**
Cidre sec (6 % d'alcool)	341 ml (12 oz)	52 ml (1 ¾ oz)	15 ml (3 c. à thé)	**130**
Panachés				
Panaché à la vodka (5 % d'alcool)	341 ml (12 oz)	45 ml (1 ½ oz)	35 ml (7 c. à thé)	**220**
Panaché aux agrumes (5 % d'alcool)	341 ml (12 oz)	45 ml (1 ½ oz)	45 ml (9 c. à thé)	**240**
Panaché léger (3 % d'alcool)	341 ml (12 oz)	22 ml (¾ oz)	30 à 55 ml (6 à 11 c. à thé)	**170 à 250**
Cocktails (préparés selon les recettes et les proportions habituelles)				
Daiquiri	125 ml (4 oz)	60 ml (2 oz)	10 ml (2 c. à thé)	**140**
Margarita	125 ml (4 oz)	60 ml (2 oz)	7 ml (1 ½ c. à thé)	**150**
Mojito	125 ml (4 oz)	60 ml (2 oz)	7 ml (1 ½ c. à thé)	**160**
Piña colada (teneur élevée en matières grasses aussi)	250 ml (8 oz)	60 ml (2 oz)	15 ml (3 c. à thé)	**325**
Cocktail sans alcool – Bloody Mary	125 ml (4 oz)	0	10 ml (2 c. à thé)	**40**
Cocktail sans alcool – daiquiri à la fraise	125 ml (4 oz)	0	60 ml (12 c. à thé)	**200**
Liqueurs				
À base de crème (34° à 53°)	45 ml (1 ½ oz)	30 ml (1 oz)	15 à 30 ml (3 à 6 c. à thé)	**135 à 165**
Sans crème (80°)	45 ml (1 ½ oz)	30 à 45 ml (1 à 1 ½ oz)	30 à 55 ml (6 à 11 c. à thé)	**115 à 135**

9. Que manger lorsqu'on est malade?

La présente section donne cinq conseils pour se soigner durant une maladie brève. Elle comprend aussi des photographies suggérant des boissons et des mets à consommer quand on fait face à la maladie. Par «maladie brève», on entend par exemple une grippe, un rhume, une intoxication alimentaire, ou une poussée de douleur aiguë durant une ou plusieurs journées. Un tel épisode peut être marqué par des vomissements, de la diarrhée, de la toux, un mal de gorge, de la fièvre, de la douleur ou de l'infection. Quand faut-il consulter le médecin? Le texte situé dans l'encadré répond à cette question. En cas de maladie prolongée, consultez le médecin ou l'éducateur agréé en diabète. Ils sauront vous orienter.

SI VOUS NOTEZ UN OU PLUSIEURS DES SYMPTÔMES SUIVANTS, APPELEZ LE MÉDECIN, TÉLÉPHONEZ À UNE LIGNE D'INFO-SANTÉ SANS FRAIS, OU RENDEZ-VOUS À UNE CLINIQUE OU À UN SERVICE D'URGENCES:

- **Hyperglycémie.** Votre glycémie est constamment située au-dessus de 15 mmol/l (270 mg/dl), et vous vous sentez très mal.

- **Hypoglycémie.** Votre glycémie est constamment trop basse, et vous êtes incapable de la maintenir au-dessus de 4 mmol/l (70 mg/dl).

- **Déshydratation.** Parmi les symptômes, on note la soif intense, la sécheresse de la bouche et de la peau, et le fait que la peau pincée ne reprend pas sa forme. Vous souffrez de crampes musculaires, vous transpirez et urinez moins, vous éprouvez éventuellement du vertige et de la confusion. La déshydratation peut être consécutive aux vomissements, à la diarrhée, à la fièvre ou à l'hyperglycémie.

- **Fièvre.** Votre température dépasse les 37,8 °C (100 °F).

- **Saignements.** Vous observez la présence de sang dans vos urines ou dans vos selles, ou vous vomissez du sang.

- **Symptômes inhabituels, par exemple engourdissements ou raideurs du cou.**

- **Crainte de voir votre état s'aggraver.** Vous vous inquiétez de votre état et vos symptômes s'aggravent.

Prenez vos médicaments.

Sauf indication contraire du médecin ou de l'infirmière, prenez votre insuline ou votre antidiabétique oral.

Planifiez à l'avance.

Consultez le médecin ou l'éducatrice lorsque vous êtes en santé et faites-vous montrer la façon d'ajuster votre dose d'insuline en prévision d'une maladie.

Si vous vivez seul:

Informez un membre de votre famille ou un ami de votre état. Cette personne pourrait éventuellement séjourner auprès de vous, ou encore vous téléphoner et s'enquérir de votre état de santé à intervalles réguliers.

Traitez le mal de gorge au moyen d'un gargarisme de sel dissous dans l'eau.

Les produits sans sucre peuvent causer la diarrhée.

Sachez que les produits sans sucre contiennent habituellement des sucres alcool (voir page 102), tels le sorbitol ou l'isomalt. Si on en mange 10 g en une journée, ils peuvent causer de la diarrhée légère, et de la diarrhée grave à partir de 20 g par jour. Une pastille contre la toux sans sucre renferme normalement de 2 à 4 g de sucres alcool. Il suffit donc de trois ou quatre pastilles pour causer ou aggraver une diarrhée.

PRENEZ VOTRE INSULINE ET VOS MÉDICAMENTS.

La plupart du temps, quand vous êtes malade, votre glycémie s'élève sans que vous ayez trop mangé. Ceci est normalement causé par la maladie ou la douleur, qui augmente le taux d'hormones du stress dans l'organisme. Ces hormones ont pour effet d'élever la glycémie.

Il arrive à l'occasion que la glycémie chute, surtout lorsque vous jeûnez, et souffrez de diarrhées et de vomissements graves.

Ajustez la dose d'insuline.

- Si vous prenez de l'insuline et que vous ajustez la dose vous-même, suivez les directives qui vous ont été données.

- Si vous ne procédez pas vous-même aux ajustements de dose, demandez conseil au médecin ou à l'éducateur agréé en diabète.

Antidiabétiques oraux

- Durant un bref épisode de maladie, ne modifiez pas la posologie de vos antidiabétiques oraux.

Autres médicaments

- Si le médecin vous prescrit un médicament pour une brève maladie, par exemple un analgésique, un antibiotique ou un décongestionnant, demandez-lui si ce médicament influe sur la glycémie. Les médicaments en vente libre sont aussi susceptibles de modifier la glycémie ou la tension artérielle. Demandez conseil au pharmacien ou au médecin.

Médicaments contre le rhume, et pastilles et sirops contre la toux

- Faites attention au sucre (glucides) contenu dans les médicaments contre la toux ou le rhume. Une cuillerée à thé de sucre équivaut à 4 g de glucides. Si vous ne pouvez tolérer la plupart des aliments, prenez des pastilles ou du sirop contre la toux contenant du sucre ordinaire, et tenez compte de celui-ci dans votre bilan quotidien de glucides (voir page 143).

- Si vous êtes capable d'ingérer d'autres aliments ou si votre glycémie est élevée, prenez des pastilles ou un sirop contre la toux sans sucre.

MESUREZ VOTRE GLYCÉMIE.

La fréquence des mesures dépendra de la gravité de votre état. Par prudence, mesurez votre glycémie toutes les quatre heures, et plus souvent si elle atteint des valeurs trop élevées ou trop basses. Notez par écrit les valeurs mesurées. Communiquez avec le médecin ou l'éducateur agréé en diabète afin d'obtenir des directives sur l'ajustement de votre dose d'insuline.

BUVEZ BEAUCOUP D'EAU ET DE BOISSONS SANS SUCRE.

En état d'hyperglycémie, on peut se déshydrater rapidement, de même que si on a la fièvre, si on vomit ou si on a la diarrhée. Il est donc essentiel de boire abondamment de liquide, sans sucre.

Vous trouverez des exemples de boissons sans sucre à la page 142.

- Peut-être tolérerez-vous mieux une boisson gazeuse hypocalorique éventée. Avant de la boire, laissez-la reposer une heure après l'avoir agitée à la cuillère.

- Évitez la caféine ou limitez votre consommation quotidienne de café, de thé fort et de colas caféinés à 1 l (4 tasses). En effet, la caféine risque d'aggraver la perte d'eau.

MANGEZ LÉGÈREMENT.

Si vous n'avez pas envie de manger vos repas et collations habituels, remplacez-les par des boissons ou des nourritures plus légères. Vous trouverez à la page 143 des exemples d'aliments et de boissons légers à prendre pour les jours de maladie. Ils vous apporteront une certaine quantité de glucides et d'électrolytes (sodium et potassium). Ne buvez pas d'alcool à moins que le médecin ne vous le recommande. L'alcool risque de déclencher un épisode d'hypoglycémie grave.

REPOS ET SOMMEIL

Si vous le pouvez, bougez les membres et faites quelques pas pour stimuler votre circulation. En cas de nausée, maintenez la tête et les épaules surélevées quand vous êtes en position étendue. Portez des vêtements amples et placez une serviette fraîche sur votre visage et votre cou.

Si vous ne testez pas votre glycémie à domicile:

Apprenez à reconnaître les signes et symptômes de l'hyperglycémie et de l'hypoglycémie (voir pages 20 et 337). Pour en apprendre davantage sur le traitement des hypoglycémies, consultez les pages 338 à 341.

Une tasse de liquide par heure

En règle générale, efforcez-vous de boire une tasse de liquide par heure de veille.

Limitez ou évitez les boissons et nourritures rouges.

On pense ici aux aliments rouges comme le Jell-O^MD rouge, le jus de canneberge, les sucettes glacées rouges, le soda mousse, les pastilles contre la toux rouges et la betterave. En effet, si vous vomissez ou avez la diarrhée, ces produits risquent de passer pour du sang.

SI VOUS NE PARVENEZ PAS À VOUS HYDRATER CORRECTEMENT, APPELEZ LE MÉDECIN.

Il vous indiquera peut-être de cesser de prendre tel ou tel médicament dans le but de protéger vos reins.

BOISSONS SANS SUCRE – Sirotez-en pendant la journée et la soirée.

1. Eau minérale ou soda

2. Eau

3. Crystal Light^{MD} ou Kool-Aid^{MD} sans sucre

4. Boissons gazeuses hypocaloriques (sans caféine)

5. Jell-O^{MD} sans sucre

6. Thé léger

7. Glaçons (Si vous avez de la difficulté à garder le liquide, essayez le suçotement de glaçons.)

8. Tisane, par exemple au gingembre

9. Sucette glacée ou bâtonnet glacé sans sucre

10. Bouillon ou consommé

EXEMPLES D'ALIMENTS OU DE BOISSONS LÉGÈRES CONTENANT CHACUN 15 G DE GLUCIDES — essayez de consommer un de ces éléments toutes les heures.

1. Boisson Kool-Aid^{MD}, 1 sachet de 175 ml (¾ tasse)

2. Soda au gingembre ou 7 Up^{MD} régulier, 175 ml (¾ tasse)

3. Pedialyte^{MD} (boisson anti-diarrhéique pour enfants), 625 ml (2 ½ tasses)

4. Gatorade^{MD} (régulier), 250 ml (1 tasse)

5. Jus d'orange, 125 ml (½ tasse)

6. Supplément nutritif pour diabétiques, 250 ml (1 tasse)

7. Yogourt (nature ou faible en matières grasses), 175 ml (¾ tasse)

8. Thé chaud ou eau chaude citronnée avec 15 ml (3 c. à thé) de miel ou de sucre

9. Jus de pomme, 125 ml (½ tasse)

10. Crème glacée, sorbet ou yogourt glacé, 125 ml (½ tasse)

11. Cola sans caféine, 250 ml (1 tasse)

12. Galette de riz, 1

13. Pain, rôti ou non, nature ou légèrement beurré, 1 tranche

14. Compote de pommes, 125 ml (½ tasse)

15. Biscuits sodas, 7

16. Biscottes Melba^{MD}, 4

17. Craquelins nature (grands), 3

18. Rouleau aux fruits, 1

19. Potage au poulet et aux nouilles, 250 ml (1 tasse) ou 125 ml (½ tasse) de nouilles

20. Sirop contre la toux (régulier), 5 à 10 ml (1 à 2 c. à thé)

21. Banane, 1 petite

22. Biscuits à l'arrow-root, 3

23. Biscuits au gingembre, 3

24. Jell-O^{MD} régulier, 125 ml (½ tasse)

25. Céréales Rice Krispies^{MD}, Special K^{MD} ou Corn Flakes^{MD} avec du lait, 125 ml (½ tasse)

26. Sucette glacée ou jus de fruits congelé, 1 double sucette

27. Bonbons au citron, 3

28. Bonbons contre la toux (réguliers), 4

29. Menthes écossaises (régulières), 4

30. Biscuits digestifs, 2

31. Jujubes, 6

10. Prendre du poids

Dix pour cent des personnes atteintes de diabète de type 2 sont trop minces. Parmi ces 10 %, certains présentent une insuffisance pondérale au moment du diagnostic, tandis que d'autres vivent cette réalité plus tard, à cause d'une perte de poids. Si votre poids est insuffisant, vous vous sentirez mieux en prenant un peu de poids. En effet, avoir un poids trop faible rend vulnérable aux infections, peut causer de la faiblesse musculaire ou accroître le risque de fractures. L'hyperglycémie, le manque d'appétit ou l'ingestion insuffisante d'aliments sont tous susceptibles de causer une perte de poids. Un problème de santé sous-jacent peut aussi la provoquer. Dans le doute, consultez le médecin. Cette section propose des lignes directrices sur la façon de prendre du poids sans trop élever votre glycémie. Le fait de manger davantage tout en prenant de l'insuline ou des antidiabétiques oraux devrait vous aider. Par ailleurs, la pratique modérée de l'exercice physique favorise le développement de la masse musculaire.

ÉTABLISSEZ D'ABORD SI VOTRE POIDS EST INSUFFISANT.

Votre poids est-il vraiment insuffisant ou bien vous considérez-vous tout simplement comme trop maigre ? Les gens pèsent en moyenne 11 kg (25 lb) de plus qu'il y a 40 ans. Il est donc essentiel de ne pas vous comparer à d'autres. Si vous aviez un poids santé en tant que jeune adulte, guidez-vous grâce à ce poids. Consultez aussi le médecin ou la diététiste à ce sujet.

LES ANTIDIABÉTIQUES ORAUX PEUVENT VOUS AIDER À PRENDRE DU POIDS.

L'hyperglycémie cause parfois une perte pondérale à la suite d'importantes déperditions de sucre dans les urines. Pour cesser de perdre du poids et regagner le poids perdu, vous devez abaisser votre glycémie. Il sera sans doute nécessaire qu'on vous prescrive des antidiabétiques oraux ou de l'insuline. Parlez-en à votre médecin.

DE PETITS CHANGEMENTS QUI PEUVENT FAIRE UNE GRANDE DIFFÉRENCE.

Si vous n'avez pas d'appétit, le fait d'apporter de petits changements à votre alimentation peut être décisif. Tout comme les diabétiques, vous avez intérêt à fractionner votre apport calorique et glucidique en trois repas légers répartis sur toute la journée. Pour obtenir suffisamment de calories, vous aurez sans doute aussi besoin de collations légères entre les repas. Il est opportun d'ingérer un supplément de protéines et de graisses au moment des repas et des collations. Les calories alors obtenues n'élèvent pas la glycémie.

L'indice de masse corporelle (IMC)

Vous pouvez également déterminer si votre poids est normal ou insuffisant en utilisant un tableau de l'indice de masse corporelle (sur Internet, recherchez « IMC »). Consultez la page 344.

CONSEILS POUR PRENDRE DU POIDS

Le plan de repas ci-dessous s'inspire du plan de repas de sept jours hypocaloriques. Il indique les quantités correspondant au plan original, et propose des idées pour en augmenter l'apport calorique. Ce repas n'est qu'un exemple parmi d'autres. Modifiez le contenu et la taille des portions en fonction de vos besoins.

Manières d'augmenter l'apport calorique, pages 145 et 146: Faites preuve d'imagination! Les aliments comportant beaucoup de gras animal saturé, comme le lait entier et le fromage, sont ici identifiés comme des « gras supplémentaires », et non les variétés légères de ces aliments. Si votre taux de cholestérol est bon, permettez-vous un surplus de ces gras jusqu'à ce que vous ayez repris le poids perdu.

Consultez les autres méthodes pour prendre du poids aux pages 147 et 148.

Si votre taux de cholestérol est trop élevé:

Dans le cas où votre taux de cholestérol serait élevé, le médecin ou la diététiste vous demanderont sans doute de réduire les gras « superflus ». Cependant, les études révèlent que chez les gens âgés de plus de 70 ans, un poids inférieur à la normale est plus préoccupant qu'un taux de cholestérol trop élevé. Soumettez votre cas au médecin ou au diététiste.

Exemple de plan de repas hypercalorique	
Façons d'augmenter le nombre de calories des repas et des collations	
Déjeuner 1: gruau d'avoine (pages 154 et 155)	• Remplacez le lait écrémé par du lait entier ou de la crème. • Ajoutez 10 à 15 ml (2 à 3 c. à thé) d'huile, de beurre ou de margarine à votre gruau. • Parsemez le gruau de noix hachées.
Collation du matin: petite banane	• Mangez la banane avec du beurre d'arachide.
Dîner 1: sandwich de luxe (pages 162 et 163)	• Tartinez les deux tranches de pain de margarine. • Garnissez le sandwich d'avocat ou d'olives tranchées. • Accompagnez votre pomme d'un morceau de fromage.
Collation de l'après-midi:	• Ajoutez une poignée d'arachides à votre collation légère ou moyenne.
Souper 1: bifteck minute et pommes de terre (pages 170 à 173)	• Ajoutez de la margarine, du beurre ou du fromage râpé sur vos pommes de terre. • Nappez le bifteck d'une sauce grasse plutôt que d'une sauce sans gras. • Permettez-vous une portion de viande plus copieuse. • Faites revenir les oignons dans plus de matières grasses. • Garnissez les pois et carottes de graines de tournesol rôties. • Utilisez du pouding à teneur normale en gras dans la préparation de la charlotte anglaise. • Garnissez la charlotte d'un supplément d'amandes.
Collation du soir:	• Complétez une collation légère ou copieuse par une tablette nutritive pour diabétique ou par la moitié d'une boisson nutritive pour diabétique.

FAÇONS D'AUGMENTER VOTRE APPORT CALORIQUE:

- Augmentez votre consommation de protéines à tous vos repas et à toutes vos collations. On pense ici aux viandes maigres, au poisson, au poulet (sans la peau), aux œufs, aux fruits de mer, aux noix et aux graines oléagineuses.

- Ajoutez des haricots blancs ou rouges aux soupes et aux ragoûts. Vous augmentez ainsi non seulement la part des glucides, mais celle des protéines aussi.

- Efforcez-vous toujours d'inclure un aliment protéiné au déjeuner. Par exemple un œuf, une tranche de fromage faible en matières grasses (moins de 20% M.G.) ou une viande maigre, ou encore des noix hachées sur vos céréales.

- Enrichissez de protéines les sandwiches à la viande en leur ajoutant du fromage.

- Choisissez le saumon rouge (sockeye), le thon et les sardines en conserve dans l'huile.

- Gardez dans le réfrigérateur une réserve d'œufs cuits dur et pelés. Chaque semaine, mangez-en quelques-uns en guise de collation ou avec le repas. Mélangez vos œufs à un corps gras et à du fromage.

- Incorporez un œuf battu dans la soupe ou le macaroni au fromage en cours de cuisson.

- Ajoutez du fromage tranché ou râpé aux soupes, aux salades, aux sandwiches et aux cocottes, aux ragoûts, aux purées de pommes de terre, aux ravioli et aux tacos. En guise de collation, mangez du fromage avec des craquelins, ou bien un muffin.

- Nappez les légumes de sauce au fromage.

- Ajoutez des amandes, des pistaches, des noix de Grenoble, des pacanes, des arachides, des noisettes, des noix de cajou, des fèves de soya, ou encore des graines de citrouille ou de tournesol aux ragoûts, aux salades et aux desserts. Vous pouvez aussi inclure ces aliments dans vos collations ou repas, en guise d'accompagnement.

- Garnissez les crêpes ou les céréales de noix écrasées.

- Servez-vous une bonne cuillerée de beurre d'arachide directement à même le pot! Procurez-vous du beurre d'arachide sans gras trans. Ajoutez-le aux frappés aux fruits ou aux laits frappés, ou encore dans les plats sautés à l'orientale, les veloutés de tomates et les ragoûts.

Essayez un demi-sandwich au beurre d'arachide et au fromage en guise de collation, une cuillerée de beurre d'arachide remuée dans 125 ml (½ tasse) de yogourt, ou un pouding à la vanille sans sucre.

- Pour la collation, mangez un demi-sandwich, ou une tranche de pain accompagnée d'une protéine quelconque: viande, fromage, saumon ou beurre d'arachide.

- Plutôt que de manger des fruits seuls, accompagnez-les d'un morceau de fromage, de beurre d'arachide ou de quelques noix. Essayez une tartinade composée d'une moitié de banane et de beurre d'arachide, ou des tranches de pomme avec 30 à 60 g (1 à 2 oz) de fromage ou avec une tartinade de fromage à la crème léger.

- Les olives contiennent des gras mono-insaturés, bons pour la santé. Dégustez-en quelques-unes.

- L'avocat est faible en glucides et riche en gras mono-insaturés. Ajoutez-en des tranches aux sandwiches, aux roulés de tortilla, aux tacos ou aux salades. Et pourquoi ne pas manger une moitié d'avocat à la cuillère? Il est excellent avec un trait de sauce Worcestershire, ou avec du jus de citron ou de lime.

- Lorsque vous préparez des sandwiches, des rôties ou que vous mangez une tranche de pain, des craquelins ou un muffin, tartinez-les de margarine ou d'un autre gras, comme du fromage à la crème. Essayez par exemple une tranche de pain aux raisins secs avec 10 à 15 ml (2 à 3 c. à thé) de tartinade.

- Au lieu de lait écrémé, buvez du lait à 1% M.G. ou à 2% M.G.

- Le yogourt grec (optez pour le non sucré) est riche en protéines, et certaines variétés renferment également beaucoup de gras, ce qui en augmente l'apport calorique.

- Vous pouvez utiliser du lait évaporé faible en matières grasses, non dilué, pour vos céréales, poudings, café, thé ou chocolat chaud. Une quantité de 125 ml (½ tasse) de lait évaporé équivaut à 250 ml (1 tasse) de lait régulier.

- Ajoutez de la poudre de lait écrémé aux soupes, ragoûts, cocottes, purée de pommes de terre, céréales et œufs brouillés.

- Ajoutez 60 ml (¼ tasse) de poudre de lait écrémé pour chaque 250 ml (1 tasse) de lait que vous consommez, afin d'en doubler la teneur en protéines. Ou encore, incorporez 15 ml (1 c. à table) de poudre de lait écrémé

AJOUTEZ des corps GRAS

...si votre taux de cholestérol est normal!

BEURRE OU FROMAGE À LA CRÈME: Remplacez le fromage à la crème léger par du beurre ou de la crème.

LAIT: Buvez du lait entier homogénéisé et non du lait faible en gras. Utilisez du lait évaporé entier.

POUDRE DE LAIT: Utilisez du lait en poudre entier plutôt que du lait écrémé en poudre.

CRÈME AU LIEU DU LAIT:

Mettez de la crème à 10% M.G. ou de la crème à fouetter dans vos céréales, votre café ou thé, et sur vos poudings et fruits en conserve.

BOISSON À LA CRÈME:

Buvez un petit verre de crème à fouetter aromatisée d'un soupçon de vanille ou d'un autre parfum, au goût. À siroter à la paille.

AJOUTS AUX RECETTES:

Ajouter du beurre, du fromage à la crème entier, de la crème sure entière ou de la crème à fouetter aux recettes et aux plats.

dans une tasse de yogourt ou de pouding. Si vous utilisez du yogourt nature, aromatisez-le de cristaux de boisson sans sucre, au goût.

- Ajoutez un complément en protéines, comme Beneprotein^{MD}, à différents mets.

- Ajoutez de la noix de coco non sucrée aux desserts, ou du lait de noix de coco aux caris ou aux boissons, par exemple les frappés aux fruits. Les études récentes indiquent que le lait de coco apporte un type de gras bon pour la santé, tant qu'il n'est pas hydrogéné.

- Ajoutez un corps gras comme l'huile d'olive, de canola, de maïs ou de soya, la margarine, la mayonnaise, et les sauces à salade aux mets comme la purée de pommes de terre, le riz ou les pâtes, le gruau, les œufs brouillés, les plateaux télé ou les plats cuits en cocottes. Les aliments frits apportent un supplément de calories provenant des gras de cuisson.

- En pharmacie ou à l'épicerie, vous trouverez des suppléments, boissons et barres nutritionnelles, qu'on appelle parfois des « substituts de repas ». Recherchez les produits conçus spécialement pour les diabétiques. Ils sont généralement riches en fibres alimentaires.

Ne perdez pas de vue que tous ces enrichissements alimentaires ne conviennent que si vous tentez de prendre du poids. N'en servez pas aux membres de votre famille s'ils n'ont pas besoin d'un supplément de calories.

AUTRES MESURES POUR PRENDRE DU POIDS

En plus de trois repas légers, prenez aussi des collations.

- Prenez vos repas et collations à heures régulières. S'il le faut, réglez l'alarme pour vous rappeler que le moment est venu de manger.

- Prenez un repas complet au moment où votre appétit est à son maximum.

Si vous négligez votre alimentation, prenez une préparation multivitaminique.

Si vous avez perdu beaucoup de poids ou si vous ne mangez pas bien, un comprimé à prise quotidienne unique peut être salutaire. Demandez au pharmacien de vous indiquer un supplément qui n'interagira pas avec les autres médicaments que vous prenez.

Augmentez lentement la quantité de nourriture ingérée.

Augmentez lentement la quantité de nourriture que vous prenez afin de laisser à votre organisme le temps de s'adapter.

Ne vous empiffrez pas d'aliments faibles en calories.

Limitez votre consommation de café nature, de thé, de soupes, de boissons hypocaloriques ou de légumes crus et volumineux. Ces aliments vous remplissent sans vous apporter les calories dont vous avez besoin. Cependant, boire de l'eau demeure important pour rincer la vessie, vider les intestins et éviter la déshydratation.

Si vous vous fatiguez facilement, consommez des aliments préparés vite et aisément.

- Gardez des aliments vite préparés que vous appréciez à portée de main.

- Achetez des repas et des aliments prêts-à-manger, comme le gruau instantané, les poudings minute et des fruits en coupe. Essayez à l'occasion les plats surgelés, les aliments précuits ou les salades du comptoir de l'épicerie.

- Préparez des repas à l'avance et congelez-en des portions individuelles.

- Faites-vous livrer des repas. Recourez aux services de popote roulante ou commandez une pizza.

- Partagez un repas avec un ami, un voisin ou un membre de la famille. Il est parfois bon de manger au restaurant, dans un centre pour personnes âgées, ou de profiter du programme de repas offert dans un immeuble d'habitation ou un foyer de soins personnels.

Stimulez votre appétit.

Soignez la présentation des repas : Soignez la présentation de vos repas en utilisant des napperons, des nappes et des serviettes colorées. Placez une fleur ou une bougie sur la table. Changez les éléments de décoration fréquemment. Rien n'est trop beau pour vous !

Relevez vos mets : Les aliments ont meilleur goût quand on en relève la saveur avec des fines herbes et des épices. Demandez au médecin ou à la diététiste si vous pouvez saler un peu vos aliments, car c'est aussi une bonne façon de leur donner du goût.

Le soleil est salutaire : Si possible, mangez près d'une fenêtre afin de profiter du soleil. Installez-vous dans une chaise confortable. Si vous prenez les repas au lit ou dans un

Si vous êtes une personne âgée :

Sortir plus souvent pourrait stimuler votre appétit. Parlez à des amis, ou appelez un centre pour personnes âgées afin de découvrir si on y offre des activités susceptibles de vous intéresser. Si vous avez besoin qu'on vous conduise quelque part, demandez au centre pour personnes âgées s'il offre ce service.

Si vous êtes sujet aux nausées :

- *Peut-être n'aimez-vous pas l'odeur de cuisson. Ouvrez les fenêtres ou bien mangez froid, du poulet, par exemple.*

- *Essayez de boire une demi-heure avant ou après le repas.*

- *Après les repas, reposez-vous en position assise.*

- *Certains trouvent que l'odeur du citron fraîchement tranché les soulage.*

- *Un thé au gingembre peut combattre la nausée.*

- *S'il le faut, demandez au médecin si les antinauséeux vous conviennent.*

fauteuil, utilisez des coussins pour vous soutenir afin de bien voir les aliments et de manger aisément.

N'oubliez pas d'aller au grand air : Essayez de prendre l'air tous les jours. Si vous ne pouvez pas sortir, ouvrez une fenêtre quelque temps afin de permettre aux odeurs de la maison de sortir et, ainsi, d'aérer l'intérieur de celle-ci. Quand il fait beau, prenez vos repas dans le jardin, sur le balcon ou dehors, sur un banc.

Buvez du vin ou une boisson acidulée : Demandez à votre médecin s'il s'oppose à ce que vous buviez de 90 à 150 ml (3 à 5 oz) de vin à l'occasion, en mangeant. Cette consommation pourrait aiguiser votre appétit. Au lieu du vin, vous pourriez prendre une boisson acidulée en début de repas, par exemple un jus de tomate. Prudence ! La consommation régulière d'alcool provoque parfois de la désorientation et accroît le risque de chute.

Rafraîchissez-vous la bouche : Certains médicaments laissent un goût désagréable en bouche et coupent l'appétit. Pour contrer cela, mâchez de la menthe ou du persil. La gomme à mâcher à la cannelle ou à la menthe devrait aussi vous être utile. Consultez la section sur le brossage des dents et l'hygiène buccale, aux pages 300 à 304.

Faites de l'exercice physique.

Même une courte promenade peut stimuler l'appétit. Les exercices avec de petits poids aident à développer la masse musculaire et à prendre du poids. De plus, l'exercice abaisse la glycémie et est bon pour la santé en général. La marche, la natation et le vélo développent les muscles. Allez-y progressivement. Aux pages 250 à 254 du livre, vous trouverez des idées d'exercices pour l'entraînement en force musculaire ainsi qu'un programme d'exercice physique.

Surveillez votre poids et demandez des examens de laboratoire à intervalles réguliers.

- Faites-vous peser par le médecin. Notez votre poids. Demandez aussi à quand remonte la dernière pesée et quel en était le résultat.

- Si vous avez perdu plus de 4,5 kg (10 lb) au cours des 6 derniers mois, informez-en le médecin ou la diététiste.

- Faites prendre la mesure de votre taux d'hémoglobine glyquée (HbA1c — voir pages 344, 348 et 349).

Bain de bouche

Rincez-vous la bouche avec du soda, ou à l'aide du bain de bouche maison que voici : mélangez 0,5 ml (⅛ c. à thé) de sel ou 1 ml (¼ c. à thé) de bicarbonate de soude dans 250 ml (1 tasse) d'eau.

Plan de repas de sept jours avec recettes

Déjeuners

1.	Gruau	154
2.	Crêpes aux fruits	156
3.	Céréales aux petits fruits	158
4.	Œuf poché avec rôtie	160

Les déjeuners légers apportent 250 calories et les copieux, 370 calories.

Dîners

1.	Sandwich de luxe	162
2.	Soupe avec tacos	164
3.	Sandwich roulé (*wrap*)	166
4.	Pizzas sur petits pains	168

Les dîners légers apportent 400 calories et les copieux, 520 calories.

Soupers

1.	Bifteck minute avec pommes de terre	170
2.	Légumes sautés sans façon	174
3.	Salade de poulet chaud	178
4.	Pâtes en sauce végétarienne	182
5.	Chaudrée de fruits de mer	186
6.	Cari de poulet avec riz	190
7.	Omelette aux légumes avec haricots	194

Les soupers légers apportent 550 calories et les copieux, 730 calories.

Collations

Faibles en calories (20 calories ou moins)	199
Petites (50 calories)	200
Moyennes (100 calories)	201
Copieuses (200 calories)	202

ANALYSE NUTRITIONNELLE

L'analyse nutritionnelle des recettes et des repas a été effectuée par Food Intelligence (Toronto, Ontario) à l'aide du logiciel Genesis R&D, du Fichier canadien sur les éléments nutritifs (version 2007b) et de la base de données de référence du Département de l'Agriculture des États-Unis (USDA).

Les calculs basés sur les mesures et poids impériaux (livres, tasses, cuillerées à table, etc.) ont été faits en prenant comme points de départ :

- du lait écrémé ;

- du bœuf haché maigre contenant moins de 17 % de gras ;

- du riz, des pâtes alimentaires, des céréales chaudes sans sel ajouté ;

- 3 pommes de terre de taille moyenne ou 4 petites par livre (500 g), et environ 3 grosses pommes de terre ou 4 pommes de terre de taille moyenne par 2 lb (1 kg) ;

- sauf indication contraire, du sucre blanc cristallisé ;

- de gros œufs ;

- un ajout normal d'ingrédients non mesurés (p. ex. des tranches de tomates dans un sandwich).

Lorsqu'un choix d'ingrédients est proposé, les calculs sont basés sur le premier ingrédient ; lorsqu'un choix de quantités est proposé, les calculs sont basés sur la première quantité.

Choix de glucides

Dans les repas, les choix de glucides ont été faits avec le Guide pratique de l'Association canadienne du diabète.

Chaque option contient 15 g de glucides disponibles (glucides totaux moins fibres alimentaires).

Déjeuners légers: 2 à 3

Déjeuners copieux: 3 à 4

Dîners légers: 2,5 à 3,5

Dîners copieux: 3,5 à 4,5

Soupers légers: 3 à 4,5

Soupers copieux: 4 à 5,5

DEVRAIS-JE CHOISIR LES REPAS COPIEUX OU LES LÉGERS?

En optant pour un déjeuner léger, un dîner léger et un souper léger, vous ingérez 1 200 calories.

Si vous optez pour un déjeuner copieux, un dîner copieux et un souper copieux, vous passez à un apport de 1 620 calories.

Vous pouvez assortir et moduler ces repas à votre guise.
Si vous le souhaitez, ajoutez des collations et obtenez un plan de repas qui vous apportera entre 1 200 à 2 200 calories par jour.

Voir le tableau ci-dessous.

A. Tableau de plan de repas quotidien	
repas légers sans collation	1 200 calories
repas légers avec deux collations légères	1 300 calories
repas légers avec une collation légère et deux moyennes	1 450 calories
repas légers avec une collation légère, une moyenne et une copieuse	1 550 calories
repas copieux sans collation	1 620 calories
repas copieux avec deux collations légères	1 720 calories
repas copieux avec une collation légère et deux moyennes	1 870 calories
repas copieux avec une collation légère, une moyenne et une copieuse	1 970 calories
repas copieux avec trois collations copieuses	2 220 calories

Apport calorique des repas légers:
- Le déjeuner apporte 250 calories.
- Le dîner apporte 400 calories.
- Le souper apporte 550 calories.

Apport calorique des repas copieux:
- Le déjeuner apporte 370 calories.
- Le dîner apporte 520 calories.
- Le souper apporte 730 calories.

Apport calorique des collations:
- La collation hypocalorique apporte 20 calories ou moins.
- La collation légère apporte 50 calories.
- La collation moyenne apporte 100 calories.
- La collation copieuse apporte 200 calories.

Déjeuner *1*

Gruau

Tous les gruaux possèdent des fibres solubles qui ralentissent l'absorption des sucres et contribuent à abaisser le taux de cholestérol. Les gruaux à cuisson plus lente sont plus complets, moins transformés, et ils sont les meilleurs pour la santé. On pense ici à l'avoine concassée et à l'avoine en gros flocons. Comme leur digestion se fait plus lentement, ils élèvent la glycémie moins rapidement. Pour en apprendre davantage sur la vitesse d'absorption des différents glucides, lisez la section sur l'indice glycémique aux pages 90 à 92. Pour préparer le gruau, suivez les instructions fournies sur l'emballage.

Avoine concassée : temps de cuisson le plus long (10 à 20 minutes)

Il s'agit de la céréale complète, avec enveloppe, concassée. L'avoine est sous forme de petites pastilles. La mouture écossaise cuit un peu plus rapidement, car ses flocons sont plus fins.

Avoine en gros flocons (5 minutes de cuisson)

Ces grains sont aplatis entre des cylindres. L'avoine est sous forme de flocons.

Gruau à cuisson rapide (2 à 3 minutes)

Ces flocons sont soumis à un traitement plus élaboré et ils sont plus petits. Ils se cuisent en 2 à 3 minutes.

Gruau instantané : temps de cuisson le plus rapide (Il suffit de l'arroser d'eau bouillante.)

Ces flocons sont soumis à un traitement au cours duquel ils sont écrasés au point d'être broyés. Ils apportent quand même les bienfaits de l'avoine, mais possèdent l'indice glycémique le plus élevé ; ils haussent donc la glycémie plus rapidement que les autres variétés.

Pour procurer un maximum de bienfaits, ce déjeuner comprendra :

- *des canneberges, car elles contribuent à réduire le cholestérol (si vous n'avez pas de canneberges sous la main, remplacez-les par de la pomme hachée ou tout autre fruit) ;*

- *de la cannelle (sa douceur permet d'obtenir un mets sucré en utilisant moins de sucre ; par ailleurs, une quantité de 2 à 5 ml (½ à 1 c. à thé) de cannelle par jour aiderait à abaisser la glycémie) ;*

- *des pacanes (leurs protéines vous procureront une sensation de satiété pendant tout l'avant-midi ; en outre, les pacanes, amandes, arachides, noisettes, noix de Grenoble, pistaches et graines de tournesol ou de citrouille sont toutes d'excellentes sources de gras bons pour la santé) ;*

- *un peu de son, pour un surcroît de fibres alimentaires.*

Menu du déjeuner	Repas copieux (370 calories)	Repas léger (250 calories)
Gruau (ou autre céréale chaude) garni de :	375 ml (1 ½ tasse) cuit 135 ml (9 c. à table)	250 ml (1 tasse) cuit 90 ml (6 c. à table)
• Canneberges (séchées et sucrées)	22 ml (1 ½ c. à table)	15 ml (1 c. à table)
• Cannelle et céréales de son	un soupçon	un soupçon
• Cassonade	7 ml (1 ½ c. à thé)	5 ml (1 c. à thé)
• Pacanes ou autres noix hachées	15 ml (1 c. à table)	7 ml (1 ½ c. à thé)
Lait écrémé ou à 1 % M.G.	250 ml (1 tasse)	250 ml (1 tasse)

Déjeuner 2

Crêpes aux fruits

Les crêpes fines s'appellent crêpes Suzette. Elles sont délicieuses avec une panoplie de garnitures.

Choix de garnitures :

- *fromage cottage, fromage râpé, yogourt, pouding faible en sucre*

- *fruits (p. ex. pêches ou poires en tranches, pomme hachée, bleuets ou fraises, quartiers d'orange, banane hachée, dattes ou figues séchées*

- *poivrons ou champignons hachés, ou encore une salsa*

- *saumon fumé ou crevettes*

CRÊPES

Donne 10 crêpes de 20 cm (8 po) de diamètre

375 ml (1 ½ tasse) de farine
2 ml (½ c. à thé) de sel
5 ml (1 c. à thé) de levure chimique
15 ml (1 c. à table) de sucre
2 œufs
250 ml (1 tasse) de lait écrémé
250 ml (1 tasse) d'eau
30 ml (2 c. à table) de margarine ou de beurre (pour graisser la poêle)

Par crêpe	
Calories	117
Glucides	17 g
Fibres	1 g
Protéines	4 g
Lipides totaux	4 g
Gras saturés	1 g
Cholestérol	38 mg
Sodium	193 mg

1. Dans un grand bol, mélanger la farine, le sel, la levure chimique et le sucre.
2. Dans un bol de taille moyenne, battre les œufs à la fourchette ou au fouet. Ajouter le lait et l'eau aux œufs, puis bien mélanger.
3. Ajouter le mélange à base d'œufs au mélange à base de farine. Battre au fouet jusqu'à l'obtention d'une préparation homogène.
4. Chauffer une poêle ou une crêpière antiadhésive à feu moyen ou vif. À l'aide d'un pinceau à pâtisserie, badigeonner légèrement la poêle de beurre ou de margarine.
5. À la louche, verser assez de pâte pour recouvrir finement le fond de la poêle. Pour une poêle de 30 cm (12 po), il faut compter un peu moins de 60 ml (¼ tasse) de pâte par crêpe. Incliner tout de suite la poêle pour que le fond soit uniformément recouvert. Cuire la crêpe jusqu'à ce qu'elle soit légèrement dorée sur les bords. La retourner et la cuire brièvement de l'autre côté.
6. Avant d'entreprendre la crêpe suivante, badigeonner de nouveau la poêle de beurre ou de margarine.
7. Garnir la crêpe cuite (voir les idées dans le texte en marge), puis la rouler ou la replier, et la partager en deux. Saupoudrer d'un édulcorant hypocalorique, au goût.

Menu du déjeuner	Repas copieux (370 calories)	Repas léger (250 calories)
Crêpes	2	1
Fromage cottage à 1 ou à 2 % M.G. (ou cheddar râpé)	125 ml (½ tasse) ou 45 ml (3 c. à table)	125 ml (½ tasse) ou 45 ml (3 c. à table)
Pêches	1	1
Thé	250 ml (1 tasse)	250 ml (1 tasse)

Repas léger

Déjeuner 3

Céréales aux petits fruits

Les céréales Shredded Wheat^{MD} sont un excellent choix. Elles constituent en effet une bonne source de fibres, et ne contiennent ni gras ni sucre ajouté.

Autres exemples de céréales sèches bonnes pour la santé:

* Weetabix^{MD} ou Muffets^{MD}
* Fibre 1^{MD}
* All-Bran^{MD}
* Céréales de Kashi^{MD}

Les Rice Krispies^{MD} et Special K^{MD} sont aussi des céréales faibles en gras et donc bonnes pour la santé. Cependant, elles sont faibles en fibres. Vous pouvez leur ajouter une cuillerée à thé de germe de blé, de son ou de graines de lin moulues.

Conseils pour faire ses courses:

* Achetez les produits alimentaires dont la liste d'ingrédients est brève. Ils sont souvent meilleurs pour la santé et contiennent moins d'additifs.

* Remplissez votre chariot d'aliments non étiquetés, en particulier de fruits, de légumes et de céréales. Ce sont des aliments tels que mère Nature nous les offre! Les aliments qui ne portent pas d'étiquettes contiennent en général plus d'éléments nutritifs et de fibres, et moins de gras et de sel.

* Au moment d'acheter des céréales, rappelez-vous que :
  5 ml (1 c. à thé) de sucre = 4 g de sucre
  5 ml (1 c. à thé) de gras = 5 g de gras

* Pour en apprendre davantage sur le décodage des étiquettes, consultez les pages 97 et 203.

Aimeriez-vous boire quelque chose de chaud au déjeuner, sans caféine? Essayez les tisanes ou la boisson de céréales à la chicorée, comme le substitut Caf-Lib^{MD}. Vous n'aurez probablement pas à y ajouter d'édulcorant, car sa saveur provient des herbes, et la racine de chicorée possède un goût naturellement sucré. Si vous le voulez, ajoutez un peu de lait.

---

125 ml (½ tasse) de blé extrudé (de type Shredded Wheat^{MD}), soit la taille d'une cuillère, équivalent à un biscuit.

Pour partir du bon pied le matin, ajoutez un fruit à vos céréales.

Les bleuets et autres petits fruits renferment beaucoup d'antioxydants. Ces substances gardent les vaisseaux sanguins en bon état en réduisant l'inflammation. Les petits fruits frais ou surgelés (décongelés) ont la même valeur nutritive.

Les noix contiennent des protéines et assurent une sensation de satiété pendant toute la matinée.

Menu du déjeuner	Repas copieux (370 calories)	Repas léger (250 calories)
Shredded Wheat^{MD} ou autres céréales froides	1 ½ biscuit	1 biscuit
Lait écrémé ou à 1% M.G.	250 ml (1 tasse)	125 ml (½ tasse)
Bleuets ou autres petits fruits	250 ml (tasse)	125 ml (½ tasse)
Noix hachées (noix de Grenoble ou amandes)	30 ml (2 c. à table)	30 ml (2 c. à table)
Tasse de boisson de céréale à la chicorée (ou café ou thé)	250 ml (1 tasse) (15 ml/1 c. à table du mélange à boisson)	250 ml (1 tasse) (15 ml/1 c. à table du mélange à boisson)

Déjeuner 4

Œuf poché avec rôtie

Optez pour des tranches minces de pain complet.

Maman avait raison!

Des études montrent qu'un bon déjeuner aide à mieux étudier. Le repas du matin permet en effet de mettre « la machine » en marche (votre métabolisme) et de commencer à brûler des calories. Un bon déjeuner aide aussi à perdre du poids sans le regagner. De plus, en le prenant — ainsi que les autres repas — à heure régulière, vous éprouvez moins de fringales et avez moins envie de faire des excès. En réduisant les collations en soirée, vous arrivez au déjeuner avec un bon appétit.

Les tranches minces sont meilleures! Si vous souhaitez réduire les glucides et les calories associés au pain, lisez les étiquettes et optez pour les produits n'apportant pas plus de 28 g de glucides et environ 70 calories par tranche. Une tranche de pain plus fine (qu'il soit blanc ou complet) contient moins de glucides et a moins d'effet sur la glycémie. Certains pains vendus comme meilleurs pour la santé sont dans les faits coupés en tranches très épaisses et, dans certains cas, apportent deux fois plus de calories et de glucides qu'un pain tranché normalement. Au cours des 10 dernières années, les boulangers ont décidé de trancher le pain plus épais, sans en informer le consommateur.

Vous souhaitez manger un bagel plutôt que du pain?

Recherchez de petits bagels de céréales complètes. Un bagel de 7,5 cm (3 po) de diamètre équivaut à 2 tranches de pain. Un bagel régulier de 12,5 cm (5 po), tel que vendu dans les cafés, équivaut à près de 4 tranches de pain. Vous trouverez aux pages 205 et 206 du livre de plus amples détails sur les déjeuners contenant œuf ou bagel.

Maintenant que vous avez une rôtie, accompagnez-la d'une protéine:

- 1 œuf
- 30 g (1 oz) de fromage
- 15 ml (1 c. à table) de beurre d'arachide
- À l'occasion, on peut mettre 15 ml (1 c. à table) de Nutella^{MD}. Cette tartinade de noisette contient plus de sucre, mais moins de gras que le beurre d'arachide.

Au lieu de la tomate:

- 125 ml (½ tasse) de jus de tomate ou de légumes
- 1 petite mandarine
- ½ pêche, poire ou pomme

Menu du déjeuner	Repas copieux (370 calories)	Repas léger (250 calories)
Rôtie	2	1
Margarine ou beurre	10 ml (2 c. à thé)	5 ml (1 c. à thé)
Confiture, gelée ou miel	5 à 10 ml (1 à 2 c. à thé), ou 15 ml (1 c. à table) si la confiture est peu sucrée	5 à 10 ml (1 à 2 c. à thé), ou 15 ml (1 c. à table) si la confiture est peu sucrée
Œuf	1	1
Tomate en tranches	1 tomate de taille moyenne	1 tomate de taille moyenne
Kiwi	1	1
Café	250 ml (1 tasse)	250 ml (1 tasse)

Dîner 1

Sandwich de luxe

Essayez l'une de mes trois garnitures à sandwich préférées (les recettes sont calculées pour garnir deux tranches de pain). La photo du repas copieux montre des moitiés de sandwich remplies de chaque combinaison.

Sandwich au fromage fondu:

30 g (1 oz) de fromage

10 ml (2 c. à thé) de margarine tartinée à l'extérieur du sandwich

Faites dorer les deux côtés des sandwiches à la poêle ou dans un grille-sandwich.

Avocat, dinde et bacon:

1 c. à table (15 ml) de vinaigrette légère de type «ranch» ou au fromage bleu

½ petit avocat

oignon rouge tranché finement

1 tranche de bacon de dinde cuit ou 15 ml (1 c. à table) de simili-bacon émietté

Jambon et fromage:

30 g (1 oz) de jambon ou de dinde

30 g (1 oz) de fromage, au choix

15 ml (1 c. à table) de mayonnaise légère

laitue et tomate

Autres options de garnitures pour les sandwiches:

Protéines: restes de poulet, de dinde, de bœuf ou de porc; thon, saumon, crevettes, crabe ou sardines; beurre d'arachide; œuf cuit dur en tranches.

Garnitures: tranches d'oignon rouge, champignons frais, poivrons tranchés finement (ou rôtis), tiges d'asperge légèrement cuites, salsa, olives ou marinades tranchées, piments forts ou pousses de luzerne.

Pour compenser l'absence de sel: poivre noir, basilic frais, aneth, persil ou coriandre, pesto de basilic (vendu en pot ou en tube souple), oignon vert ou gelée de piment rouge.

Pressé par le temps?

Prenez un poulet acheté à la rôtisserie, encore chaud, et débarrassez-le de sa peau. Tranché, il constitue une garniture vite faite pour les sandwiches et roulés. Le poulet sert aussi de protéine dans les plats principaux. Certains établissements vendent des poulets rôtis sans sel ajouté.

Pour en apprendre davantage sur la préparation de sandwiches de type delicatessen, consultez la page 207.

Menu du dîner	Repas copieux (520 calories)	Repas léger (400 calories)
Sandwich au choix	1 ½ sandwich	1 sandwich
Céleri	2 branches	2 branches
Pomme	½	1

Dîner 2

Soupe avec tacos

Peu importe qu'il fasse chaud ou froid, un bon dîner de soupe et de craquelins est toujours apprécié. Préparez cette soupe avec tacos à l'avance, et congelez les restes. Vous aurez un autre excellent dîner ou souper en réserve.

SOUPE AVEC TACOS
Donne 3,25 l (13 tasses)

500 g (1 lb) de bœuf haché maigre

1 oignon de taille moyenne, haché

2 grandes branches de céleri, hachées

1 poivron vert, haché

1 boîte de 796 ml (28 oz) de tomates, en dés ou entières

1 boîte de 540 ml (19 oz) de haricots rouges, rincés

1 boîte de 540 ml (19 oz) de haricots noirs, rincés

500 ml (2 tasses) de maïs en grains surgelé

10 ml (2 c. à thé) de poudre de chili

5 ml (1 c. à thé) de chacun des condiments suivants : cumin, origan, paprika et poudre d'ail

2 ml (½ c. à thé) de poivre noir

250 ml (2 tasses) d'eau

Garniture : 1 bonne cuillerée de crème sure sans matières grasses

Par quantité de 250 ml (1 tasse)	
Calories	160
Glucides	21 g
Fibres	5 g
Protéines	12 g
Lipides totaux	4 g
Gras saturés	1 g
Cholestérol	18 mg
Sodium	283 mg

1. Faire revenir le bœuf haché à feu moyen-bas. Égoutter tout excédent de gras.

2. Ajouter les oignons, le céleri et le poivron vert. Laisser cuire jusqu'à ce que ramollissent les légumes.

3. Ajouter les autres ingrédients. Si la soupe paraît trop consistante, lui ajouter de l'eau.

4. Porter à ébullition, couvrir et laisser mijoter 30 minutes. Si la soupe obtenue est trop consistante, rajouter de l'eau.

Conseils pour réduire le sel

- *En rinçant les haricots en conserve à l'eau froide, on réduit leur quantité de sel du tiers ou même de moitié.*

- *Le maïs surgelé ne contient pas de sel, tandis que le maïs en conserve est relativement salé. Si vous optez pour ce dernier, rincez-le. Si possible, choisissez une variété faible en sodium.*

- *Les préparations à taco vendues dans le commerce sont salées. Le mélange d'épices de cette recette est donc un excellent substitut.*

- *Comparez le sel contenu dans cette soupe avec celui de la soupe en conserve (voir page 208).*

Dans cette soupe, vous pouvez utiliser une combinaison de haricots, par exemple des blancs et des pintos.

Menu du dîner	Repas copieux (520 calories)	Repas léger (400 calories)
Soupe avec tacos (ou autre soupe nourrissante)	500 ml (2 tasses)	250 ml (1 tasse)
Biscuits sodas	4	4
Bâtonnets de carotte	125 ml (½ tasse)	125 ml (½ tasse)
Lait écrémé ou à 1 % M.G.	250 ml (1 tasse)	250 ml (1 tasse)
Raisins	15, soit 125 ml (½ tasse)	15, soit 125 ml (½ tasse)

Dîner 3

Sandwich roulé (wrap)

Servir ces roulés froids. À manger sur-le-champ, ou préparez-les un jour d'avance, et conservez-les au réfrigérateur. On trouve des tortillas nature, aux épinards, aux tomates séchées ou au fromage. Garnissez le roulé d'une protéine comme le poisson, les crevettes, l'œuf, la viande, le poulet ou le fromage, ainsi que de quelques légumes.

Tartinade au fromage à la crème

Recherchez une variété plus faible en matières grasses, soit environ 15 % M.G. et 30 calories par cuillerée à table (15 ml). Les fromages à la crème sont offerts dans une grande variété de saveurs. Celui à l'ail et aux fines herbes accompagne bien les roulés de tortillas, mais vous pouvez utiliser votre saveur favorite !

Sandwiches roulés offerts dans les restaurants

Certains établissements de restauration rapide offrent maintenant des roulés. Si vous devez dîner sur le pouce, essayez de trouver des roulés comptant 400 calories pour un repas copieux, ou 300 calories pour un repas léger.

Des roulés pour le dîner

Voici les recettes des trois roulés montrés dans la photo. Les quantités indiquées ici sont pensées pour un rouleau de 25 cm (10 po) donnant 3 morceaux.

Garniture de poisson ou de fruits de mer :

125 ml (½ tasse) de thon, de saumon, de crabe ou de crevettes, que vous avez fait égoutter

30 ml (2 c. à table) de mayonnaise légère ou sans gras

1 oignon vert (ou une poignée de ciboulette) tranché ou haché

Garniture aux œufs :

2 œufs cuits dur, tiédis, puis tranchés ou écrasés

15 ml (1 c. à table) de mayonnaise légère ou 30 ml (2 c. à table) de mayonnaise sans gras

½ cornichon à l'aneth, haché

Garniture à la viande et au fromage :

1 c. à table (15 ml) de fromage à la crème léger, à l'ail et aux fines herbes

60 g (2 oz) de poulet, de dinde ou de viande précuite

30 ml (2 c. à table) de fromage léger râpé
lanières de poivron rouge (rôti ou cru), ou carottes râpées
tiges d'asperges cuites

1. Si on utilise du fromage à la crème, en badigeonner uniformément un côté de la tortilla. Si on opte pour la mayonnaise, la mélanger avec l'ingrédient protéiné.

2. Placer l'ingrédient protéiné et les légumes à une extrémité de la tortilla. Saler et poivrer au goût.

3. En débutant par l'extrémité portant la garniture, rouler la tortilla bien serrée.

4. Pour soigner la présentation, partager le roulé en trois, en diagonale.

Menu du dîner	Repas copieux (520 calories)	Repas léger (400 calories)
Roulés	1 roulé (3 morceaux)	⅔ roulé (2 morceaux)
Radis	5	5
Lait écrémé ou à 1 % M.G.	125 ml (½ tasse)	125 ml (½ tasse)
Poire	1	1

Dîner 4

Pizzas sur petits pains

Pizzas sur petits pains

Sur un côté de chaque moitié de pain, mettre 15 ml (1 c. à table) de sauce à pizza ou à pâtes alimentaires, de sauce tomate ou de salsa. Ajoutez ensuite votre garniture préférée.

Garniture végétarienne:

30 ml (2 c. à table) de haricots bruns, noirs ou rouges (égouttés)

quelques grains de maïs (surgelé ou en conserve)

quelques lanières de poivron rouge

15 ml (1 c. à table) de mozzarella ou d'un autre fromage râpé

pour davantage de saveur (facultatif): coriandre ou basilic frais haché

Garniture hawaïenne:

30 g (1 oz) de jambon haché

poivrons hachés

ananas en morceaux

15 ml (1 c. à table) de mozzarella ou d'un autre fromage râpé

Garniture classique:

15 g (½ oz) de bœuf haché maigre, de poulet ou de pepperoni

légumes hachés: poivrons, champignons et autres légumes frais

30 ml (2 c. à table) de mozzarella ou d'un autre fromage râpé

1. Faire griller le pain dans le grille-pain ou au four.
2. Placer le pain coupé (ou la tranche de pain) sur une plaque à pâtisserie. Le badigeonner de sauce tomate.
3. Garnir de haricots, de poulet ou de viande, puis de fromage, de légumes et d'aromates.
4. Cuire au gril quelques minutes, jusqu'à ce que le fromage fasse des bulles.

Vous pouvez monter votre pizza sur un pain à hamburger ou à hot dog. Une simple tranche de pain fera aussi l'affaire!

Pour une variante moins salée que la sauce tomate, il suffit de hacher une tomate et de la parfumer à l'origan et au basilic.

Menu du dîner	Repas copieux (520 calories)	Repas léger (400 calories)
Pizzas sur petits pains	3 moitiés	2 moitiés
Concombre	½ de taille moyenne	½ de taille moyenne
Boisson hypocalorique	355 ml (12 oz)	355 ml (12 oz)
Pouding sans sucre ajouté	125 ml (½ tasse)	125 ml (½ tasse)

Souper 1

Bifteck minute avec pommes de terre

Le manque de temps, n'est-ce pas l'un des plus grands défis lorsqu'il faut préparer le souper ? Si vous répondez par l'affirmative, ce souper délicieux, nutritif et vite fait est pour vous. Accompagnez ce bifteck de pommes de terre, de riz ou de pâtes alimentaires. Complétez le repas de manière équilibrée avec des pois, des carottes et des poivrons.

Ce plat est si bon que vous voudrez sans doute le servir à des invités ; je propose alors une délicieuse charlotte anglaise en guise de dessert. Préparez la charlotte la veille de votre soirée, et elle sera prête à être servie ! Vous pouvez aussi la remplacer par 125 ml (½ tasse) de yogourt ou de pouding accompagné d'un ou de deux petits biscuits nature.

BIFTECK MINUTE

Donne 4 grosses portions ou 5 petites

1 petit oignon coupé en tranches

10 ml (2 c. à thé) de margarine ou de beurre

750 g (1 ½ lb) de bifteck minute ou de boulettes de hamburger (500 g/1 lb)

1 sachet de 25 g de sauce brune sans gras (préférablement de la marque renfermant le moins de sodium)

Par grosse portion	
Calories	242
Glucides	5 g
Fibres	0 g
Protéines	39 g
Lipides totaux	6 g
Gras saturés	2 g
Cholestérol	73 mg
Sodium	428 mg

1. Dans une grande poêle, faire fondre la margarine ou le beurre, puis y faire tomber les oignons à feu moyen.

2. Déplacer les oignons en périphérie de la poêle. Mettre la viande dans la poêle et la faire dorer des deux côtés.

3. Pendant la cuisson de la viande, mélanger le contenu du sachet de sauce avec de l'eau chaude dans une tasse à mesurer ou dans un bol. Verser la quantité d'eau indiquée sur l'emballage, soit normalement 250 ml (1 tasse). Bien mélanger au fouet ou à la fourchette.

4. Verser la sauce dans la poêle avec les oignons et la viande. Réduire le feu à moyen-bas, couvrir et laisser mijoter de 10 à 15 minutes.

J'ai adapté la recette de charlotte de ma tante Mary Vivian afin de l'alléger et de la simplifier.

Bifteck minute

Un bifteck minute se prépare à partir d'extérieur ou d'intérieur de ronde. Le boucher aplatit la viande au maillet. Aussi appelé «bifteck attendri», il cuit rapidement à cause de sa minceur.

Galettes de bœuf haché

Vous pouvez aussi préparer ce plat en remplaçant les biftecks minute par de minces galettes de bœuf haché. Prenez soin de les cuire jusqu'à la disparition de toute couleur en leur centre, puis ajoutez la sauce.

CHARLOTTE ANGLAISE DE LADY VIVIAN

Donne 5 portions

¼ de gâteau des anges

30 ml (2 c. à table) de confiture de framboises ou d'une autre confiture faible en sucre (apportant moins de 20 calories par quantité de 15 ml/1 c. à table, selon l'étiquette)

15 ml (1 c. à table) de xérès

250 ml (1 tasse) de framboises (ou autre fruit) surgelées, non sucrées, décongelées et bien égouttées au tamis

pouding à la vanille prêt-à-manger, sans sucre (106 g)

125 ml (½ tasse) de crème à fouetter (mesurée non fouettée)

7 ml (1 ½ c. à thé) de sucre à glacer

15 ml (1 c. à table) d'amandes effilées rôties

Par quantité de 250 ml (1 tasse)	
Calories	160
Glucides	18 g
Fibres	2 g
Protéines	2 g
Lipides totaux	9 g
Gras saturés	5 g
Cholestérol	31 mg
Sodium	152 mg

> **Xérès**
>
> *C'est le xérès qui confère à la charlotte son goût distinctif, mais ce dessert reste délectable sans alcool.*

1. Partager le gâteau en morceaux de 2,5 cm par 5 cm (1 par 2 po). Les placer dans un grand bol et y ajouter la confiture. Mélanger délicatement à la spatule ou à la cuillère pour enrober le gâteau de confiture.

2. Mouiller le gâteau de xérès.

3. Battre la crème jusqu'à la formation de pics mous. À la fin de l'opération, ajouter le sucre à glacer.

4. Présenter le dessert dans cinq bols individuels ou dans un seul grand bol. Composer les couches suivantes, à partir du fond : gâteau avec confiture et xérès, framboises, pouding, crème fouettée.

5. Laisser quelques heures au réfrigérateur afin de laisser aux saveurs le temps de s'épanouir.

6. Faire griller les amandes à feu moyen dans une poêle antiadhésive ou de fonte en la remuant fréquemment, jusqu'à ce qu'elles soient dorées. Avant de servir, garnir la charlotte d'amandes grillées.

Menu du souper	Repas copieux (730 calories)	Repas léger (550 calories)
Bifteck minute avec sauce	grosse portion (¼ recette)	petite portion (⅕ recette)
Pommes de terre au persil	1 ½ de taille moyenne	1 de taille moyenne
Haricots jaunes ou verts	250 à 375 ml (1 à 1 ½ tasse)	250 à 375 ml (1 à 1 ½ tasse)
Poivron	175 ml (¾ tasse)	175 ml (¾ tasse)
Charlotte	1 portion	1 portion

Repas léger

Souper 2

Légumes sautés sans façon

Pour conclure ce repas, je suggère en guise de dessert un savoureux *cobbler* aux pêches (dessert chaud aux fruits s'apparentant au crumble).

LÉGUMES SAUTÉS SANS FAÇON

Donne 4 grosses portions ou 5 petites

2 carottes, pelées et tranchées

2 branches de céleri tranchées

30 pois sucrés, ou 45 pois mange-tout coupés en deux, ou 75 ml (⅓ tasse) de pois surgelés

1 poivron rouge coupé en bâtonnets

5 ml (1 c. à thé) d'huile végétale

1 côtelette de porc (ou un morceau de filet de porc de 5 cm/2 po), ou 1 poitrine de poulet de taille moyenne, débarrassée de tout gras et tranchée finement (150 g/5 oz)

1 petit oignon coupé en petits morceaux

1 à 2 ml (¼ à ½ c. à thé) de piment fort séché et broyé, ou quelques traits de sauce au piment fort (facultatif)

15 ml (1 c. à table) de sauce aux huîtres ou de sauce soya légère

2 ml (½ c. à thé) de gingembre moulu

250 ml (1 tasse) de noix de cajou, d'arachides ou d'amandes, salées et rôties

15 ml (1 c. à table) de graines de sésame

1. Dans une petite poêle antiadhésive ou une casserole à fond épais, chauffer l'huile à feu moyen. Ajouter les légumes, sans l'oignon. Quand ils sont bien chauds, ajouter les tranches de viande et les faire dorer en les saisissant rapidement. Ajouter l'oignon et faire sauter doucement.

2. Ajouter à la viande les légumes et le piment broyé. Cuire à découvert jusqu'à ce que tous les ingrédients soient à point.

3. Ajouter enfin la sauce aux huîtres, le gingembre, les noix et les graines de sésame, puis cuire pendant une minute ou deux.

Par grosse portion	
Calories	307
Glucides	20 g
Fibres	4 g
Protéines	15 g
Lipides totaux	20 g
Gras saturés	4 g
Cholestérol	20 mg
Sodium	274 mg

Vous pouvez transformer ce plat en mets végétarien : ajoutez quelques noix de plus et omettez la viande.

Passez ici n'importe quelle combinaison de légumes que vous avez sous la main, par exemple des asperges, une macédoine surgelée ou du chou.

Riz complet

Le riz complet élève la glycémie un peu plus lentement que le blanc, et il représente une bonne source de fibres alimentaires. Faites-le cuire sans sel.

Galettes de bœuf haché

Vous pouvez aussi préparer ce plat en remplaçant les biftecks minute par de minces galettes de bœuf haché. Prenez soin de les cuire jusqu'à la disparition de toute couleur en leur centre, puis ajoutez la sauce.

COBBLER AUX PÊCHES

Donne 8 portions

Préchauffer le four à 220 °C (425 °F).

3 boîtes de 398 ml (14 oz) de pêches en tranches, conservées dans l'eau ou dans le jus, égouttées

0,5 ml (⅛ c. à thé) de cannelle

2 ml (½ c. à thé) d'extrait d'amande

175 ml (¾ tasse) de farine

60 ml (¼ tasse) de sucre

5 ml (1 c. à thé) de levure chimique

1 ml (¼ c. à thé) de sel

15 ml (1 c. à table) de margarine ou de beurre

75 ml (⅓ tasse) de lait écrémé

1 gros œuf

Par portion	
Calories	135
Glucides	27 g
Fibres	2 g
Protéines	3 g
Lipides totaux	2 g
Gras saturés	0 g
Cholestérol	23 mg
Sodium	140 mg

Ce cobbler *peut être remplacé par quelques biscuits simples ou 125 ml (½ tasse) de crème glacée ou de yogourt glacé, ou encore par du yogourt grec maigre (0 à 1 % M.G.).*

1. Mettre les pêches dans un plat de 20 cm par 20 cm (8 po par 8 po) non graissé. Ajouter la cannelle et l'extrait d'amande, et les incorporer aux pêches.

2. Dans un bol de taille moyenne, mélanger la farine, le sucre, la levure chimique et le sel.

3. À l'aide d'une fourchette, incorporer la margarine dans le mélange à base de farine. Ajouter le lait et l'œuf, et continuer de mélanger. La pâte devrait être liquide et visqueuse.

4. À la cuillère, napper uniformément les pêches de pâte.

5. Cuire le dessert dans un four chauffé à 220 °C (425 °F) pendant 30 minutes, ou jusqu'à ce qu'il soit légèrement doré.

Si le cœur vous en dit, arrosez ce *cobbler* d'un peu de lait ou le garnir de 15 à 30 ml (1 à 2 c. à table) de crème fouettée légère congelée. Ce dessert est aussi très bon si on remplace les pêches par d'autres fruits en conserve, tels des poires, des abricots, ou un cocktail de fruits. Cependant, les fruits surgelés ne donnent pas de bons résultats. Avec des fruits congelés, il est préférable de faire un crumble.

Menu du souper	Repas copieux (730 calories)	Repas léger (550 calories)
Légumes sautés sans façon	1 grosse portion (¼ recette)	1 petite portion (⅕ recette)
Riz complet	250 ml (1 tasse)	150 ml (⅔ tasse)
Lait	250 ml (1 tasse)	250 ml (1 tasse)
Cobbler aux pêches	1 portion	1 portion

Repas léger

Souper 3

Salade de poulet chaud

Ajoutez du pissenlit!

Lavez les jeunes feuilles de pissenlit avec leurs racines. Ajoutez cette verdure à votre salade. Les feuilles de pissenlit sont une excellente source de vitamine C, et ses racines apportent des fibres solubles. Mais ne consommez pas de pissenlits cueillis sur une pelouse exposée à des pesticides!

SALADE DE POULET CHAUD

Pour chaque portion de salade:

500 ml (2 tasses) de laitue

½ carotte tranchée finement

2 gros radis coupés en fines tranches

½ tomate de taille moyenne, hachée ou coupée en quartiers

30 ml (2 c. à table) de fromage râpé

Par portion	
Calories	98
Glucides	9 g
Fibres	3 g
Protéines	5 g
Lipides totaux	5 g
Gras saturés	3 g
Cholestérol	15 mg
Sodium	125 mg

1. Préparer les lanières de poulet (voir recette ci-dessous) et les mettre au four.

2. Pendant la cuisson du poulet, préparer une grande salade de laitue ou d'épinards avec des tomates, des carottes et des radis, ou avec toute autre combinaison de légumes, au goût.

3. Retirer les lanières de poulet du four et les déposer sur la salade (entières ou en morceaux).

LANIÈRES DE POULET

Donne 18 lanières

125 ml (½ tasse) de chapelure

60 ml (¼ tasse) de parmesan bien sec

2 ml (½ c. à thé) d'origan

7 ml (1 ½ c. à thé) de persil séché

30 à 45 ml (2 à 3 c. à table) de lait

3 grosses poitrines de poulet ou 4 petites, sans la peau et dégraissées, soit 420 g (14 oz) au total

Par lanière	
Calories	44
Glucides	2 g
Fibres	0 g
Protéines	6 g
Lipides totaux	1 g
Gras saturés	0 g
Cholestérol	15 mg
Sodium	56 mg

*Les **lanières de poulet** sont faibles en matières grasses et ne contiennent pas de sel. Si vous êtes pressé par le temps, utilisez plutôt:*

- *une chapelure du commerce toute faite;*
- *du poulet surgelé déjà pané.*

Ces solutions de rechange contiennent davantage de sel. De plus, le poulet pané surgelé contient plus de gras. Si vous préférez ces options, songez à réduire vos portions.

1. Dans un bol ou un sac de plastique, réunir la chapelure, le parmesan, l'origan et le persil.

2. Verser le lait dans un autre bol.

3. Sur une planche à découper, trancher la poitrine de poulet en lanières (six lanières par grande poitrine de poulet, ou quatre par petite poitrine). Les aplatir à la main.

4. Tremper chaque lanière dans le lait. Une à la fois, les plonger dans la chapelure aromatisée afin de bien les en enrober.

5. Déposer les lanières sur une plaque à pâtisserie et cuire 10 minutes dans un four préchauffé à 200 °C (400 °F). Retourner les lanières et poursuivre la cuisson encore 10 minutes, jusqu'à ce que le poulet soit cuit.

PAIN À L'AIL

Donne 1 morceau (½ petit pain)

½ pain à hot dog ou à hamburger, ou 1 tranche de pain

5 ml (1 c. à thé) de margarine ou de beurre

0,5 ml (⅛ c. à thé) de poudre d'ail

1. Dans un petit bol, mélanger la margarine ou le beurre avec la poudre d'ail.

2. Faire rôtir le pain. Pendant qu'il est encore chaud, le tartiner du beurre ou de la margarine à l'ail.

POMME À LA CANNELLE

Donne 2 portions

1 ml (¼ c. à thé) de cannelle mélangée avec 15 ml (1 c. à table) de sucre (ou l'équivalent d'un édulcorant hypocalorique)

2 petites pommes ou 1 grosse, tranchée

1. Dans un bol allant au micro-ondes, saupoudrer les tranches de pomme du mélange de cannelle et de sucre.

2. Cuire au micro-ondes pendant 30 secondes environ, ou jusqu'à ce que la pomme soit tendre.

3. Cuire le dessert dans un four chauffé à 220 °C (425 °F) pendant 30 minutes ou jusqu'à ce qu'il soit légèrement doré.

Par morceau de pain

Calories	106
Glucides	13 g
Fibres	1 g
Protéines	3 g
Lipides totaux	5 g
Gras saturés	1 g
Cholestérol	0 mg
Sodium	153 mg

Pour une variante, remplacez le pain à l'ail par des frites au four faibles en matières grasses (consultez mon ouvrage La santé au menu).

Par portion

Calories	90
Glucides	23 g
Fibres	2 g
Protéines	0 g
Lipides totaux	0 g
Gras saturés	0 g
Cholestérol	0 mg
Sodium	1 mg

Dans ce dessert, vous pouvez remplacer la pomme par tout fruit de votre choix.

Menu du souper	Repas copieux (730 calories)	Repas léger (550 calories)
Salade	1 portion	1 portion
Lanières de poulet	5 lanières	3 lanières
Sauce à salade légère (faible en gras)	15 ml (1 c. à table)	15 ml (1 c. à table)
Pain à l'ail	1 petit pain ou 2 tranches de pain	½ petit pain ou 1 tranche de pain
Lait écrémé ou à 1 % M.G.	250 ml (1 tasse)	250 ml (1 tasse)
Pomme à la cannelle	1 portion	1 portion

Repas léger

Souper 4

Pâtes et sauce végétarienne

Mes enfants préfèrent cette sauce, préparée avec du beurre d'arachide et des graines de tournesol, à la traditionnelle sauce à la viande.

SAUCE VÉGÉTARIENNE

Donne environ 10 tasses

10 ml (2 c. à thé) d'huile

125 ml (½ tasse) d'eau

1 gros oignon, haché

3 grosses gousses d'ail, hachées ou émincées finement

5 ml (1 c. à thé) d'origan

1 ml (¼ c. à thé) de cannelle moulue

1 ml (¼ c. à thé) de clou de girofle moulu

1 ml (¼ c. à thé) de poivre

1 ml (¼ c. à thé) de sauce au piment fort, par exemple Tabasco[MD]

1 boîte de 28 oz (796 ml) de tomates coupées en dés,

400 ml (1 ⅔ tasse) d'eau (l'équivalant de la moitié de la boîte de tomates en dés)

1 petite boîte de 156 ml (5 ½ oz) de pâte de tomates

3 grandes branches de céleri hachées

1 gros poivron vert haché

1 petit emballage de 200 g (7 oz) de champignons frais, soit 750 ml (3 tasses) ou 1 conserve de 284 ml (10 oz) de champignons en morceaux, égouttés

125 ml (½ tasse) de graines de tournesol rôties et écalées, non salées

125 ml (½ tasse) de beurre d'arachide croquant

Par quantité de 250 ml (1 tasse)	
Calories	168
Glucides	15 g
Fibres	4 g
Protéines	7 g
Lipides totaux	11 g
Gras saturés	2 g
Cholestérol	0 mg
Sodium	197 mg

1. Mettre l'huile et l'eau dans une grande casserole à fond épais. Faire chauffer à feu moyen-bas puis ajouter l'oignon et l'ail. Cuire jusqu'à ce que les oignons aient ramolli, en remuant à l'occasion. Ajouter de l'eau au besoin pour maintenir la préparation humide.

2. Ajouter les épices et la sauce piquante aux oignons. Poursuivre la cuisson pendant une minute ou deux.

3. Ajouter les autres ingrédients et bien remuer.

4. Couvrir la casserole et cuire de 45 minutes à une heure à feu moyen-bas. Régler le feu de manière à laisser mijoter la sauce. Remuer toutes les 10 à 15 minutes. Si la sauce est trop épaisse, ajouter de l'eau. Si elle est trop liquide, retirer le couvercle et terminer la cuisson à découvert pendant les 15 dernières minutes.

*Cette sauce fournit le même apport calorique que la sauce à la viande du souper 2 proposée dans mon livre **La santé au menu**. Vous pouvez donc l'utiliser à la place de la sauce aux légumes.*

Si vous ne pouvez trouver de graines de tournesol rôties, prenez des graines de tournesol blanchies et faites-les griller sur une plaque à rebords à 180 °C (350 °F) pendant 5 minutes, ou jusqu'à ce qu'elles soient légèrement dorées.

Lorsque vous cuisinez de grandes quantités, congelez des portions de nourriture dès que celle-ci est refroidie. De la sorte, vous aurez des repas tout prêts pour les jours à venir. Vous pouvez très bien congeler les aliments en portions uniques.

Voici une délicieuse variante de la classique salade de chou. Le chou, le chou-fleur et le brocoli sont des légumes réputés excellents pour prévenir le cancer. La sauce peut aussi être utilisée dans les salades à base de laitue.

SALADE DE CHOU-FLEUR ET DE BROCOLI

Donne 4 portions

250 ml (1 tasse) de chou-fleur haché

250 ml (1 tasse) de brocoli haché

60 ml (¼ tasse) de sauce à salade à la mayonnaise et au parmesan

1 petite pomme rouge hachée

60 g (2 oz) de fromage coupé en cubes de 2,5 cm sur 2,5 cm (1 po sur 1 po)

1. Mélanger les ingrédients.

Par portion	
Calories	90
Glucides	10 g
Fibres	2 g
Protéines	6 g
Lipides totaux	4 g
Gras saturés	2 g
Cholestérol	11 mg
Sodium	268 mg

SAUCE À SALADE À LA MAYONNAISE ET AU PARMESAN

Donne 60 ml (¼ tasse)

60 ml (¼ tasse) de mayonnaise sans gras ou légère

15 ml (1 c. à table) de parmesan

5 ml (1 c. à thé) de vinaigre

5 ml (1 c. à thé) de sucre

poivre noir au goût

1. Mettre tous les ingrédients dans un pot ou un contenant muni d'un couvercle. Mélanger la préparation ou la battre au fouet pour obtenir une sauce homogène.

Par quantité de 15 ml (1 c. à table)	
Calories	24
Glucides	4 g
Fibres	0 g
Protéines	1 g
Lipides totaux	1 g
Gras saturés	0 g
Cholestérol	3 mg
Sodium	150 mg

Menu du souper	Repas copieux (730 calories)	Repas léger (550 calories)
Sauce végétarienne pour pâtes	325 ml (1 ⅓ tasse)	250 ml (1 tasse)
Rotinis	375 ml (1 ½ tasse)	250 ml (1 tasse)
Salade de chou-fleur et de brocoli	1 portion	1 portion
Fraises	250 ml (1 tasse)	125 ml (½ tasse)
Yogourt faible en gras, sans sucre ajouté	175 ml (¾ tasse)	175 ml (¾ tasse)

Repas léger

Souper 5

Chaudrée de fruits de mer

J'ai adapté cette recette de manière à utiliser du poisson et des fruits de mer surgelés, qui souvent, sont plus faciles à trouver et moins coûteux. Avec du poisson congelé, la soupe se prépare en une demi-heure. Elle se congèle très bien.

CHAUDRÉE DE FRUITS DE MER

Donne 8 tasses (2 l)

15 ml (1 c. à table) de margarine ou de beurre

1 oignon de taille moyenne, haché

750 ml (3 tasses) d'eau

2 pommes de terre de taille moyenne, crues, pelées et coupées en dés

1 carotte de taille moyenne, pelée et hachée

200 g (7 oz) de saumon surgelé, soit deux filets de 5 cm sur 7,5 cm (2 po sur 3 po) environ

200 g (7 oz) de poisson blanc surgelé, soit deux filets de 5 cm sur 10 cm (2 po sur 4 po) environ

5 ml (1 c. à thé) de persil séché ou de sarriette séchée (non moulue)

1 ml (¼ c. à thé) de poivre noir

200 g (7 oz) de pétoncles

300 g (10 oz) de crevettes (crues ou cuites), soit environ une couronne de crevettes à cocktail, équeutées

Par quantité de 250 ml (1 tasse)	
Calories	173
Glucides	9 g
Fibres	1 g
Protéines	22 g
Lipides totaux	5 g
Gras saturés	1 g
Cholestérol	105 mg
Sodium	180 mg

1. Dans une grande casserole à fond épais, faire tomber l'oignon dans le beurre, à feu moyen-bas.

2. Ajouter l'eau, les pommes de terre, les carottes, les morceaux entiers de saumon et de poisson blanc, le persil séché et le poivre noir. Faire mijoter à feu moyen en laissant la casserole à découvert. Remuer à l'occasion. Le poisson se désagrégera lentement durant la cuisson. Faire cuire jusqu'à ce que les pommes de terre soient tendres et que le poisson soit cuit (il ne doit plus être translucide), soit de 10 à 15 minutes.

3. Ajouter les pétoncles et les crevettes et poursuivre la cuisson en laissant mijoter de 5 à 10 minutes.

Si vous voulez utiliser du poisson ou des fruits de mer frais ou décongelés au lieu de produits congelés, il vous suffit de réduire le temps de cuisson de 10 minutes environ. Ajoutez à la soupe tous les jus de poisson qui seraient récupérables.

Dans cette recette, la pomme de terre Yukon Gold donne de bons résultats, car elle apporte sa jolie couleur jaune. Cependant, toute autre variété fera l'affaire.

Si vos crevettes ont encore leurs queues, retirez celles-ci avant d'ajouter les crevettes à la chaudrée. Pour enlever les queues des crevettes surgelées sans peine, faites tremper ces dernières dans l'eau froide quelques minutes.

Les pétoncles apportent à la chaudrée une saveur et une texture merveilleuses, mais malheureusement, ils coûtent cher. Vous pouvez les omettre et augmenter la portion de poisson blanc ou de crevettes.

POUDING ZINGER AU CITRON
Donne 6 portions

Préchauffer le four à 180° C (350° F).

3 gros blancs d'œufs

45 ml (3 c. à table) de sucre

3 jaunes d'œufs

le zeste râpé d'un citron, soit de 10 à 15 ml (2 à 3 c. à thé)

60 ml (¼ tasse) de jus du citron ayant fourni le zeste

30 ml (2 c. à table) de margarine ou de beurre (ramolli)

60 ml (¼ tasse) de farine tout usage tamisée

2 c. à table (30 ml) de sucralose, par exemple Splenda^{MD}

375 ml (1 ½ tasse) de lait écrémé

Par portion	
Calories	140
Glucides	15 g
Fibres	0 g
Protéines	6 g
Lipides totaux	6 g
Gras saturés	1 g
Cholestérol	96 mg
Sodium	95 mg

Ce dessert est aussi savoureux chaud que froid. La recette comprend en partie du sucre et en partie de l'édulcorant hypocalorique. En remplaçant ce dernier par du sucre (à l'étape 2 de la recette), on ajoute 16 calories (4 g de glucides) par portion.

Les blancs d'œufs se battent plus facilement à température ambiante. Sortez-les du réfrigérateur au moment de commencer à exécuter la recette.

Cuire le pouding au four dans un plat de plus grande taille rempli d'un peu d'eau. Ce mode de cuisson permet au délicat pouding de cuire sans brûler, tout en conservant son exquise texture.

1. Mettre les blancs d'œufs dans un bol à mélanger en verre de taille moyenne. Mettre les jaunes d'œufs dans un autre bol à mélanger de taille moyenne. Ajouter le sucre aux blancs d'œufs. Réserver.

2. Dans le bol contenant les jaunes d'œufs, ajouter le zeste et le jus de citron, la margarine, la farine, le sucralose et le lait.

3. Battre les blancs d'œufs et le sucre avec un malaxeur électrique à haute vitesse, jusqu'à la formation de pics mous.

4. Avec les mêmes batteurs, battre le mélange à base de jaunes d'œufs à vitesse moyenne, en raclant les bords du bol à la spatule. Battre jusqu'à ce que les ingrédients soient mélangés (la préparation sera un peu grumeleuse).

5. En mélangeant doucement à la spatule, incorporer les blancs d'œufs dans les jaunes.

6. Verser la pâte dans un plat carré de 20 cm (8 po) non graissé allant au four. Placer ce plat dans un plat plus grand contenant environ 1 cm (½ po) d'eau chaude du robinet. S'assurer que le niveau de l'eau soit inférieur au bord du plat contenant le pouding.

7. Cuire au four pendant 40 minutes ou jusqu'à ce que le dessus du pouding soit légèrement doré. Laisser le plat contenant le pouding reposer dans le plat contenant l'eau jusqu'à ce que celle-ci ait tiédi, puis le retirer.

Menu du souper	Repas copieux (730 calories)	Repas léger (550 calories)
Chaudrée de fruits de mer	500 ml (2 tasses)	375 ml (1 ½ tasse)
Pain frais	5 morceaux (1 ½ tranche épaisse)	3 morceaux (1 tranche épaisse)
Beurre ou margarine	10 ml (2 c. à thé)	5 ml (1 c. à thé)
Salade	1 grande	1 grande
Vinaigrette légère	15 ml (1 c. à table)	15 ml (1 c. à table)
Pouding Zinger au citron	1 portion	1 portion

Repas léger

Souper 6

Cari de poulet avec riz

Ce plat se congèle bien. Les quantités indiquées sont généreuses et vous permettront donc de congeler les surplus. Si vous ne prévoyez pas en congeler, divisez les quantités de la recette par deux.

CARI DE POULET
Donne 6 grosses portions ou 9 petites

Par grosse portion	
Calories	352
Glucides	14 g
Fibres	2 g
Protéines	42 g
Lipides totaux	14 g
Gras saturés	3 g
Cholestérol	145 mg
Sodium	581 mg

15 ml (1 c. à table) d'huile végétale

60 ml (¼ tasse) d'eau

2 oignons de taille moyenne, hachés

6 gousses d'ail, écrasées ou hachées

15 ml (1 c. à table) de poudre de cari

30 ml (2 c. à table) de garam masala

2 ml (½ c. à thé) de sel (facultatif)

1 boîte de 19 oz (540 ml) de tomates, entières ou hachées

60 ml (¼ tasse) de coriandre fraîche bien tassée, hachée

250 ml (1 tasse) de yogourt nature faible en gras

250 ml (1 tasse) de bouillon de poulet (1 sachet de bouillon réduit en sel et 250 ml/1 tasse d'eau)

18 pilons ou cuisses de poulet sans la peau (3 ½ lb)

60 ml (¼ tasse) de coriandre fraîche hachée grossièrement, en guise de garniture

1. Dans une grande casserole à fond épais, chauffer l'huile et l'eau à feu moyen. Ajouter les oignons et l'ail. Laisser fondre l'oignon. Ajouter les épices, en remuant fréquemment, puis cuire une ou deux minutes, jusqu'à ce que les épices soient bien incorporées. Si la préparation est trop sèche, ajouter de l'eau.

2. Ajouter au contenu de la casserole les tomates, la coriandre, le yogourt et le bouillon de poulet. Bien mélanger, puis ajouter les morceaux de poulet.

3. Couvrir la casserole et laisser mijoter doucement à feu moyen-bas. Remuer à l'occasion. Cuire le poulet de 1 à 1 ½ heure, ou jusqu'à ce qu'il soit à point. Si la préparation est trop épaisse, ajouter du bouillon de poulet ou de l'eau au besoin. Si la sauce est trop liquide, poursuivre la cuisson de 15 à 30 minutes à découvert.

4. Après la cuisson, ajouter la coriandre hachée.

Vous aimez le piquant ?

Ce cari est savoureux, mais il n'est pas piquant. Si vous appréciez le feu du piment, ajoutez 5 ml (1 c. à thé) de chili en poudre ou quelques traits de sauce piquante.

La poudre de cari et le garam masala sont deux mélanges d'épices parfumés. Le garam masala apporte un parfum intéressant à ce plat, mais si on n'en a pas sous la main, on peut le remplacer par de la poudre de cari (45 ml, soit 3 c. à table au total) ou un autre mélange d'épices indien, comme le korma, le biryani masala ou le vindaloo.

On sert souvent les caris avec différents condiments, par exemple le chutney de mangues, des marinades, des légumes marinés ou au cari, des lentilles, de la noix de coco séchée ou des fruits frais. L'un des condiments que mes parents apprécient beaucoup avec le cari est la combinaison d'oignon cru et de tomate hachés dans l'huile et le vinaigre. Pour accompagner ce cari, j'ai opté pour trois accompagnements simples : des carottes crues râpées (une carotte entière donne environ 250 ml/1 tasse de carotte râpée), de la noix de coco et des bananes en tranches.

Le riz basmati est toujours bon avec un cari. Essayez le riz basmati complet. Cuits, les grains de basmati développent une saveur magnifique et se détachent bien les uns des autres, contrairement à d'autres variétés de riz. Vous pouvez aussi utiliser du riz blanc prétraité, du riz blanc à grain long ou du riz complet.

Brochettes de fruits et de fromage

Les brochettes de fruits constituent un dessert léger. Sur une brochette de bois, combinez différents fruits et fromages, en vous inspirant de la photo pour les quantités. Vous obtenez de la sorte environ une demi-portion de fruit frais et une quinzaine de grammes (une demi-once) de fromage.

Menu du souper	Repas copieux (730 calories)	Repas léger (550 calories)
Cari de poulet	grosse portion (3 pilons avec sauce)	petite portion (2 pilons avec sauce)
Riz basmati	250 ml (1 tasse)	150 ml (⅔ tasse)
Banane en tranches	½ petite banane	½ petite banane
Noix de coco râpée non sucrée	15 ml (1 c. à table)	15 ml (1 c. à table)
Carottes râpées	125 ml (½ tasse)	125 ml (½ tasse)
Brochettes de fruits et de fromage	3 petites brochettes	3 petites brochettes
Thé	250 ml (1 tasse)	250 ml (1 tasse)

Repas léger

Omelette aux légumes avec haricots

Quoi de plus simple et nourrissant que des œufs accompagnés de haricots? Cette omelette est déjà facile à réaliser; si vous souhaitez un repas encore plus simple, il suffit de transformer l'omelette en œufs brouillés, en partant des mêmes ingrédients. Dans ce repas, c'est la rôtie accompagnée de miel ou de confiture qui tient lieu de dessert.

OMELETTE AUX LÉGUMES

Donne 1 portion

7 ml (1 ½ c. à thé) de margarine, d'huile ou de beurre

½ petit oignon ou 2 oignons verts avec les tiges

250 ml (1 tasse) de légumes crus hachés finement (par exemple céleri, poivrons, chou-fleur, brocoli, champignons)

2 œufs

30 ml (2 c. à table) de fromage léger râpé

Par omelette	
Calories	277
Glucides	10 g
Fibres	2 g
Protéines	18 g
Lipides totaux	19 g
Gras saturés	6 g
Cholestérol	380 mg
Sodium	313 mg

1. Dans une petite poêle antiadhésive, faire sauter les oignons et les légumes à feu moyen-bas dans la margarine ou un autre corps gras.

2. Pendant la cuisson des oignons et des légumes, cassez les œufs dans un petit bol à mélanger. Les battre à la fourchette ou au fouet.

3. Lorsque les oignons et les légumes sont tombés, les mettre dans un bol et réserver.

4. Verser l'œuf dans la poêle à frire graissée. Incliner immédiatement la poêle pour en recouvrir le fond uniformément. Pendant la cuisson, étendre toute portion d'œuf non cuit vers les bords de la poêle, afin que l'œuf cuise entièrement.

5. Répandre le mélange d'oignon et de légumes sur une moitié de l'omelette. Garnir de fromage râpé. Soulever délicatement la moitié non garnie et la rabattre sur la garniture. Réduire le feu et laisser cuire pendant encore une minute ou deux.

Pour obtenir deux portions, doublez les quantités de la recette, et utilisez s'il le faut une poêle antiadhésive plus grande.

Haricots, pois, et lentilles: un excellent choix!

Comparativement aux protéines animales comme celles de la viande, du poisson et de la volaille, les protéines végétales des légumineuses sont plus faibles en gras saturés et très riches en fibres alimentaires. De plus, elles sont moins coûteuses. Je vous suggère d'en manger au moins une fois ou deux par semaine. Pour étirer mes restes (de macaroni, de sauce à spaghetti, de ragoût, etc.), je leur ajoute une boîte de haricots ou de lentilles, égouttés.

Voici d'autres façons d'accommoder les haricots, pois et lentilles:

- Pour le dîner, préparez la soupe avec tacos (page 164), dégustez une soupe aux pois cassés ou aux haricots noirs, ou ajoutez des haricots ou des lentilles à une soupe aux légumes, ce qui la transforme en un repas complet.

- Garnissez les pizzas (page 168), burritos et sandwiches roulés de haricots cuits (page 168).

- Enrichissez le cari de poulet (page 190) de lentilles jaunes. Vous pouvez alors réduire votre portion de poulet.

Autres idées tirées de mon livre de recettes
La santé au menu:

- Essayez le riz mexicain aux haricots (illustré à droite).

- Mes trois idées de soupers qui permettent de réduire la consommation de viande grâce à l'ajout de haricots sont les suivantes: tacos, saucisses et haricots, et chili con carne.

- Dans les burgers ensoleillés, la viande est remplacée par des haricots romains, du fromage et des graines de tournesol.

- La garniture de pois chiches et de pommes de terre au cari peut être consommée telle quelle, ou être accompagnée d'un pain indien rôti ou d'une tortilla.

- La salade Santa Fe est délicieuse avec des haricots noirs. On peut facilement réaliser une salade de haricots à partir d'une boîte de haricots assortis, rincés et égouttés, de tranches de poivron ou de concombre. On arrose ensuite le tout d'une vinaigrette.

- En guise de collation, dégustez des craquelins tartinés de hoummous.

La recette de riz mexicain aux haricots est tirée de *La santé au menu.*

Menu du souper	Repas copieux (730 calories)	Repas léger (550 calories)
Omelette aux légumes	1 portion	1 portion
Fèves au lard	125 ml (½ tasse)	60 ml (¼ tasse)
Rôtie	2 tranches	1 tranche
Margarine ou beurre	10 ml (2 c. à thé)	5 ml (1 c. à thé)
Miel ou confiture	5 à 10 ml (1 à 2 c. à thé)	5 à 10 ml (1 à 2 c. à thé)
Mandarines	2 petites ou 1 de taille moyenne	2 petites ou 1 de taille moyenne

Repas léger

Collations

Dans cette section, vous trouverez des photos de quatre groupes de collations : les collations hypocaloriques (faibles en calories), les collations légères, les collations moyennes et les collations copieuses. À l'intérieur d'un groupe donné, toutes les collations apportent environ le même nombre de calories. Le nombre de collations que vous vous octroierez par jour dépend du nombre de calories que vous souhaitez ingérer. Observez le tableau de la page 153, qui indique le nombre de calories des repas légers et copieux, ainsi que des différentes collations.

Collations faibles en calories (20 calories ou moins)

Collations légères (50 calories)

Collations moyennes (100 calories)

Collations copieuses (200 calories)

Pour la plupart des gens, il est bien de s'en tenir à trois collations par jour, qu'elles soient légères, moyennes ou copieuses.

Trois collations légères apportent au total 150 calories, trois moyennes 300 calories, et trois copieuses 600.

COLLATIONS ET GRIGNOTINES FAIBLES EN CALORIES

20 calories ou moins par collation

Le nombre de glucides disponibles en grammes est indiqué en rouge.

1. 1 ou 2 cornichons **0**

2. piments forts **0**

3. boissons gazeuses hypo-caloriques, thé glacé hypo-calorique et préparations pour boisson hypocalorique en sachet **0**

4. eaux aromatisées (sans sucre ajouté) **0**

5. poivre **0**

6. eau **0**

7. tisane ou autre infusion **0**

8. gelée hypocalorique (sur l'illustration : Jell-O^MD fouetté) **0**

9. 20 ml (4 c. à thé) de sucette glacée sans sucre **1**

10. céleri, brocoli, chou-fleur, carotte, concombre ou courgette **2**

11. café ou succédané de café (chicorée) **1**

12. 1 ou 2 limettes **2**

13. tomate **3**

14. ail **2**

15. mélanges d'épices sans sel, épices et fines herbes séchées **0**

16. 1 c. à thé de pâte de fines herbes **1**

17. 1 ou 2 bonbons ou menthes sans sucre **3**

18. succédané de sucre hypocalorique **1**

19. vanille **0**

20. fines herbes fraîches **0**

COLLATIONS LÉGÈRES

50 calories

Le nombre de glucides disponibles en grammes est indiqué en rouge.

1. 75 ml (⅓ tasse) de cocktail de canneberges sur glace **12**

2. 125 ml (½ tasse) de cidre chaud (125 ml/½ tasse de jus de pomme, 125 ml/½ tasse d'eau, et un bâton de vanille ou de cannelle) **15**

3. 250 ml (1 tasse) de jus de légumes V8^MD **9**

4. 150 ml (⅔ tasse) de lait faible en gras **8**

5. café moussé chaud (150 ml/⅔ tasse d'eau bouillante, 150 ml/⅔ tasse de lait faible en gras moussé et chaud, et du café instantané) **8**

6. 15 g (½ oz) de fromage (1 tranche) **1**

7. 375 ml (1 ½ tasse) de soupe aux légumes (vous trouverez des recettes simples et savoureuses en tapant « soupe » et « Weight Watchers » dans un moteur de recherche en ligne)

8. 1 orange **13**

9. 125 ml (½ tasse) de raisins congelés **13**

10. 125 ml (½ tasse) de pouding sans sucre ajouté **13**

11. 13 carottes miniatures **8**

12. 5 petites tranches d'ananas **12**

13. 1 petite pomme **13**

14. 125 ml (½ tasse) de compote de pommes sans sucre **12**

15. 45 g (1 ½ oz) de viande à sandwich en tranches **0**

16. 45 ml (3 c. à table) de grignotines salées **8**

17. 250 ml (1 tasse) de légumes crus avec 15 ml (1 c. à table) de vinaigrette légère **5**

18. 125 ml (½ tasse) de betteraves marinées **11**

19. 30 ml (2 c. à table) de canneberges séchées **9**

20. 5 biscuits en forme d'animaux **10**

21. 2 biscuits Graham^MD **10**

22. 4 biscuits sodas de blé entier

COLLATIONS MOYENNES

100 calories

Le nombre de glucides disponibles en grammes est indiqué en rouge.

1. 1 petit sachet de grignotines de 100 calories **18**

2. 125 ml (½ tasse) de lait au chocolat faible en gras (avec glaçons !) **12**

3. 1 flotteur, soit 355 ml (12 oz) de cola hypocalorique et 125 ml (½ tasse) de yogourt glacé **11**

4. 1 sandwich ouvert (sans beurre) **12**

5. 3 craquelins de blé concassé **14**

6. 175 ml (¾ tasse) de yogourt faible en gras (sans sucre ajouté) avec arilles (graines) de grenade **16**

7. 175 ml (¾ tasse) de pouding aux pistaches sans gras **15**

8. 2 trous de beigne **12**

9. 1 tranche de jambon et 1 tranche de fromage (roulées) **3**

10. 1 œuf cuit dur **0**

11. 1 poire de taille moyenne **21**

12. 300 ml (1 ¼ tasse) de bleuets **22**

13. 1 rôtie avec 5 ml (1 c. à thé) de margarine ou de confiture hypocalorique **14**

14. 1 petite banane **21**

15. 1 pomme de taille moyenne, saupoudré de sucre et de cannelle **24**

16. 14 amandes **1**

17. 13 craquelins de riz minces **21**

18. 1 sucette glacée de 100 calories **18**

19. 1 ½ bâtonnet de fromage **1**

20. 1 barre de céréales de 100 calories **15**

21. 1 ou 2 bâtonnets de céleri avec 15 ml (1 c. à table) de beurre d'arachide, ou 45 ml (3 c. à table) de fromage à la crème léger **3**

22. 2 craquelins de 7,5 cm (3 po) avec 15 g (½ oz) de fromage (p. ex. brie ou bleu) **10**

23. 30 ml (2 c. à table) de fèves de soya rôties **5**

24. 2 biscuits santé **14**

25. 7 huîtres sur 7 craquelins de blé miniatures **8**

COLLATIONS COPIEUSES

200 calories

Le nombre de glucides disponibles en grammes est indiqué en rouge.

1. 250 ml (1 tasse) de velouté préparé avec du lait **15**

2. 1 salade du chef préparée avec 60 à 90 g (2 à 3 oz) de fromage ou de jambon, et 15 ml (1 c. à table) de sauce **6**

3. 1 pointe de pizza à croûte mince au fromage **28**

4. 250 ml (1 tasse) de gruau avec 125 ml (½ tasse) de lait faible en gras **30**

5. 1,25 l (5 tasses) de maïs soufflé, préparé avec 5 ml (1 c. à thé) d'huile **26**

6. 175 ml (¾ tasse) de yogourt glacé dans un cornet **31**

7. 1 omelette préparée avec un œuf et un blanc d'œuf, 30 g (1 oz) de fromage, de l'oignon vert haché et 15 ml (1 c. à table) de simili-bacon émietté **3**

8. 250 ml (1 tasse) de céréales (p. ex. des flocons de son) avec 175 ml (¾ tasse) de lait faible en gras **28**

9. 250 ml (1 tasse) de salade de fruits avec 175 ml (¾ tasse) de yogourt sans sucre ajouté **36**

10. 1 sandwich à la tomate et au fromage, comprenant 10 ml (2 c. à thé) de mayonnaise sans gras **25**

11. ½ bagel de 7,5 cm (3 po) avec 15 ml (1 c. à table) de fromage à la crème léger **26**

12. 1 pilon de poulet avec une tranche de pain, et de 15 à 30 ml (1 à 2 c. à table) de sauce aux canneberges **18**

13. 6 biscuits sodas avec 60 ml (¼ tasse) de saumon ou de thon mélangé à 5 ml (1 c. à thé) de mayonnaise sans gras **14**

14. 60 ml (¼ tasse) d'arachides ou d'autres noix à coque écalés **3**

15. 150 ml (⅔ tasse) de graines de tournesol non décortiquées **3**

À prescrire/À proscrire

En vous laissant guider par les tableaux des pages 204 à 216, apprenez à abandonner les mauvais choix alimentaires.

Chaque page présente quatre versions différentes d'un aliment ou d'une boisson.

L'option représentée au haut de la page est la moins bonne pour la santé.

En règle générale, les deux choix montrés en bas de page sont meilleurs que les deux options du haut.

L'option du bas, « Le choix de Karen », est celle que je considère comme la meilleure des quatre.

Avant d'acheter un produit à l'épicerie, consultez les étiquettes. Les informations suivantes figurent sur l'étiquette.

- **Glucides (« hydrates de carbone »).** Les glucides comprennent les féculents provenant du riz, du blé ou des pâtes alimentaires, ainsi que les sucres naturellement présents dans les fruits, les légumes et le lait, de même que le sucre ajouté à certains produits alimentaires. Une quantité de 5 ml (1 c. à thé) de sucre ajouté équivaut à 4 g de sucre. Sur les étiquettes, la quantité de sucre est indiquée sous la rubrique « glucides », mais on n'y spécifie pas les quantités de sucre ajouté ni de sucre naturel. S'il s'agit d'une boisson gazeuse, sachez que tout le sucre est du sucre ajouté.

- **Fibres.** Les fibres alimentaires sont excellentes pour la santé, notamment pour les personnes diabétiques. Celles-ci devraient ingérer de 25 à 50 g de fibres quotidiennement.

- **Lipides.** Une quantité de 5 ml (1 c. à thé) de beurre, de margarine, de saindoux ou d'huile contient 5 g de lipides. Le nombre de calories provenant des lipides ne devrait pas dépasser le tiers de l'apport calorique quotidien total.

  - Un plan de repas quotidien de 1 200 calories par jour ne devrait pas contenir plus de 45 g (9 c. à thé) de gras environ, y compris les gras cachés.

  - Un plan de repas quotidien de 1 620 calories par jour ne devrait pas contenir plus de 65 g (13 c. à thé) de gras environ, y inclus les gras cachés.

- **Sodium.** Idéalement, limitez votre consommation de sodium total à 2 300 mg par jour (soit 5 ml ou 1 c. à thé).

Il n'a pas toujours été facile de déterminer le meilleur choix (« Le choix de Karen »), parce qu'un produit alimentaire donné pouvait être plus faible en sucre ou en gras (ce qui est souhaitable), mais renfermer beaucoup de sodium ou peu de fibres (ce qui est à éviter).

Les quantités de nutriments indiquées dans les tableaux peuvent différer d'une marque à l'autre, et parfois même entre versions canadienne et américaine d'un même produit.

La teneur en caféine n'est indiquée que pour les produits alimentaires en contenant plus de 45 mg. Comme la caféine est une substance qui cause une dépendance, l'adulte devrait restreindre sa consommation à 400 mg par jour (300 mg pour la femme enceinte ou qui allaite). Les enfants et adolescents devraient limiter la leur encore plus, voire éviter la caféine complètement.

Céréales froides

375 ml (1 ½ tasse) de granolas avec 175 ml (¾ tasse) de lait à 2% M.G.

Calories	Glucides	Fibres	Lipides	Sodium
710	97 g	9 g	30 g	203 mg

Les céréales granolas sont une excellente source de fibres et contiennent moins de sodium que les autres produits céréaliers. Cependant, elles apportent beaucoup de calories, de sucre et de gras saturés. Contentez-vous de portions de 60 à 75 ml (¼ à ⅓ tasse) ou ajoutez-en une poignée à un bol de céréales nature.

375 ml (1 ½ tasse) de flocons de maïs sucrés (Frosted Flakes^{MD}) avec 175 ml (¾ tasse) de lait à 1% M.G.

Calories	Glucides	Fibres	Lipides	Sodium
279	57 g	1 g	2 g	359 mg

Les flocons de maïs Frosted Flakes^{MD} contiennent beaucoup de sucre. Cette portion renferme 30 ml (6 c. à thé) de sucre ajouté. Idéalement, on utilise les céréales enrobées de sucre pour garnir des flocons de maïs ou de son nature.

375 ml (1 ½ tasse) de flocons de maïs avec 175 ml (¾ tasse) de lait écrémé

Calories	Glucides	Fibres	Lipides	Sodium
208	41 g	1 g	0 g	347 mg

Les flocons de maïs renferment moins de glucides et de sodium que les autres céréales proposées dans ce tableau. Cela en fait donc une option intéressante. Ils contiennent toutefois peu de fibres. Libre à vous de les enrichir en les saupoudrant de son naturel ou de céréales de son.

375 ml (1 ½ tasse) de flocons de son avec 175 ml (¾ tasse) de lait écrémé

Calories	Glucides	Fibres	Lipides	Sodium
209	44 g	6 g	1 g	467 mg

Les flocons de son sont mon choix parce qu'ils sont une excellente source de fibres. Cependant, si on les compare aux flocons de maïs sucrés ou nature, ils contiennent davantage de sodium. Si la réduction du sodium compte pour vous, optez pour les flocons de maïs.

LE CHOIX DE KAREN

C'est un fait ! **Le fait de manger un fruit avec les céréales vous procure des antioxydants bienfaisants et de 2 à 5 g de fibres alimentaires.**

Déjeuner au resto à base d'œuf

2 œufs poêlés, 2 rôties beurrées, 2 portions de confiture, 2 saucisses, 250 ml (1 tasse) de pommes de terre rissolées, 15 ml (1 c. à table) de ketchup, 600 ml (20 oz) de café avec 4 contenants de crème, soit 60 ml (4 c. à table), et 20 ml (4 c. à thé) de sucre

Calories	Glucides	Fibres	Lipides	Sodium
1 147	123 g	6 g	62 g	1 194 mg

Avec ce déjeuner spécial, vous atteignez la ration de gras permise pour la journée. Permettez-le-vous en des occasions particulières seulement. **Remarque :** 1 contenant de confiture = 10 ml (2 c. à thé) et 1 contenant de crème = 15 ml (1 c. à table). **Caféine : 343 mg** (café filtre)

2 œufs pochés, 2 rôties de pain complet beurrées, 1 portion de confiture, 2 saucisses, 125 ml (½ tasse) de pommes de terre rissolées, 300 ml (10 oz) de café avec 30 ml (2 c. à table) de lait entier et 5 ml (1 c. à thé) de sucre

Calories	Glucides	Fibres	Lipides	Sodium
705	66 g	6 g	39 g	886 mg

Le choix de manger des œufs pochés, de mettre moins de confiture sur les rôties et de se contenter d'une tasse de café est une initiative louable. Vous ingérez ainsi moins de gras et de sucre en un seul repas. **Caféine : 171 mg**

2 œufs pochés, 2 rôties de pain complet beurrées, 1 portion de confiture, 2 saucisses, tranches de tomate, 300 ml (10 oz) de café avec 30 ml (2 c. à table) de lait entier

Calories	Glucides	Fibres	Lipides	Sodium
530	43 g	5 g	30 g	862 mg

Dans ce déjeuner, les pommes de terre rissolées sont remplacées par des tranches de tomate. De la sorte, on réduit la quantité de gras de près de 10 ml (2 c. à thé) et le nombre de calories de plus de 150. **Caféine : 171 mg** (en prenant plutôt du café en poudre, on réduit la quantité de caféine à 114 mg environ).

1 œuf poché, 2 rôties de pain complet sans beurre, 1 portion de confiture, tranches de tomate, 300 ml (10 oz) de thé avec 30 ml (2 c. à table) de lait à 2 % M.G.

Calories	Glucides	Fibres	Lipides	Sodium
286	42 g	5 g	8 g	480 mg

Voilà un déjeuner léger, meilleur pour la santé. À votre thé ou café, ajoutez un édulcorant hypocalorique si vous le désirez. **Caféine : 59 mg** (le thé décaféiné et la plupart des tisanes ne contiennent pas de caféine).

C'est un fait ! **Le thé contient presque trois fois moins de caféine que le café. De plus, il est riche en antioxydants, qui contribuent à la santé des vaisseaux sanguins.**

Déjeuner à base de bagel

1 grand bagel de 10 cm (4 po), soit 102 g, non beurré, avec 45 ml (3 c. à table) de fromage à la crème, 600 ml (20 oz) de café avec 4 contenants de crème, soit 60 ml (4 c. à table), et 20 ml (4 c. à thé) de sucre

Calories	Glucides	Fibres	Lipides	Sodium
640	81 g	3 g	28 g	751 mg

Le bagel est un pain à pâte dense. Un bagel de 10 cm (4 po) apporte autant de glucides que 4 tranches de pain. **Caféine : 448 mg** (café filtre).

1 grand bagel de 10 cm (4 po), soit 102 g, non beurré, avec 15 ml (1 c. à table) de fromage à la crème, 300 ml (10 oz) de café avec 2 contenants de crème, soit 30 ml (2 c. à table), et 10 ml (2 c. à thé) de sucre

Calories	Glucides	Fibres	Lipides	Sodium
445	70 g	3 g	12 g	647 mg

Le simple fait de réduire sa consommation de café a d'importantes répercussions sur les quantités ingérées de crème et de sucre. Les petits changements sont plus aisés à mettre en place que les grands ! **Caféine : 224 mg**

1 petit bagel de 7,5 cm (3 po), soit 53 g, non beurré, avec 15 ml (1 c. à table) de fromage à la crème léger, 300 ml (10 oz) de café décaféiné avec 30 ml (2 c. à table) de lait à 2 % M.G.

Calories	Glucides	Fibres	Lipides	Sodium
206	33 g	1 g	4 g	367 mg

Voici un choix résolument plus léger ! Ce ne sont pas tous les cafés qui offrent de petits bagels, mais vous en trouverez à l'épicerie. À la maison, faites rôtir votre bagel et tartinez-le de fromage à la crème léger. **Caféine : 4 mg.**

1 petit bagel de 7,5 cm (3 po), soit 53 g, non beurré, avec 15 ml (1 c. à table) de confiture sans sucre, 300 ml (10 oz) de café décaféiné avec 30 ml (2 c. à table) de lait à 2 % M.G.

Calories	Glucides	Fibres	Lipides	Sodium
192	37 g	1 g	1 g	323 mg

Le remplacement du fromage à la crème par la confiture sans sucre augmente légèrement la quantité de glucides, tout en réduisant le nombre total de calories et de gras. Ajoutez un édulcorant hypocalorique à votre thé ou café, si vous le désirez. **Caféine : 4 mg**

LE CHOIX DE KAREN

C'est un fait ! Pourquoi le bagel est-il percé d'un trou ? Il y a deux raisons à cela : le trou assure une cuisson uniforme ; il permet aussi au boulanger de présenter ses pains enfilés sur une corde ou un bâton, comme le veut la tradition.

Sandwich de type *delicatessen*

Pain de seigle, 2 grandes tranches de pastrami coupées finement (60 g/2 oz), 10 ml (2 c. à thé) de moutarde, 10 ml (2 c. à thé) de beurre, 60 ml (¼ tasse) de choucroute, 1 cornichon à l'aneth de taille moyenne

Calories	Glucides	Fibres	Lipides	Sodium
330	35 g	6 g	14 g	2 101 mg

Avez-vous bien vu la quantité de sodium ? Réservez un tel sandwich pour les grandes occasions et prenez plutôt l'une des options proposées plus bas.

Pain de seigle, 1 tranche de pastrami coupée finement (30 g/1 oz), 10 ml (2 c. à thé) de moutarde, 10 ml (2 c. à thé) de beurre, 1 cornichon à l'aneth de taille moyenne

Calories	Glucides	Fibres	Lipides	Sodium
286	33 g	5 g	12 g	1 515 mg

Si vous commandez un sandwich de pastrami sur pain de seigle au restaurant, demandez au serveur d'omettre la choucroute. Vous réduisez ainsi la quantité de sodium.

Pain de seigle, 1 tranche de pastrami coupée finement (30 g/1 oz), 10 ml (2 c. à thé) de moutarde, 1 cornichon à l'aneth de taille moyenne

Calories	Glucides	Fibres	Lipides	Sodium
218	33 g	5 g	4 g	1 461 mg

Pour réduire davantage les calories et le sodium, demandez du pain non beurré. Si vous prenez du rôti de bœuf, de la dinde ou du poulet cuisiné à la maison, la quantité de sodium s'en trouve encore réduite.

Pain de seigle, 1 tranche de pastrami coupée finement (30 g/1 oz), 5 ml (1 c. à thé) de moutarde, laitue, tomate, ½ cornichon à l'aneth de taille moyenne

Calories	Glucides	Fibres	Lipides	Sodium
215	33 g	5 g	4 g	1 119 mg

Cette version réduite en sodium fournit tout de même la moitié de l'apport quotidien recommandé. Évitez donc de consommer de la viande à casse-croûte tous les jours, ou utilisez du rôti de bœuf, de la dinde ou du poulet que vous avez préparé vous-même.

C'est un fait ! **Au moment d'acheter un pain, recherchez un produit aux tranches plus fines ou plus petites, qui apportent environ 70 ou 80 calories chacune.**

LE CHOIX DE KAREN

Soupe à la crème

½ boîte de 284 ml (10 oz) de velouté de tomates concentré, préparé avec une quantité égale de lait homogénéisé à 3,25 % M.G., 100 g (3 ½ oz) de biscuits traditionnels pour le thé et 10 ml (2 c. à thé) de beurre

Calories	Glucides	Fibres	Lipides	Sodium
617	76 g	3 g	30 g	2 031 mg

La quantité de gras de ce repas, relativement élevée, provient du lait entier ajouté au concentré de tomate et du beurre dont on tartine les biscuits.

½ boîte de 284 ml (10 oz) de velouté de tomates concentré, préparé avec une quantité égale de lait à 2 % M.G., 100 g (3 ½ oz) de biscuits traditionnels pour le thé et 5 ml (1 c. à thé) de beurre

Calories	Glucides	Fibres	Lipides	Sodium
568	76 g	3 g	24 g	2 006 mg

En optant pour du lait à 2 % M.G., on réduit le nombre de calories et la quantité de gras.

½ boîte de 284 ml (10 oz) de velouté de tomates concentré réduit en sodium, préparé avec une quantité égale de lait écrémé, 100 g (3 ½ oz) de biscuits traditionnels pour le thé, sans beurre

Calories	Glucides	Fibres	Lipides	Sodium
523	77 g	2 g	19 g	1 679 mg

En optant pour du lait écrémé, on réduit davantage les calories et le gras. Grâce à la soupe réduite en sodium, vous réduisez votre consommation de sel de 20 à 30 %, selon la marque. Les produits hyposodiques permettent de réduire ce nutriment à un niveau encore plus bas, mais ils sont difficiles à trouver.

½ boîte de 284 ml (10 oz) de velouté de tomates concentré réduit en sodium, préparé avec une quantité égale de lait écrémé, 6 biscuits sodas non salés, légumes

Calories	Glucides	Fibres	Lipides	Sodium
262	47 g	3 g	5 g	805 mg

Pour une assiette encore plus légère, accompagnez le velouté de biscuits sodas et de légumes.

LE CHOIX DE KAREN

C'est un fait ! On prépare un excellent bouillon avec la chair et les os d'un poulet. Pour obtenir une soupe savoureuse et faible en sel, ajoutez à votre bouillon oignons et fines herbes, légumes, orge, haricots ou pâtes.

Cuisses de poulet

1 pilon et 1 cuisse de poulet avec la peau, panés et frits

Calories	Glucides	Fibres	Lipides	Sodium
360	12 g	0 g	21 g	368 mg

Un morceau de poulet frit n'a jamais tué personne. Cependant, en manger tous les jours représente un risque pour la santé. On accompagne souvent le poulet frit d'autres aliments contenant beaucoup de gras, par exemple des frites, de la sauce et de la salade de chou baignant dans la mayonnaise.

1 pilon et 1 cuisse de poulet avec la peau, enrobés de panure du commerce et cuits au four

Calories	Glucides	Fibres	Lipides	Sodium
286	4 g	0 g	19 g	234 mg

Voici une solution de rechange moins grasse, qui met à profit la panure du commerce, par exemple la Shake 'n Bake^{MD}.

1 pilon et 1 cuisse de poulet sans la peau, enrobés de panure du commerce et cuits au four

Calories	Glucides	Fibres	Lipides	Sodium
173	4 g	0 g	7 g	217 mg

En débarrassant le poulet de sa peau, vous réduisez de 12 ml (2 ½ c. à thé) de gras chaque portion. Et le poulet reste délicieux.

1 pilon et 1 cuisse de poulet sans la peau, enrobés d'un mélange d'épices sans sel et cuits au four

Calories	Glucides	Fibres	Lipides	Sodium
148	0 g	0 g	6 g	80 mg

Cette option permet de réduire les calories et le sodium grâce à l'utilisation d'un mélange d'épices du commerce faible en sel. Pourquoi ne pas concocter votre propre mélange d'origan, de thym, de paprika, de poivre noir et de piment rouge?

LE CHOIX DE KAREN

C'est un fait! **En cuisant le poulet vous-même, non seulement vous retirez un bénéfice immense sur le plan de la santé mais, en plus, vous économisez!**

Burger garni, façon restauration rapide

Hamburger d'un tiers de livre (112 g/4 oz de viande cuite) avec double fromage et bacon

Calories	Glucides	Fibres	Lipides	Sodium
780	53 g	3 g	44 g	1 990 mg

Les hamburgers servis au restaurant réunissent plusieurs étages d'ingrédients délicieux, et cela se traduit par des calories, du gras et du sodium. Si vous accompagnez votre hamburger de frites et d'une boisson, la quantité de gras et de calories croît davantage.

Hamburger à 2 boulettes (chacune faite de 28 g/1 oz de viande cuite) avec fromage et pain intermédiaire

Calories	Glucides	Fibres	Lipides	Sodium
540	44 g	3 g	29 g	1 020 mg

Voici une version allégée du hamburger, mais elle demeure assez grasse. Soyez conscient de ce que vous mangez : avant d'aller au restaurant, vérifiez sur Internet la quantité de calories et de nutriments du repas que vous voulez commander, ou demandez à consulter ces données sur place.

Hamburger au fromage (28 g/1 oz de viande cuite) avec bacon

Calories	Glucides	Fibres	Lipides	Sodium
340	34 g	2 g	15 g	910 mg

Cette variante apporte beaucoup moins de calories, de gras et de sodium. C'est une bonne solution de rechange, et très défendable sur le plan du goût !

Hamburger au fromage (28 g/1 oz de viande cuite)

Calories	Glucides	Fibres	Lipides	Sodium
300	33 g	2 g	12 g	750 mg

Parmi les quatre options proposées ici, voilà le meilleur choix, s'il vous faut absolument manger dans un établissement de restauration rapide. Plutôt que d'opter pour le combiné, commandez les articles à la carte. En guise d'accompagnement, choisissez une petite portion de frites ou une salade, et remplacez la boisson gazeuse par du lait.

LE CHOIX DE KAREN

C'est un fait !

Renoncer au combiné peut paraître coûteux, mais gardez ceci en tête : c'est votre tour de taille que les calories superflues viendront épaissir.

Pizza du restaurant

3 pointes d'une pizza à croûte épaisse de 30 cm (12 po) faisant en tout 6 pointes

Calories	Glucides	Fibres	Lipides	Sodium
1 659	143 g	7 g	87 g	3 474 mg

Cette option apporte le même nombre de calories que les déjeuner, dîner et souper copieux du livre réunis. Et ce, avec seulement trois pointes de pizza ! De plus, une seule portion apporte 7 ml (1 ½ c. à thé) de sel, ce qui est énorme, et une quantité de gras excédant les besoins quotidiens.

3 pointes d'une pizza à croûte mince de 30 cm (12 po) faisant en tout 6 pointes

Calories	Glucides	Fibres	Lipides	Sodium
1 346	91 g	7 g	81 g	2 757 mg

En commandant la pizza à croûte mince, vous réduisez énormément la quantité de glucides. Pour diminuer les calories, le gras et le sodium, demandez une pizza avec moins de garnitures.

2 pointes d'une pizza à croûte épaisse de 30 cm (12 po) ayant 2 garnitures, accompagnées d'une salade avec vinaigrette légère

Calories	Glucides	Fibres	Lipides	Sodium
944	95 g	4 g	46 g	2 114 mg

Pour obtenir un degré de satiété convenable, accompagnez votre pizza d'eau, d'une salade ou d'une demi-portion de vos légumes cuits préférés.

2 pointes d'une pizza à croûte mince de 30 cm (12 po) ayant 2 garnitures, accompagnées d'une salade avec vinaigrette légère

Calories	Glucides	Fibres	Lipides	Sodium
782	65 g	4 g	44 g	1 742 mg

Mettez davantage de légumes sur votre pizza. Parmi mes garnitures préférées, je compte l'asperge, le poivron, les champignons, les tomates fraîches, les tomates séchées au soleil et les courgettes. Même cette pizza contient beaucoup de sel, et il est donc préférable de ne pas se l'offrir chaque semaine.

C'est un fait ! En mangeant moins rapidement, on mange moins. Mangez des légumes ou de la salade avant la pizza, et buvez de l'eau avant et pendant le repas.

LE CHOIX DE KAREN

Nouilles instantanées

Nouilles dans un bol, saveur de poulet (poids sec : 110 g/4 oz)

Calories	Glucides	Fibres	Lipides	Sodium
481	70 g	3 g	17 g	2 278 mg

Ce produit apporte une quantité de sel monstrueuse ! Des études indiquent que les personnes diabétiques sont incapables d'éliminer le sodium aussi efficacement que les sujets normaux. La consommation excessive de sodium risque d'aggraver l'hypertension.

Nouilles dans une tasse, saveur de poulet (poids sec : 64 g/2 oz)

Calories	Glucides	Fibres	Lipides	Sodium
280	41 g	2 g	10 g	1 325 mg

La tasse est plus petite que le bol ; elle apporte donc moins de sodium. Cependant, cette portion renferme toujours beaucoup de sel.

Nouilles dans une tasse, saveur de poulet (poids sec : 64 g/2 oz), préparée avec la moitié du sachet de condiments

Calories	Glucides	Fibres	Lipides	Sodium
274	39 g	1 g	10 g	776 mg

Voici une façon simple de réduire la quantité de sel de moitié : il suffit de n'utiliser que la moitié du sachet de condiments !

Nouilles dans une tasse (poids sec : 64 g/2 oz) sans le mélange de condiments, lequel est remplacé par 5 ml (1 c. à thé) de mélange d'épices sans sel, ou bien par des fines herbes fraîches, du piment ou du poivre noir

Calories	Glucides	Fibres	Lipides	Sodium
268	37 g	1 g	10 g	226 mg

Êtes-vous prêt à remplacer le sachet de condiments par un assaisonnement faible en sel ou par de savoureuses fines herbes fraîches ? Vous aurez tout de même droit aux nouilles, sans devoir vous soucier d'une consommation excessive de sel.

LE CHOIX DE KAREN

C'est un fait ! Sur le plan des glucides, le contenu d'un bol de nouilles équivaut à cinq tranches de pain, et celui d'une tasse, à près de trois tranches.

Pommes de terre

1 grosse portion de frites de restauration rapide, soit 175 g (6 oz)

Calories	Glucides	Fibres	Lipides	Sodium
560	74 g	6 g	27 g	430 mg

La quantité de gras qu'apportent les frites est préoccupante si on en mange fréquemment ou tous les jours. Il ne faut pas non plus perdre de vue que le chauffage des corps gras à température élevée effectué par la friteuse transforme ceux-ci en un type de lipides mauvais pour la santé.

1 grosse portion de frites cuites au four, non salées, soit 175 g (6 oz)

Calories	Glucides	Fibres	Lipides	Sodium
350	55 g	6 g	13 g	53 mg

Préparez les frites à la maison, au four, et servez-les en accompagnement d'un repas.

1 grosse pomme de terre au four sans gras ajouté, avec 30 ml (2 c. à table) de crème sure sans gras, 5 ml (1 c. à thé) de beurre ou de margarine, et des oignons verts hachés

Calories	Glucides	Fibres	Lipides	Sodium
298	61 g	5 g	4 g	92 mg

Essayez parfois de remplacer les frites par une pomme de terre au four. Dans l'option proposée ici, la quantité de glucides est un peu plus élevée en raison de la garniture.

1 grosse pomme de terre partagée en bâtonnets, retournés dans 5 ml (1 c. à thé) d'huile et cuits au four

Calories	Glucides	Fibres	Lipides	Sodium
276	55 g	5 g	5 g	17 mg

Voici une façon simple de préparer de délicieuses frites maison. Pour en relever la saveur, saupoudrez-les d'aneth séché, de poudre de chili ou d'un mélange d'épices sans sel du commerce.

LE CHOIX DE KAREN

C'est un fait ! **Les pommes de terre sont une excellente source de vitamine C et de potassium.**

Salade César

Salade César du restaurant: 1 l (4 tasses) de laitue romaine, 60 ml (¼ tasse) de sauce à salade César, 60 ml (¼ tasse) de croûtons et 30 ml (2 c. à table) de parmesan, avec 2 tranches de pain à l'ail

Calories	Glucides	Fibres	Lipides	Sodium
798	58 g	8 g	57 g	1 564 mg

Plusieurs seront étonnés de constater qu'une grande salade César du restaurant apporte autant de calories qu'un gros hamburger. Cela s'explique par le fait que la sauce à salade César est essentiellement composée d'huile, un corps gras. Accompagnée de pain à l'ail, cette salade est loin de constituer un repas léger !

Salade César du restaurant: 1 l (4 tasses) de laitue romaine, 60 ml (¼ tasse) de sauce à salade César, 60 ml (¼ tasse) de croûtons et 30 ml (2 c. à table) de parmesan

Calories	Glucides	Fibres	Lipides	Sodium
442	16 g	5 g	40 g	967 mg

Pour éviter un excédent de calories, demandez à ce qu'on omette le pain à l'ail.

Salade César du restaurant: 1 l (4 tasses) de laitue romaine, 30 ml (2 c. à table) de sauce à salade César, 60 ml (¼ tasse) de croûtons et 15 ml (1 c. à table) de parmesan

Calories	Glucides	Fibres	Lipides	Sodium
263	15 g	5 g	21 g	554 mg

Demandez à ce qu'on vous serve à part une petite quantité de sauce, et n'en mettez que 30 ml (2 c. à table) dans la salade. Certains restaurants offrent aussi une sauce à salade légère.

Salade César maison: 1 l (4 tasses) de laitue romaine, 15 ml (1 c. à table) de sauce à salade César légère, 60 ml (¼ tasse) de croûtons et 15 ml (1 c. à table) de parmesan

Calories	Glucides	Fibres	Lipides	Sodium
125	17 g	5 g	5 g	400 mg

Simple et vite faite, cette version légère de la salade César constitue une entrée ou un accompagnement formidable. Comme la sauce à salade légère contient plus de sel, peut-être choisirez-vous de vous en tenir à la sauce à salade régulière.

LE CHOIX DE KAREN

C'est un fait ! **Les laitues vert foncé, comme la romaine, sont riches en acide folique, qui contribue à normaliser le taux de cholestérol.**

Yogourt

¾ tasse (175 ml) de yogourt aux fruits à 6% M.G., sucré

Calories	Glucides	Fibres	Lipides	Sodium
240	29 g	0 g	11 g	98 mg

Ce yogourt contenant beaucoup de matières grasses apporte deux fois plus de lipides que le lait homogénéisé. Certaines variétés de yogourt ont reçu des ferments bactériens et sont étiquetées comme étant bonnes pour la santé. Lisez bien les étiquettes, toutefois, car elles peuvent révéler des quantités excessives de gras ou de sucre ajouté. Ces produits ne sont pas forcément bons pour vous.

¾ tasse (175 ml) de yogourt glacé à 3% M.G.

Calories	Glucides	Fibres	Lipides	Sodium
150	29 g	0 g	3 g	90 mg

Le yogourt glacé est un bon dessert et il apporte moins de calories que le yogourt plus gras proposé plus haut. Il apporte le même nombre de calories qu'un yogourt aux fruits sucré à 2% de matières grasses.

¾ tasse (175 ml) de yogourt aux fruits à 0% M.G., sucré

Calories	Glucides	Fibres	Lipides	Sodium
173	35 g	0 g	0 g	107 mg

Voilà un meilleur choix, car ce yogourt ne contient aucun gras. Toutefois, il renferme encore du sucre ajouté.

¾ tasse (175 ml) de yogourt aux fruits à 0% M.G., sucré avec un édulcorant hypocalorique, et 125 ml (½ tasse) de bleuets ou d'autres fruits frais ou surgelés

Calories	Glucides	Fibres	Lipides	Sodium
128	24 g	2 g	0 g	109 mg

En optant pour un yogourt sans gras et sucré à l'aide d'un édulcorant hypocalorique, vous évitez à la fois les excédents de gras et de sucre. Comme tous les yogourts, il renferme les glucides naturels du lait.

LE CHOIX DE KAREN

C'est un fait ! Le yogourt est peut-être le produit laitier fermenté le plus ancien qui soit. Des sources indiquent qu'il s'en consommait déjà il y a 2 500 ans !

Muffins ou beignes

Gros muffin au son et aux bleuets (128 g/4 oz)

Calories	Glucides	Fibres	Lipides	Sodium
380	58 g	5 g	15 g	530 mg

Une idée fausse très répandue veut que les muffins vendus dans les cafés, surtout ceux faibles en matières grasses, soient meilleurs pour la santé que les beignes. Cette croyance est fausse parce qu'en fin de compte, ces muffins sont si gros qu'ils apportent plus de sucre et de gras qu'un beigne de taille normale.

Beigne sans levure ou farci de crème (89 g/3 oz)

Calories	Glucides	Fibres	Lipides	Sodium
253	30 g	1 g	14 g	328 mg

De nombreux cafés permettent de consulter sur Internet les tableaux de la valeur nutritive des muffins, des beignes et des autres aliments et boissons qu'ils proposent. Si vous vous restaurez souvent à un endroit, prenez la peine de comparer ses listes de nutriments.

3 trous de beigne (50 à 55 g au total/2 oz)

Calories	Glucides	Fibres	Lipides	Sodium
219	26 g	1 g	12 g	284 mg

Pour un accompagnement plus léger à votre café ou thé, optez pour deux ou trois trous de beigne.

Muffin au son maison :

Calories	Glucides	Fibres	Lipides	Sodium
144	29 g	4 g	3 g	234 mg

Ce muffin riche en fibres est fabriqué à partir du mélange du commerce faible en matières grasses. Vous pouvez aussi préparer des muffins maison avec la recette proposée à la page 58 de *La santé au menu*. Même si cette option semble apporter davantage de glucides que trois trous de beigne, la quantité totale de glucides disponibles est moindre.

C'est un fait ! La taille du muffin détermine la quantité de sucre et de gras qu'il contient. Un muffin relativement gros apporte autant de sucre et de gras qu'un beigne.

Dessert à base de pomme

1 pointe de tarte aux pommes à double croûte (⅙e d'une tarte de 23 cm/9 po de diamètre) faite avec 5 pommes

Calories	Glucides	Fibres	Lipides	Sodium
556	71 g	3 g	29 g	517 mg

Permettez-vous ce dessert à l'occasion seulement. Manger une portion de tarte aux pommes à double croûte équivaut à ajouter quatre tranches de pain beurré à une préparation aux fruits. En accompagnant la tarte de crème glacée, vous lui ajoutez du sucre et du gras.

175 ml (¾ tasse) de croustade aux pommes traditionnelle (⅙ de la recette)

Calories	Glucides	Fibres	Lipides	Sodium
314	55 g	2 g	11 g	378 mg

La recette prévoit 5 pommes, 175 ml (¾ tasse) de farine, 250 ml (1 tasse) de cassonade, 3 ml (¾ c. à thé) de sel, 5 ml (1 c. à thé) de cannelle moulue et 75 ml (⅓ tasse) de beurre ou de margarine. En optant pour cette garniture au lieu d'une croûte, on réduit le nombre de calories et de gras.

175 ml (¾ tasse) de croustade aux pommes meilleure pour la santé (⅙ de la recette)

Calories	Glucides	Fibres	Lipides	Sodium
224	37 g	3 g	9 g	62 mg

La recette prévoit 5 pommes, 60 ml (¼ tasse) de farine de blé entier, 125 ml (½ tasse) de flocons d'avoine, 125 ml (½ tasse) de cassonade, 5 ml (1 c. à thé) de cannelle moulue et 60 ml (¼ tasse) de beurre ou de margarine. Si vous le souhaitez, remplacez une partie de la cassonade par un édulcorant hypocalorique.

1 pomme au four (voir la page 165 de *La santé au menu*)

Calories	Glucides	Fibres	Lipides	Sodium
141	32 g	3 g	3 g	23 mg

Cette recette prévoit 2 pommes de taille moyenne, 5 ml (1 c. à thé) de beurre ou de margarine, 15 ml (1 c. à table) de cassonade, 1 ml (¼ c. à thé) de cannelle moulue, 1 ml (¼ c. à thé) de jus de citron, 15 ml (1 c. à table) de raisins secs et une pincée de muscade (si désiré). Elle donne 2 pommes au four.

LE CHOIX DE KAREN

C'est un fait ! **L'ajout de cannelle aux desserts et aux céréales aide à remplacer une partie du sucré, ce qui permet de réduire la quantité de sucre ajouté.**

Maïs soufflé

1 grosse portion de maïs soufflé au beurre, tel que vendu au cinéma (5 l/20 tasses, arrosés de 6 jets de beurre équivalant à 45 ml/3 c. à table de beurre)

Calories	Glucides	Fibres	Lipides	Sodium
1 405	126 g	22 g	96 g	2 190 mg

La quantité de gras et de sel contenue dans cette portion géante pourrait suffire à vous effrayer ou à vous faire pleurer, au cas où le film ne l'aurait pas déjà fait.

1 petite portion de maïs soufflé au beurre, tel que vendu au cinéma (1,75 l/7 tasses, arrosés de 3 jets de beurre équivalant à 22 ml/1 ½ c. à thé de beurre)

Calories	Glucides	Fibres	Lipides	Sodium
538	44 g	8 g	39 g	803 mg

Des études ont révélé que des gens ayant reçu du maïs soufflé très défraîchi au cinéma l'ont avalé sans rechigner. Si vous souhaitez manger moins, contentez-vous de portions moindres.

1 l (4 tasses) de maïs soufflé préparé à la maison avec 5 ml (1 c. à thé) d'huile et 60 ml (¼ tasse) de grains de maïs, saupoudré de 3 coups de salière (0,25 ml ou ¹⁄₂₀ c. à thé de sel).

Calories	Glucides	Fibres	Lipides	Sodium
164	24 g	4 g	6 g	147 mg

Voilà un choix nettement meilleur ! Cette portion de maïs soufflé apporte environ deux fois moins de gras et de sodium que celui vendu au cinéma. Essayez l'huile d'arachide pour la finesse de son goût ! L'éclateur de maïs électrique muni d'agitateur motorisé permet d'obtenir un maïs soufflé savoureux avec très peu d'huile.

1 l (4 tasses) de maïs soufflé éclaté à l'air

Calories	Glucides	Fibres	Lipides	Sodium
122	25 g	4 g	1 g	1 mg

On peut préparer du maïs soufflé éclaté à l'air à l'aide d'un éclateur électrique ou du four à micro-ondes.

LE CHOIX DE KAREN

C'est un fait ! On croit que le maïs soufflé a été inventé par les premiers habitants d'Amérique il y a plus de 5 000 ans. On le grillait alors sur une flamme nue.

Mesure 2 : Demeurer actif

Conseils pour la pratique de l'exercice physique

Déjà deux mois que vous êtes fatigué et que votre glycémie est plus élevée qu'à l'habitude… Vous consultez le médecin. Celui-ci voit deux possibilités.

La première

Médecin : « Voici une ordonnance. Prenez ce médicament deux fois par jour. Il aidera à normaliser votre glycémie et à chasser la fatigue que vous avez évoquée. »

Vous : « Oui, merci docteur. »

En acquiesçant : vous manifestez de la confiance envers le médecin ;

vous vous montrez disposé à faire quelque chose pour améliorer votre état ;

vous vous dites que cette solution semble aisée ;

vous pouvez commencer tout de suite à suivre cette recommandation.

La seconde

Le médecin : « Le meilleur traitement contre les problèmes de santé dont vous me parlez, c'est de marcher tous les jours. »

Vous : « C'est que je ne peux pas marcher. Durant la journée, je n'ai pas de temps libre. De toute façon, il fait trop froid, j'ai mal aux genoux et je n'ai tout simplement pas l'énergie.

En refusant : Vous avez toujours confiance en le médecin et souhaitez entreprendre quelque chose pour améliorer votre état. Cependant, la pratique de la marche vous paraît trop ardue. Elle implique de modifier vos habitudes de vie.

- Si vous avez répondu « oui » aux médicaments et « non » à l'exercice physique, vous avez réagi comme bien des gens. Nous aimerions tous que la médecine invente une pilule qui nous soulage sans avoir à faire d'effort particulier.

- Toujours est-il qu'en répondant « oui » au médicament, vous manifestez une certaine volonté de changement et d'amélioration de votre vie. Vous souhaitez avoir le dessus sur votre diabète.

- Si vous répondez de façon affirmative à la proposition de marche quotidienne, vous reconnaissez que l'exercice physique peut être l'un des remèdes les plus puissants.

Près de la moitié des Nord-Américains ne font pas d'exercice physique. La sédentarité est aussi nocive que le tabagisme. Pourtant, on dénombre bien plus de gens inactifs que de fumeurs.

L'exercice physique : un puissant remède pour une bonne santé.

L'exercice : un remède puissant pour une bonne santé !

Ce chapitre vous indiquera des façons d'inclure l'exercice physique dans votre programme de santé. Vous pouvez choisir un programme de conditionnement physique qui soit à la fois aisé et agréable.

Les premiers pas

Comme toute chose, le changement est un processus qui exige du temps. Dans ce chapitre, vous découvrirez comment certaines personnes ont réussi à surmonter leurs réticences relatives à l'exercice et à l'activité physique. Vous le pouvez aussi.

Un pas à la fois

Allez-y de manière progressive. Durant l'effort, vous devriez toujours être capable de parler normalement. Si vous faites de l'embonpoint ou si vous êtes âgé, évitez les activités à impact élevé et les exercices intenses, comme le jogging ou le saut à la corde. Ces activités exercent une pression trop importante sur le dos et les articulations, et elles peuvent provoquer des traumatismes aux pieds. Pour en apprendre davantage sur le risque associé aux exercices à impact élevé et sur les précautions à prendre, consultez les pages 257 à 264.

Pour éviter les douleurs musculaires, faites des exercices d'échauffement et de récupération avant et après la séance. La façon la plus simple d'y parvenir consiste à entreprendre et à clore la séance à un rythme relativement lent. Par exemple, marchez lentement pendant les premières minutes, pressez ensuite le pas jusqu'à atteindre un niveau d'effort confortable, puis revenez au rythme lent pendant les dernières minutes de la séance.

Premièrement, soyez plus actif à la maison et au travail.

Même des changements mineurs peuvent être déterminants. Commencez par remplacer certaines activités sédentaires par des activités plus intenses. Rendez-vous au travail et rentrez à la maison à pied, empruntez l'escalier au lieu de l'ascenseur, garez votre voiture ou descendez de l'autobus à bonne distance de votre destination et marchez. Pourquoi ne pas vous adonner au jardinage, à la pêche, aux travaux ménagers, au billard ou à un autre passe-temps ? Chaque activité compte. Les personnes qui bougent un peu tous les jours dépensent davantage de calories que celles qui demeurent tout le temps assises.

Deuxièmement, faites des sorties plus longues ou d'autres exercices aérobiques.

Des idées d'exercices aérobiques sont présentées aux pages 233 à 237. En regardant la télévision ne serait-ce que 30 minutes de moins par jour, période que vous pourrez passer à marcher ou à faire d'autres exercices aérobiques, vous tiendrez les kilos en échec.

La télé et l'ordinateur, les jeux vidéo et les déplacements pendulaires sont des activités qui nous accaparent de plus en plus. Elles ne nous font cependant pas brûler de calories, au contraire : elles contribuent significativement à l'apparition de l'obésité.

Troisièmement, faites des exercices de musculation et d'assouplissement.

La musculation et l'assouplissement font déjà partie de la pratique de la marche, du vélo et de la natation. Maintenant, vous êtes prêt pour des exercices qui vous permettront d'obtenir la meilleure forme qui soit pour votre âge.

Consultez à ce sujet les pages 240 à 247.

Quatrièmement, trouvez-vous un programme de conditionnement physique.

Ce programme vous aidera à concilier tous vos objectifs, à supporter les revers et à entretenir votre motivation. Trois différents programmes de mise en forme sont proposés aux pages 248 à 255. Le programme 1 comprend des exercices à exécuter en position assise et lors de brèves promenades. Le programme 2 débute par des marches de 15 à 30 minutes, alors que le programme 3 prévoit des sorties plus longues et d'autres exercices aérobiques.

Le corps est une machine étonnante. Presque tout le monde peut se mettre en forme et tirer le maximum de son corps.

Si vous prévoyez faire des exercices plus exigeants allant au-delà de la marche rapide, parlez-en d'abord au médecin. Lisez aussi la section « Précautions ».

Combien de pas faire chaque jour?

- Si vous êtes âgé ou en mauvaise santé, vous ne faites peut-être que quelques centaines de pas par jour. En arriver à 1 000 ou 2 000 serait un objectif louable.

- 1 250 pas équivalent à 1 km (3/5 mille), 2 000, à 1,6 km (1 mille).

- Si vous en êtes déjà à 2 000 pas par jour, essayez d'ajouter 1 000 pas à votre quotidien, et faites-le pendant un mois.

- Vous aurez peut-être besoin de plusieurs mois pour atteindre 5 000 pas quotidiens.

- Beaucoup se donnent comme idéal de marcher 10 000 pas par jour.

L'utilisation du podomètre permet de compter le nombre de pas faits chaque jour.

Les 10 bienfaits de la pratique régulière d'exercice physique

1. Réduction de la glycémie

- L'exercice soutient l'action de l'insuline. Si vous faites de l'embonpoint, la marche vous aidera à brûler des tissus adipeux. Grâce à cette perte de poids, l'insuline accomplira mieux sa tâche, laquelle consiste à abaisser la glycémie.

- Quand vous vous dépensez physiquement, vos muscles requièrent du carburant (des glucides). L'insuline intervient alors et force le glucose présent dans le sang à pénétrer dans les muscles.

- Quand vous faites une brève promenade, vous dépensez une faible quantité de glucose sanguin. Si vous prolongez la marche, vous en brûlez davantage.

La pratique de l'exercice physique soutient l'action de l'insuline pendant 12 à 24 heures.

La normalisation de la glycémie entraîne une réduction des complications du diabète.

2. Renforcement des vaisseaux sanguins et du cœur

Quand nous faisons de l'exercice, notre rythme cardiaque s'accélère. Le sang se déplace alors mieux dans l'organisme. La circulation s'améliore, ce qui réduit l'enflure des mains et des pieds. La pratique régulière de l'activité physique normalise la tension artérielle, réduit le taux de cholestérol et renforce le système immunitaire, tout en contribuant à diminuer le risque d'infarctus du myocarde et d'accident vasculaire cérébral.

3. Facilitation de la respiration

L'exercice améliore la respiration en renforçant la capacité du cœur à pomper l'oxygène. Si vous souffrez d'asthme ou d'emphysème, ce bienfait de l'exercice est particulièrement important.

4. Réduction de la masse adipeuse corporelle

L'exercice aide à remplacer la masse adipeuse par des muscles. Cela est excellent pour le tonus. Qui plus est, l'exercice stimule le métabolisme et permet ainsi de brûler davantage de calories : il contribue à la perte de poids ou à sa stabilisation.

Quel que soit votre poids, l'exercice est essentiel pour mener une vie longue et en santé.

5. Stimulation de la digestion et soulagement de la constipation

L'estomac et les intestins sont des muscles volumineux. L'exercice et une meilleure circulation sanguine en améliorent le fonctionnement.

6. Réduction du risque de certains cancers

Des études montrent que l'exercice contribue à réduire le cancer, notamment celui du côlon et du sein. Comme il soulage la constipation, les déchets et toxines quittent l'organisme plus rapidement; le risque de cancer du côlon s'en trouve diminué. L'exercice contribue à réduire l'embonpoint, ce qui abaisse les taux de certaines hormones, dont l'œstrogène. Ce phénomène diminue à son tour le risque de cancer du sein.

7. Renforcement des muscles et des os

Avec le renforcement de votre musculature, vous aurez plus d'énergie. L'exercice physique fait durant les jeunes années favorise la formation d'une ossature robuste; celui effectué plus tard dans la vie aide à entretenir la solidité des os, et réduit le risque d'ostéoporose et de fractures de la hanche.

8. Soulagement des douleurs lombaires basses

L'exercice favorise l'adoption d'un bon maintien et assure l'équilibre. Il permet d'entretenir la force et la souplesse de l'ossature et de la musculature dorsale.

9. Amélioration du sommeil

L'exercice physique procure une sensation de fatigue salutaire. De plus, il apaise le corps et l'esprit (en partie grâce à la libération d'hormones comme la sérotonine), ce qui facilite l'induction d'un sommeil réparateur et prolongé.

10. Réduction du stress

L'exercice provoque la libération d' « hormones du bonheur » dans le sang. Ces hormones favorisent la détente et sont bienfaisantes pour le cerveau, car elles favorisent une pensée plus claire. En prenant du recul par rapport à des situations stressantes, vous vous donnez le temps d'imaginer des solutions et de former des plans optimistes pour l'avenir.

Quelles sont vos motivations à faire de l'exercice physique? Il vaut la peine de méditer là-dessus.

Exercices aérobiques à faible impact

Qu'est-ce qu'un exercice aérobique à faible impact ?

L'exercice aérobique implique des mouvements continus des jambes et des bras, par exemple la marche ou la natation. Lorsque vous effectuez un exercice physique aérobique, votre fréquence cardiaque s'élève et se maintient au-dessus de la fréquence au repos. L'oxygène transite par les vaisseaux sanguins vers les organes, les muscles et le cerveau. Durant l'exercice, vous sentez votre cœur battre plus fort et votre respiration devenir un peu plus profonde. Vous éprouvez une sensation de chaleur et commencez à transpirer. Pour qu'un exercice soit bienfaisant, nul besoin de surmener son cœur ; une accélération progressive de la fréquence cardiaque suffit.

Un exercice physique à faible impact s'accompagne d'une accélération de la fréquence cardiaque (il est dit aérobique) sans provoquer de chocs qui solliciteraient à outrance les articulations, les os et les muscles. La marche est parmi les meilleurs exercices à faible impact. Elle n'exerce pas de pression sur les articulations ou les pieds, et produit un impact suffisant pour renforcer les os. La natation est un exercice à impact très faible, la poussée d'Archimède venant alléger le poids du corps. La pratique du vélo sur une chaussée unie est aussi un exercice à faible impact, car la selle de la bicyclette supporte le poids de la partie supérieure du corps.

Ce chapitre porte sur les exercices physiques aérobiques les plus populaires chez les adultes atteints de diabète, entre autres :

- la marche (en plein air ou sur tapis roulant)
- la bicyclette (en plein air ou sur vélo stationnaire)
- la natation
- la danse, les exercices aérobiques et l'entraînement aux poids
- les exercices réalisés sur d'autres équipements

Autres exercices aérobiques :

- le golf, à condition de parcourir le terrain à pied et de transporter ses bâtons
- la montée et la descente d'escaliers
- le râtelage des feuilles mortes et le jardinage intense (binage et creusage)

> ### Quantité d'exercice recommandée
>
> *L'American Diabetes Association et l'Association canadienne du diabète recommandent un minimum de 150 minutes de marche ou d'exercice aérobique par semaine. Cela équivaut à 20 ou 25 minutes par jour, soit 5 séances de 30 minutes par semaine. Une telle période équivaut à moins de 3 % de votre temps de veille.*

- les déplacements en fauteuil roulant non motorisé

- le ski de fond ou la raquette

- le patin à roulettes, le patinage sur glace, le hockey de ruelle ou sur glace

- l'aviron, le canotage, la randonnée pédestre ou l'escalade de rocher

MARCHE ET TAPIS ROULANT

Pour les raisons suivantes, la marche est le meilleur exercice :

- Elle est peu coûteuse ; votre bonne volonté et des chaussures de marche suffisent.

- Elle se pratique n'importe où : dans un terrain de stationnement, dans les couloirs d'un édifice, sur une piste intérieure, dans les rues de la ville, sur des chemins de campagne ou dans un centre commercial.

- Vous pouvez marcher seul, en compagnie d'un ami ou d'un membre de la famille, ou avec votre chien (vous pouvez aussi proposer de promener le chien du voisin).

- Tout en marchant, rien ne vous empêche d'écouter de la musique, de prêter l'oreille aux sons de la nature ou de vous fondre dans la rumeur de la ville.

- On peut pratiquer la marche toute sa vie durant.

Marche : est-ce que la question de la sécurité vous préoccupe ?

- Si possible, marchez en compagnie d'un ami, d'une connaissance. Si vous marchez seul, faites-le dans des lieux découverts, bien éclairés, et modifiez parfois votre parcours.

- Si vous préférez marcher seul, annoncez votre sortie à votre entourage ainsi que le moment prévu pour votre retour.

- Si vous marchez dans l'obscurité, portez un gilet à bandes réfléchissantes (en vente dans les quincailleries) afin que les conducteurs vous voient.

- Si vous décidez de porter des écouteurs, réglez le volume assez bas pour toujours entendre les sons ambiants.

Vous éprouvez de la douleur ou souffrez de crampes aux jambes lors de la marche ?

Activités intenses et intermittentes

Pensons au pelletage de neige, au débitage de bois à la hache, aux gros travaux de charpenterie, au tennis et au badminton. Certaines de ces activités sont pénibles. Faites des pauses au besoin et sachez doser votre effort.

Si votre vision a subi des dommages à cause du diabète (rétinopathie), soyez prudent lorsque vous réalisez ces activités. Consultez à ce sujet les pages 38, 40 et 261.

Des études ont permis de constater que les propriétaires de chien marchent presque deux fois plus que les gens qui n'en possèdent pas.

Sachez que ces symptômes sont souvent attribuables à une réduction de la circulation sanguine dans les muscles des jambes. Si c'est votre cas, cela signifie que les muscles de vos jambes manquent d'oxygène durant la marche. C'est là un signe fréquent d'artériopathie oblitérante des membres inférieurs (AOMI). Si vous ressentez ces symptômes, parlez-en à votre médecin ; d'autres vaisseaux sanguins de votre corps pourraient très bien être obstrués aussi.

Si vous éprouvez des douleurs associées à l'AOMI, il est essentiel de faire de l'exercice physique tous les jours. Essayez ce plan d'activité :

1. Marche intermittente. Marchez deux minutes, puis ralentissez ou arrêtez-vous (ou assoyez-vous, si vous le pouvez) pendant une minute. Marchez de nouveau pendant deux minutes, puis faites une autre pause d'une minute, et ainsi de suite. Cette façon de s'entraîner donne à l'oxygène le temps de parvenir aux muscles. En pratiquant cet exercice régulièrement, vous pourrez allonger progressivement la période active à trois minutes, puis à quatre minutes et ainsi de suite.

2. Limitez l'escalade ou la montée d'escaliers raides, car cela risquerait d'intensifier la douleur. À la place, essayez la natation, le vélo, la marche lente sur tapis roulant, la pratique de l'exerciseur elliptique ou les exercices sur chaise.

3. Une fois ou deux par jour, effectuez des rotations de la cheville (voir page 241) afin d'améliorer la circulation dans vos jambes.

Vous pouvez aussi vous joindre à un club de marcheurs ou de randonneurs.

Portez des chaussures qui supportent et coussinent le pied, et qui ont une bonne traction. L'hiver, tenez-vous les pieds au chaud avec de bonnes bottes. Pour approfondir le sujet des chaussures, consultez les pages 292 à 295.

Témoignage de Paulette

J'ai 71 ans, et l'exercice physique est plus important que jamais dans ma vie. La sagesse populaire nous enseigne que tout ce qui traîne finit par rouiller. Je vois des gens bien plus âgés que moi en très bonne forme. Comment cela est-il possible ? Ils font de l'exercice, ils marchent, ils s'entraînent peut-être aux poids trois fois par semaine. Je trouve que la marche nordique est un excellent exercice. Ce sport permet de marcher plus longtemps et plus rapidement, tout en étant doux pour les articulations. Les personnes présentant un embonpoint y trouvent leur compte. Certains marchent en s'appuyant sur une canne, mais l'exercice est meilleur quand on le pratique avec deux bâtons. Les personnes souffrant de douleurs lombaires ont elles aussi intérêt à utiliser deux bâtons. De plus, ils aident à renforcer les bras et le haut du corps. En fait, la marche nordique est bienfaisante à tous les égards ! J'ai effectué quelques recherches avant d'acheter mes bâtons. J'aime ceux qui sont conçus de telle manière que la paume de la main puisse s'y appuyer. Cette construction est ergonomique, les doigts s'adaptent très bien aux poignées. Ce sont les bâtons que je préfère. Ils coûtent environ 100 $, au lieu de 60 $ ou 30 $, mais la différence en vaut la peine. Bien des gens s'imaginent ne pas pouvoir marcher ; s'ils avaient ces bâtons, ils le pourraient.

Témoignage de Jean

Comme je suis très occupé, il m'est difficile d'intégrer l'activité physique à ma vie. Je passe tous les jours plus de deux heures à faire la navette entre le travail et la maison. Au bureau, mon travail est stressant et je n'ai jamais le temps de souffler. Je fais aussi un peu de bénévolat et, bien sûr, il y a toujours les tâches à accomplir à la maison et dans le jardin. Quand je peux enfin me réserver du temps, j'éprouve le besoin de me détendre. C'est en regardant la télé que je le fais.

Au moment de poser mon diagnostic, le médecin m'a dirigé vers les cours donnés dans un centre d'éducation sur le diabète. J'y suis allé. En apprenant que j'allais devoir marcher tous les jours, j'ai éprouvé beaucoup de colère. J'avais l'impression que les éducateurs et mon médecin ne comprenaient pas ce qu'était ma vie. L'exercice allait être un obstacle parmi d'autres à surmonter. Je suis du genre «tout ou rien». Je me suis donc donné le choix entre l'activité à outrance ou bien la léthargie.

C'est ainsi que j'ai continué comme auparavant. Après quelques mois, ma fatigue était encore plus envahissante. J'avais de la difficulté à lire tant ma vision était floue. J'ai soupçonné mon diabète d'être en cause et suis retourné chez le médecin. De fait, ma glycémie avait atteint un niveau stratosphérique. Cette fois, le docteur m'a prescrit des antidiabétiques oraux tout en me recommandant de devenir plus actif, sans quoi ma glycémie allait remonter. Selon lui, m'astreindre à de courtes marches était une bonne idée. Il m'a recommandé de fractionner mes séances en blocs de 10 ou 15 minutes.

Croyez-moi, j'ai vraiment eu peur de perdre la vue. J'ai réfléchi à ses recommandations et j'en suis arrivé à la conclusion que je devais apporter des changements à ma vie. Et c'est ce que j'ai fait. J'ai pris l'habitude de marcher 15 minutes durant la pause du midi. Si j'avais une réunion de prévue au même moment, je reportais mes 15 minutes de marche à plus tard dans l'après-midi. Les premières semaines, j'ai raté quelques sorties, mais j'étais déjà plus actif. J'ai mis environ un mois avant de marcher au moins trois jours par semaine. J'ai constaté que les jours où je sortais marcher, j'étais moins fatigué. J'étais en fait plus performant, surtout en fin d'après-midi. Trois mois se sont écoulés depuis. Certains jours, je n'arrive pas à faire ma marche. Mais quand il fait beau, je m'efforce de marcher un peu plus. J'essaie de marcher les fins de semaine aussi.

Pour moi, l'adoption d'un mode de vie actif est bienfaisante. Je sais maintenant qu'on peut intégrer l'activité physique à sa vie quotidienne, même en étant très occupé. Ma vision a cessé d'être floue. Je me sens mieux. En fin de compte, n'est-ce pas ce qui importe?

Autres façons d'inclure la marche dans un horaire chargé:

- Marcher régulièrement n'est pas une question d'heures, mais de minutes. En marchant ne serait-ce que 8 minutes après les repas, on en arrive aisément à une moyenne de 25 minutes par jour. Cette durée correspond aux recommandations des associations américaine et canadienne du diabète, soit de faire 150 minutes d'exercice aérobique par semaine.

- Pourquoi ne pas réduire le temps passé devant le téléviseur de 30 minutes et aller marcher à la place?

Si le temps est maussade ou si vous préférez marcher à l'intérieur, le tapis roulant est peut-être l'option à envisager. Le tapis roulant est normalement équipé d'une bande défilant grâce à un système électrique. Il donne la cadence et vous pousse à la maintenir. Les fonctions les plus utiles sont celles permettant de fixer la vitesse, la durée de la séance et l'inclinaison. Vous pouvez ainsi vous aménager des séances d'exercice bien constantes. En début et en fin de séance, réduisez la vitesse. Ce ralentissement durant les 5 dernières minutes aide à prévenir le vertige ressenti quand on descend de l'appareil.

Courroie de sécurité et moniteur de fréquence cardiaque (cardiomètre)

Avec le port de la courroie de sécurité, l'appareil s'arrête si vous chutez.

Si vous avez une maladie cardiaque, utilisez un tapis roulant équipé d'un cardiomètre. C'est un dispositif de sécurité essentiel. Suivez les recommandations du médecin ou les directives fournies avec le tapis roulant, ou encore celles de la page 258.

Le tapis roulant manuel fonctionne sans électricité. Avec cet appareil, vous devez faire un effort plus intense pour mettre la bande en mouvement, et cela risque de représenter un trop grand stress pour vos genoux. Le tapis roulant électrique est habituellement la meilleure option.

Cet appareil occupe beaucoup d'espace. On a donc intérêt à le ranger dans un lieu peu passant, comme une salle de rangement ou un sous-sol. Cependant, on oubliera aisément son existence. Si le tapis roulant est bien en vue, installé dans un cadre agréable avec musique ou téléviseur, la probabilité que vous vous en serviez s'accroît.

CYCLISME ET VÉLO STATIONNAIRE

Cyclisme en plein air

Échauffement et récupération : Entreprenez et terminez votre séance à rythme lent.

Pour brûler plus de calories et abaisser davantage votre glycémie : Gravissez des montées, prolongez les randonnées, roulez à vitesse plus élevée. Associez cyclisme et marche.

Questions de sécurité : Portez un casque. Lorsque vous dépassez des marcheurs, faites entendre votre sonnette. Emportez de l'eau lors des grandes sorties. Si vous sortez le soir, il est conseillé de porter un gilet à bandes réfléchissantes et de rouler sur un vélo équipé de feux avant et arrière.

Il est préférable de ne pas vous cramponner aux poignées du tapis roulant. Balancez les bras, comme vous le feriez en marchant. Vous brûlerez ainsi davantage de calories et améliorerez votre bilan calorique. Appuyez-vous sur les poignées si vous craignez pour votre équilibre ou souhaitez réduire la pression sur vos genoux.

Un tapis roulant haut de gamme offre généralement :

- *un moteur plus puissant (normalement un ou deux chevaux-vapeur) (si votre poids est au-dessus de la normale, cette propriété est appréciable) ;*

- *un moteur plus silencieux (tournant à moins de 4 000 tr/min) ;*

- *une bande suffisamment longue pour une foulée complète d'au moins 135 cm (54 po) ;*

- *une garantie prolongée (habituellement de 5 à 10 ans pour le moteur) ;*

- *des fonctions particulières, par exemple la possibilité de programmer les vitesses de marche et la durée des séances ;*

- *des poignées mobiles pour le raffermissement des muscles du haut du corps.*

Avant de vous procurer un équipement, essayez-le afin d'évaluer s'il vous convient.

Adoptez un maintien correct: Pour mieux absorber les chocs, gardez les coudes légèrement fléchis. Modifiez fréquemment la position des mains pour éviter une sollicitation excessive des muscles. Réglez la hauteur de la selle de manière à ce que lorsque vous pédalez, votre jambe atteigne une extension presque complète.

Veillez à votre confort: Pour un surcroît de confort, pourquoi ne pas remplacer la selle de série par une selle plus large? Par ailleurs, un vélo à position allongée («vélo couché» ou horizontal), muni d'une selle en forme de chaise et d'un soutien pour le dos, serait peut-être plus confortable pour vous. Il est plus facile de monter et de descendre d'un vélo à position allongée, et de s'y maintenir en équilibre.

Vélo stationnaire

Recherchez les mêmes caractéristiques sur un vélo stationnaire que sur un vélo de ville, par exemple une selle large et rembourrée, ou la possibilité d'adopter la position allongée.

Installez le vélo stationnaire devant le téléviseur afin de ne pas oublier son existence! Facilitez-vous la vie.

Certains vélos stationnaires sont équipés de poignées mobiles. Celles-ci font travailler le haut du corps pendant que vous pédalez.

Les extrémités des bâtons portent des embouts de caoutchouc pour la marche estivale. L'hiver, on peut munir les bâtons de crampons.

Le programme d'exercice de Monique

Les bâtons doivent convenir à votre taille.

Mon état de santé laissait à désirer. J'avais l'impression que mon poids m'empêchait d'accomplir toute sorte de choses. Je possède un petit appartement et j'y séjourne la plupart du temps. Le service de soins à domicile venait chez moi deux fois par semaine pour m'aider à prendre mon bain. Mon lieu de séjour préféré était le fauteuil inclinable, dans la salle de séjour. Mon deuxième endroit préféré était la chaise dans la cuisine. J'aimais voir par la fenêtre, regarder la télé, lire et recevoir la visite de ma petite-fille. Mais ma vue s'est mise à faiblir, et je ne pouvais même plus distinguer mes pieds. J'ai commencé à avoir des problèmes à un orteil. Il y a eu infection, mais, au début, je ne m'en suis pas rendu compte. L'infirmière qui vient me couper les ongles m'a dit que j'avais une très mauvaise circulation dans les jambes. Pour écarter le risque de perdre mon orteil, je devais me mettre à l'exercice. Je me suis procuré un mini-exerciseur. Au début, j'en faisais quelques minutes le matin, après le déjeuner. Le temps passe plus vite quand je pédale tout en regardant la télévision. Tous les jours, j'essayais d'en faire un peu plus. Maintenant, un mois plus tard, je peux me permettre des séances de près de

10 minutes. Normalement, j'en fais aussi après le souper. Je peux installer l'exerciseur sur la table et travailler mes bras. J'observe alors ce qui se passe dehors. Le fait remarquable est que depuis que je me suis mise à faire ces exercices pour les pieds, l'activité me fait du bien de multiples façons. Je ne pensais jamais redevenir très active, mais je vois désormais que je peux en faire davantage à la maison et que je peux sortir un peu plus. Jusqu'à présent, je n'ai plus eu de problèmes aux orteils, et mes pieds et jambes sont moins enflés. Surtout, je me sens mieux.

NATATION ET GYMNASTIQUE AQUATIQUE

Longueurs de piscine : Avec le temps, augmentez le nombre de longueurs et variez le style de nage.

Musculation : L'eau offre une certaine résistance, qui développe la force et l'endurance.

Développement de la souplesse : La natation exige de longues brassées qui développent la souplesse. Quand vous nagez, exercez la poussée à partir de vos hanches et non avec les genoux. L'exercice sera des plus bienfaisants. Vous constaterez peut-être que votre amplitude de mouvement est supérieure dans l'eau que hors de l'eau. Ainsi, vous pourrez soulever les jambes plus haut.

Si vous ne savez pas nager :

- Utilisez une planche pour progresser dans la piscine. Assurez-vous qu'un maître nageur soit en fonction.

- Certaines piscines offrent des programmes d'exercice physique pour les personnes en fauteuil roulant leur permettant d'utiliser leurs muscles et de faire de l'exercice.

- Marchez ou courez dans une profondeur atteignant la taille ou les épaules :

  – Marchez en eau profonde pour réduire la charge sur les hanches, genoux, chevilles et pieds endoloris.

  – Gardez les pieds à plat au fond de la piscine au lieu de marcher sur la pointe des pieds.

  – Maintenez le corps droit plutôt qu'incliné vers l'avant.

  – Balancez les bras, en les gardant près du corps.

  – Progressez vers l'avant, vers l'arrière ou latéralement.

  – Inscrivez-vous à un cours de gymnastique aquatique.

La gymnastique aquatique est une activité dirigée par un moniteur, qui motive le groupe. Les séquences d'exercices s'effectuent dans un bassin ou encore en eau plus profonde. Dans le second cas, vous pouvez porter un gilet de sauvetage. Il vous aidera à garder le corps bien droit pendant que vous marchez dans l'eau.

Mini-exerciseur

Cet appareil occupe moins d'espace qu'un vélo stationnaire. On peut pédaler tout en restant assis dans son fauteuil préféré. Votre plancher est-il une surface lisse ou recouvert de moquette ? S'il est lisse, placez le mini-exerciseur contre un mur pour l'empêcher de glisser vers l'avant quand vous pédalez. Par ailleurs, certains modèles sont réglables en hauteur. Cette fonction est utile si vous n'êtes pas très grand : vous atteindrez les pédales sans peine. Un mini-exerciseur est une option plus abordable qu'un vélo stationnaire. Vous pouvez en acheter en ligne ou dans un magasin de fournitures médicales.

Dans l'eau, votre poids se trouve réduit :

Dans l'eau, la poussée d'Archimède vous soulève, de sorte que vos articulations n'ont à supporter que la moitié de votre poids environ. Ainsi, si vous souffrez de douleurs aux genoux, aux hanches, aux chevilles ou au dos, vous pourrez sans doute nager ou faire de la gymnastique aquatique avec moins de douleur, voire sans douleur. Pour la femme enceinte, la gymnastique aquatique est une excellente option.

Que porter dans la piscine ? Il existe toute sorte de maillots de bain pour les corps de taille différente. Sur Internet, cherchez « maillots taille forte », « maillots grande taille » ou « maillots de bain antiUV ». Quand vous aurez trouvé le bon, vous aurez fière allure.

Conseils pour les femmes. Portez :

- des hauts en forme de chemise et des bas en forme de jupes ;

- des couleurs vives au niveau du torse et des couleurs plus foncées pour le bas ;

- des motifs verticaux ou des bandes qui amincissent les hanches.

Conseils pour les hommes. Portez :

- des couleurs franches et foncées, avec bandes verticales sur les côtés si vous le souhaitez ;

- des motifs audacieux ou fantaisistes, ou des couleurs qui attirent l'œil et détournent le regard du corps ;

- des maillots de bain plus longs, de type shorts.

Remarque : Les tee-shirts et débardeurs sont autorisés dans certaines piscines.

Conseils pour la pratique de la gymnastique aquatique

- *Pour aller dans l'eau, portez des chaussures de baignade afin de coussiner et de protéger vos pieds.*

- *La pratique de la gymnastique aquatique en groupe et avec un moniteur contribue à entretenir la motivation.*

- *Amusez-vous bien !*

EXERCICES AÉROBIQUES ET DANSE

Commencez à la maison.

- À la maison, marchez sur place ou dansez sur la musique qui vous plaît. Essayez la danse sur chaise (voir page 250). Tout au long de la journée, faites une ou plusieurs pauses musicales. Vous stimulez ainsi la circulation des pieds et du cerveau.

- Durant votre séance, suivez un DVD d'exercices aérobiques ou de danse. Consultez l'horaire des chaînes télé que vous captez pour y trouver des exercices dirigés.

- Entraînez-vous ou pratiquez un sport à l'aide d'une console de jeu vidéo à télécommande, comme la Wii^MD.

- L'équipement dont vous devez disposer à la maison comprend:

  - un jeu de poids;

  - des bandes élastiques pour les étirements et la musculation;

  - une petite serviette pour les étirements;

  - un tapis d'exercices en mousse (comme un tapis de jeu pour enfants ou un tapis anti-fatigue);

  - une petite marche (pour les exercices de step).

Témoignage de Sylvie

Après avoir reçu mon diagnostic de diabète, j'ai attaqué l'hyperglycémie sur deux fronts. D'abord, j'ai tenu un journal alimentaire rigoureux. Ensuite, j'ai effectué les exercices du DVD de marche de Leslie Sansone tous les jours. Je fais mes exercices dans la quiétude de mon foyer. Personne ne me voit suer ou me défoncer. Le DVD que j'ai acheté propose trois niveaux; j'ai commencé par le plus aisé, qui me donnait déjà du fil à retordre. Ce n'était pas évident. Après une période de trois mois, j'ai eu la surprise de constater que je me défendais bien au niveau intermédiaire puis, récemment, au niveau le plus avancé. J'étais une femme plantureuse, et j'ai réussi à perdre du poids. De plus, mon médecin est vraiment satisfait de ma glycémie.

Prévenir les blessures:

- *Libérez suffisamment d'espace pour ne pas percuter les objets environnants en cours d'exercice.*

- *Pour votre confort et votre sécurité, entraînez-vous à une température ambiante fraîche.*

- *Allez-y progressivement. Ne vous sentez pas tenu d'entreprendre le programme avant de vous sentir prêt.*

- *Il est normal de ressentir un peu de fatigue et d'étirement musculaire, mais si un exercice provoque une douleur vive, omettez-le. Peut-être n'êtes-vous pas encore prêt, ou peut-être que cet exercice n'est pas pour vous.*

- *Afin de réduire l'impact sur les chevilles, les jambes et les genoux, entraînez-vous sur un tapis d'exercice, une moquette ou un plancher mou plutôt que sur des tuiles ou du ciment. Pour protéger la plante des pieds, portez des chaussures assurant un bon soutien.*

- *Maintenez toujours les genoux légèrement fléchis et évitez d'exécuter des redressements assis les jambes droites ou de soulever les deux jambes à la fois. Évitez les flexions profondes du genou.*

- *Tenez-vous bien droit (comme si votre tête était tirée par une corde).*

- *Respirez profondément.*

Quand vous vous sentez prêt, inscrivez-vous à un cours ou au gymnase.

- Essayez la danse folklorique, la danse en ligne, la danse du ventre ou la danse de salon. Pourquoi ne pas vous essayer à une danse traditionnelle ethnique ou à la danse pour personnes âgées ?

- Seul ou avec un ami, inscrivez-vous à un cours d'exercice physique. Les centres communautaires et gymnases offrent souvent différents types d'exercices aérobiques.

- Un entraîneur personnel peut établir un programme d'exercices adapté à vos besoins. Il vous encadrera et vous encouragera de façon soutenue. Pour partir du bon pied, l'embauche d'un instructeur de conditionnement physique professionnel pour une ou deux séances est de l'argent bien investi.

- Les programmes d'entraînement inspirés des programmes américains Curves Fitness^{MD} ou SilverSneakers^{MD} pour hommes et pour femmes sont populaires. Ils vous permettent d'exécuter un ensemble d'exercices contrôlés.

Témoignage de William

Si vous n'avez jamais souffert d'embonpoint, vous ne comprenez pas la charge physique et psychologique que cela représente. Pour une personne obèse, il est difficile d'écouter parler quelqu'un qui n'a pas vécu ce qu'elle-même a vécu. Fréquenter le gymnase peut être terrorisant, car, peu importe que les gens pensent du bien ou du mal de soi, on se sent jugé. Cependant, si vous souffrez d'embonpoint et que vous avez la hantise de faire de l'exercice devant les autres, sachez que la plupart se réjouissent de vous voir là et qu'ils appuient de tout cœur votre décision de perdre du poids (je parle par expérience). Mon cheminement fut le suivant : j'ai commencé par faire des exercices pendant quelque mois à la maison. Après avoir réuni ma force et mon courage, je me suis résolu à aller au gymnase. J'ai d'abord eu l'impression que j'attirais les regards, mais c'était peut-être seulement parce que j'étais nouveau. Après quelque temps, j'ai développé un sentiment d'appartenance. À chacun de se fixer et d'atteindre ses propres buts ! Vous en valez la peine. Vous ne réussirez jamais tant que vous n'en serez pas persuadé.

Questions à poser avant d'utiliser un DVD d'exercice ou de danse, ou de suivre des cours:

- *Est-ce que les moniteurs sont reconnus dans leur domaine?*

- *Met-on l'accent sur les exercices à faible impact?*

- *Durant la séance, est-ce que le moniteur vous encourage à surveiller votre fréquence cardiaque?*

- *Est-ce que le degré de difficulté vous convient? Il existe des programmes pensés pour les niveaux débutant, intermédiaire et avancé, ainsi que des cours tenant compte de l'âge des participants. À mesure que vous progressez, vous passez au niveau suivant.*

- *Les exercices sont-ils aisés, les instructions sont-elles claires et les mesures de sécurité sont-elles suffisantes? Par exemple, le moniteur donne-t-il des conseils sur la façon de se protéger le dos et les genoux?*

- *Les séances prévoient-elles des périodes d'échauffement et de récupération?*

AUTRES EXERCISEURS POUR LA MAISON ET LE GYMNASE

Certains constatent que s'ils effectuent leurs exercices au même moment de la journée ou de la soirée, ils en contractent l'habitude — et voilà une excellente habitude! N'oubliez pas que seulement 5 minutes d'exercice, à raison de 3 fois par jour, cumulent 15 minutes par jour, et que ces 15 minutes peuvent être déterminantes pour votre santé.

- Pour votre confort, il est préférable de tester les équipements avant de vous les procurer. Essayez les différents appareils dans une boutique spécialisée ou dans un club de conditionnement physique.

- Lisez les commentaires sur Internet ou dans les magazines. YouTube est un bon site pour visionner des vidéos expliquant l'utilisation des appareils d'exercice.

- Si le prix est pour vous un facteur important, sachez qu'un vélo stationnaire revient moins cher qu'un tapis roulant muni de gadgets électroniques. Vous trouverez des aubaines dans les boutiques d'occasion, dans les petites annonces ou sur Internet, de même que dans les ventes-débarras.

AVERTISSEMENT

La pratique du trampoline sans supervision, qu'il soit miniature ou de taille normale, peut donner lieu à des chutes entraînant de graves traumatismes au cou ou à la tête.

En bon état de marche et utilisés convenablement, les appareils mentionnés ici sont sans danger. Tenez quand même compte des précautions qui s'imposent.

Pour vous aiguiller dans votre achat:

- Les tapis roulants et les vélos stationnaires sont les appareils d'exercice les plus populaires. Consultez les pages 226 à 230. Il s'agit là d'options sûres et excellentes. Le vélo (ou le mini-exerciseur) est plus facile à déplacer dans la maison, tandis que le tapis roulant est plus lourd et occupe davantage d'espace.

- L'exerciseur elliptique, l'exerciseur de ski de fond, le marchepied d'exercice, le rameur et les appareils à contrepoids sont également de bonnes options, à la maison ou au gymnase. Consultez les pages 236 à 239.

L'**exerciseur elliptique** ménage les articulations. Il fait travailler les muscles du haut du corps tout comme ceux du bas, ce qui vous permet de brûler davantage de calories. Vos pieds ne quittent jamais les pédales, et vous pouvez pédaler vers l'avant ou vers l'arrière. On compare l'utilisation de cet appareil à un vol en plein air, tant il est à très faible impact. Son mouvement est plus doux, et il consomme moins d'électricité que le tapis roulant.

L'**exerciseur de ski de fond** procure la même sensation de glisse que le véritable ski de fond. L'appareil fait travailler aussi bien les muscles du haut du corps que ceux du bas. Pour un maximum de confort, il devrait être équipé de bâtons réglables. Il marie mouvement de glisse des jambes et déplacement indépendant des bras.

Perdre du poids sans faire d'exercice ?

Les ceintures vibrantes et les machines d'exercice passif ne permettent pas de perdre du poids, mais elles pourraient vous aider à vous relaxer et, ainsi, à abaisser votre glycémie pendant un certain temps.

AVERTISSEMENT

La pratique des exerciseurs elliptique et de ski de fond exige l'acquisition d'une certaine technique. Si vous souffrez de douleurs aiguës liées à un problème de disques vertébraux, ces options ne sont pas forcément les meilleures. Demandez l'avis d'un physiothérapeute.

Le **rameur** permet lui aussi de faire travailler les muscles du corps sans entraîner d'impact élevé pour les articulations. Recherchez un modèle dont le mouvement est fluide. Il peut s'agir, par exemple, d'un rameur à câble équipé d'un volant à inertie. Cette option est intéressante si vous souffrez de problèmes de pied, de troubles d'équilibre, ou de faiblesse aux jambes.

L'entraînement musculaire avec poids, sur appareil ou avec des poids libres, permet de brûler des glucides et des calories, et de développer la musculature. Dans un appareil à contrepoids, les poids sont fixés à un appareil au lieu d'être libres, comme des haltères.

Les **marchepieds d'exercice** proposés dans les gymnases sont en principe pensés pour faire travailler les jambes tout en ménageant les articulations, comme les exerciseurs elliptiques. Ils sont souvent munis de poignées mobiles pour l'affermissement du haut du corps.

Il existe des marchepieds d'exercice pour la maison, non équipés de poignées. Ces modèles sont légers et faciles à déplacer, mais ils peuvent être durs pour les genoux arthritiques douloureux. Recherchez un appareil qui a un mouvement fluide, muni d'un cadre solide et réglable en hauteur. Quand on actionne l'appareil, ses pédales doivent être parallèles au sol. Il existe aussi des marchepieds d'exercice pour la maison munis de poignées, qui offrent un appui et favorisent l'équilibre. On en trouve équipés de poignées amovibles.

AVERTISSEMENT

Rameurs : Lorsque vous ramez, gardez le dos droit. Ne vous penchez pas vers l'avant au point que, au retour vers l'arrière, vous forciez du bas du dos plutôt que des jambes (cette façon de faire surmène le dos). Quand vous ramez, n'oubliez pas de respirer profondément.

Haltérophilie : Pour éviter les traumatismes, utilisez la bonne technique, augmentez les charges progressivement et respirez profondément (ne retenez jamais votre souffle au moment de soulever un poids). Avant d'effectuer cet entraînement tout seul, allez à un gymnase réputé ou à un magasin d'articles de sport pour y recevoir des séances de formation. N'essayez pas de soulever de charges que vous ne pouvez manipuler en tout confort. Ne travaillez pas avec des poids lourds sans supervision. Si vous êtes atteint de rétinopathie ou si votre tension artérielle n'est pas normalisée, ne soulevez pas de poids au-dessus de la tête, car un tel exercice élève la pression dans le fond de l'œil. Consultez à ce sujet les pages 38, 40 et 261.

Groupes de soutien aux personnes atteintes de maladies articulaires

S'il existe un groupe de soutien pour les personnes atteintes de maladies articulaires dans votre région, les responsables pourraient vous suggérer des idées ou un DVD d'exercices. Aussi, demandez à votre médecin qu'il vous dirige vers un physiothérapeute ou un spécialiste du conditionnement physique afin que celui-ci vous prodigue des conseils personnalisés.

DIX CONSEILS SI VOUS SOUFFREZ D'ARTHROSE

Une bonne maîtrise du diabète est essentielle dans la prise en charge de l'arthrose. C'est qu'une glycémie trop élevée pendant des années risque de provoquer des altérations des muscles et des os. À leur tour, ces altérations aggravent les douleurs et les raideurs musculaires, notamment dans les mains, les pieds et les épaules.

1. **Prenez vos analgésiques** régulièrement, comme prescrit.

2. **Choisissez les meilleurs moments pour marcher,** ceux où la douleur est moindre et où vous vous sentez le plus détendu.

3. **Limitez la durée de vos sorties** (par exemple à 5 ou à 10 minutes), mais acceptez l'idée de marcher plusieurs fois par semaine.

4. De **bonnes chaussures de marche** soutiennent le pied tout en offrant un coussin pour les genoux (voir pages 292 à 294). Peut-être avez-vous besoin d'une orthèse rigide ou semi-rigide. Parlez-en au podiatre ou au médecin. Si vous avez la possibilité de marcher sur une surface lisse, par exemple une piste de caoutchouc, l'exercice sera plus doux pour vos genoux qu'un trottoir de béton.

5. **Une perte de poids même petite** contribue à réduire la charge pesant sur les hanches, les genoux et les chevilles, et réduit les douleurs articulaires.

6. **Appliquez d'abord de la chaleur, ensuite du froid.** Avant d'entreprendre la séance d'exercice, appliquez un linge bien chaud sur l'articulation endolorie. Ainsi, vous la réchauffez, et aidez les tissus et articulations à devenir moins raides. Après la séance, appliquez un linge froid (pouvant contenir de la glace) pendant 5 à 10 minutes. En même temps, soulevez les genoux si vous êtes à l'aise. Vous réduirez de la sorte la douleur, l'inflammation, l'enflure et les spasmes musculaires.

7. **Exercices à faible impact.** Les exercices à faible impact sont les plus doux pour les articulations. On pense ici à la natation, au vélo, à l'exerciseur elliptique, aux exercices sur chaise, à la marche, au tai-chi (discipline traditionnelle chinoise consistant en l'exécution de mouvements lents). Sur le vélo, commencez par une résistance faible qui vous permet de pédaler aisément, et accélérez progressivement. Un vélo à position allongée permet de réduire la pression sur les genoux. Vous réussirez ainsi effectuer un peu de vélo ou de marche sans douleur, ou, du moins, avec moins de douleur. Quand vous marchez, vous pouvez limiter la charge des genoux grâce à l'utilisation d'un chariot d'épicerie, d'un déambulateur (« marchette ») ou de bâtons de marche nordique, ou bien en vous déplaçant dans l'eau.

8. **Évitez les exercices qui impliquent de vous accroupir ou de plier les genoux à l'extrême.**

9. **Ménagez vos genoux.** Lorsque vous devez rester debout pendant une période prolongée, par exemple au moment de faire la vaisselle ou de travailler devant un établi, déposez un pied sur un petit bloc afin d'alléger la pression sur ce genou. Après 5 ou 10 minutes, changez de jambe.

10. **Ne forcez rien.** Lorsque votre genou envoie le message qu'il a besoin de repos, asseyez-vous ou étendez-vous.

L'activité physique aide à soulager l'arthrose de deux façons :

1. *Elle garde les muscles et articulations aussi mobiles et robustes que faire se peut.*

2. *Elle contribue à normaliser la glycémie.*

Après la séance, il est normal de ressentir un léger endolorissement. Cependant, si vous développez une douleur durant deux heures ou plus dans une articulation, réduisez l'intensité de vos séances. Au besoin, consultez le médecin.

Entretien de la souplesse

La souplesse représente la capacité des muscles à s'étirer. Elle permet une vaste amplitude de mouvements. De plus, elle améliore la circulation et le maintien du corps. L'acquisition de la souplesse aide aussi à échauffer et à détendre les muscles. Faites des exercices d'étirement avant de marcher ou de faire des exercices aérobiques, ou associez-les à votre entraînement en force musculaire.

Exercices d'assouplissement courants:

- s'étirer pour lacer ses chaussures ou pour revêtir son manteau

- tendre les bras vers une étagère placée haut

Exercices faciles à exécuter à domicile (voir les exemples à la page suivante)

Les exercices qui favorisent la souplesse sont notamment:

- la natation accompagnée d'étirements;

- le balancement des bras tout en marchant;

- la danse;

- le jeu de quilles;

- le tai-chi, le yoga et les exercices Pilates (pour assimiler ces techniques convenablement, on conseille de suivre des cours).

Suggestions pour l'exécution des exercices d'assouplissement:

- Allez-y lentement et doucement. Si vous forcez vos muscles à acquérir un niveau de souplesse trop rapidement, vous provoquerez des lésions à vos petits muscles, et vous retrouverez avec de l'inflammation et de la douleur. Cet état peut entraîner une élévation de la glycémie.

- Soyez prudent. Les exercices montrés dans ce livre sont sans danger pour les personnes diabétiques. Toutefois, ce ne sont pas tous les exercices proposés dans des livres, sur Internet ou sur les DVD qui le sont.

- Voici deux exemples d'exercices risqués:

  - Rotation du cou: Le fait de décrire un cercle complet avec la tête met trop de pression sur le cou. Un exercice moins risqué consiste à appuyer l'oreille sur l'épaule, ou à enfoncer le menton dans la poitrine.

  - Étirements forcés ou accompagnés d'impact: Évitez les étirements excessifs. Si vous forcez une articulation à aller au-delà de son amplitude naturelle, vous courez

N'oubliez pas que les exercices ne devraient jamais causer de douleur! Étirez vos muscles lentement et progressivement.

Les étirements devraient être accomplis en douceur et maintenus pendant 10 secondes.

un risque. Par exemple, cela peut se produire quand vous vous faites assister par quelqu'un qui vous pousse à étirer le bras au-delà de votre souplesse normale. Autre exemple: tenter désespérément de toucher vos orteils, alors que la dernière fois que vous y êtes parvenu remonte à il y a 50 ans!

Un tel effort peut occasionner des déchirures des muscles, des ligaments et des tendons.

EXERCICES D'ASSOUPLISSEMENT

Étirement du cou

Asseyez-vous sur une chaise, et détendez les bras et les épaules. Inclinez d'abord la tête d'un côté. Penchez lentement la tête vers l'avant, déplacez-la latéralement au-dessus de votre poitrine en esquissant un demi-cercle harmonieux, puis ramenez-la vers sa position initiale. Répétez l'exercice trois fois.

Rotations de la cheville

Asseyez-vous sur une chaise. Étendez une jambe. Décrivez des cercles complets avec la cheville. Reprenez l'exercice en changeant de pied. Exécutez 10 rotations.

Étirement du mollet

Placez-vous debout, les mains contre le mur. Avancez une jambe pendant que vous gardez l'autre derrière, bien droite. Orientez les orteils vers l'avant en maintenant les deux talons au sol. Penchez-vous vers l'avant, en gardant le genou arrière droit. Revenez à la position initiale et détendez-vous. Répétez cinq fois en changeant de jambe.

Une variante de cet exercice peut-être exécutée assis sur une chaise, une jambe surélevée, le genou légèrement fléchi. Inclinez-vous vers l'avant et maintenez l'étirement.

Étirement des ischio-jambiers en position assise

Assoyez-vous bien droit sur le bord d'une chaise. Étirez une jambe (mais sans bloquer le genou), le talon posé contre le sol. Ramenez les orteils autant que possible vers vous. Gardez le dos bien droit et fléchissez le torse vers l'avant à partir des hanches. Vous sentirez un étirement derrière la jambe; les ischio-jambiers sont les muscles situés derrière la cuisse. Maintenez l'étirement. Revenez à la position initiale et détendez-vous. Répétez l'exercice cinq fois en changeant de jambe.

Exercices de musculation

Le renforcement et l'assouplissement du corps résultent de la marche, du vélo, de la natation et de tous les exercices aérobiques. Il est essentiel de renforcer vos muscles et de consolider votre ossature. Voici quelques exercices destinés à vous rendre plus fort.

Exercices de musculation courants:

- soulèvements de poids pour renforcer les muscles des bras et des épaules

- étirements de bandes élastiques pour renforcer le haut et le bas du corps. Les bandes élastiques sont une alternative aux poids et haltères. Plus la bande est épaisse ou courte, plus vous devez développer de force pour l'étirer. Afin d'apprendre la technique correcte et sécuritaire pour se servir des bandes élastiques, consultez un moniteur du gymnase ou trouvez sur YouTube une vidéo exécutée par un moniteur qualifié (recherchez: «*resistance band demo*»).

- contractions du ventre pour renforcer et tonifier l'abdomen

- exercices pour le dos afin de renforcer les muscles abdominaux et dorsaux

- montée d'escaliers et soulèvement des jambes avec appareils à contrepoids pour renforcer les jambes

- séance complète d'haltérophilie et d'entraînement en force musculaire au gymnase

Vous demandez-vous si les rapports sexuels sont un bon exercice?

Si vous aimez faire l'amour, la réponse est oui! Les bienfaits aérobiques des rapports sexuels équivalent en moyenne à la montée de deux volées d'escaliers. Mais ce n'est pas tout. Des rapports sexuels réguliers entretiennent la souplesse tout en renforçant les muscles.

Les exercices de musculation affermissent les muscles. Avec des muscles plus forts, votre insuline agit plus efficacement et amène une réduction de la glycémie.

Suggestions pour l'exécution des exercices de musculation:

- **Évitez les mouvements saccadés et ne soulevez pas de poids au-dessus de votre tête**, surtout si votre tension artérielle n'est pas normalisée ou que vous êtes atteint de rétinopathie avancée. Consultez à ce sujet les pages 38, 40 et 261.

- **N'oubliez pas de respirer** pendant l'effort. Autrement, votre tension artérielle risque de s'élever. Lorsque vous soulevez des poids, respirez par le nez. Au moment d'abaisser la charge, expirez par la bouche.

- **Faites une série d'exercices à la fois et reposez-vous entre les séries:** Une série de soulèvements de poids comporte normalement 10 répétitions. Lorsque vous serez plus fort, vous voudrez peut-être passer à deux séries: soulevez alors le poids 10 fois (une série), reposez-vous ensuite une minute ou deux, puis exécutez une autre série.

- **En règle générale, pour accroître votre force, il est nécessaire de pousser les muscles jusqu'à la fatigue.** Choisissez un poids qu'il vous est difficile de soulever 10 fois. Augmentez le nombre de répétitions puis, lorsque vous vous sentez prêt, passez à un poids plus lourd. Par exemple, commencez par un poids de 1 kg (2 lb) et soulevez-le; faites 2 séries de 10 répétitions. Après quelques semaines, soulevez un poids de 2,5 kg (5 lb) le temps d'une série, et passez à 2 séries quand vous vous sentez prêt.

- **Lorsque vous commencez à faire des exercices de musculation, il est normal de ressentir des raideurs qui durent une journée.** Si ces raideurs persistent, réduisez le poids des charges soulevées ou le nombre de séries exécutées.

- **Si vous ressentez de la douleur ou un malaise,** abandonnez l'exercice. Si vous ressentez une douleur aiguë et intense dans une articulation, c'est souvent que l'exercice doit être adapté.

Il est possible à tout âge d'améliorer sa condition physique et d'inverser la perte naturelle de tonus musculaire qui accompagne le vieillissement. Les octogénaires et nonagénaires peuvent maintenir ou accroître leur force grâce à l'entraînement aux poids. La robustesse des os et la force musculaire contribuent à réduire le risque de chutes associées au vieillissement.

À quelle fréquence dois-je m'entraîner?

- *Pour entretenir la force: Deux fois par semaine, exécutez une série d'exercices ou davantage.*

- *Pour développer la musculature: Trois fois par semaine, exécutez une série d'exercices ou davantage.*

La prudence dans l'exécution des exercices aide à prévenir les traumatismes.

Si vous ne savez pas exactement comment exécuter un exercice, consultez un spécialiste du conditionnement physique au gymnase.

EXERCICES POUR LES BRAS ET LE HAUT DU CORPS

Ces exercices n'exigent pas beaucoup de temps. Ainsi, l'exécution d'une série ou deux peut prendre place pendant les publicités de votre émission télévisée préférée. Si vous êtes assis, tenez le torse bien droit et gardez les pieds à plat sur le sol. S'il s'agit d'un exercice exécuté debout, écartez les pieds à la largeur des épaules environ, tout en fléchissant légèrement les genoux.

Vous pouvez exercer un bras à la fois, ou bien les deux ensemble.

Pour obtenir un bénéfice maximum, effectuez ces exercices lentement.

Cercles de bras latéraux

Un haltère dans chaque main, placez les bras en extension latérale, un peu plus bas que la hauteur des épaules. Avec les mains, tracez lentement de petits cercles bien ronds. Pour plus d'affermissement musculaire, tracez des cercles plus grands et soulevez des poids plus lourds. Répétez en changeant de bras ou en faisant l'exercice des deux bras à la fois.

Flexion des biceps

Tenez le poids dans la main, paume orientée vers le haut, et fléchissez le coude *lentement* pour amener la main jusqu'à l'épaule. Dépliez le bras *lentement*. Répétez l'exercice en changeant de bras ou en l'exécutant des deux bras à la fois.

Traction (push-up) dans un fauteuil

Prenez place sur une chaise de bureau ou dans un fauteuil muni d'accoudoirs. Placez les mains sur les accoudoirs et soulevez les fesses de la chaise. Maintenez la position quelques secondes. Tout soulèvement, aussi léger soit-il, fait travailler les bras. Avec le temps, venez-en à maintenir le soulèvement pendant 10 secondes.

EXERCICES POUR LE VENTRE ET LE BAS DU CORPS

Dans ces trois exercices, n'oubliez pas :

- de continuer à respirer normalement (ne retenez pas votre souffle);

- de maintenir la posture pendant deux ou trois secondes; avec le temps, venez-en à la maintenir 10 secondes.

Contractions du ventre : une alternative aisée aux redressements assis

Les exercices qui renforcent la taille renforcent du même coup le bas du dos.

Contraction du ventre, version 1

- Mettez-vous à quatre pattes sur les mains et les genoux.

- Gardez le dos bien droit, parallèle au sol. Il doit rester immobile.

- Contractez les abdominaux puis relâchez-les.

Contraction du ventre, version 2

- Asseyez-vous bien droit sur une chaise, le dos contre le dossier.

- Rentrez le nombril.

- Contractez les abdominaux, puis relâchez-les.

Les meilleurs exercices pour les jambes sont la marche, le vélo et la natation. Vous trouverez aux pages 250 et 251 des exercices à effectuer sur une chaise.

Accroupissement contre le mur (squat)

Cet exercice sert à renforcer le dos, l'abdomen, les fessiers et les cuisses. Il est excellent si vous passez beaucoup de temps assis. Placez-vous debout, le dos et le derrière de la tête contre un mur. Rentrez le ventre. Gardez les pieds à plat contre le sol, à environ deux longueurs de pied du mur. Fléchissez les genoux légèrement et laissez-vous glisser contre le mur. Descendre ne serait-ce que de quelques centimètres est déjà bienfaisant; avec le temps, vous vous accroupirez de plus en plus bas. Les genoux ne devraient pas dépasser les chevilles. Maintenez la position. Revenez lentement à la posture de départ et répétez.

Parlez à votre médecin ou à votre physiothérapeute d'exercices pour le dos.

Si un professionnel de la santé vous traite pour un traumatisme lombaire, faites les exercices qu'il vous conseille.

Prudence en soulevant un objet

DIX CONSEILS POUR AVOIR UN BON DOS

1. **Faites des exercices simples pour le dos.** Les exercices servent à renforcer le dos, ce qui vous permet de demeurer actif (voir page 247).

2. **Une promenade quotidienne.** La marche aide à renforcer les muscles qui soutiennent le dos. En perdant quelques kilos inutiles autour de la taille, ne serait-ce que de 2,5 à 4,5 kg (5 à 10 lb), vous soulagez déjà votre dos d'un grand poids.

3. **En position debout ou assise, gardez le dos droit.** Quand vous marchez, gardez le dos et le menton droits, détendez les épaules tout en rentrant l'estomac. Votre maintien s'en trouve ainsi amélioré. Le maintien en position assise est aussi important: si vous travaillez à l'ordinateur, regardez droit dans l'écran, sans tourner le regard ni vers le haut ni vers le bas. Maintenez les genoux au niveau des hanches ou un peu plus haut. Les coudes doivent former un angle de 45 degrés par rapport au corps. Pour soulager votre dos, faites de brèves pauses (marchez, bougez ou exécutez les deux exercices pour le dos).

4. **En marchant, utilisez un appui au besoin.** L'utilisation d'un déambulateur, d'une canne ou de bâtons de marche nordique (voir page 229) aide à réduire la charge pesant sur votre dos. De la même manière, à l'épicerie, vous pouvez prendre appui sur le chariot. Une fois votre dos renforcé, vous en viendrez peut-être à vous passer d'appui.

5. **En position debout, allégez la charge de votre dos.** Fléchissez légèrement les genoux ou posez un pied sur un petit bloc.

6. **Évitez de vous incliner vers l'arrière.** Aussi, en effectuant des exercices en position couchée ou assise, gardez toujours les genoux légèrement fléchis. Évitez par ailleurs de soulever les deux jambes à la fois.

7. **Soyez prudent en soulevant un objet.** Avant de soulever une charge, placez les deux pieds à la largeur des épaules. Fléchissez les genoux et gardez le dos droit. Soulevez l'objet en le tenant près du corps. Ne courbez pas le dos. Pour déplacer des objets lourds, servez-vous d'un chariot ou d'une brouette. Si nécessaire, faites-vous aider.

8. **Massage du bas du dos.** Demandez à un ami ou à un membre de votre famille de vous masser doucement le dos, ou consultez un massothérapeute professionnel.

9. **Bonne position de sommeil.** Si vous aimez dormir sur le dos, placez un oreiller sous vos genoux. Si vous préférez dormir sur le côté, placez un oreiller entre les deux genoux et gardez ceux-ci fléchis. Vous évitez ainsi une

torsion dorsale. La qualité de votre matelas a aussi son importance.

10. **Prenez vos analgésiques comme prescrit.** Prenez le type d'analgésique qui convient à votre cas. Faites coïncider votre séance d'exercices avec le moment de la journée où vous vous sentez le mieux.

Exercices pour le dos

Exécutez ces exercices quotidiennement ou plusieurs fois par semaine.

Bascule du bassin – étirement du dos:

- *Étendez-vous sur le sol ou sur un matelas ferme. Fléchissez les genoux.*

- *Gardez les pieds bien à plat au sol, les bras de chaque côté de votre corps.*

- *Rentrez le ventre de manière à coller le dos contre le sol ou le matelas. Maintenez la contraction pendant cinq secondes, puis relâchez le ventre.*

- *Reprenez l'exercice de 5 à 10 fois.*

Le pont – renforcement du dos:

Débutez dans la position de la bascule du bassin.

- *Fléchissez les genoux légèrement.*

- *Soulevez lentement les hanches de manière à ce que votre poids repose sur vos pieds et vos omoplates. Une élévation ne serait-ce que de quelques centimètres est déjà bienfaisante.*

- *Maintenez le ventre bien tendu, l'abdomen aligné sur les hanches. Gardez cette position cinq secondes puis revenez à la position de départ. Détendez-vous.*

- *Reprenez l'exercice de 5 à 10 fois.*

Programme de condition-nement physique adapté

Combien marchez-vous, quelle quantité d'exercice aérobique faites-vous actuellement (outre vos tâches quotidiennes ordinaires) ? En fonction de votre réponse, choisissez un des trois programmes de conditionnement physique présentés plus loin.

Chaque programme prévoit une intensification du niveau de difficulté sur une période de huit semaines. Au terme des huit semaines, vous pourrez peut-être passer au niveau suivant. Faites de votre promenade ou de votre séance d'exercices aérobiques quotidienne une priorité. Ajoutez des exercices de musculation et d'assouplissement selon vos capacités.

Quantité d'exercices effectués actuellement :

Quantité limitée d'exercices. En moyenne, je fais moins de 15 minutes de marche ou d'autres exercices aérobiques par jour.

Autres considérations :

- J'ai réduit mon activité physique à cause de l'arthrose, de douleurs musculaires, de l'essoufflement ou de mon embonpoint.
- Mon sens de l'équilibre laisse à désirer.
- J'ai subi un AVC ou une amputation partielle de la jambe.
- J'utilise un fauteuil roulant ou un déambulateur, à l'occasion ou toujours.

Programme de conditionnement physique 1 :

pour les gens peu actifs

(pages 249 à 251)

Je suis plutôt en bonne forme. Je tiens à maintenir ou à élever ma forme physique. En moyenne, je fais de 15 à 25 minutes de marche ou d'autres exercices aérobiques par jour.

Programme de conditionnement physique 2 :

pour les gens actifs

(pages 252)

Je suis en bonne forme et je souhaite le demeurer ! En moyenne, je fais 30 minutes ou plus de marche ou d'autres exercices aérobiques par jour.

Programme de conditionnement physique 3 :

pour les gens très actifs

(pages 254)

Cas non pris en compte dans ce livre :

- Vous êtes atteint de paralysie partielle ou complète : consultez un physiothérapeute ou un spécialiste du conditionnement physique.

- Vous courez ou vous vous entraînez en vue d'un marathon, d'un triathlon ou de sports de compétition : consultez le médecin, l'éducateur agréé en diabète ou un spécialiste des sports. Le spécialiste du diabète est bien placé pour vous conseiller. Il est essentiel de connaître les risques de cet entraînement, les façons d'éviter les traumatismes ainsi que vos besoins en matière de liquides, de glucides et de calories.

PROGRAMME DE CONDITIONNEMENT PHYSIQUE 1 (POUR LES GENS PEU ACTIFS)

Ce programme prévoit de courtes promenades et des exercices à exécuter sur une chaise. Consultez les exercices sur chaise aux pages 250 et 251. Au besoin, appuyez-vous sur une canne ou un déambulateur, ou prenez appui sur un compagnon de marche. Même si vous n'êtes plus aussi mobile que par le passé, il existe toujours des façons de devenir plus fort et plus souple, et d'améliorer votre circulation. Cette activité physique réduit le risque des complications du diabète.

Sur une période de 8 semaines, vous pourrez prolonger les séances d'exercices de 5 à 20 minutes par jour. Ces séances s'ajoutent à vos activités quotidiennes habituelles.

Au fil des huit semaines, augmentez progressivement l'intensité (la vitesse d'exécution) des exercices aérobiques que vous faites.

Semaine	Nombre quotidien de minutes de marche ou d'exercices sur chaise	Renforcement et souplesse
Première et deuxième	**5 minutes** (en une seule séance ou en 2 séances de 2 ½ minutes)	**Deux fois par semaine:** • Exécutez de chaque bras 5 flexions des biceps en tenant un poids de 0,5 kg (1 lb).
Troisième et quatrième	**10 minutes** (en une seule séance ou en deux séances de 5 minutes)	**Deux fois par semaine:** • Exécutez de chaque bras 10 flexions des biceps en tenant un poids de 0,5 kg (1 lb). • Ajoutez 5 contractions du ventre.
Cinquième et sixième	**15 minutes** (en une seule séance ou en deux ou trois séances plus brèves)	**Deux fois par semaine:** • Exécutez de chaque bras 10 flexions des biceps et 10 flexions des triceps en tenant un poids de 0,5 kg (1 lb). Si vous le pouvez, passez à un poids de 1 kg (2 lb). • Ajoutez 5 contractions du ventre. **Une fois par semaine:** • Ajoutez une série d'exercices d'assouplissement.
Septième et huitième	**20 minutes** (en une seule séance, ou bien en deux ou trois séances plus brèves). Si vous le pouvez, augmentez légèrement l'intensité de l'exercice. Vous pouvez vous inscrire à un cours de natation ou bien vous entraîner à domicile avec des appareils (mini-exerciseur ou vélo à position allongée).	**Deux ou trois fois par semaine:** • Exécutez de chaque bras 10 flexions des biceps, 10 flexions des triceps et 10 cercles de bras latéraux en tenant un poids de 0,5, 1 ou 2,5 kg (1, 2 ou 5 lb). • Ajoutez 5 à 10 contractions du ventre. • Incluez une série d'exercices d'assouplissement. • Au besoin, faites tous les jours des exercices pour le dos.

De nombreux exercices exécutés debout peuvent être adaptés à la position assise. Prenons par exemple la flexion des biceps et les cercles de bras latéraux de la page 244. (D'autres exercices exécutables en position assise sont montrés aux pages 241, 244 et 245.)

Exercices sur chaise

Voici quelques exercices conçus spécialement pour le renforcement de la musculature. Pour tous ces exercices, tenez-vous assis bien droit, rentrez le ventre et collez le bas du dos contre la chaise. Cette position protège le dos.

Marche sur place

Placez les mains sur les hanches, les pieds bien à plat au sol. Soulevez un pied d'environ 15 cm (6 po). Reposez-le et faites la même chose de l'autre pied. Alternez d'un pied à l'autre de façon rythmique. «Marchez» ainsi pendant plusieurs minutes, et augmentez la durée de l'exercice en fonction de vos capacités.

Témoignage d'Hélène

La danse sur chaise est un exercice bienfaisant pour toutes les personnes aux prises avec des problèmes de pieds ou de jambes. Elle se veut un nouveau concept en matière d'exercice aérobique pour ceux qui ne peuvent marcher à l'extérieur. Il est important de prendre place sur une chaise vraiment confortable, qui assure un bon soutien dorsal. Je possède une telle chaise pour travailler sur l'ordinateur. Il suffit d'écouter une musique énergique et bien rythmée, par exemple *Mamma Mia* du groupe Abba. Choisissez la musique qui vous plaît! Avec une sélection de quatre ou cinq chansons, j'arrive à tenir un quart d'heure. Le temps passe très vite au son de la musique.

Avec les pieds, esquissez des mouvements vers le haut et vers le bas, vers l'avant et vers l'arrière. Par exemple, soulevez le pied gauche cinq fois, le pied droit cinq fois, puis exécutez un mouvement latéral cinq fois, et ensuite vers l'arrière. Vous pouvez maintenant faire des redressements de jambe en soulevant le pied. Exécutez le mouvement à cinq reprises. On nous recommande souvent d'y aller selon ses capacités. Si vous pouvez répéter l'exercice 10 fois, tant mieux. Je préfère me contenter de cinq répétitions par pied. Je reprends ensuite toute la série, en faisant chaque mouvement cinq fois, puis je recommence l'ensemble encore une fois. Pendant que vous êtes assis, placez les bras devant vous et exécutez des mouvements vers l'avant et vers l'arrière. Élevez les bras au-dessus de la tête et exécutez un mouvement de cisaillement, ou bien faites des cercles sur les côtés. Toute forme de mouvement est bonne.

Exercices sur chaise mobile

Prenez place sur une chaise de bureau ou dans un fauteuil muni de roulettes. Les pieds bien à plat au sol, déplacez-vous par traction vers l'avant ou vers l'arrière.

Témoignage de Denis

J'ai 53 ans. Il y a quatre ans, j'ai subi un accident vasculaire cérébral. Depuis cet AVC qui a touché le côté droit de mon corps, je suis cloué à un fauteuil roulant. Cela fait plus de 10 ans que je vis avec le diabète.

Je me suis retrouvé dans un centre de soins où on m'a assuré que je ne pourrais jamais retourner à la maison. Au début, j'étais très démoralisé, mais plus tard, j'ai cessé de me percevoir comme un prisonnier. Peu à peu, j'ai recommencé à bouger les membres. Je me suis ensuite dit que si je pouvais faire de l'exercice pendant 5 minutes, je pourrais éventuellement en faire pendant 10 minutes. Au début, un thérapeute me guidait, mais, après un certain temps, j'ai décidé de poursuivre tout seul mon cheminement parce que le thérapeute ne pouvait pas me consacrer assez de temps. Je suis retourné à la maison et j'ai commencé à me déplacer dans la cuisine. Incroyable, mais vrai : c'est la cuisine qui m'a remis au monde ! C'est là que j'ai réappris à bouger. À me pencher.

J'ai commencé par soulever des casseroles. J'ai réappris à me tenir debout, en essayant de sortir des objets d'une armoire, car personne n'était là pour le faire à ma place. J'ai commencé à faire ce genre de choses, puis je me suis dit : eh bien, quel progrès ! J'ai continué d'essayer, encore et encore. J'ai commencé à apprécier ma cuisine. Puis j'ai commencé à *adorer* ma cuisine. J'avais envie d'aimer la nourriture que je mangeais. J'ai commencé à cuisiner d'une main, et j'appréciais les mets que je préparais. Je ne voulais pas m'adonner aux plaisirs de la table autant qu'avant, mais je souhaitais goûter pleinement ce que je mangeais.

Je peux maintenant me déplacer sur 15 mètres (50 pieds). Quand je reçois des visiteurs, je m'assois sur une chaise normale. J'arrive à me tenir debout un peu plus longtemps : je me sers d'un déambulateur. Je consulte de nouveau un physiothérapeute, qui me montre à marcher dans un espace limité par moi-même. Je n'aime pas vraiment le déambulateur, mais je m'en sers comme appui. Ma jambe et mon bras gauche fonctionnent un peu, peut-être à 80 %. Maintenant que j'ai retrouvé mon optimisme, j'arrive à mieux bouger les muscles. Je suis capable d'accomplir beaucoup plus de choses, et cela m'a énormément aidé.

PROGRAMME DE CONDITIONNEMENT PHYSIQUE 2 (POUR LES GENS ACTIFS)

Débutez lentement, et augmentez progressivement la quantité d'exercices que vous faites.

Sur une période de 8 semaines, vous pourrez prolonger les séances d'exercices aérobiques de 15 à 45 minutes par jour. Ces séances s'ajoutent à vos activités quotidiennes habituelles.

Au fil des 8 semaines, augmentez progressivement l'intensité (la vitesse d'exécution) des exercices aérobiques que vous faites.

Semaine	Nombre quotidien de minutes de marche ou d'un autre exercice aérobique (par exemple vélo ou natation)	Renforcement et souplesse
Première et deuxième	**15 minutes** Échauffez-vous et récupérez de l'effort en marchant lentement pendant les premières et les dernières minutes de la séance de marche ou d'un autre exercice aérobique.	**Deux fois par semaine :** • Exécutez de chaque bras 10 flexions des biceps et 10 flexions des triceps en tenant un poids de 0,5 kg ou de 1 kg (1 lb ou 2 lb).
Troisième et quatrième	**25 minutes d'exercice aérobique** (en une ou deux séances)	**Deux fois par semaine :** • Exécutez de chaque bras 10 flexions des biceps et des triceps en tenant un poids de 1 kg (2 lb). • Ajoutez 5 contractions du ventre et accroupissements contre le mur.
Cinquième et sixième	**35 minutes** (en une ou deux séances) Pour dépenser davantage de calories, augmentez un peu la cadence des exercices. En marchant, balancez ou fléchissez les bras.	**Deux fois par semaine :** • Exécutez de chaque bras 10 flexions des biceps, 10 flexions des triceps et 10 cercles de bras latéraux en tenant un poids de 1 kg (2 lb). • Exécutez 5 contractions du ventre et accroupissements contre le mur. **Une fois par semaine :** • Ajoutez une série d'exercices d'assouplissement.
Septième et huitième	**45 minutes** (en une seule séance, ou bien en deux ou trois séances plus brèves). Si vous le voulez, essayez la natation, le vélo, le tennis, le patinage, le curling, la danse ou le golf. Vous pouvez aussi vous procurer un DVD d'exercices ou vous inscrire à un cours d'exercice physique. Pourquoi ne pas fréquenter un gymnase offrant un programme complet de conditionnement physique ? L'exercice physique doit demeurer intéressant ! Si vous vous en sentez la force, lancez-vous des défis.	**Trois fois par semaine :** • Exécutez de chaque bras 10 flexions des biceps, 10 flexions des triceps et 10 cercles de bras latéraux en tenant un poids de 1 ou de 2,5 kg (2 ou 5 lb). • Exécutez de 5 à 10 contractions du ventre et accroupissements contre le mur. • Ajoutez une série d'exercices d'assouplissement. • Au besoin, faites tous les jours des exercices pour le dos.

Témoignage de Marie-Louise

La marche est l'exercice qui me convient le mieux. Je marche en plein air ou sur un tapis roulant.

Braver les intempéries, voilà le principal obstacle. Soit il fait trop froid, soit il fait trop chaud! Mais j'ai décidé d'avoir le dernier mot sur la météo!

Quand il fait froid, j'accumule plusieurs couches de vêtements, dont un manteau à gros capuchon et un pantalon matelassé. J'ai facilement froid aux mains et aux pieds. Je porte donc des mitaines bien chaudes et des bottes doublées, qui laissent suffisamment d'espace pour remuer les orteils et pour accueillir d'épaisses chaussettes. Sur mes chaussures ou bottes, je fixe des crampons antidérapants. Les miens comportent de petits câbles qui assurent une bonne traction sur la neige ou la glace. Ils sont impeccables.

Quand je sors marcher l'été par temps de canicule, j'emporte avec moi une bouteille d'eau. Ainsi équipée, je peux marcher plus loin sans craindre la soif. J'adore prendre du soleil, mais je sais que l'excès est mauvais pour la santé. S'il fait très chaud, je me protège en portant un chapeau et des vêtements légers, et j'applique un écran solaire. Je sors le plus souvent tôt le matin, ou bien le soir, une fois la chaleur tombée. Toute ma famille prend ma santé à cœur! Ma fille m'a offert une compresse réfrigérante pour le cou. Je la laisse quelque temps au congélateur. Quand je marche par temps chaud, je la boucle autour de mon cou. C'est très rafraîchissant.

Cela dit, j'évite de sortir par temps trop froid ou trop chaud. Je m'entraîne alors sur le tapis roulant ou je me promène dans un centre commercial.

Crampons pour faire face à l'hiver

Pour éviter les chutes, portez des crampons, équipez-vous d'un bâton de marche muni d'un pic à son extrémité, ou bien d'une paire de bâtons de marche nordique (voir page 230).

Durant les séances d'exercice de musculation, n'oubliez pas de prendre des pauses d'une minute ou deux entre les séries de 10 répétitions.

PROGRAMME DE CONDITIONNEMENT PHYSIQUE 3 (POUR LES GENS TRÈS ACTIFS)

Tout comme dans les programmes de conditionnement physique 1 et 2, débutez lentement et augmentez progressivement la quantité d'exercices que vous faites.

Sur une période de 8 semaines, vous pourrez prolonger les séances d'exercice aérobique de 30 à 60 minutes par jour. Ces séances s'ajoutent à vos activités quotidiennes habituelles.

Au fil des huit semaines, augmentez progressivement l'intensité (la vitesse d'exécution) de vos exercices aérobiques.

Semaine	Nombre quotidien de minutes de marche ou d'un autre exercice aérobique (par exemple vélo ou natation)	Renforcement et souplesse
Première et deuxième	**30 minutes** Échauffez-vous et récupérez de l'effort en marchant lentement pendant les premières et les dernières minutes de la séance de marche ou d'un autre exercice aérobique. Pour dépenser davantage de calories, augmentez la cadence des exercices. En marchant, balancez ou fléchissez les bras.	**Deux fois par semaine:** • Exécutez de chaque bras 10 flexions des biceps, 10 flexions des triceps et 10 cercles de bras latéraux en tenant un poids de 1 kg (2 lb). • Faites 10 contractions du ventre et accroupissements contre le mur.
Troisième et quatrième	**40 minutes** (en une seule séance ou en deux séances de 20 minutes). Pour diversifier vos séances, essayez différents exercices aérobiques.	**Deux fois par semaine:** • Augmentez les poids à 2,5 kg (5 lb) et continuez d'exécuter les exercices pour le haut et le bas du corps. • Ajoutez une série d'exercices d'assouplissement.
Cinquième et sixième	**50 minutes** (en une seule séance ou en deux séances de 25 minutes)	**Trois fois par semaine:** • Continuez d'exécuter les exercices énumérés ci-dessus, mais à raison de trois fois par semaine.
Septième et huitième	**60 minutes** (en une seule séance, en deux séances de 30 minutes ou en trois séances de 20 minutes). Vous êtes maintenant en grande forme! Pourquoi ne pas essayer une nouvelle activité: tennis, golf, danse ou canotage? Vous pouvez aussi vous procurer un DVD d'exercices ou vous inscrire à un cours d'exercice physique. Pourquoi ne pas fréquenter un gymnase offrant un programme complet de conditionnement physique? Si vous vous en sentez la force, lancez-vous des défis.	**Trois fois par semaine:** • Continuez d'exécuter les exercices ci-dessus, mais passez à deux séries chacun. • Pourquoi ne pas fréquenter un gymnase offrant un programme poussé d'exercices de renforcement et d'étirement, ou un programme de musculation adapté à votre cas? • Un spécialiste du conditionnement physique pourrait vous recommander d'autres exercices et étirements.

Témoignage de Denis

Je suis avocat et j'ai étudié de nombreuses années à l'université. Malgré ce savoir, je ne connaissais à peu près rien de l'alimentation et du conditionnement physique. Je croyais avoir une alimentation équilibrée, et j'étais très occupé. Mais au fil des ans, j'ai commencé à prendre du poids. Il y a cinq ans, j'ai reçu un diagnostic de diabète. À l'époque, je pesais 100 kg (220 lb).

Mon épouse m'a mis entre les mains votre livre *La santé au menu*. L'ouvrage m'a permis d'approfondir mes notions de base en nutrition, surtout dans les domaines de l'apport calorique et de la taille des portions. Les explications étaient très faciles à comprendre. L'ouvrage indiquait la route à suivre. En un an, j'ai réussi à perdre 14 kilos (30 lb). Depuis, je maintiens ce poids.

Quand j'ai commencé à perdre du poids, j'omettais délibérément la marche quotidienne de 30 minutes, même si vous la préconisez dans ce livre. Je tenais à distinguer la perte de poids consécutive à la diminution de l'apport calorique de celle amenée par l'exercice. Autrement dit, je voulais avoir la certitude que ma perte de poids résultait de la diète suggérée dans le livre. Dès que j'ai constaté une perte de poids attribuable au simple fait de manger moins, je me suis mis à l'exercice physique.

J'ai commencé par la marche. Le fait de perdre un peu de poids m'a donné assez de confiance en moi pour m'inscrire à un gymnase. J'ai entrepris la marche rapide sur tapis roulant, associée au travail sur l'exerciseur elliptique, et à l'entraînement aux poids pour les jambes et les bras. Je peux maintenant m'entraîner 40 minutes sur le tapis roulant et le rameur. Même jeune homme, je n'en aurais pas accompli autant! Je me sens en bien meilleure forme maintenant. La santé retrouvée m'a amené à entreprendre des choses que j'avais cessé de faire depuis des années. Ainsi, en compagnie de ma femme, je me suis mis au golf. Nous renonçons à la voiturette et nous nous déplaçons à pied, en portant nos bâtons.

ENCAISSER LES REVERS

Il est normal d'essuyer des revers de temps à autre. Peut-être connaîtrez-vous la maladie ou l'ennui. Peut-être vous blesserez-vous, peut-être vivrez-vous une crise personnelle. Ces vicissitudes peuvent vous amener à négliger votre programme de conditionnement physique. Si vous avez abandonné l'exercice à la suite d'un revers, voici quelques conseils sur la façon de vous remettre en selle.

Ne perdez pas de temps. Si vous vous êtes éloigné du programme pendant quelques jours ou une semaine, essayez de reprendre votre rythme normal.

Ne forcez pas la dose. Ne tentez pas de faire deux journées d'exercice en une.

Au besoin, revenez à un niveau plus aisé. Si vous avez négligé le programme pendant quelques semaines, reprenez-le à une étape antérieure à celle que vous aviez atteinte, et recommencez à faire des progrès à partir de ce point.

Trouvez-vous un compagnon de marche. S'il vous est pénible de vous entraîner seul, pourquoi ne pas vous trouver un compagnon de marche ?

Réservez un moment à l'exercice physique. Le meilleur moment pour faire de l'exercice est le moment qui vous conviendra ! La plupart des gens s'accommodent bien d'une routine. Choisir une heure régulière (matin, après-midi ou soirée) est donc une bonne idée. Il est bon d'attendre une heure ou deux après le repas pour pratiquer une activité physique. À ce moment, vous avez digéré la majeure partie des aliments ingérés, et ceux-ci ont été convertis en glucose. La glycémie est donc habituellement élevée, et l'exercice contribue à l'abaisser.

Tenez un journal de vos séances. La tenue d'un journal d'entraînement peut vous motiver. Inscrivez une coche (✓) pour chaque période de 10 minutes d'exercice aérobique effectuée. Si vous sautez une séance, inscrivez-en la raison dans un calendrier ou un journal. Voyez si vous pouvez trouver des solutions pour éviter d'éventuels séchages de séance.

N'oubliez pas de faire vos exercices ! Laissez-vous des rappels sur le miroir des toilettes, sur la télécommande de la télé ou bien sur l'écran de l'ordinateur.

Précautions

Demandez au médecin s'il a découvert chez vous une maladie cardiaque.

DIX PRÉCAUTIONS À PRENDRE SI VOUS ÊTES ATTEINT D'UNE MALADIE CARDIAQUE

1. **Évitez ou limitez les activités intenses et à impact élevé.** On pense ici à l'haltérophilie extrême ou au pelletage de neige lourde. Si vous pelletez une neige mouillée et lourde, ne soulevez pas de poids au-dessus de votre tête et fractionnez votre effort en de courtes périodes, ou répartissez le travail sur plusieurs jours. Demandez à des amis ou à des voisins en bonne forme de vous aider, ou embauchez quelqu'un.

   Le jogging et le saut sont des exercices à impact élevé. Ils risquent d'endommager vos articulations (voir page 262). Ils peuvent aussi élever la tension artérielle, parfois à des niveaux élevés.

2. **Mesurez votre fréquence cardiaque.** Voici trois différentes méthodes de mesure de la fréquence cardiaque.

   ### Le test de la parole

   Si, durant l'accomplissement d'un exercice, vous ne pouvez pas parler d'une voix normale, vous fournissez un effort trop intense. Réduisez la cadence. Soyez attentif aux messages de votre corps.

   ### Prenez votre pouls.

   Une autre façon d'évaluer la fréquence cardiaque consiste à prendre son propre pouls.

   Vous le découvrirez en posant délicatement deux ou trois doigts de la main (pas le pouce ni l'auriculaire) sur le poignet ou le cou. Comptez les battements pendant 10 secondes, puis multipliez par 6 pour obtenir votre fréquence cardiaque à la minute. Consultez le tableau des fréquences cardiaques cibles à la page 258. Exercez-vous à prendre cette mesure rapidement, car votre fréquence cardiaque ralentit dès que vous cessez de fournir un effort.

   ### Utilisez un moniteur.

   Utilisez le moniteur électronique fourni avec le tapis roulant ou avec un autre appareil.

   Comparez vos résultats avec les valeurs recommandées dans le tableau des fréquences cardiaques cibles (voir page 258).

Fréquences cardiaques cibles

Selon votre tranche d'âge, il existe une plage de fréquences cardiaques recommandées. À l'entraînement, votre fréquence cardiaque devrait idéalement se situer entre les deux valeurs du tableau ci-dessous. Au début, vous pouvez viser une cadence plus lente, soit une fréquence cardiaque inférieure à celle préconisée. Avec le temps, vous améliorerez votre endurance, et pourrez vous rapprocher de la valeur supérieure. Ne dépassez cependant pas cette valeur, car vous surmèneriez votre cœur.

Âge	Fréquence cardiaque cible	
	Battements par 10 secondes	Battements par minute
20 à 30	23 à 28	140 à 170
31 à 40	22 à 27	130 à 160
41 à 50	20 à 25	120 à 150
51 à 60	18 à 23	110 à 140
61 à 70	16 à 21	100 à 130
Plus de 70	15 à 20	90 à 100

3. **Évitez d'incliner la tête sous le niveau du cœur**, surtout immédiatement après une séance. Pour enlever vos chaussures, posez le pied sur une chaise au lieu de vous incliner.

4. **Ne faites pas d'exercice immédiatement après un gros repas ou la consommation d'alcool.** Après le repas, la circulation sanguine se met au service de la digestion, dans l'estomac. L'exercice physique peut alors surmener le cœur. L'alcool peut par ailleurs accélérer la fréquence cardiaque. Combiné à l'insuline ou à certains antidiabétiques oraux, il augmente également le risque d'hypoglycémie.

5. **Ne faites pas d'exercice quand il fait trop chaud**, et ne séjournez pas pendant des périodes prolongées dans les saunas ou les baignoires à remous. Lorsque vous avez très chaud, le cœur travaille deux fois plus pour vous rafraîchir.

Buvez de l'eau durant l'exercice.

6. **Buvez de l'eau pendant l'exercice.** Buvez de l'eau avant, pendant et après la marche. Lorsque votre glycémie est élevée, il est essentiel de boire de l'eau pour éviter la déshydratation.

7. Pendant l'exercice, **respirez profondément** afin d'augmenter la quantité d'oxygène dans votre sang.

8. **Avant un exercice intense, faites une séance d'échauffement.** Après l'effort, prenez le temps de récupérer.

9. **Prenez vos médicaments pour le cœur** comme prescrit par le médecin. Faites usage des médicaments prescrits, par exemple la nitroglycérine, tel que recommandé.

10. **Le médecin peut vous demander de passer un électrocardiogramme (É.C.G. ou épreuve d'effort).** Cet examen permet d'évaluer la santé du cœur. L'É.C.G. peut révéler un problème passé inaperçu, par exemple l'obstruction partielle d'un vaisseau sanguin cardiaque, qui rendrait dangereuse la pratique de l'exercice. L'épreuve d'effort permet aussi de mesurer la tension artérielle, la fréquence cardiaque et le rythme sinusal. Cet examen se réalise sous la surveillance d'un professionnel de la santé. Elle indique au médecin les exercices que vous devez éviter.

Diabète et diminution de la sudation

Si vous vivez avec le diabète depuis longtemps, vous avez peut-être remarqué que vous ne transpirez plus autant qu'avant. Ce phénomène s'explique du fait que le diabète endommage les nerfs, et que les glandes sudoripares ont besoin d'être stimulées par les nerfs. La sudation est le mécanisme de refroidissement naturel de l'organisme. Ce mécanisme étant affaibli chez vous, il est très important que vous buviez suffisamment d'eau et que vous évitiez l'hyperthermie (les « coups de chaleur »).

Votre médecin pourrait demander un É.C.G. d'effort si vous :

• *courez un risque élevé de souffrir d'une maladie cardiaque ;*

• *avez été sédentaire dans le passé ;*

• *souhaitez entreprendre un programme d'exercice plus énergique que la marche rapide.*

Si vous avez récemment subi un infarctus du myocarde:

- Les médecins recommandent un programme d'activité à presque tous les patients cardiaques. Parlez-en à votre médecin.

- L'objectif est d'amener une guérison du cœur grâce à un programme d'exercice très ciblé prévoyant une augmentation progressive de l'effort fourni. Le programme comprend souvent la marche, et l'exercice sur tapis roulant ou sur vélo.

- Il existe peut-être dans votre région un établissement qui offre des programmes d'exercice pour les personnes ayant subi un infarctus. Ces programmes prévoient normalement la présence sur place d'un médecin ou d'un autre professionnel de la santé, ainsi que l'application de mesures de sécurité.

La pratique régulière de l'exercice ne devrait jamais causer de douleur ou de malaise grave. Une progression lente du niveau d'exercice aide à éviter ou à réduire l'endolorissement et la fatigue. Aussi, évitez l'exercice immédiatement après avoir mangé. Si vous éprouvez des douleurs ou des crampes, massez le muscle touché et étirez-le doucement.

Certains signes commandent d'interrompre l'exercice et de consulter le médecin sans délai. Consultez les signes précurseurs de l'infarctus du myocarde et les signes précurseurs de l'accident vasculaire cérébral à la page 28.

SIGNES AVERTISSEURS VOUS INDIQUANT DE CESSER L'EXERCICE

Interrompez votre séance d'exercice et consultez le médecin sans délai si vous observez:

- une douleur thoracique ou un serrement dans la poitrine de forte intensité, ou durant plus de deux minutes;

- une douleur dans le bras ou la joue;

- des difficultés respiratoires ou une incapacité de parler;

- une sudation abondante;

- une douleur articulaire ou musculaire intense;

- une douleur dans le mollet s'aggravant ou s'intensifiant soudainement;

- des battements cardiaques irréguliers;

- une sensation de faiblesse, de vertige ou de nausée;

- une fatigue extrême;

- que les gens autour de vous constatent que vous êtes très pâle ou que vous n'avez pas l'air «dans votre assiette».

EXERCICE PHYSIQUE ET SANTÉ DES YEUX

L'exercice est salutaire, car il normalise la glycémie et stimule la circulation dans les yeux. Cependant, si vous êtes atteint de rétinopathie diabétique (voir pages 38 à 40), certaines activités sont à éviter. Le type d'exercice que vous devez éviter ou limiter dépend du stade auquel se trouve la maladie. Demandez à votre ophtalmologiste si vous devez restreindre l'exercice physique.

Si vous êtes atteint de rétinopathie non proliférante bénigne, vous pourriez ne pas avoir à limiter l'exercice. En cas de rétinopathie non proliférante plus avancée, et à coup sûr en cas de rétinopathie proliférante, des restrictions s'imposent. Elles visent surtout les exercices qui provoquent une élévation de la tension artérielle, qui sont à impact élevé ou qui causent des chocs, ou encore ceux qui exigent de retenir son souffle. Ces exercices risquent d'aggraver la rétinopathie ou de provoquer des complications graves, tel un décollement de la rétine.

Exemples d'activités que l'ophtalmologiste vous suggérera de limiter ou d'éviter en cas de rétinopathie:

- tous les exercices à impact élevé, comme le jogging et le saut;

- les exercices dans lesquels on reçoit des coups, comme la boxe ou le karaté, qui provoquent des secousses, comme le tennis, ou les sports de contact, comme le hockey;

- les activités qui provoquent des changements soudains de pression, comme le parachutisme, la plongée sous-marine et le saut à l'élastique;

- les exercices exigeants effectués à des altitudes supérieures à 1 500 m (5 000 pi);

- le lever de poids lourds;

- le lever de poids au-dessus de la tête;

- le pelletage ardu, par exemple de neige lourde et humide, soulevée plus haut que la taille ou vous forçant à pousser fort;

- pencher la tête sous la taille (à moins que l'ophtalmologiste vous recommande le contraire à la suite d'une intervention à l'œil);

- retenir son souffle pendant un exercice;

- jouer de la trompette très énergiquement.

Dans le doute, demandez l'avis de l'ophtalmologiste.

Avez-vous déjà subi des traitements oculaires au laser ou une intervention chirurgicale à l'œil?

Si c'est le cas, observez attentivement les restrictions imposées par le médecin avant et après l'intervention.

Lorsque vous marchez en plein air au soleil, portez des verres fumés pour protéger vos yeux du rayonnement ultraviolet.

Pour approfondir le sujet des soins à apporter aux pieds, consultez les pages 282 à 296.

EXERCICE PHYSIQUE ET SANTÉ DES PIEDS

- Évitez les exercices ou activités à impact élevé susceptibles d'endommager ou de léser vos pieds.

- Portez des chaussures qui protègent bien les pieds.

- Prenez soin de vos pieds convenablement et inspectez-les tous les jours.

- Après l'exercice, inspectez-vous les pieds à la recherche de zones rouges ou enflammées. Une telle manifestation pourrait être révélatrice d'une infection sous-cutanée.

- Si vous avez un ulcère ou une plaie à vif au pied, suivez les recommandations du médecin. Dans certains cas, vous devrez éviter de marcher ou de vous entraîner sur vos pieds jusqu'à la guérison. Les exercices sur chaise et la pratique du vélo (sans utiliser la partie du pied touchée) sont des options. Si vous avez une plaie à vif, abstenez-vous de nager.

Pourquoi éviter les exercices à impact élevé:
La marche est un exercice à faible impact.

Quand vous marchez, l'un de vos pieds demeure toujours en contact avec le sol. Chaque pied touche au sol avec une force correspondant à une fois et demie votre poids. Pour un individu de 90 kg (200 lb), la force s'exerçant sur chaque pied est donc de 135 kg (300 lb).

Marche: la force qui s'exerce sur chaque pied correspond à une fois et demie votre poids environ.

Un exercice aérobique à faible impact réduit le risque de traumatisme.

Le jogging est un exercice à impact élevé

Quand vous faites du jogging, les deux pieds perdent le contact avec le sol simultanément. Par conséquent, chaque pied retombe au sol avec une force correspondant à trois fois ou plus votre poids corporel. Pour une personne de 90 kg (200 lb), la force de l'impact est au moins de 270 kg (600 lb).

Jogging: la force s'exerçant sur chaque pied correspond à trois fois votre poids environ.

Cela représente beaucoup de poids sur la plante des pieds, ou sur une articulation usée ou vieille.

Si vous prévoyez courir ou faire des marathons, demandez l'avis du médecin ou du spécialiste du conditionnement physique. Les exercices à impact élevé accroissent le risque de traumatisme, surtout si vous:

- êtes relativement âgé;

- souffrez d'embonpoint;

- présentez des complications du diabète, comme la rétinopathie ou des problèmes de pied;

- avez d'autres maladies, comme l'hypertension.

Témoignage d'Elsa

Dans ma communauté, près d'une personne sur quatre souffre de diabète de type 2. Bien des autochtones souffrent à cause du sucre. Tant de jeunes en sont atteints! Quand mon médecin m'a annoncé que j'avais le diabète, j'ai tout de suite voulu réagir et entreprendre quelque chose. Chez les miens, je suis une aînée, c'est-à-dire un guide spirituel. Les gens se tournent vers moi et me demandent conseil. J'ai conversé avec la diététiste qui nous rend visite deux fois par mois. Elle m'a indiqué les aliments à manger et ceux à éviter. Je buvais beaucoup de boissons gazeuses sucrées. C'est donc la première chose que j'ai éliminée, pour la remplacer par des boissons hypocaloriques. J'ai apporté d'autres changements à ma vie. Je me suis mise à pratiquer la marche. J'ai beaucoup marché. Au bout de six mois, j'en étais arrivée à marcher près d'une heure par jour. Ma glycémie s'était beaucoup normalisée, et je me sentais bien mieux. Ça, ce sont les bonnes nouvelles.

Mais il y a une mauvaise nouvelle. J'ignorais tout des soins à apporter aux pieds et je n'y faisais pas du tout attention. Je ne portais pas les bonnes chaussures. J'ai tellement marché que mes chaussures se sont usées. L'une était même trouée. Je ne m'en rendais pas compte, car la plante de mes pieds était devenue insensible. Personne ne m'avait prévenue que le diabète pouvait causer cela. J'ignorais tellement de choses du diabète!

Toujours est-il que le trou dans ma chaussure m'a causé une lésion qui s'est transformée en vilaine plaie. Au moment où j'ai consulté un médecin, la plaie s'était aggravée et laissait voir l'os. Elle s'était infectée. La gangrène s'y est finalement répandue. Bref: j'ai d'abord perdu le pied, puis toute la jambe jusqu'au genou. Aujourd'hui, je porte une prothèse. Le fait de marcher avec difficulté me complique désormais la vie quand vient le temps de soigner mon diabète.

Si je raconte mon histoire, c'est pour vous éviter de répéter mes erreurs. Pour venir à bout du diabète, l'exercice physique est extrêmement important. Cependant, faites vos exercices dans le respect des règles de sécurité. Si j'avais su comment prendre soin de mes pieds et si j'avais connu l'importance de porter de bonnes chaussures, j'aurais pu prévenir tous mes problèmes.

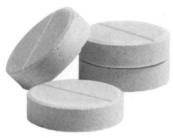

comprimés de glucose

HYPOGLYCÉMIE DURANT L'EXERCICE

On parle d'hypoglycémie quand le taux de glucose tombe sous le seuil des 4 mmol/l (75 mg/dl). Vous ressentez alors de la faiblesse et avez des étourdissements. Vous pouvez corriger cette situation en avalant trois à cinq comprimés de glucose ou 15 ml (1 c. à table) de sucre. Si vous recevez de l'insuline ou certains antidiabétiques oraux, vous pouvez vivre un épisode d'hypoglycémie pendant la pratique de l'exercice. Pour de plus amples détails sur les signes, symptômes et causes de l'hypoglycémie ainsi que sur les façons de la prévenir, de la traiter, et sur les consignes de sécurité à suivre, consultez les pages 335 à 341.

HYPERGLYCÉMIE DURANT L'EXERCICE

Vous serez peut-être étonné d'apprendre que l'exercice physique peut provoquer aussi bien l'hypoglycémie que l'hyperglycémie.

Dans le cas du diabète de type 2, deux raisons principales font en sorte que l'exercice peut causer une élévation de la glycémie:

1. Tout de suite après la séance d'exercice, votre corps est échauffé. Vous pouvez ressentir de la soif ou vous sentir un peu déshydraté. Ces facteurs provoquent l'hyperglycémie. Avec un peu de repos et de liquide, les choses rentrent généralement dans l'ordre en moins d'une demi-heure. À moins de craindre une hypoglycémie, attendez au moins une demi-heure après l'exercice pour mesurer votre glycémie.

2. Voilà des jours, des semaines ou des mois que votre hyperglycémie est stabilisée autour de 16 mmol/l (300 mg/dl) ou plus? Cela signifie que vous manquez d'insuline ou que votre insuline n'agit pas comme elle le devrait. Si vous exécutez un exercice pénible ou prolongé, par exemple une longue promenade ou une séance d'haltérophilie intense, il se peut que votre glycémie augmente au lieu de baisser.

Et voici pourquoi:

Votre sang renferme peut-être assez de glucose, mais ce dernier ne parvient pas aux muscles à cause d'un manque d'insuline. Vos muscles informent donc votre cerveau de leur besoin en glucose. L'organisme réagit à ce message en puisant dans les réserves de glucose du foie et en les libérant dans le sang. Ce nouveau glucose ne peut toujours pas pénétrer dans les muscles à cause de l'insuffisance d'insuline, et il s'accumule dans le sang. Il en résulte donc une élévation de la glycémie.

Mesure 3 : Abandonner le tabac

Les bonnes raisons d'arrêter de fumer

Il y a bien des raisons pour cesser de fumer. Quelles sont celles qui comptent pour vous ?

Vous voulez vous sentir mieux.

Vous serez moins essoufflé, aurez plus d'énergie et vous sentirez plus jeune. Vous attraperez moins de rhumes et d'infections pulmonaires. Vous vous sentirez propre et frais. Les aliments auront meilleur goût et votre peau sera plus douce.

Vous voulez rester en aussi bonne santé que possible.

Le tabac (à travers la nicotine, le monoxyde de carbone et d'autres toxines) agit essentiellement de trois façons sur l'organisme :

1. **Cancer.** Vous savez sans doute que le tabac est la principale cause du cancer du poumon. Il contribue aussi à l'apparition de cancers touchant la bouche, la gorge, le pancréas, le côlon, les reins, la vessie et le col de l'utérus.

2. **Troubles respiratoires.** Le tabac peut causer différents troubles respiratoires, tels la bronchite ou l'emphysème.

3. **Infarctus du myocarde et accident vasculaire cérébral.** Le tabac endommage et rétrécit les vaisseaux sanguins partout dans le corps, et élève la tension artérielle.

Ensemble, le tabac et le diabète aggravent les complications du diabète.

Si vous êtes atteint de diabète et que vous fumez en plus, vous êtes davantage susceptible de souffrir de complications qu'un non-fumeur. C'est que la nicotine, de concert avec l'hyperglycémie, rétrécit et endommage les vaisseaux sanguins, et réduit l'apport en oxygène aux tissus. Elle diminue aussi la capacité de l'organisme d'utiliser l'insuline convenablement et rend celle-ci moins efficace.

Ainsi, les complications suivantes s'observent plus fréquemment chez le fumeur :

- infarctus du myocarde et accident vasculaire cérébral

- gangrène et amputation de la jambe ou du pied

- troubles rénaux

Les bienfaits de l'abandon du tabac se manifestent sur-le-champ.

Peu importe combien d'années vous avez fumé : les bienfaits de l'abandon du tabac se manifestent dès les premières heures. La normalisation de la tension artérielle et du pouls s'observe immédiatement. Dès le premier jour, l'organisme élimine le monoxyde de carbone de l'organisme. Après quelques jours seulement, vous aurez davantage d'énergie et serez moins essoufflé. Au bout de quelques semaines, votre circulation sanguine s'améliorera. Après quelques mois, votre fonction pulmonaire se sera améliorée de 10 % environ. Un an après avoir cessé de fumer, vous risquerez deux fois moins de subir un infarctus qu'un fumeur diabétique, et votre risque d'amputation du pied aura décru du tiers. C'est incroyable !

- perte de vision (rétinopathie)
- lésions nerveuses
- dysfonctionnement érectile
- affections gingivales

Vous souhaitez économiser de l'argent.

Fumer coûte très cher ! Votre budget est serré ? Imaginez investir l'argent gaspillé dans l'achat d'aliments santé ou un programme de mise en forme !

Vous souhaitez donner le bon exemple à votre famille.

- Il ne tient qu'à vous de réduire le risque de tabagisme dans votre famille. Des études révèlent que les enfants de fumeurs sont plus susceptibles de fumer à leur tour.

- Si vous êtes enceinte, vous souhaitez avoir le bébé le plus en santé qui soit.

- En ne fumant pas à la maison, au travail et dans la voiture, vous éliminez les risques liés à la fumée secondaire.

- Faites en sorte que votre maison soit un foyer en santé ! De plus, l'abandon du tabac réduit le risque d'incendie. En effet, le tabagisme est la principale cause d'incendie chez les particuliers.

Il n'est jamais trop tard pour cesser de fumer.

> *Au Canada et aux États-Unis, il y a maintenant plus d'anciens fumeurs que de fumeurs. Si d'autres l'ont réussi, vous le pouvez aussi.*

Marguerite a cessé de fumer.

J'ai 80 ans. Ma meilleure amie et moi avons commencé à fumer à 15 ans, en secret. Nous l'avons fait un certain temps dans la cour d'école. Le midi, nous avions l'habitude de nous rendre au centre-ville en tramway, jusqu'à la gare, où nous dînions et fumions dans les toilettes des dames. C'était un endroit très lugubre, mais c'était notre cachette.

Bien sûr, ma mère a fini par nous pincer. Elle était très déçue. Elle m'a expliqué que cette habitude était très mauvaise pour la santé et qu'elle espérait que je cesse de fumer. J'avais environ 18 ans à l'époque.

Une fois mariée, j'ai continué à fumer, jusqu'à ce que je devienne enceinte de mon premier enfant. Motivée par le désir de ne pas nuire à mon bébé, il m'a été facile d'arrêter. Toutefois, quand mon enfant a eu neuf mois, je me suis remise à fumer. Mon mari, lui, fumait comme une cheminée.

Une autre occasion d'arrêter m'a été donnée lors de ma deuxième grossesse. Je ne sais plus à quel moment j'ai recommencé à fumer. À ma décharge, je dirais que je n'ai pas fumé alors que j'allaitais ou que je tenais mon bébé dans mes bras. Cependant, la fumée secondaire était présente partout. À l'époque, nous étions inconscients de ses dangers.

À ma troisième grossesse, j'ai encore cessé de fumer pour recommencer quelques mois après la naissance du bébé.

Je ne me souviens pas d'avoir trouvé difficile de cesser de fumer quand j'avais une telle motivation.

Par contre, je n'ai pas trouvé aisé d'abandonner le tabac pour moi seule, sans raison impérieuse. Passé la trentaine, j'ai tenté d'arrêter au moins sept fois. J'ai essayé la gomme à mâcher à la nicotine et le sevrage brutal. Je me suis inscrite au programme d'abandon du tabac de l'Église adventiste du septième jour. J'ai essayé la relaxation totale. J'ai tenté de fumer à m'en écœurer, dans l'espoir de me dégoûter du tabac. Je cessais de fumer pendant quelque temps, puis je recommençais. Tout ce temps, mon mari fumait.

Un beau jour, nous avons décidé ensemble d'arrêter de fumer. Nous avons terminé les dernières cigarettes qui nous restaient, soit une dizaine, puis avons cessé de fumer abruptement. Nous devions nous en remettre à nous-mêmes, et il n'y avait plus rien à fumer à la maison. Mener un combat commun était ce qu'il me fallait et ce qu'il fallait à mon mari. Nous n'arrêtions pas par crainte de la maladie en particulier. Nous le faisions parce que nous savions depuis des années que fumer était une énorme bêtise.

La conclusion à tirer de tout cela est que, pour cesser de fumer, il faut être profondément motivé. Pensez à votre santé ou à celle de vos êtres chers. Ou bien reconnaissez enfin l'inconscience et l'absurdité de l'acte de fumer — qui est aussi une habitude très coûteuse. Pour mon mari et moi, qui fumions plus de deux paquets de cigarettes par jour, l'abandon du tabac nous a permis d'économiser, puis de réaliser des projets de retraite qui nous auraient été inaccessibles autrement. Selon mes souvenirs, il n'a pas été très difficile d'arrêter. Tout ça remonte à tellement loin : il y a 35 ans! Jamais une seconde je n'ai regretté d'avoir abandonné cette funeste habitude. Malheureusement, mon mari a développé de l'emphysème. Le voir courir après son souffle au moindre effort fait très mal à voir. Si seulement nous n'avions jamais fumé ou avions cessé plus tôt!

Les aides au sevrage tabagique, comme les timbres à la nicotine et les lignes d'écoute téléphonique, n'existaient pas à l'époque où Marguerite tentait de cesser de fumer. Ces nouveautés les auraient peut-être aidés, elle et son mari, à abandonner la cigarette plus tôt.

Dix étapes pour arrêter de fumer

1. PRÉPAREZ-VOUS MENTALEMENT.

Si vous êtes comme la plupart des fumeurs, vous avez commencé à fumer dès l'adolescence, souvent sous la pression de camarades, pour faire preuve d'indépendance ou jouer aux adultes. Certains font l'essai de la cigarette, mais n'en contractent jamais l'habitude. D'autres deviennent accros dès la première bouffée. Le tabac crée une dépendance.

Le tabac devient un compagnon de tous les jours. Il vous stimule. C'est un outil pratique pour combattre le stress et les envies. En vous préparant mentalement, il sera moins difficile de lui dire adieu. Abandonner le tabac, c'est plus que tout simplement cesser de fumer. C'est un processus qui consiste en l'acquisition de nouvelles habitudes, meilleures pour la santé. Il est difficile de devenir non-fumeur, mais l'effort en vaut la peine.

Avant de cesser de fumer, posez-vous les questions suivantes:

Quelles sont *vos* motivations pour cesser de fumer?

Vos raisons sont les meilleures. Dressez-en la liste.

Qu'est-ce qui déclenche chez vous l'envie de fumer?

Les déclencheurs peuvent prendre la forme de moments ou de circonstances qui éveillent chez vous l'envie de fumer. On pense ainsi à la consommation de café ou d'alcool, à la télévision, aux cartes et au bingo, à la conduite automobile, à une crise existentielle ou à la fin d'un repas.

Comment réagirez-*vous* face à ces déclencheurs?

Une bonne attitude consiste à contracter de nouvelles habitudes, plus saines, et à évacuer son stress en marchant, en buvant de l'eau, en respirant profondément ou en s'adonnant à un passe-temps qui occupe l'esprit et les mains. Ces 10 étapes vous fourniront de nombreux trucs utiles pour vous aider à résister aux déclencheurs de l'envie de fumer.

Allez chercher des appuis.

Des études montrent que vos chances de réussir augmentent si au moins une personne (ami, membre de la famille ou professionnel) vous écoute et vous soutient. Il vous faut songer:

- à parler à un membre de la famille ou à des amis qui sont parvenus à arrêter de fumer;

- à annoncer votre projet à votre famille et à vos collègues de travail (cherchez à obtenir leur soutien);

Groupes de soutien et lignes d'écoute téléphonique

- Société canadienne du cancer

- J'arrête

- CLSC

- Programmes d'aide aux toxicomanes

Ces organismes peuvent vous fournir des informations plus détaillées sur la façon d'arrêter de fumer. Ils disposent aussi de ressources pour aider ceux qui songent à abandonner le tabac, mais qui ne se sentent pas encore prêts.

Dans ces organisations, vous pourrez parler à des personnes qui vous prodigueront conseils et soutien. Selon l'endroit que vous habitez, différents services sont offerts, notamment:

- des lignes d'écoute téléphonique sans frais;

- des forums d'échange sur Internet;

- des dépliants et publications;

- des groupes de soutien.

- à interroger le médecin sur les méthodes d'abandon du tabagisme et sur les aides au sevrage tabagique (votre pharmacien ou éducatrice en diabète, faciles d'accès, peuvent aussi vous apporter une aide appréciable);

- à vous informer sur les programmes d'aide à l'abandon du tabagisme et sur les groupes de soutien existant près de chez vous (voir plus bas);

- à vous informer sur les lignes d'écoute téléphonique sans frais et sur les sites Web d'aide à l'abandon du tabac (voir plus bas);

- à déterminer si votre assurance médicaments couvre le coût des aides au sevrage tabagique (par exemple les timbres à la nicotine).

2. FIXEZ-VOUS UNE DATE POUR ABANDONNER LE TABAC.

Il est naturel de reporter à plus tard l'abandon de la cigarette. Il s'agit d'une démarche très difficile, mais décisive. Il vous sera peut-être plus aisé d'y parvenir si vous vous fixez une date pour le faire. Vous avez alors un objectif concret à atteindre. Ne placez pas le but trop loin, sinon il devient abstrait. Pourquoi ne pas vous fixer une date dans plus ou moins un mois? Optez pour une période non chargée d'événements stressants prévisibles. Pour arrêter de fumer, vous devez être armé, mentalement comme physiquement.

Il est facile de se trouver des excuses pour ne pas cesser de fumer. Notez par écrit la date fixée de votre abandon du tabac, et tenez-vous-y.

Imaginez-vous en non-fumeur.

Si vous y arrivez, vous pouvez aussi cesser de fumer!

3. SEVRAGE BRUTAL OU SEVRAGE DOUX?

Sevrage brutal

Dans le sevrage brutal, vous cessez abruptement et totalement de fumer à la date prévue, sans aucune aide. La plupart des gens qui abandonnent le tabac le font «à froid», mais cette démarche comporte de nombreux faux départs. En fait, la recherche montre que les gens qui utilisent les aides au sevrage tabagique ou les lignes d'écoute téléphonique sans frais réussissent à abandonner le tabac après moins de tentatives. Vous avez déjà tenté le sevrage brutal, puis avez recommencé à fumer? La prochaine fois, essayez d'utiliser les outils qui s'offrent à vous.

Abandon progressif

Selon cette méthode, on cesse de fumer en abandonnant l'habitude progressivement, sur plusieurs semaines, jusqu'à la date prévue de l'abandon. Certaines personnes tiennent à fumer les cigarettes auxquelles elles sont le plus attachées (par exemple, la première au lever, ou celle qui suit les repas). Elles réduisent donc leur consommation à d'autres moments de la journée, et terminent le processus en abandonnant les cigarettes les plus importantes. Chaque cigarette non fumée vous rapproche du but, soit de devenir non-fumeur.

4. ÉTUDIEZ LES DIFFÉRENTES AIDES AU SEVRAGE TABAGIQUE.

Il existe différents médicaments et diverses aides pour cesser de fumer. La recherche révèle qu'ils permettent à beaucoup de gens de le faire.

Si une méthode ne donne pas les résultats escomptés, n'hésitez pas à en essayer une autre. Renseignez-vous sur les aides au sevrage tabagique auprès du médecin ou du pharmacien, ou communiquez avec un organisme (voir page 269).

Produits de substitution de la nicotine

Le tabac crée davantage qu'une habitude: il entraîne une dépendance. Les produits de substitution de la nicotine peuvent vous aider à vous sevrer de la cigarette. Ils comportent de la nicotine, mais celle-ci n'est pas accompagnée du monoxyde de carbone et des toxines provenant de la combustion des feuilles de tabac et présents dans la fumée de cigarette. Ces produits de remplacement sont la gomme à mâcher et les pastilles à la nicotine, les timbres, l'inhalateur et, aux États-Unis, le vaporisateur nasal à la nicotine. Ils soulagent les symptômes physiques associés au sevrage et permettent au fumeur de vivre sans avoir de cigarette à la main.

Il arrive parfois que le fumeur opte pour le sevrage brutal à la suite d'un événement majeur, comme un infarctus du myocarde ou un accident vasculaire cérébral. N'attendez pas d'être au pied du mur pour prendre la bonne décision.

Réduire sa consommation grâce à la gomme à mâcher à la nicotine.

Vous souhaitez réduire votre consommation, mais vous ne vous sentez pas encore prêt à arrêter? Vous réduisez votre consommation à domicile, au travail, au volant ou en présence de non-fumeurs? Tant mieux! Dans ces circonstances, la gomme à la nicotine peut vous aider à surmonter votre envie de fumer (voir page 272). La bonne nouvelle, selon la recherche, c'est que lorsqu'on cesse de fumer à la maison, on augmente grandement ses chances d'abandonner complètement le tabac un jour. Vous êtes en train de devenir non-fumeur.

Consultez le médecin ou le pharmacien.

Tous ces produits sont en vente libre. Pour apprendre à vous en servir, consultez le médecin ou le pharmacien. Ils vous indiqueront quelle quantité du produit consommer, et pendant combien de temps. Il est important de suivre ces instructions si vous avez d'autres problèmes de santé, si vous êtes enceinte ou si vous allaitez. Utilisez les produits correctement afin de ne pas ingérer trop de nicotine.

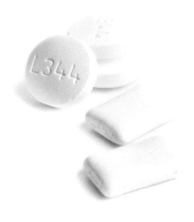

Gomme à mâcher et pastilles à la nicotine

Certains fumeurs constatent que les timbres à la nicotine donnent de bons résultats s'ils sont associés à l'occasion à un morceau de gomme à mâcher ou à une pastille à la nicotine, peut-être parce que le timbre fournit un approvisionnement constant en nicotine, tandis que la gomme ou la pastille apporte un surplus permettant de combler une envie de fumer ponctuelle.

Vous avez l'embarras du choix : certains fumeurs n'apprécient pas la saveur de la gomme et des pastilles, et préfèrent donc les timbres. D'autres se plaignent d'irritation de la gorge avec l'inhalateur, ou d'irritation nasale avec le vaporisateur. Selon les conseils du médecin, vous en arriverez peut-être à utiliser une combinaison de produits.

Gomme à mâcher ou pastilles à la nicotine

La gomme à mâcher et les pastilles à la nicotine sont sans sucre. Suivez les instructions fournies avec le produit. Si une envie de fumer vous prend soudainement, prenez une gomme à mâcher ou une pastille. Observez la posologie indiquée sur l'emballage (la gomme est offerte en différentes concentrations). Certains fumeurs n'utilisent la gomme ou les pastilles que pendant une brève période, tandis que d'autres en consomment pendant plus de quatre ou six mois.

Timbres à la nicotine

Si vous fumez plus de 10 cigarettes par jours ou si vous avez une envie impérieuse de fumer dès le saut du lit, les médecins recommandent le timbre à la nicotine. Celui-ci s'applique sur la peau et libère de la nicotine dans le sang. On le porte de 16 à 24 heures, après quoi on le remplace par un nouveau le lendemain, en commençant par un timbre à dose élevée, faisant progressivement place à des doses plus faibles. Sur une période de 6 à 12 semaines, vous réduisez ainsi les doses de nicotine en appliquant des timbres qui en contiennent de moins en moins. Le timbre est facile à utiliser.

Inhalateur oral à la nicotine

Il s'agit d'un petit tube qui ressemble à une cigarette. Lorsque vous inhalez, vous obtenez une dose de nicotine plus faible qu'avec la cigarette. En consommer 6 à 12 cartouches par jour vous permet de réduire progressivement votre besoin quotidien en tabac et de cesser de fumer une fois que vous serez parvenu à une ou deux cartouches par jour. Il ne faut pas utiliser l'inhalateur pendant plus de six mois.

Vaporisateur nasal à la nicotine

Le vaporisateur se présente sous forme de petit contenant qu'on introduit dans la narine. On peut utiliser le vaporisateur de 8 à 40 fois par jour. Utilisez-le pour la durée indiquée sur son emballage. Cette solution n'est peut-être pas la bonne si vous souffrez de rhume des foins ou d'une infection aux sinus.

Inhalateur oral à la nicotine

> **Les cigarettes mentholées, les cigares aromatisés et les autres produits du tabac aromatisés sont mauvais pour la santé.**
>
> *Les cigarettes mentholées semblent peut-être «rafraîchissantes», mais elles sont tout aussi nocives que les cigarettes ordinaires.*
>
> *Certains croient à tort que les produits vendus sur Internet, comme les cigarettes électroniques (e-cigarettes), sont sans risque. Attention: elles contiennent elles aussi de la nicotine et doivent être évitées. Leur vente n'est pas approuvée au Canada. En somme, il n'existe pas de cigarette sans risque.*

Médicaments aidant à abandonner le tabac

Il existe sur le marché plusieurs médicaments vendus sur ordonnance qui aident à cesser de fumer. Ils ne contiennent pas de nicotine, mais renferment d'autres substances qui réduisent les symptômes du sevrage et l'envie de fumer. Certains peuvent être combinés avec un produit à base de nicotine. Parlez-en au médecin ou au pharmacien, car une partie de ces médicaments entraînent des effets secondaires.

Hypnose, acupuncture et traitement au laser

Certains prétendent que ces traitements les ont aidés à cesser de fumer. Toutefois, il est difficile de démontrer leur mécanisme d'action. Si ces traitements fonctionnent, c'est peut-être parce qu'ils sont associés à des produits de substitution de la nicotine, comme le timbre. De plus, leur administration est souvent accompagnée de conseils professionnels, de soutien et d'information sur l'abandon du tabagisme, ainsi que de techniques de relaxation. Des études révèlent que le traitement donne de meilleurs résultats s'il est étalé sur plusieurs séances avec un professionnel de la santé compétent.

> *Si vous optez pour l'une de ces méthodes, assurez-vous que le prestataire de soins a bonne réputation. Informez-vous auprès du pharmacien, du médecin ou d'un organisme voué à la lutte au tabagisme.*

Hypnose: Seul un médecin ou un psychiatre est habilité à pratiquer cette technique. Il s'agit ici de conduire une personne à une transe hypnotique. Une fois cet état de détente atteint, l'hypnotiseur inculque au patient les comportements qui lui permettent de surmonter les symptômes de sevrage et l'envie de fumer. Le traitement est normalement administré sur une période de trois mois ou plus. Ce n'est pas tout le monde qui peut être hypnotisé.

L'**acupuncture** est une forme de médecine traditionnelle chinoise.

Elle consiste en l'introduction d'aiguilles très fines dans des points précis du corps, les points d'acupuncture. Cette thérapeutique vise à restituer son équilibre naturel à l'organisme. Des recherches montrent qu'elle peut aider le fumeur à réduire sa consommation de tabac ou à cesser de fumer.

Le **traitement au laser** repose sur l'emploi de fins rayons de lumière pulsée pour cibler des points précis du corps (souvent les points d'acupuncture). Ce traitement pourrait libérer des endorphines, qui favorisent la détente.

Nouvelles avenues

On étudie l'action d'un vaccin qui amènerait l'organisme à produire des anticorps empêchant la nicotine de pénétrer dans le cerveau. Dans les premiers essais, le vaccin est administré en association avec d'autres médicaments. Il semblerait qu'il puisse soulager le syndrome de sevrage de la nicotine. Il entraîne toutefois des effets secondaires, et le fumeur qui souhaite abandonner le tabac a toujours besoin de soutien.

5. À QUEL MOMENT ARRÊTER ?

La date prévue pour l'abandon est arrivée. Le temps est venu de jeter à la poubelle vos cigarettes, allumettes, briquets et cendriers. Respirez profondément.

Voici la première journée de votre nouvelle vie de non-fumeur.

Le chemin ne sera pas facile, mais n'y a-t-il pas longtemps que vous souhaitez le parcourir ? Le jeu en vaut la chandelle ! N'oubliez pas que les aides au sevrage tabagique et la ligne d'écoute sans frais sont là pour vous aider. Sachez que les trois premiers jours d'abstinence sont habituellement les plus pénibles.

À mesure que les semaines, mois et années passent, les choses rentrent dans l'ordre.

Appréciez chaque cigarette non fumée et prenez les choses un jour à la fois.

Conseils à la famille et aux amis d'une personne qui cesse de fumer :

- *La personne qui vient de cesser de fumer est probablement d'humeur grognonne. Elle est aux prises avec le très pénible syndrome de sevrage de la nicotine. L'abandon du tabac n'est ni facile ni agréable. Restez bienveillant malgré les sautes d'humeur. Laissez-la se défouler. Tout en donnant de l'espace à votre proche, demeurez un soutien indéfectible. Faites preuve de compréhension. Ce n'est qu'un mauvais moment à passer. L'autre deviendra bientôt plus facile à vivre. Il sera délivré de la fumée, et vous aussi, par le fait même.*

- *Si vous êtes fumeur, évitez de fumer en sa compagnie.*

- *Si la personne flanche ou vit une rechute, ne la culpabilisez pas. Manifestez votre appui. L'abandon du tabac est un long processus. Votre proche qui cesse de fumer souhaitera compter sur vous à toutes les étapes du chemin.*

6. REFRÉNEZ VOS ENVIES SOUDAINES DE FUMER.

Les envies de fumer arrivent par vagues. C'est au début de l'abstinence qu'elles sont les plus pénibles. Elles deviennent plus discrètes à la fin, où elles ne durent que quelques minutes. Surmontez les envies une à la fois. Avec le temps, elles s'estomperont.

Abandonnez vos habitudes de fumeur.

- Réduisez le temps passé dans les endroits où vous aimiez le plus fumer. Ainsi, si vous aviez l'habitude d'occuper un fauteuil de fumeur à la maison, installez-vous ailleurs. Si vous passiez la majeure partie de la journée à la maison, rendez-vous à un endroit où il est interdit de fumer, comme une bibliothèque ou un centre commercial. Sortez fréquemment faire des promenades.

- Si vous aviez l'habitude de fumer en regardant la télé, limitez le temps consacré à ce loisir. Au lieu de fumer, écoutez la radio ou de la musique. Vous aurez tôt fait d'épargner suffisamment d'argent pour vous acheter un lecteur mp3 portatif et y enregistrer vos pièces préférées. Toutes les fois que vous avez envie de fumer, mettez les écouteurs et laissez-vous absorber par la musique qui vous plaît.

- Durant les premières journées et semaines d'abstinence, évitez les personnes qui souhaitent vous avoir comme compagnon pour fumer. Réduisez les activités que vous associez à la fréquentation d'autres fumeurs. On pense ici aux maisons d'amis ou de membres de la famille qui fument, aux bars, aux salles de bingo et aux pauses-café pour fumeurs. Fréquentez les lieux où l'on ne fume pas.

- Est-ce que vous aviez l'habitude d'en griller une dernière avant d'aller au lit? Si c'était le cas, vous avez intérêt à adopter un autre rituel de coucher. Pour en apprendre davantage sur le sommeil, consultez les pages 367 et 368.

Comblez le vide laissé par l'absence de cigarettes.

Si vous fumiez un paquet par jour, vous portiez une cigarette à votre bouche plus de 400 fois par jour. Chaque fois que vous avez le réflexe de saisir une cigarette, respirez à plusieurs reprises, lentement et profondément. Rappelez-vous l'ABC de la maîtrise des envies : **a**valez un bon bol d'air, **b**uvez de l'eau et **c**ultivez d'autres intérêts. Vous trouverez à la page suivante des suggestions qui vous aideront à vous changer les idées et à vous occuper les mains.

L'ABC de la maîtrise des envies

Avalez un bon bol d'air

Buvez de l'eau

Cultivez d'autres intérêts

Cultivez d'autres intérêts :

- Levez-vous et marchez quelques minutes.

- Faites des étirements.

- Mâchez un morceau de gomme sans sucre.

- Faites-vous les ongles.

- Certains trouvent utile de respirer de l'huile essentielle de lavande, de menthe poivrée ou de poivre noir. Ces huiles ont une odeur puissante et peuvent vous aider à briser votre relation avec le tabac.

- Buvez un thé à la menthe ou une tisane très aromatique.

- Sucez une pastille de menthe ou de thé des bois, ou encore un bâton de cannelle.

- Jouez au solitaire (avec de vraies cartes ou à l'ordinateur).

Occupez-vous les mains :

- Jouez avec un crayon ou une pièce de monnaie.

- Jouez avec un élastique.

- Comptez le nombre de perles d'un collier. Égrenez un chapelet.

- Manipulez un porte-clés à pendentif.

- Tracez des gribouillages.

- Massez-vous les doigts, les mains ou les pieds avec une crème hydratante. Ou bien massez quelqu'un.

- Faites un casse-tête, des travaux d'aiguille ou du tricot.

- Confiez vos états d'âme à un journal.

- Faites la vaisselle ou le ménage. C'est l'occasion ou jamais de laver les murs, les rideaux et les meubles afin de les débarrasser des taches et des relents de tabac froid.

- Pressez une balle antistress (une balle spongieuse et molle) dans la paume de la main ou jouez avec de la pâte à modeler.

- Si vous avez un penchant pour la musique, grattez la guitare ou jouez du piano. Si vous n'avez pas l'oreille musicale, essayez le ukulélé, un des instruments les plus faciles à maîtriser. Vous trouverez même des cours gratuits sur Internet !

- Si vous avez un téléphone cellulaire, envoyez un texto à un ami pour l'informer que vous le textez au lieu de fumer.

Relisez vos raisons de cesser de fumer.

7. PRÉVENEZ LA PRISE DE POIDS.

Une prise de poids légère ou modérée est moins préoccupante pour la santé qu'une consommation de tabac à vie. Cela dit, en faisant de l'exercice et en adoptant une saine alimentation au moment de cesser de fumer, vous pourrez éviter la prise de poids ou n'enregistrer qu'un gain pondéral très faible.

Avant de cesser de fumer

Demandez à une diététiste qu'elle vous guide vers des choix alimentaires santé. De la sorte, vous saurez reconnaître les aliments à avoir à la maison (et à éviter de garder !) lorsque vous cesserez de fumer. Il est également conseillé de vous soumettre à un suivi attentif afin de surveiller et de contrôler votre poids. Si vous n'avez pas accès à une diététiste, communiquez avec un intervenant en dépendance, une infirmière spécialisée en éducation sur le diabète, ou appelez une ligne téléphonique d'aide aux fumeurs sans frais.

Cesser de fumer sans prendre de poids

Trucs pour éviter de fumer après un repas :

- Prenez vos repas à heures régulières. Inspirez-vous des plans de repas proposés dans ce livre.

- Mangez plus lentement. Buvez de l'eau, aussi bien pendant qu'après le repas. Entre deux bouchées, déposez couteau et fourchette.

- Si vous avez envie d'un dessert, prenez un fruit, un pouding ou l'un des desserts suggérés dans ce livre.

- Ayez la force de résister à une seconde portion. Dès que vous avez fini de manger, levez-vous de table et faites autre chose. Cela est une façon de vous occuper et de vous distraire. Partez à la découverte d'une activité que vous ne pratiquiez pas du temps où vous étiez fumeur.

- Après le repas, un petit bonbon Tic Tac^{MD}, un cœur de cannelle ou un bonbon sans sucre peuvent calmer votre envie de fumer.

- Après le repas, au lieu de fumer, brossez-vous les dents, rincez-vous la bouche, ou mâchez une petite feuille de menthe ou de persil.

- Allez marcher, dans la maison ou dehors. Une promenade, même brève, vous éloigne des lieux où vous aviez l'habitude de fumer tout en permettant à vos poumons de se revigorer. Marcher apaise l'angoisse et la tension qui accompagnent le syndrome de sevrage.

Une étape à la fois

Il est utile de manger sainement, de demeurer actif et de cesser de fumer. Faire des changements exige du temps. Commencez peut-être par devenir plus actif. Une fois l'exercice physique intégré à votre vie, préparez-vous à apporter un autre changement.

Le sevrage de la nicotine peut perturber le métabolisme. Les personnes qui cessent de fumer auront tendance à remplacer la cigarette par la nourriture, surtout les sucreries.

L'exercice est l'une des meilleures façons de calmer ses envies et de prévenir la prise de poids.

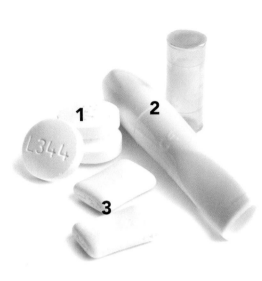

En soirée, plutôt que de fumer :

- **...prenez de petites collations.** Avant de cesser de fumer, faites une ample provision de grignotines hypocaloriques et d'aliments qui entrent dans les catégories des collations légères et moyennes (maïs soufflé léger, fruits, jus de légumes et craquelins). Consultez les pages 198 à 202. Pour d'autres idées de collations, consultez mon livre *La santé au menu*. Préparez-vous une grande casserole de soupe aux légumes. Un bol de ce mets réconfortant remplace très avantageusement la cigarette. Certains constatent que l'ajout de piments ou d'autres condiments dans la nourriture souligne les saveurs et aide à surmonter plus aisément l'envie de fumer.

- **Éloignez la nourriture de votre regard, selon le principe «loin des yeux, loin du cœur».** Ne vous laissez pas tenter par la vue de la nourriture. Les croustilles, les beignes et les tablettes de chocolat ne sont pas les substituts idéaux de la cigarette. L'idéal est de ne garder aucun de ces aliments tentateurs à la maison.

- **Repoussez le moment de la collation.** Lorsque vous mourrez d'envie de manger une collation, efforcez-vous de la repousser d'une durée établie d'avance, disons cinq minutes. Brossez-vous les dents et buvez de l'eau. Augmentez progressivement l'attente avant chaque collation. Vous constaterez peut-être que vous pouvez l'omettre complètement.

- **Tentez de vous distraire avec une activité éloignée de la nourriture.** Allez marcher. Trouvez-vous un passe-temps, sortez, faites la vaisselle ou passez le balai.

Pour éviter de fumer lors des événements sociaux ou des «pauses pour fumeurs» :

- Durant les premières semaines suivant l'abandon du tabagisme, évitez dans la mesure du possible les événements sociaux. Vous constaterez peut-être qu'en fumant moins, vous en arrivez également à réduire votre consommation sociale d'alcool, ce qui est aussi un changement pour le mieux.

- Au travail, au lieu de la pause-café, sortez vous promener un peu. Vous trouverez aux pages 78 et 79 des conseils sur la façon d'éviter de trop manger au travail. Buvez de l'eau ou une boisson diète. Un fruit frais est toujours un bon choix.

Pour éviter de fumer en prenant votre café :

- buvez votre café dans une tasse différente, ou à un autre endroit de la maison ou du travail ;

- buvez autre chose : du thé, de l'eau ou une boisson hypocalorique.

8. CONSEILS POUR D'AUTRES CHANGEMENTS.

Irritabilité ou anxiété

L'irritabilité est fréquente chez les gens qui cessent de fumer. Prévenez votre entourage ! Une promenade à pied stimule les « hormones du bonheur » et vous aide à vous défouler. Plutôt que de vous emporter ou de vous fâcher contre vos proches, parlez ou écrivez à un ami qui vous appuie, à un membre de la famille ou même à un étranger d'une ligne d'écoute téléphonique. Essayez la respiration en profondeur ou la méditation (voir pages 368 et 369). Vous trouverez aussi des idées de gestion du stress aux pages 358 à 369.

Mal de gorge et toux

Les premiers jours, il se peut que vous présentiez ces symptômes. C'est que vos poumons sont en train de se débarrasser du goudron laissé par le tabac. Il est bon d'en libérer l'organisme grâce à la toux. Vous pouvez accélérer ce processus en buvant beaucoup d'eau ou de tisane. Si vous avez mal à la gorge, sirotez de l'eau ou sucez des pastilles contre la toux sans sucre. Ces symptômes disparaissent habituellement au bout d'une semaine ou deux.

Difficultés à s'endormir

Dans les premiers stades du sevrage, vous vous sentirez peut-être plus nerveux et agité la nuit. En début de soirée, livrez-vous à une activité qui installera une sensation de fatigue propice au sommeil : sortez marcher un peu, exercez-vous sur le vélo stationnaire ou sur le tapis roulant, pendant 5 ou 10 minutes. Il pourrait aussi être utile de réduire votre consommation de caféine en soirée.

Vertiges

Les vertiges ne durent normalement que quelques jours et s'expliquent par l'apport d'oxygène inhabituellement élevé dans l'organisme. Quand ils se produisent, asseyez-vous et buvez de l'eau. Sortez prendre l'air. La sensation devrait se dissiper.

Maux de tête

Le stress associé au sevrage à la nicotine peut causer des maux de tête. Étendez-vous dans une pièce sombre et reposez-vous. Faites des exercices de relaxation. Soulagez

Si votre anxiété s'aggrave et si vous craignez la dépression, n'hésitez pas à consulter un médecin ou un professionnel de la santé mentale.

Portez-vous le timbre à la nicotine durant 24 heures ?

Quand vous étiez fumeur, dormiez-vous toute la nuit sans vous lever pour fumer ? Si c'est le cas, la nicotine libérée par le timbre durant la nuit pourrait vous tenir éveillé et provoquer de l'agitation. Essayez d'enlever le timbre avant d'aller au lit.

Conseils pour mieux dormir : *consultez les pages 367 et 368.*

le mal de tête en prenant les médicaments en vente libre que vous prenez habituellement.

Constipation

La nicotine stimule la défécation. Certaines personnes, en abandonnant le tabac, éprouvent donc de la difficulté à aller à la selle. La consommation de fruits et légumes en grande quantité devrait vous apporter le supplément de fibres alimentaires dont vous avez besoin.

9. SACHEZ GÉRER LES RECHUTES.

Les rechutes doivent être bénignes : une cigarette par-ci par-là. Elles pourraient prendre la forme d'un retour à la consommation de tabac le temps d'une journée ou deux. L'essentiel est de reprendre vos nouvelles habitudes de non-fumeur au plus vite.

Si vous rechutez, ne vous en voulez pas outre mesure. Gardez le cap et tenez-vous-en à votre objectif, qui est d'abandonner la cigarette. Demandez-vous ce qui a pu provoquer cette rechute et quelle serait la façon de prévenir la prochaine. Apprenez de vos erreurs. S'il le faut, appelez un service d'écoute sans frais pour les fumeurs ou reprenez contact avec un groupe de soutien (voir page 269).

Une rechute peut aussi signifier un retour en force du tabac. Cela ne signifie pas que vous soyez incapable de cesser de fumer. La plupart des gens doivent s'y prendre à plusieurs reprises avant de devenir définitivement non-fumeurs. Dès que vous vous sentez prêt, reprenez vos bonnes habitudes.

10. SACHEZ APPRÉCIER LA VIE DE NON-FUMEUR.

En redevenant non-fumeur, vous franchissez une étape marquante de votre vie. Vous avez mis fin à un processus probablement entamé alors que vous n'étiez qu'adolescent ou jeune adulte. Maintenant, vous allez apprécier les bienfaits de la vie de non-fumeur. Profitez de vos nouveaux poumons, du grand air et de votre santé retrouvée !

Récompensez-vous !

Tous les jours ou chaque semaine, déposez l'argent auparavant consacré au tabac dans une tirelire, et voyez croître votre épargne. N'oubliez pas de vous récompenser en cours de route, ou conservez l'argent en vue d'un projet important. D'une manière ou d'une autre, récompensez-vous. Vous le méritez bien !

Rappelez-vous votre but.

Revoyez vos raisons d'arrêter.

Recourez à l'aide disponible. Les services d'écoute téléphonique pour fumeurs peuvent vous être utiles à tout moment, même des mois après l'abandon du tabac. N'hésitez pas à les rappeler.

Prenez rendez-vous avec l'hygiéniste dentaire pour un nettoyage. Elle débarrassera vos dents du goudron accumulé et vous retrouverez un sourire plus blanc.

Mesure 4: Prévention des infections

Préserver la santé des pieds

1. EN CAS DE PROBLÈMES DE PIED GRAVES, CONSULTEZ LE MÉDECIN SANS DÉLAI.

Qu'entend-on par «problèmes de pied graves»?

Vous trouverez aux pages 30 à 32 des informations sur les liens entre diabète et risque de problèmes aux pieds.

- Infection d'un ongle incarné

- Coupure ou lésion qui ne cicatrise pas après deux jours. Consultez plus tôt si la plaie s'aggrave ou si elle présente des signes d'infection.

- Douleur, enflure, chaleur, rougeur, froideur ou crampe inhabituelle dans les jambes ou les pieds.

- Pus s'écoulant d'une plaie du pied ou de la jambe.

- Présence d'une zone bleu foncé ou noire sur le pied ou la jambe. Si vous avez la peau sombre, surveillez l'apparition d'une couleur plus foncée ou d'un changement de couleur.

Une infection peut se propager rapidement, en une journée ou deux. Si vous ne pouvez pas obtenir de rendez-vous avec votre médecin, allez à une clinique ou aux urgences de l'hôpital.

SIGNES PRÉCURSEURS DE L'INFECTION:

- Rougeur ou propagation du mal (l'infection peut passer de l'orteil au pied, ou du pied à la jambe)

- Enflure

- Écoulement de pus

- Douleur inhabituelle (mais l'infection peut aussi être indolore)

- Fièvre, frissons ou fatigue

- Augmentation soudaine et inexpliquée de la glycémie

2. MAINTENEZ GLYCÉMIE, TENSION ARTÉRIELLE ET TAUX DE CHOLESTÉROL À DES NIVEAUX ACCEPTABLES.

SUIVEZ LES ÉTAPES 1 À 3, EXPLIQUÉES AUX PAGES 53 À 280.

- Étape 1: Mangez bien.
- Étape 2: Devenez actif.
- Étape 3: Abandonnez le tabac.

Étape 1: Mangez bien.

La quantité et la qualité des aliments que vous mangez influent considérablement sur votre glycémie et votre circulation. Si vous devez perdre du poids, tentez de réduire graduellement la taille de vos portions tout en devenant plus actif. La perte de poids réduira la pression sur la plante des pieds. Elle favorisera aussi la normalisation de la glycémie, de la tension artérielle et du taux sanguin de cholestérol.

Étape 2: Devenez actif.

En plus des idées proposées aux pages 220 à 264 pour devenir plus actif, voici quelques conseils spécifiques pour améliorer la circulation dans vos pieds.

Si cela fait une heure que vous êtes assis, levez-vous pour marcher un peu, pédalez sur le vélo stationnaire ou faites les exercices suivants, pour les pieds et les jambes:

- remuez les orteils;
- faites décrire des cercles à vos pieds par des rotations des chevilles, puis effectuez des mouvements de haut en bas et de gauche à droite;
- faites des rotations de la cheville (voir page 241);
- effectuez des exercices sur chaise (voir les pages 250 et 251).

Étape 3: Abandonnez le tabac.

Le tabac rétrécit considérablement les vaisseaux sanguins et entrave la circulation sanguine dans les pieds. Il ralentit aussi le processus de cicatrisation. Si vous fumez, le diabète vous expose à des risques élevés de problèmes de pied et d'amputation.

Autres conseils pour améliorer la circulation sanguine dans les pieds:

- *Si vos pieds ont tendance à enfler, placez-les en position surélevée lorsque vous êtes assis ou étendu.*
- *Évitez de rester assis les jambes ou les pieds croisés, car cette position réduit la circulation et comprime les nerfs.*
- *Si vous avez froid aux pieds, massez-les délicatement.*

> ## AVERTISSEMENT
>
> Soyez attentif à la présence de rougeurs, de cloques, de plaies, d'enflure, de sécheresse, de crevasses, ou à un changement de forme. Notez toute modification nouvelle par rapport à la veille. Examinez le dessus et la plante des deux pieds, ainsi que les espaces entre les orteils.

3. PROCÉDEZ TOUS LES JOURS À UN EXAMEN DES PIEDS.

Il est possible que vous ayez perdu de la sensibilité dans le pied. Vous devez donc les examiner et les toucher avec vos mains tous les jours. Vous serez ainsi en mesure de repérer les infections et les problèmes dès leur apparition.

Pour ne pas oublier cet auto-examen des pieds, il est conseillé de le faire à la même heure tous les jours, par exemple après le bain ou la douche, ou au moment d'aller au lit. L'examen des pieds devient ainsi une habitude, et une bonne !

Si vous avez de la difficulté à vous pencher pour examiner la plante de vos pieds, essayez l'une des options suivantes:

- Étendez la jambe vers l'arrière, le dessus du pied contre le sol. Examinez la plante de votre pied en tournant la tête.

- Asseyez-vous sur une chaise devant un miroir de plain-pied. Posez le pied sur un tabouret et regardez-le dans le miroir.

- Placez un miroir sur le sol ou tenez-en un dans les mains. Vous pouvez vous procurer un miroir spécial monté au bout d'un manche (comme celui utilisé par le dentiste pour l'examen de la bouche, mais plus grand). Orientez le miroir de manière à examiner la plante de votre pied.

- Obtenez l'aide d'un membre de la famille, d'un ami ou d'un préposé aux soins à domicile.

Avez-vous de la difficulté à vous examiner les pieds?

Une personne ayant des troubles de la vision peut apprendre à s'examiner les pieds en les touchant soigneusement. Cependant, avec cette méthode, il y a le risque d'omettre une zone problématique. Il est préférable d'avoir recours à l'aide d'une autre personne.

Soyez attentif aux manifestations suivantes:

Rougeurs ou changements de couleur

- meurtrissures, ou zones blanches, sombres ou rouges

- stries rouges

- peau qui reste pâle pendant quelques secondes après avoir subi une pression, phénomène indiquant une possible réduction de la circulation

Enflure

Elle peut être révélatrice d'une mauvaise circulation ou d'une infection.

Zones froides ou très chaudes

- Une zone froide peut signifier un problème de circulation.

- Une zone chaude révèle parfois une infection sous-cutanée. Elle peut se transformer en cloque ou en plaie.

- Un de vos pieds est-il plus chaud ou plus froid que l'autre?

Changements sur le plan sensoriel

Vous pourriez éprouver une sensation de picotement, d'engourdissement ou de brûlure aux pieds, révélatrice d'une atteinte du système nerveux. Vous pourriez avoir l'impression que vos pieds sont des «blocs de bois».

Crevasses, saignements, plaies, ulcères ou cloques

- La sécheresse cutanée peut provoquer des crevasses de la peau, généralement aux talons.

- Des chaussures trop ajustées, l'irritation ou la sécheresse cutanée peuvent causer des cloques, des coupures ou des plaies.

- Examinez l'espace entre les orteils à la recherche de crevasses ou de coupures, ou du pied d'athlète (zones squameuses, rouges ou blanches, qui démangent et qui présentent des gerçures).

- La présence de pus ou d'odeurs nauséabondes indique souvent la présence d'une infection.

Changements des ongles d'orteil

- Ongles incarnés présentant une apparence rouge et des saignements sur les côtés. Des chaussures trop ajustées ou un entretien inadéquat des ongles peuvent être à l'origine des ongles incarnés.

Recherchez des rougeurs ou des cloques.

Pour voir ces manifestations, consultez les pages 30 à 32.

*Un **ulcère** est une plaie ouverte caractérisée par une dégradation cutanée marquée.*

- Des ongles d'orteil épais, friables et de couleur jaune verdâtre peuvent révéler une infection à champignons sous-unguéale (elle débute habituellement dans un coin ou à l'extrémité de l'ongle).

- Si c'est tout l'ongle qui est de couleur suspecte, cela peut correspondre à une mauvaise circulation (manque d'oxygène dans l'orteil).

Cors

Un cor est une petite excroissance ronde et dure sur le dessus d'un orteil. Il peut aussi prendre la forme d'une excroissance épaisse mais plus molle, entre les orteils. La plupart des cors apparaissent à cause de la friction provoquée par une chaussure trop serrée, mal ajustée.

Cals

Un cal est un épaississement de la peau sur le côté ou la plante du pied. Il est d'ordinaire plus étendu et plus aplati que le cor. Comme pour le cor, c'est habituellement la friction qui est à l'origine du cal. La pression exercée sur la plante du pied peut aussi le causer. Une infection est susceptible de se développer sous un cal ou un cor.

Modifications de la forme du pied

Les changements affectant les os se produisent plus lentement. On pense ici à la formation d'un oignon ou à une modification de la voûte plantaire (habituellement un affaissement). La voûte plantaire sert au pied à absorber la pression lors de la marche. Lorsqu'elle s'affaisse, des points de pression apparaissent sur la plante des pieds. Les orteils en marteau (déformation de l'orteil, qui s'élève à la jointure) constituent un autre changement susceptible de toucher le pied.

Perte de la pilosité

La réduction de la croissance des poils ou l'absence de toute pilosité sur les pieds et les jambes peuvent être des signes de diminution de l'apport en oxygène ou de lésions nerveuses.

4. DEMANDEZ AU MÉDECIN OU À L'INFIRMIÈRE DE VOUS EXAMINER LES PIEDS.

- Le médecin doit vous examiner les pieds une fois l'an, ou plus souvent si vous avez des problèmes de pied.

- Durant l'année, entre deux examens, si l'état de vos pieds vous préoccupe, **ne portez pas de chaussures ni de chaussettes jusqu'à la visite du médecin ou de l'infirmière.**

- Examen urgent des pieds : consultez le médecin ou l'infirmière sans délai afin de lui faire part de vos préoccupations.

Qu'est-ce que le médecin ou l'infirmière vérifiera ?

Il ou elle s'intéressera aux mêmes symptômes que vous, c'est-à-dire aux crevasses, aux plaies, aux changements de couleur et aux enflures, de même qu'à l'apparence générale de vos pieds et à leur texture. Outre cela, le médecin ou l'infirmière pourrait examiner :

- la sensibilité nerveuse sur le dessus des gros orteils ou sur la plante des pieds, à l'aide du monofilament ou du diapason (ces examens sont parfaitement indolores) ;

- votre circulation, en sondant le pouls au niveau des jambes ou des pieds ;

- votre tension artérielle dans les jambes et les pieds. Si la tension artérielle y est inférieure à celle des bras, cela indique une réduction de la circulation sanguine vers les jambes ou les pieds.

5. LAVEZ, SÉCHEZ ET HYDRATEZ VOS PIEDS.

Lavez-vous les pieds délicatement tous les jours.

- Lavez-vous les pieds tous les jours avec un savon doux à l'eau chaude (mais pas trop).

- Si vous prenez un bain, testez la température de l'eau avec le coude ou le poignet afin de vous assurer qu'elle ne soit pas trop chaude. Il est important de procéder ainsi, car si vous êtes atteint de lésions nerveuses aux pieds, vous risquez de ne pas vous apercevoir que la température de l'eau est trop élevée.

- Après le bain, nettoyez la baignoire au savon et rincez-la bien. Pour enlever la saleté résiduelle, utilisez du bicarbonate de soude puis rincez à grande eau. Évitez l'eau de Javel et les nettoyants irritants. Ne laissez pas de traces d'eau de Javel dans la baignoire, car vous aggraveriez ainsi la sécheresse de vos pieds.

- Si vous avez une plaie à vif, demandez à l'infirmière ou au médecin si vous pouvez mouiller votre pied.

Séchez-vous les pieds soigneusement.

- Après votre douche ou votre bain quotidien, séchez-vous les pieds, aussi bien sur le dessus qu'en dessous, ainsi qu'entre les orteils. On interrompt ainsi la prolifération

Vérification de la sensibilité nerveuse à l'aide du monofilament.

Problèmes associés au trempage

Le trempage prive les pieds de leurs huiles naturelles et provoque la sécheresse de la peau. Une peau sèche et squameuse est plus sujette aux crevasses et aux plaies. Évitez de faire tremper vos pieds, ou limitez la durée du trempage dans un bassin ou une baignoire à 10 minutes au maximum.

des champignons microscopiques et des bactéries, qui ont besoin d'humidité pour se multiplier.

Hydratez-vous les pieds.

• Appliquez une lotion ou une crème hydratante (comme celle qu'on utilise pour les mains) sur les zones sèches ou crevassées, et faites-la pénétrer doucement dans vos pieds. Évitez d'appliquer de la lotion entre les orteils, tout comme sur les coupures et les plaies à vif. Les marques d'hydratants les plus populaires sont Nivea[MD], Vaseline soins ultra-intensifs[MD], Aveeno[MD], ainsi que les crèmes à la lanoline. La vaseline est une autre option. Les crèmes très parfumées ne sont pas recommandées, car elles contiennent souvent de l'alcool, qui assèche la peau.

• Appliquez de la crème tous les jours ou deux fois par jour, afin de supprimer ou de réduire la sécheresse de la peau. Si après plusieurs semaines la lotion n'a pas donné de résultats probants, demandez au médecin ou à l'infirmière de vous recommander un autre hydratant.

• Essayez d'appliquer une lotion le soir après le bain ou la douche, et après vous être séché les pieds. Mettez alors des chaussettes à l'élastique lâche ; l'hydratant continuera d'agir pendant votre sommeil.

• Le chlore contenu dans l'eau des piscines assèche la peau. Les douches et piscines publiques sont souvent une source de pied d'athlète (champignons microscopiques). À la piscine, vous pouvez vous protéger des micro-organismes en portant des chaussures faites pour l'eau. En sortant de la piscine, lavez-vous et séchez-vous les pieds soigneusement, puis hydratez-vous les pieds et la peau.

6. COUPEZ-VOUS LES ONGLES CONVENABLEMENT.

Coupez-vous et limez-vous les ongles des orteils en suivant une ligne droite.

- Utilisez un coupe-ongles ou une lime à ongles plutôt que des ciseaux, car vous risquez davantage de vous blesser les orteils avec ces derniers.

- Coupez ou limez les ongles d'orteils en une ligne droite, légèrement arrondie, suivant la forme de vos orteils. Enlevez toute aspérité à la lime, doucement. Vous évitez ainsi les ongles incarnés. Des chaussures de la bonne pointure aident aussi à prévenir les ongles incarnés (voir pages 293 et 294).

- Ne coupez pas vos ongles trop courts (leur longueur doit correspondre à l'extrémité des orteils).

- Il est plus facile de se couper les ongles après s'être lavé ou avoir pris son bain, car ils sont alors plus mous. Si vous avez des ongles épais, cette particularité est importante.

- Vous devriez vous couper les ongles au moins toutes les quatre à six semaines.

Demandez au médecin ou à l'éducateur agréé en diabète de vous recommander une infirmière spécialisée dans les soins des pieds, notamment auprès des personnes diabétiques.

S'il le faut, faites-vous aider par quelqu'un.

- N'hésitez pas à obtenir l'assistance d'une infirmière spécialisée ou d'un podiatre (spécialiste des soins des pieds) pour vous faire couper les ongles si :

  – vous avez perdu la sensibilité dans les pieds ;

  – vous ne pouvez voir ou atteindre vos pieds ;

  – vos ongles sont épais et difficiles à couper ;

  – vos mains tremblent ;

  – vous avez des ongles incarnés.

- Les résidences pour personnes âgées recourent souvent aux services d'infirmières qui s'y connaissent dans l'art de couper les ongles d'orteil. Cela en vaut le coup lorsqu'il est question de sauver ses pieds.

7. N'UTILISEZ PAS DE COUSSIN CHAUFFANT, DE RASOIRS, NI DE PRODUITS CHIMIQUES POUR LES SOINS DES PIEDS.

Si vous avez perdu la sensibilité de vos pieds, vous ne pouvez reconnaître qu'un objet est trop chaud.

- Évitez d'utiliser les couvertures ou coussins chauffants à cause des risques de surchauffe.

- N'approchez pas vos pieds d'un feu de cheminée ou d'un radiateur.

Pour supprimer les cals, les cors ou les verrues, n'utilisez pas de rasoir tranchant, de couteaux, d'emplâtre coricides, ni de produits chimiques servant à éliminer les verrues sur les pieds.

- Certaines personnes sont tentées d'utiliser une râpe métallique, ou d'enlever les cals, cors ou verrues à la lame ou au couteau. Ces méthodes sont dangereuses. Il suffit d'un faux mouvement pour se couper et se retrouver avec une plaie à vif. De plus, une plaie ou une infection se cache parfois sous un cal dur, ce qui rend l'usage du couteau ou de la râpe très risqué.

- Les emplâtres coricides risquent de léser la peau. Les produits qui servent à éliminer les verrues peuvent infliger des plaies à vif susceptibles de s'infecter.

- Consultez le médecin, l'infirmière spécialisée en soins aux pieds ou un podiatre. Ils vous indiqueront comment venir à bout des cals, des cors et des verrues récalcitrantes. Voyez à la page 296 la façon de traiter les problèmes mineurs à la maison.

Vernis à ongles

Si vos ongles sont décolorés, vous serez peut-être tenté de les maquiller à l'aide de vernis à ongles. Cependant, laisser le vernis en place plusieurs jours risque de masquer un problème plus grave, comme une infection. Si vous appliquez du vernis sombre sur vos ongles, ne l'y laissez pas plus d'une journée ou deux. Lavez-vous les orteils à l'eau savonneuse pour éliminer toute trace de dissolvant pour vernis à ongles.

Épilation des jambes et des pieds

Le vieillissement et le diabète peuvent réduire la pilosité des jambes. Toutefois, si vous avez encore des poils visibles et souhaitez vous épiler, évitez les lotions chimiques épilatoires, car elles sont irritantes pour la peau. L'application de cire n'est pas recommandée non plus, car ce produit risque de déchirer la peau au moment de le retirer. De plus, la cire

Si vous utilisez une bouillotte, vérifiez la température de l'eau sur votre poignet afin de vous assurer qu'elle ne soit pas trop élevée, et protégez-vous les pieds en portant des chaussettes. Ne remplissez jamais la bouillotte d'eau bouillante et ne l'appliquez pas directement sur la peau.

chaude peut brûler la peau. Si vous vous rasez les jambes, humectez et savonnez bien votre peau et procédez très prudemment. Ne vous rasez pas si vous avez des cloques ou des furoncles, car vous risqueriez de vous entailler la peau et de provoquer une infection.

8. PORTEZ DES CHAUSSETTES ET DES CHAUSSURES CONFORTABLES, DE LA BONNE POINTURE.

Chaussettes

Propres et confortables

- Le port de chaussettes propres dans les chaussures aide à protéger les pieds de la friction. Cela est particulièrement important quand on marche.

- Les collants sont bien aussi, mais évitez les demi-bas élastiques.

- Si vos jambes sont enflées, vous aurez peut-être besoin de chaussettes dont la partie supérieure est large ou munie d'élastiques lâches, qui n'entravent pas la circulation.

Coton, laine ou mélange coton-acrylique

- Les chaussettes de coton ou de laine sont bonnes, car leurs fibres naturelles absorbent l'humidité.

- Des chaussettes d'athlétisme de bonne qualité, souvent un mélange de coton et d'acrylique, conviennent à la marche et à la pratique du sport.

Chaussettes blanches

- Si vous avez des envies (petites peaux) à vif ou des plaies, une chaussette blanche permettra de voir le sang : les taches vous amèneront à en chercher la cause.

Évitez les amas et les bosses

- Jetez les chaussettes trop usées ou reprisées.

- Portez des chaussettes de la bonne taille. Si elles sont trop petites, elles enfonceront les bourrelets dans le pied ; trop grandes, elles se plisseront.

- Si votre peau est fine et fragile, achetez des chaussettes sans coutures afin d'éviter la friction, ou portez vos chaussettes à l'envers afin que les coutures se trouvent à l'extérieur.

Chaussettes coussinées

- La semelle de la chaussette protège la plante des pieds.

La plupart des traumatismes aux pieds sont infligés à la maison. Protégez-vous les pieds en portant des chaussettes et des chaussures, aussi bien à domicile qu'à l'extérieur.

À moins que le médecin ne vous le recommande, évitez de porter :

- des bas de maintien contre les varices ;

- des bas de contention (contre l'enflure des jambes et des pieds).

Sèches et chaudes

- Si vous transpirez beaucoup des pieds, changez-vous et enfilez des chaussettes sèches en milieu de journée.

- Si vous avez les pieds froids, portez des chaussettes chaudes pour dormir (et durant la journée).

- L'hiver, portez des chaussettes chaudes dans vos bottes.

Chaussures

- Examinez l'intérieur de vos chaussures. Passez-y la main et secouez-les à l'envers avant de les chausser. Assurez-vous qu'il ne s'y trouve pas de craquelures, de coutures contondantes, de cailloux ou de gravier susceptibles de léser le pied.

- Les chaussures fermées protègent mieux le pied que les chaussures ouvertes ou les sandales.

- Évitez de marcher nu-pieds, même à la maison. Songez-y bien : où vous heurtez-vous le plus souvent un orteil ? Où mettez-vous le plus souvent le pied sur un objet coupant ? La plupart du temps à la maison, n'est-ce pas ? Or, chez le diabétique, un simple orteil meurtri peut devenir le foyer d'une infection. À la maison, portez des pantoufles à bout rigide ou des chaussures d'intérieur.

- S'il fait très chaud, évitez de marcher nu-pieds sur le ciment d'une piscine ou d'une terrasse. Peut-être ne sentirez-vous pas la chaleur excessive sous la plante de vos pieds et risquerez de vous brûler.

- Sur la plage, portez des chaussures à semelles de caoutchouc. Elles vous protégeront du sable brûlant, des coquillages tranchants et des coups de soleil. Appliquez un écran solaire sur votre peau lorsque cela est nécessaire. Vérifiez fréquemment que du sable ne cause pas de friction sur les pieds et entre les orteils.

- Par temps froid, portez des chaussettes chaudes et sèches, de même que des bottes imperméables pour éviter les engelures.

- Si votre pied présente très peu de déformations, des chaussures d'athlétisme ou de marche de bonne qualité sont idéales. Si votre pied présente des déformations, vous avez peut-être besoin d'une chaussure adaptée ou d'une prescription.

Il est préférable de posséder plus d'une paire de chaussures, afin de ne pas porter la même tous les jours.

Si vous vous levez la nuit pour aller aux toilettes, laissez une veilleuse allumée.

Faire le bon achat au magasin de chaussures

- Rendez-vous au magasin en après-midi ou en soirée. Ce sont les moments de la journée où les pieds sont habituellement les plus enflés ; ainsi, vous ne risquez pas d'acheter des chaussures trop ajustées.

- Mettez les deux chaussures, levez-vous et faites quelques pas dans le magasin. Les chaussures devraient procurer une sensation de confort dès le premier essai. Elles ne devraient pas frotter ni serrer le pied. Assurez-vous que vos orteils ont suffisamment d'espace pour se mouvoir.

- Au début, portez les chaussures neuves deux heures à la fois seulement. Après l'essai, vérifiez vos pieds pour vous assurer qu'elles n'ont pas laissé de marques de friction rouges.

- À l'essai d'une nouvelle paire de chaussures, il est parfois difficile de déterminer si le pied ou les orteils y sont bien à l'aise. Une solution consiste à se placer debout sur les semelles intérieures, que vous aurez préalablement retirées des chaussures, afin de voir si celles-ci conviennent bien à vos pieds. Certaines chaussures ne possèdent pas de semelle intérieure amovible. Il est donc conseillé d'apporter en magasin le contour tracé de votre pied (voir la marge).

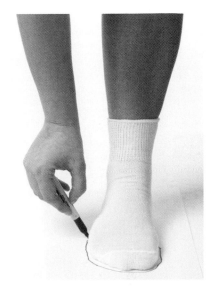

Il est préférable de mesurer vos pieds avant de vous rendre au magasin.

En fin de journée, esquissez le contour de votre pied sur une feuille de papier. Apportez ce tracé avec vous au magasin. Placez la chaussure sur le tracé pour voir s'il est de la bonne pointure.

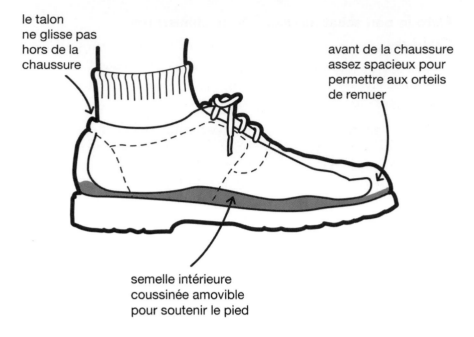

le talon
ne glisse pas
hors de la
chaussure

avant de la chaussure
assez spacieux pour
permettre aux orteils
de remuer

semelle intérieure
coussinée amovible
pour soutenir le pied

- Les chaussures ne devraient pas être trop serrées. L'espace avant doit être assez profond pour que les orteils puissent bouger. L'extrémité de votre orteil le plus long se trouve idéalement à une distance du bout de la chaussure équivalant à l'épaisseur d'un doigt. Les chaussures doivent être assez larges pour laisser de la place aux oignons et aux os angulaires.

- Idéalement, l'empeigne est en cuir ou en toile, car ces matériaux sont perméables à l'air.

- Une semelle intérieure procure du confort aux pieds et aide à absorber les chocs de la marche.

- Optez pour des chaussures à semelle intérieure amovible, que vous pourrez remplacer quand elles seront usées. Vous pouvez aussi enlever les semelles intérieures vendues avec les chaussures, pour les remplacer par des semelles intérieures plus confortables ou par une orthèse. N'oubliez pas que les orteils doivent être capables de remuer.

- Évitez les talons de plus de 5 cm (2 po). Les talons hauts augmentent la pression sur les orteils et la plante des pieds.

- Évitez les chaussures présentant des coutures ou des renflements susceptibles d'exercer une friction sur les pieds.

- Les chaussures avec lacets, Velcro^{MD} ou boucles aident à soutenir le pied dans la chaussure.

Orthèses et chaussures spéciales

Orthèses

Fabriquée de mousse ou de plastique dur, l'orthèse est un appareillage introduit dans la chaussure pour soutenir le pied. Elle est en vente libre sur le marché. Il existe aussi des orthèses confectionnées sur mesure, plus coûteuses, mais qui corrigeront spécialement les défauts de vos pieds. Une orthèse bien ajustée soulage la douleur aux pieds et corrige l'affaissement de la voûte plantaire, les oignons et les orteils en marteau. De plus, elle contribue à éliminer les irritations cutanées, les ulcères et les cals.

Chaussures modifiées

Les magasins spécialisés peuvent parfois modifier les chaussures que vous possédez de manière à supprimer un point de pression. Procéder ainsi est une démarche normalement moins coûteuse que l'achat de chaussures fabriquées sur mesure. Par exemple, on peut ouvrir la chaussure là où il y a frottement et y fixer des sangles en Velcro^MD.

Chaussures sur mesure

Si vos pieds sont particulièrement difficiles à chausser, vous avez peut-être besoin de chaussures faites sur mesure. Un spécialiste fabrique dans ce cas une chaussure conçue expressément pour vous. Ce spécialiste s'appelle podo-orthésiste.

Si vous avez besoin d'une orthèse, d'une modification de chaussure ou de chaussures faites sur mesure, vous devrez peut-être consulter un spécialiste des pieds (podiatre ou podologiste) ou vous rendre dans un magasin spécialisé. Demandez à votre médecin de famille qu'il vous dirige vers un spécialiste et vérifiez si les services de celui-ci sont couverts par l'assurance.

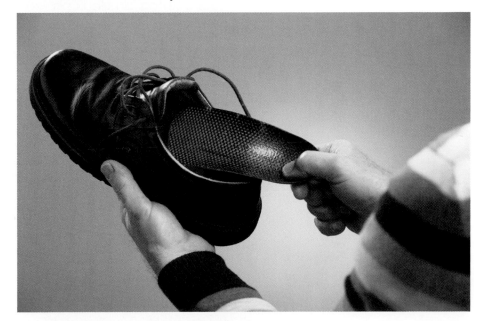

L'orthèse ne vaut que ce que vaut la chaussure.

> ## AVERTISSEMENT
>
> Chez un diabétique, une lésion même banale peut se transformer en urgence. Si vous suspectez une infection (par exemple une coupure entourée d'une zone rouge), consultez le médecin sans délai.
>
> De même, si un corps étranger semble s'être introduit dans votre pied, consultez le médecin sans délai.
>
> Évitez de marcher sur un pied lésé afin de favoriser sa guérison.
>
> Si vous avez perdu de la sensibilité au pied, demandez au médecin ou à l'infirmière de vous aider à traiter vos cals.

9. TRAITEZ LES PETITS PROBLÈMES VOUS-MÊME, À LA MAISON.

Cors ou cals

- Il faut d'abord supprimer la source de pression à l'origine des cors ou des cals. Pour cela, il sera peut-être nécessaire de changer de chaussures, de les modifier, ou encore de les doter d'une semelle intérieure ou d'une orthèse (voir pages 291 à 295).

- Pour ramollir un cal, appliquez d'abord un hydratant (n'en mettez pas entre les orteils). Au besoin, frottez *doucement* le cal à l'aide d'une pierre ponce humectée. Faites cela une fois ou deux par semaine.

- Signalez au médecin ou à l'infirmière spécialisée la présence de cors ou de cals qui ne disparaissent pas ou qui s'aggravent.

Craquelures cutanées aux pieds

- Lavez-vous les pieds et séchez-les délicatement.

- Appliquez ensuite une crème hydratante, une fois par jour, voire deux fois par jour si nécessaire.

- Si les craquelures sont profondes, consultez le médecin ou l'infirmière. On pourrait vous recommander un antiseptique ainsi que d'éviter de marcher sur le pied lésé.

Petites coupures ou plaies

- Lavez-les à l'eau chaude et avec un savon doux. Évitez l'alcool à friction, le sel, le vinaigre, l'iode ainsi que les onguents et antiseptiques, à moins que le médecin ne vous recommande l'un de ces produits. Irritants, ils

Si votre peau est particulièrement fragile, elle risque de se déchirer au moment d'ôter un pansement. Dans ce cas, maintenez celui-ci en place en l'enveloppant de gaze, ou faites adhérer le pansement ou le ruban non pas à la peau, mais à la gaze. Vous pouvez aussi utiliser un ruban gommé moins collant (vendu en pharmacie).

assèchent la peau et peuvent ralentir la cicatrisation de la coupure. L'eau savonneuse est le meilleur traitement.

- Protégez la lésion d'un pansement ou d'un bandage sec et stérile.

- Lavez et couvrez la lésion deux fois par jour. Chaque fois, vérifiez le degré de cicatrisation de la lésion et soyez attentif aux signes d'infection (voir page 285).

Peau humide, blanche ou fendillée, entre les orteils ou sous les orteils

- Après le lavage, séchez délicatement l'espace entre les orteils avec une serviette ou un mouchoir de papier sec.

Cloque

- Ne crevez pas la cloque. Lavez-la à l'eau savonneuse, séchez-la en l'épongeant doucement et protégez-la d'un pansement stérile.

- Si la cloque crève d'elle-même, exprimez-en le liquide délicatement. Ensuite, lavez-la, séchez-la et protégez-la.

10. TRAITEMENT MÉDICAL D'UN ULCÈRE.

Voici les mesures que le médecin ou l'infirmière spécialisée dans les soins des pieds sont susceptibles de vous recommander pour traiter un ulcère (plaie à vif) :

- **Enlevez tout poids sur l'ulcère.** Il suffit parfois de changer de chaussures, ou de porter une semelle intérieure ou une orthèse. Si l'infection ou l'ulcère est situé sur la plante du pied, le médecin pourrait vous demander d'utiliser des béquilles ou de vous déplacer temporairement en fauteuil roulant. Dans le cas d'un ulcère plus grave, il pourrait vous demander de garder le lit ou de porter un plâtre afin d'éviter toute pression sur l'ulcère.

- *Si et seulement si* l'ulcère est infecté, on pourrait vous prescrire un **antibiotique**. Prenez ce médicament comme prescrit, et poursuivez le traitement jusqu'à la fin, même si l'ulcère semble guéri.

- **Nettoyez l'ulcère** afin de bien pouvoir l'examiner et de lui permettre de cicatriser complètement.

- Appliquez **des pansements stériles, des onguents médicamenteux, des antiseptiques ou des produits favorisant la guérison des tissus.**

- Prenez des **analgésiques**, si nécessaire.

> *Maintenez les coupures et les cloques propres et sèches.*

Certains ulcères guérissent lentement.

Le traitement dépendra du problème de pied dont vous souffrez. Un ulcère peut mettre du temps à guérir, parfois six mois, un an ou plus. Pour profiter d'un traitement complet et d'une guérison complète, suivez attentivement les conseils du médecin.

Guérison et nutrition :

Une saine alimentation et certains éléments nutritifs en particulier stimulent l'immunité et favorisent la guérison des infections. Consommez des protéines à tous les repas (voir page 56), buvez beaucoup d'eau et mangez des aliments riches en vitamine C, en vitamine A et en zinc (voir pages 133 et 134). Si vous avez une infection, le médecin pourrait aussi vous recommander de réduire votre consommation d'alcool et de prendre un supplément de vitamines et de minéraux.

- Prenez de l'**insuline ou des antidiabétiques oraux.** Lorsque la glycémie est trop élevée, il est très difficile de guérir d'une infection parce que les bactéries prolifèrent dans l'environnement sucré alors mis à leur disposition. Si vous prenez de l'insuline ou des antidiabétiques oraux, le médecin pourrait en augmenter la dose. Si vous n'êtes pas traité à l'insuline, il se peut que vous en ayez besoin un certain temps.

- Le médecin pourrait remplacer les **médicaments pour le cœur ou pour l'hypertension** que vous prenez par d'autres afin d'améliorer la circulation sanguine vers la zone de l'ulcère.

- Il se peut que vous ayez besoin d'une **intervention chirurgicale** afin d'améliorer votre circulation sanguine. Le médecin vous dirigera vers un chirurgien vasculaire ou un médecin spécialiste du pied.

Après la guérison, on peut prévenir une autre infection ou un autre ulcère grâce :

- à une prise en charge systématique du diabète afin de normaliser sa glycémie ;

- à des examens quotidiens des pieds et à des soins des pieds adéquats ;

- à de nouvelles chaussures, à des semelles intérieures ou à des orthèses, dans le cas où l'ulcère était causé par des chaussures trop serrées ou usées ;

- à une intervention chirurgicale visant à corriger la forme du pied, si besoin est ;

- à une intervention chirurgicale des vaisseaux sanguins se rendant aux pieds, afin d'améliorer la circulation sanguine et d'accélérer la cicatrisation.

Soins cutanés adéquats

Assurez la propreté de votre peau en prenant tous les jours une douche ou un bain.

Ne séjournez pas plus de 10 minutes dans la baignoire. N'utilisez pas de sels de bain, car ils risquent d'assécher votre peau. Vérifiez la température de l'eau avec le coude pour vous assurer qu'elle ne soit pas trop chaude.

Séchez-vous bien. Prévenez les infections aux champignons et aux levures en évitant d'entretenir une humidité excessive sur la peau. Après le bain, séchez-vous bien, surtout dans les zones humides, là où il y a un contact «peau contre peau». On pense ici à l'aine, aux aisselles, à la zone sous les seins, à la taille et aux pieds. Certaines personnes jugent utile de poudrer ces régions de fécule de maïs à l'aide d'une houppe.

Si vous êtes une femme et que l'éruption cutanée est située sous vos seins, portez un soutien-gorge renforcé transparent. Les températures élevées ou l'exercice physique rendent les plis cutanés humides. Séchez ces régions au besoin.

Appliquez des hydratants sur la peau sèche, par exemple sur les talons, les coudes ou les mains.

L'hiver, si l'air est sec dans votre maison, **installez un humidificateur.**

Le médecin peut vous recommander des onguents cutanés convenant à votre maladie, par exemple une crème antifongique ou antibactérienne.

Buvez beaucoup d'eau.

Évitez l'exposition excessive au soleil. Une exposition modérée au soleil (par exemple de 15 à 30 minutes par jour en marchant) aide l'organisme à synthétiser la vitamine D et est donc salutaire pour la peau. Cependant, un excès de soleil ou l'exposition au soleil durant les heures les plus chaudes de la journée (entre 10 h et 14 h) est malsain.

Portez des gants de caoutchouc lorsque vous utilisez des produits et solvants irritants, des javellisants ou de l'eau très chaude.

Traitez les coupures sans délai. Nettoyez les petites coupures sur-le-champ, tout comme les infections du pied. Si une affection cutanée ne guérit pas d'elle-même, consultez le médecin.

Vous pouvez prévenir ou traiter ces problèmes exactement comme les problèmes de pied, soit par la normalisation de la glycémie, l'hygiène et des soins cutanés réguliers. Certaines affections de la peau sont rares et difficiles à diagnostiquer. Si vous avez une affection cutanée qui ne guérit pas, parlez-en au médecin ou au dermatologue (spécialiste des maladies de la peau). On pourrait vous prescrire des médicaments ou un autre traitement.

Quel savon devriez-vous utiliser?

Les savons fortement parfumés ou les savons déodorants risquent d'assécher votre peau. Certains considèrent que les savons auxquels on a ajouté des huiles (comme Dove) l'assèchent moins.

Crèmes aux corticostéroïdes:

Dans certains cas, le médecin recommande des corticostéroïdes administrés sous forme de crème ou de comprimés à avaler. Si vous devez utiliser des corticostéroïdes pendant une période prolongée, parlez-en au médecin, car ils risquent d'élever votre glycémie.

Dix conseils pour l'hygiène buccale

Paramètres essentiels

Prenez les dispositions nécessaires pour obtenir une bonne **HbA1c** (hémoglobine glyquée), une bonne **tension artérielle** et une bonne **cholestérolémie** (taux sanguin de cholestérol). Ces trois paramètres favorisent la santé des vaisseaux sanguins et des nerfs, et réduisent le risque d'infection. Quand votre glycémie est trop élevée, les infections bactériennes et fongiques à l'intérieur de la bouche ne peuvent guérir.

Si vous êtes fumeur, cessez de fumer.

Si vous avez déjà tenté de le faire par le passé, faites une nouvelle tentative. Pour approfondir le sujet de l'abandon du tabagisme, consultez les pages 265 à 281. Il faut parfois s'y prendre à plusieurs reprises avant d'y parvenir. À chaque nouvel essai, vos chances de réussite augmentent.

Si vous fumez, vous courez un risque accru d'avoir le cancer des lèvres, des côtés de la langue ou du plancher buccal. Examinez votre bouche une fois par semaine afin de vous assurer qu'il ne s'y trouve pas de protubérances, de bosses, de taches rouges ou de plaies. Signalez tout changement au médecin.

Marchez ou faites un autre exercice quotidiennement.

L'exercice normalise la glycémie et protège la santé des vaisseaux sanguins et des nerfs de la bouche.

Ayez une saine alimentation

Mangez moins de sucre et d'aliments sucrés, et buvez moins de boissons gazeuses et de jus de fruits. En mangeant des portions plus petites, vous abaissez votre glycémie. Une saine alimentation favorise la cicatrisation des plaies.

Certains aliments sont particulièrement importants pour la santé des gencives et des dents:

- Le lait et les produits laitiers contiennent du calcium, de la vitamine D et du phosphore. Ces nutriments favorisent la croissance de dents solides et d'un os maxillaire robuste pour soutenir ces dents. De plus, ils réduisent l'acidité buccale qui provient de certains aliments.

- La vitamine C contenue dans les fruits et légumes est essentielle à la guérison des gencives.

Les fruits et légumes jouent un rôle important parfois insoupçonné. Lorsque vous les mastiquez, la rugosité de leurs fibres alimentaires agit un peu à la manière d'une brosse à dents qui déloge les particules d'aliments coincées entre les dents. De plus, les fruits et légumes stimulent les glandes salivaires et les amènent à sécréter davantage de salive. Ce processus aide à chasser les particules alimentaires et contribue à la propreté des dents.

Pour approfondir le rôle des vitamines et des minéraux dans le processus de guérison, lisez la page 297 ainsi que les pages 133 et 134.

Buvez de l'eau

Après le brossage des dents et le passage du fil dentaire, rincez-vous la bouche à l'eau. Rincez-vous aussi la bouche ou brossez-vous les dents après avoir mangé les aliments collants, sucrés ou acides suivants :

- les bonbons, caramels ou friandises de type rouleau aux fruits ;

- tout aliment susceptible de se coincer entre les molaires, par exemple les croustilles de pomme de terre, ou les petits morceaux de viande ou de poulet ;

- les fruits frais et séchés, les jus de fruits et de légumes, les sauces tomate, le ketchup et le vinaigre (ils sont acides) ;

- les boissons gazeuses, ordinaires et diète, et les boissons énergétiques (elles sont très acides).

À la fin du repas ou de la collation, un petit morceau de fromage, un petit verre de lait ou un morceau de gomme à mâcher sucrée au xylitol contribue à réduire l'acidité dans la bouche. Rien ne remplace cependant le rinçage de la bouche ou le brossage des dents.

Brossage

- Brossez-vous les dents deux ou trois fois par jour.

- Utilisez une brosse à dents « très molle » ou « molle ».

- Changez de brosse à dents au moins trois ou quatre fois par année.

- Brossez-vous les dents doucement, pendant deux minutes environ.

- Placez les soies de la brosse à la jonction des gencives et des dents (soit la limite gingivale). Massez délicatement ou faites vibrer votre brosse en éloignant les soies de vos gencives. Il est important de brosser les dents doucement et de la bonne façon. Si vous brossez trop énergiquement ou de haut en bas, vous risquez d'endommager vos gencives.

- Brossez l'intérieur, l'extérieur et les surfaces triturantes des dents. Assurez-vous de n'oublier aucune dent, y compris les molaires. N'oubliez pas de vous brosser la langue.

- La séance de brossage la plus importante est celle qui précède le coucher.

Fluor

L'eau fluorée est importante pour le durcissement de l'émail dentaire et pour l'entretien d'une dentition saine.

Bonbons ou gommes sans sucre

Un produit sans sucre et sûr pour les dents ne doit pas contenir de dextrose, de maltose, de fructose ou toute autre substance portant un nom en « ose » ; tous ces produits sont des sucres.

Utilisez une brosse à dents molle et une goutte de dentifrice fluoré de la taille d'un pois. Après usage, rangez la brosse à dents à la verticale, en évitant qu'elle n'entre en contact avec d'autres brosses à dents. Ne la partagez pas !

Fil dentaire

- Passez le fil dentaire au moins une fois par jour.

- Le fil dentaire permet d'enlever la plaque et de nettoyer les interstices que la brosse à dents ne peut atteindre.

- Le meilleur moment pour passer la soie dentaire est le soir, avant le brossage.

- Prenez une longueur de fil d'environ 45 cm (18 po).

- Enroulez-en les extrémités autour de vos majeurs. Esquissez un mouvement de va-et-vient en pressant le fil délicatement contre les dents. Nettoyez une dent à la fois en repliant le fil. Déplacez ce dernier de haut en bas en prenant soin d'atteindre les gencives.

- Si vous n'êtes pas à l'aise avec le maniement de la soie dentaire, vous préférerez peut-être utiliser un porte-soie.

Prenez soin de votre dentier.

- Rincez votre bouche et votre dentier après chaque repas.

- Si vous portez un dentier partiel, n'oubliez pas de brosser vos dents naturelles et d'y passer le fil dentaire.

- Enlevez toujours votre dentier la nuit, ou pendant quatre à six heures durant la journée. Une fois le dentier retiré, faites les choses suivantes :

  1) Brossez-le avec une brosse à dentier et un savon liquide ou du détergent à vaisselle, puis rincez-le à l'eau fraîche. Le dentifrice est trop abrasif.

  2) Faites-le tremper dans un agent nettoyant du commerce, ou dans une solution de 5 ml (1 c. à thé) de vinaigre dissous dans 250 ml (1 tasse) d'eau. Rincez bien le dentier à l'eau avant de le replacer dans votre bouche.

- Si votre dentier est mal ajusté ou provoque des lésions, parlez-en au denturologiste ou au dentiste.

Si votre dentier comporte des éléments métalliques, demandez au dentiste ou au denturologiste dans quel produit le faire tremper.

Consultez votre hygiéniste dentaire tous les six mois, même si vous pensez que vos dents sont saines. Elle vous examinera la bouche et nettoiera vos dents. Une radiographie s'impose parfois pour révéler les problèmes échappant à la vue : elle aide le dentiste à savoir si vous souffrez d'une affection gingivale, de carie dentaire ou d'un autre problème buccal.

Si vous ne souffrez pas d'une affection gingivale :

L'hygiéniste dentaire vous nettoiera les dents afin d'en enlever la plaque par grattage et polissage. Si vous avez des caries, l'hygiéniste pourrait aussi appliquer du fluor sur vos dents.

Si vous avez une maladie gingivale :

L'hygiéniste dentaire ou le dentiste vous aidera à traiter l'infection en procédant à un nettoyage en profondeur des gencives. Certains trouvent ce nettoyage pénible et exigent une anesthésie partielle des gencives. Votre dentiste peut vous recommander un nettoyage professionnel à des intervalles plus fréquents qu'aux six mois.

Est-ce que les coûts des soins dentaires vous pèsent ? Tentez de trouver une école d'hygiène dentaire dans votre région, ou encore une clinique dentaire publique offrant des soins à prix abordables.

Si vous avez une infection gingivale

Le médecin peut augmenter temporairement votre dose d'insuline (ou instaurer ce traitement) afin d'abaisser votre glycémie. Il devra peut-être vous prescrire un autre antidiabétique oral. Si vous avez une infection, assurez-vous de bien suivre jusqu'à la fin le traitement antibiotique prescrit.

Risque d'hypoglycémie consécutive à la prise d'insuline

Avant une consultation, mesurez votre glycémie à l'aide du glucomètre. Si vous avez déjà vécu un épisode d'hypoglycémie, informez-en le dentiste ou l'hygiéniste dentaire. Il pourra ainsi être à l'affût de signes d'hypoglycémie et prendre les mesures qui s'imposent pour corriger la situation si un épisode survenait. Par ailleurs, vous risquez de vivre un épisode d'hypoglycémie si vous prenez un médicament de la famille des stimulants de la sécrétion d'insuline par le pancréas (voir page 321).

Hyperglycémie au cabinet du dentiste

Au cabinet du dentiste, on vous demandera peut-être si votre glycémie est normalisée. Dans certains cas, on pourrait vous demander les rapports de mesure de la glycémie de votre médecin. Avant de subir un traitement aux gencives ou une extraction dentaire, montrez-les au dentiste. Si votre glycémie est trop élevée, on reportera sans doute le traitement à une date ultérieure, dans l'attente d'une journée où votre glycémie sera meilleure. En effet, subir un traitement dentaire alors que sa glycémie est élevée peut accroître le risque d'infection.

Si vous avez les problèmes suivants, consultez le dentiste ou le médecin :

- Vos gencives sont enflées et rouges, et elles saignent régulièrement.

- Vous avez des douleurs aux gencives ou aux dents.

- Vos gencives reculent et laissent voir davantage vos dents.

- Lorsque vous appuyez sur vos gencives, il en sort du pus.

- Des taches blanches sont apparues sur vos gencives ou votre langue. Vous avez peut-être le muguet, une infection fongique.

- Certaines de vos dents bougent.

- Le dentier cause des lésions sur vos gencives.

- Vous avez mauvaise haleine, peu importe ce que vous mangez.

Éviter les infections des voies urinaires (IVU)

Cette section explique le traitement des IVU.

Si vous avez déjà eu une IVU, les mesures préventives mentionnées ici peuvent aider à réduire le risque d'en contracter une autre.

TRAITEMENT

Consultez le médecin.

Une infection non traitée peut aggraver l'hyperglycémie et se transformer en problème de santé grave. Si vous présentez des symptômes d'IVU persistants, consultez le médecin. Chez les femmes, cela comprend les symptômes d'infection vaginale. Le médecin établira son diagnostic en considérant vos symptômes. Dans certains cas, il demandera des analyses des urines ou du sang. Les femmes peuvent développer une infection bactérienne ou à champignons microscopiques, ce qui rend parfois l'examen pelvien nécessaire, afin de bien identifier la source du problème. Chez l'homme, il peut être nécessaire de procéder à un toucher rectal afin de vérifier la taille de la prostate.

Prenez les médicaments qui vous sont prescrits contre l'infection.

Dans le cas d'une IVU, le médecin prescrit généralement un antibiotique. (Malheureusement, les antibiotiques nécessaires suppriment aussi bien les «bonnes» bactéries que les «mauvaises». La prise d'antibiotiques peut donc favoriser l'apparition d'une infection vaginale à champignons.) Si vous avez contracté une infection à champignons, le médecin vous suggérera un médicament en vente libre ou délivré sur ordonnance. En évitant les rapports sexuels durant la prise du médicament, vous favorisez la guérison et protégez votre partenaire de l'infection.

Si vos symptômes n'ont pas disparu à la fin du traitement, consultez le médecin de nouveau. Il vous faudra peut-être prendre un autre médicament ou subir d'autres examens.

Normalisez votre glycémie.

La cause habituelle de l'infection urinaire est l'hyperglycémie. Même si un médicament permet de soigner l'IVU, les bienfaits risquent de n'être que temporaires. Si votre glycémie demeure trop élevée, l'infection pourrait revenir dès que vous abandonnez le médicament. Pour mieux normaliser votre glycémie, il vous faudra peut-être apporter un changement dans

Relisez la section «Complications du diabète» aux pages 46 à 47 pour apprendre à reconnaître les symptômes d'une IVU et comprendre pourquoi vous risquez d'en contracter une.

Voici un schéma simplifié de la façon dont survient une IVU:

- hyperglycémie
- passage de sucre dans les urines
- bactéries se nourrissant du sucre des urines
- apparition d'une infection
- élévation plus forte de la glycémie

> **Prenez les médicaments comme vous l'a prescrit le médecin ou le pharmacien.**
>
> S'il s'agit d'un médicament en vente libre, suivez les instructions qui accompagnent le produit. Continuez à prendre le médicament pendant toute la durée prescrite, même après la disparition des symptômes.

votre médication antidiabétique, ou prendre un supplément d'insuline pendant un certain temps. Corriger votre alimentation et faire de l'exercice pourraient aussi s'avérer nécessaires. Il est important de manger sainement, en quantité normale, et de demeurer actif. Ce faisant, vous normalisez votre glycémie et renforcez votre capacité à combattre l'infection.

SEPT CONSEILS AUX FEMMES POUR ÉVITER LES IVU

Ayez une glycémie normalisée.

Buvez beaucoup d'eau, en quantité suffisante pour que vos urines soient jaune pâle. Visez une consommation quotidienne de 1,5 à 2 l (6 à 8 tasses).

Urinez régulièrement. N'attendez pas que votre vessie soit pleine. Durant la journée, essayez d'uriner au moins toutes les deux heures. Chaque fois, videz la vessie le plus possible. Cette mesure, jumelée à la consommation d'eau, aide à rejeter les bactéries hors de la vessie. Aussi, urinez après avoir eu des rapports sexuels.

Essuyez-vous de l'avant vers l'arrière. Après avoir été à la selle, essuyez-vous de l'avant vers l'arrière. Vous réduisez ainsi la propagation des bactéries en provenance de l'anus. Ensuite, lavez-vous les mains. Si vous souffrez de diarrhée ou d'incontinence, accordez une attention spéciale à l'hygiène.

Une vie sexuelle saine est essentielle au bien-être. Tout ce qui entre en contact avec votre vagin doit être propre afin d'éviter d'y introduire des bactéries. On pense par exemple aux mains, à un diaphragme ou à un vibrateur. Si vous avez un partenaire, pourquoi ne pas prendre une douche avant d'avoir des rapports sexuels? Si celui-ci n'est pas circoncis, demandez-lui de bien laver son gland, sous le prépuce, là où les bactéries sont susceptibles de se dissimuler. N'oubliez pas d'uriner après les rapports sexuels : le passage de l'urine purge l'urètre. La sécheresse vaginale peut causer de la démangeaison et de la friction. Si vous en souffrez, utilisez un lubrifiant stérile (voir page 401), tel qu'on en trouve en pharmacie.

L'utilisation du diaphragme ou d'un spermicide peut accroître le risque d'IVU. Si vous utilisez ces produits et souffrez d'IVU récurrentes, envisagez une autre méthode contraceptive ; parlez-en à votre médecin. Consultez aussi la page 395.

Boire de l'eau est bon pour la santé, mais évitez d'en consommer trop.

Le préservatif protège des bactéries à l'origine des IVU.

Si votre partenaire ne se lave pas avant les rapports sexuels, envisagez le port du préservatif. Celui-ci vous protège aussi des maladies transmises sexuellement et des grossesses non désirées. Toutes les personnes qui ne sont pas dans une relation stable devraient songer à l'utiliser.

Gardez vos organes génitaux propres et exempts de parfum. Maintenez votre région génitale propre et sèche. Si vous avez les cuisses volumineuses, assurez-vous que les replis de la peau soient bien secs. Il peut être utile de poudrer les régions du corps qui ont tendance à devenir humides : appliquez de la fécule de maïs ou du talc à l'aide d'une houppe à poudrer. Prenez votre douche tous les jours, puis séchez-vous bien. Si vous préférez le bain, ne séjournez pas longtemps dans la baignoire et évitez les produits moussants. Idéalement, le bain est suivi d'une douche ou d'un rinçage. Allez-y délicatement — l'abus de lavage, de friction ou de savon peut provoquer des irritations et des démangeaisons.

- Si vous avez des démangeaisons, évitez de gratter la région génitale, car pour guérir, elle doit être laissée au repos. L'application d'un linge propre et froid aide à réduire la démangeaison.

- Si vous avez des règles abondantes, nettoyez délicatement votre région génitale à l'aide d'un papier mouchoir ou d'un linge humide, ou avec une lingette du commerce non parfumée. Séchez-vous au moyen d'un papier-mouchoir. Changez de serviette hygiénique ou de tampon régulièrement. Si vous utilisez la coupe menstruelle, assurez-vous que le réceptacle et vos mains soient bien propres avant de l'introduire.

- Si vous souffrez d'incontinence, changez de serviette régulièrement et gardez la région génitale aussi propre et sèche que possible.

- Portez des vêtements perméables à l'air ! Ne portez pas de pantalons de nylon ou serrés pendant trop longtemps : ils empêchent l'air de parvenir à la région génitale. Il est préférable de porter des vêtements amples. De même, optez pour des sous-vêtements de coton ou doublés de coton. Il est conseillé de rincer vos sous-vêtements deux fois pour en retirer tout savon. Évitez les produits assouplissants.

- Évitez les désodorisants vaginaux, les lingettes parfumées et les douches vaginales, car ces produits tuent la flore vaginale (les «bonnes» bactéries).

L'anémie favorise les démangeaisons vaginales.

Demandez au médecin de vérifier votre taux de fer afin de s'assurer qu'il ne soit pas trop bas (cela peut survenir à la suite de règles abondantes).

Avez-vous changé de savon, de détergent ou de papier hygiénique récemment ?

Les parfums causent parfois des démangeaisons et aggravent les infections. Évitez les parfums ou les produits tels que le papier hygiénique, le savon ou les lubrifiants parfumés. Changez de produit pour voir si cela vous apporte un soulagement, et choisissez les marques sans parfum.

Le jus de canneberge ou les comprimés à base de canneberge pourraient aider à prévenir les IVU récurrentes. Une substance présente dans la canneberge contribuerait à freiner la prolifération bactérienne dans la vessie. *La canneberge n'est pas efficace pour le traitement d'une IVU existante.*

AVERTISSEMENT

Le **cocktail de jus de canneberge régulier** est sucré et non recommandé comme traitement. Le fait de boire 250 à 500 ml (1 à 2 tasses) de ce jus sucré par jour risque d'élever considérablement votre glycémie et apport calorique quotidien.

Selon l'état actuel de la recherche, voici les quantités estimées de jus ou de comprimés de canneberge qui seraient nécessaires pour en tirer un bienfait (si vous êtes sujette à des IVU récurrentes, vous pourriez essayer de suivre l'une des recommandations suivantes au quotidien, pendant un à six mois, afin de voir si ce fruit permet de mettre en échec une récidive d'infection):

1. Buvez 60 à 75 ml (¼ à ⅓ tasse) de jus de canneberge pur (sans sucre ni eau ajoutés). Ce jus est en vente dans la plupart des magasins d'aliments naturels. Il s'agit d'une excellente option, mais il faut apprécier l'aigreur en bouche ! Si vous le souhaitez, sucrez le jus au moyen d'un édulcorant hypocalorique. Un verre de 60 ml (¼ tasse) n'apporte que 20 calories et constitue un bon choix.

2. Buvez 250 à 500 ml (1 à 2 tasses) de jus de canneberge faible en calories (édulcoré avec du sucralose). La canneberge est le premier ingrédient de la liste, et ce jus ne devrait pas contenir de sucre ajouté. Une quantité de 250 ml (1 tasse) apporte 40 calories environ.

3. Prenez des comprimés de canneberge de 400 à 800 mg, deux fois par jour. Optez pour ceux préparés avec des canneberges entières réduites en poudre, et non à partir d'extrait. Les comprimés de canneberge apportent peu de calories et n'influent donc pas sur la glycémie ou le poids.

PRÉVENTION DES IVU CHEZ L'HOMME

1. **Ayez une glycémie normalisée.**

2. **Buvez beaucoup d'eau**, en quantité suffisante pour que vos urines soient jaune pâle. Visez une consommation quotidienne de 1,5 à 2 l (6 à 8 tasses).

3. **Urinez régulièrement.** N'attendez pas que votre vessie soit pleine. Durant la journée, essayez d'uriner au moins toutes les deux heures. Chaque fois, videz la vessie le plus possible. Cette mesure, jumelée à la consommation d'eau, aide à rejeter les bactéries hors de la vessie.

   Urinez après les rapports sexuels ou la masturbation pour chasser les bactéries hors de l'urètre.

4. **Vidangez la vessie à fond.** Si vous avez de la difficulté à vider votre vessie au complet, essayez d'uriner assis plutôt que debout. Aidez-vous en exerçant une légère pression sur la vessie, située dans le centre du bas-ventre. Si ces mesures ne sont d'aucun secours, demandez conseil au médecin.

5. **Prenez votre douche tous les jours.** Une douche ou un bain quotidien sont des mesures essentielles pour une bonne hygiène de la région génitale et du rectum. Si vous souffrez de diarrhée ou d'incontinence, accordez une attention spéciale à l'hygiène.

6. **Songez à prendre du jus ou des comprimés de canneberge.** Les *possibles* bienfaits de la canneberge sont indiqués à la page 308.

> *Essayez de remplacer l'eau par des tisanes non sucrées.*

Prévenir la grippe, le rhume et les intoxications alimentaires

Quand votre taux sanguin de glucose est élevé, votre système immunitaire et votre résistance aux infections se trouvent affaiblis. Vous êtes alors plus vulnérable à la grippe, au rhume et aux intoxications alimentaires. Par ailleurs, si vous êtes malade, vous risquez de l'être davantage qu'une personne épargnée par le diabète. La grippe, le rhume, les intoxications alimentaires ainsi que toutes les autres infections élèvent la glycémie ou la rendent difficile à normaliser.

PRÉVENTION DE LA GRIPPE ET DU RHUME

Vaccin antigrippal. Le vaccin antigrippal est votre première arme contre le virus de la grippe. Tous les diabétiques devraient se faire vacciner contre la grippe chaque année. Votre seconde arme est le renforcement du système immunitaire par l'adoption de saines habitudes. Si vous vous sentez abattu, que votre glycémie est élevée et que vous ne faites pas attention à votre santé, vous êtes davantage exposé à la grippe ou au rhume.

Lavez-vous les mains fréquemment, surtout après avoir été en contact avec des surfaces touchées par d'autres personnes. Lavez-vous aussi les mains avant de passer à table.

Consultez les pages 139 à 141 pour apprendre comment réagir en cas de maladie.

Vaccin contre la pneumonie

L'hyperglycémie rend l'organisme moins apte à combattre les infections. Si vous contractez une pneumonie, celle-ci risque de s'aggraver. Les personnes diabétiques ont donc intérêt à recevoir le vaccin contre la pneumonie (le vaccin antipneumococcique). Il ne s'administre qu'une fois dans la vie, le plus souvent après l'âge de 65 ans.

Pour débarrasser vos mains des bactéries, lavez-les pendant 15 secondes à l'eau et au savon. Accordez une attention particulière aux paumes, au-dessus des doigts et aux espaces entre les doigts. Rincez-les bien.

Réduisez vos visites au restaurant et au café. Évitez les lieux où de nombreuses personnes manipulent vos plats et aliments.

Normalisez votre glycémie. Une bonne glycémie renforce le système immunitaire.

La **pratique quotidienne de l'exercice physique** renforce aussi le système immunitaire. L'exercice favorise la circulation des globules blancs (les cellules chargées de combattre l'infection) dans tout le corps.

Buvez beaucoup d'eau, soit de 1,5 à 2 l (6 à 8 tasses). Cette consommation d'eau aide à éliminer les bactéries de l'organisme. Elle participe aussi à prévenir la déshydratation qui accompagne parfois l'hyperglycémie. Quand on est déshydraté, de petites fissures apparaissent parfois à l'intérieur du nez, offrant une porte d'entrée facile pour les virus.

Une saine alimentation aide à renforcer le système immunitaire. Par exemple, choisissez des aliments riches en vitamine C et A ainsi qu'en antioxydants (oranges, poivrons et brocoli). La vitamine D contribuerait aussi à renforcer le système immunitaire. Le lait, le poisson et la margarine sont de bonnes sources alimentaires de vitamine D, mais le soleil demeure la meilleure des sources ! Sous les latitudes nordiques, nous recevons moins de soleil l'hiver, alors que la grippe et le rhume en profitent pour se manifester. Il est ainsi conseillé de prendre un supplément de vitamine D au moins durant l'hiver, surtout si vous avez la peau sombre (voir page 131).

Aux pages 121, 133 et 134 vous trouverez une liste des sources alimentaires de vitamines et d'antioxydants.

Accordez-vous de bonnes nuits de sommeil. Vous réduisez ainsi les hormones du stress et renforcez votre système immunitaire.

Réduisez votre consommation d'alcool et de tabac ou abstenez-vous d'en consommer. Ces produits vous rendent plus vulnérables à la grippe. De plus, les fumeurs et buveurs récupèrent plus lentement.

PRÉVENTION DES INTOXICATIONS ALIMENTAIRES

Souvent, quand vous ressentez un début de grippe ou une indigestion, c'est en fait d'une légère intoxication alimentaire que vous souffrez. Une intoxication alimentaire grave provoque des vomissements, de la diarrhée et de la fièvre.

Dix règles pour prévenir les intoxications alimentaires

1. **Lavez-vous les mains au savon,** surtout après avoir touché des aliments crus, avoir porté la main à la bouche ou au nez, ou avoir été aux toilettes.

Une intoxication alimentaire peut provenir d'un aliment consommé plus tôt dans la journée ou même la veille. Ce sont les bactéries contenues dans les aliments (et les toxiques qu'elles produisent) qui risquent de déranger votre estomac et de vous rendre malade. Les aliments mal préparés, mal cuits ou mal entreposés peuvent causer une intoxication alimentaire. Celle-ci est susceptible de survenir n'importe où. Il peut s'agir d'aliments de restaurants contaminés, ou d'aliments préparés à la maison, chez un membre de votre famille ou un ami.

Si vous avez la diarrhée et des vomissements, il est important de vous reposer et de boire beaucoup de liquide (voir pages 139-141). Si vous souffrez d'une fièvre élevée ou si vos symptômes durent plus de 24 heures, il faut consulter un médecin.

Votre système immunitaire n'est peut-être pas aussi fort qu'auparavant; apportez un soin méticuleux à la préparation des aliments.

Aussi, les dérangements d'estomac peuvent être causés par une intolérance à une substance présente dans un aliment frais ou à un ingrédient dans un aliment transformé.

2. **Gardez la cuisine propre et sèche,** surtout les comptoirs, la vaisselle et les ustensiles. Utilisez des linges propres et laissez-les sécher entre les usages.

3. **Faites décongeler les aliments comme il se doit,** l'endroit le plus sûr étant le réfrigérateur.

4. **Évitez la contamination croisée.** Évitez le contact entre les aliments cuits et la viande crue ou les œufs crus. Ne déposez jamais d'aliments cuits sur une surface de travail, une assiette ou une planche à découper non lavée.

5. **Faites cuire la viande correctement.** Les boulettes à hamburger ou le poulet ne devraient pas présenter de parties roses après la cuisson.

6. **Gardez les aliments chauds à la chaleur.** Si les aliments chauds sont conservés à une température trop basse, les bactéries s'y multiplient. Réfrigérez ou congelez les aliments chauds dès que possible.

7. **Gardez les aliments froids au froid,** à la température du réfrigérateur. N'oubliez pas d'aliments sur le comptoir.

8. **Passez les restes rapidement,** dans les deux à quatre jours suivant leur préparation, selon l'aliment.

9. **Ne consommez pas d'œufs crus,** ni de lait ou de fromage non pasteurisé.

10. **Jetez les aliments gâtés.** On pense ici aux aliments dont l'odeur est douteuse, qui ont l'air défraîchis, ou qui ont séjourné pendant un temps indéterminé à l'extérieur du réfrigérateur. Dans le doute, abstenez-vous.

Gastroparésie et maladies rénales

Si vous souffrez de gastroparésie (voir page 50) et subissez une intoxication alimentaire, vous risquez d'être particulièrement atteint. C'est que votre digestion se trouve ralentie à cause du diabète, et que les aliments et bactéries séjournent ainsi plus longtemps dans l'estomac. La maladie rénale peut aussi aggraver l'intoxication alimentaire, car les reins ne peuvent plus éliminer les toxines aussi aisément.

Mesure 5: Prise de médicaments et examens de laboratoire

Consultations de professionnels de la santé

Lorsque vous tombez subitement malade ou que vous êtes hospitalisé, les médecins et infirmières sont les prestataires de soins de santé les plus importants. Cependant, si vous vous sentez bien et que vous vivez bien avec le diabète, le prestataire de soins de santé le plus important… c'est vous ! D'autres personnes peuvent vous venir en aide, mais c'est à vous qu'il incombe de modifier vos habitudes de vie, de prendre vos médicaments et de consulter le médecin et les professionnels de la santé. Au moment du diagnostic, vous devrez consulter votre médecin et, idéalement, une diététiste, une infirmière spécialisée en diabète et un optométriste. Si vous n'avez pas l'habitude des traitements médicaux, vous aurez l'impression de devoir consulter beaucoup de professionnels. Mais voyez là l'occasion d'en apprendre davantage sur le diabète. Vous avez intérêt à vous documenter sur la question. Après quelque temps, vous verrez peut-être apparaître les premières complications associées à la maladie. Pour garder la santé autant que possible, il sera peut-être nécessaire de consulter d'autres spécialistes.

PROFESSIONNELS À CONSULTER APRÈS AVOIR REÇU VOTRE DIAGNOSTIC

Votre médecin

D'ici à ce que votre glycémie soit normalisée, le médecin voudra vous rencontrer régulièrement. La plupart des individus atteints de diabète de type 2 continuent de consulter leur médecin de famille, sans voir de spécialiste du diabète. Si, toutefois, votre diabète est difficile à traiter, votre médecin vous dirigera peut-être vers un spécialiste du diabète, parfois appelé endocrinologue.

**KAREN GRAHAM RÉPOND À VOS QUESTIONS :
LA CONSULTATION DU MÉDECIN**

Claude : Quand je vois mon médecin, il est toujours si occupé ! On dirait qu'il n'a pas de temps à me consacrer. Je l'apprécie beaucoup, mais je me sens bousculé chez lui. Comment l'amener à répondre à mes questions ?

Réponse de Karen : Bien des gens se sentent bousculés dans le cabinet du médecin. Je vous suggère d'établir une brève liste de points à aborder ou de noter vos questions par écrit. Remettez la liste au médecin en début de consultation et gardez-en une copie. Votre liste aidera le médecin à vous poser les bonnes questions pour faire la lumière sur votre cas. Elle vous aidera aussi à ne pas vous éloigner du sujet.

Liste à remettre au médecin :

1. Quel est le principal problème qui vous amène à consulter ?
2. Depuis combien de temps manifestez-vous ces symptômes ?
3. À votre avis, comment ces symptômes s'expliquent-ils ?
4. Qu'avez-vous fait pour les soulager ?

Voici un exemple :

1. Principal problème : Je me sens constamment fatigué. Parfois, je n'arrive même pas à sortir du lit.
2. Depuis combien de temps ? Depuis trois mois environ, et la situation s'est aggravée ces deux dernières semaines.
3. Causes possibles : Vie sociale intense et charge de travail considérable.

   Depuis quelque temps, je mange mal et je néglige ma promenade quotidienne.
4. Mesures prises : J'ai tenté de reprendre mon train-train quotidien, mais je me sens encore fatigué.

Un médecin compétent saura décoder ces informations. Il verra que votre alimentation est déficiente depuis un certain temps, notera le manque d'exercice et la perturbation du sommeil. Ces facteurs sont susceptibles d'expliquer l'hyperglycémie.

Le médecin voudra savoir si vous mesurez vous-même votre glycémie. Il pourrait aussi demander des analyses sanguines. Il voudra savoir ce qui vous empêche de vous lever le matin, et vous suggérera d'abord d'apporter des modifications à votre régime alimentaire et de faire de l'exercice physique.

Votre médecin joue un rôle important dans le maintien de votre santé. Il peut vous indiquer quelles modifications apporter à vos habitudes de vie, demander des examens de laboratoire et prescrire des médicaments. Il évalue, diagnostique et traite la maladie, et saura vous diriger vers d'autres ressources au besoin. Prenez le temps de noter ses recommandations et prenez soin de votre santé.

Toutes les questions que vous pourriez vous poser ne trouveront pas nécessairement réponse dans le cabinet du médecin. Les infirmières et diététistes du CLSC ou du centre d'éducation sur le diabète de l'hôpital sauront peut-être vous aider. Ces ressources offrent souvent des cours à des groupes de patients. Les consultations individuelles durent quant à elles de 15 à 60 minutes. Ces professionnels ont davantage le temps de vous écouter et de répondre à vos questions que le médecin. Ils sauront déterminer le moment où vous devez consulter celui-ci de nouveau afin d'obtenir une évaluation plus poussée, de passer des examens de laboratoire ou de recevoir des soins.

Diététiste et infirmière

Demandez au médecin de vous diriger vers un centre d'éducation sur le diabète ou une clinique. Vous pourrez y consulter une diététiste ou une infirmière qui vous renseignera sur le diabète et vous indiquera ce qu'il est possible d'entreprendre pour normaliser votre glycémie.

Pharmacien

Le pharmacien peut vous renseigner sur les antidiabétiques oraux et la mesure de la glycémie.

Témoignage de Désirée

Je savais que le diabète était une maladie grave. J'étais à peine au début de la trentaine au moment de recevoir mon diagnostic ; ça m'a fait peur. J'étais cependant déterminée à m'informer le plus possible sur mon état. J'ai consulté la clinique de diabète et suivi les cours offerts dans ma région. On m'a renseignée sur l'adoption d'une saine alimentation et sur la technique de mesure de la glycémie. Je savais que je devais perdre du poids. Je suis propriétaire d'un chiot, que je sors maintenant promener tous les jours. Je m'entraîne cinq jours par semaine. L'hiver, je joue au curling une fois par semaine. Après 2 ½ ans, j'avais perdu 16 kg (35 lb) et je ne présentais plus de signes de diabète. Mon dernier test de glycémie sur trois mois (hémoglobine glyquée ou HbA1c) était normal, à 5,8. Je suis très fière de moi. J'essaie aussi de transmettre une saine alimentation à mon fils de 15 ans afin que cette maladie lui soit épargnée. J'espère que tous les gens confrontés au diabète prendront leur état au sérieux, qu'ils écouteront le médecin, l'infirmière et le diététiste, afin de prendre le dessus sur leur maladie. L'enjeu est vital.

Optométriste

Si vous êtes diabétique, prenez rendez-vous avec l'optométriste. On vous examinera le fond de l'œil (voir page 346). Si vos yeux sont en bon état, l'optométriste vous suggérera de passer un examen de contrôle un an ou deux plus tard. Si vous tombez enceinte, vous devriez aussi vous faire examiner les yeux durant les trois premiers mois de la grossesse. Il sera nécessaire d'assurer un suivi régulier. Les affections oculaires doivent être dépistées *le plus tôt possible*.

Consultez l'optométriste afin de vous faire examiner la vue régulièrement.

Le témoignage de Rachel

Il y a deux mois, j'ai commencé à avoir des problèmes avec ma vision éloignée, qui était floue. J'ai consulté un optométriste. Il m'a demandé si ma glycémie était trop élevée, ou si elle était sujette à de grandes fluctuations. J'ai répondu que oui. J'avais négligé mon alimentation. L'optométriste a procédé à un examen et a constaté un changement d'acuité visuelle qui, en principe, aurait nécessité que je me procure de nouvelles lunettes, mais pas avant la normalisation de ma glycémie. Le médecin m'a expliqué qu'une nouvelle prescription me permettrait certes de mieux voir un certain temps, mais que, si ma glycémie s'améliorait, je pourrais de nouveau porter mes anciennes lunettes après quelques jours ou semaines. Il m'a donc suggéré de faire un bilan de santé avec mon médecin et de passer en revue ma médication, puis de revenir le voir un mois plus tard si ma vision ne s'était pas améliorée. Il m'a aussi dit que j'avais eu raison de le consulter, car une vision floue cache parfois des causes plus graves, par exemple un œdème maculaire, qui est du ressort de l'ophtalmologiste. C'est ce jour-là que j'ai appris que le diabète pouvait avoir des répercussions sur ma vision. J'ai également pris l'initiative de consulter mon médecin et ma diététiste. Grâce à la normalisation de ma glycémie, ma vision a cessé d'être floue et je n'ai pas eu à me procurer de nouvelles lunettes.

L'optométriste ou l'opticien ?

L'opticien peut ajuster les lunettes, mais ne possède pas la compétence pour examiner la vue d'un diabétique, ni pour diagnostiquer une cataracte ou un glaucome. Pour ce genre d'examen, ce sont l'optométriste ou l'ophtalmologiste qu'il faut consulter.

L'ophtalmologiste ?

L'ophtalmologiste est un médecin spécialisé dans les maladies de l'œil. Il peut pratiquer des interventions chirurgicales, notamment au laser. Pour un examen régulier de la vue, on peut le consulter.

CONSULTATIONS DE SUIVI

Dentiste ou denturologiste

Consultez le dentiste dans les six premiers mois suivant le diagnostic (et avant, si vous avez des préoccupations), parce que le diabète peut avoir des répercussions sur les gencives et les dents. L'hygiéniste dentaire devra vous nettoyer les dents à chaque visite. Il est bon de consulter un dentiste régulièrement.

Spécialiste de la chaussure, podiatre et spécialiste du pied chez les diabétiques

- Viendra peut-être un temps où vous devrez vous procurer des chaussures spéciales afin de protéger vos pieds. Il est conseillé de consulter un établissement spécialisé dans les chaussures pour diabétiques, surtout si vos pieds sont difficiles à chausser. Le podo-orthésiste est un spécialiste de l'ajustement des chaussures sur mesure ou des semelles orthopédiques.

- Si vous avez de la difficulté à vous couper les ongles d'orteil, vous pouvez confier cette tâche à une infirmière spécialisée dans les soins du pied. Si elle observe un problème quelconque, elle saura vous diriger vers le podiatre.

- Le podiatre est un médecin qui offre des soins pour les pieds. Il est aussi habilité à faire certaines interventions chirurgicales. Pour les problèmes de pied plus graves, par exemple une infection qui ne se résorbe pas, vous devrez consulter un autre spécialiste. Le podiatre, lui, peut réaliser des chirurgies vasculaires et d'autres interventions du pied typiques de la personne diabétique.

Autres spécialistes

Selon le cas, on pourrait vous diriger vers :

- un ophtalmologiste, soit un médecin qui peut faire des interventions de la cataracte ou des chirurgies oculaires au laser pour traiter la rétinopathie diabétique ;

- un professionnel de la santé mentale, si vous vous sentez déprimé et que vous avez besoin de soutien affectif ;

- un cours de médecine sportive ou un physiothérapeute, qui saura élaborer avec vous un programme d'exercice spécialisé, surtout si vous êtes aux prises avec une affection comme l'arthrose ;

- un obstétricien si vous êtes enceinte ;

- un urologue, un gynécologue ou un sexothérapeute, si vous avez des problèmes avec votre vessie ou votre vie sexuelle ;

- un neurologue ou une clinique antidouleur, si vous éprouvez des douleurs associées aux lésions nerveuses associées au diabète ;

- un gastro-entérologue, si vous souffrez de problèmes gastriques ou intestinaux ;

- un dermatologue, si vous avez des affections cutanées associées au diabète :

- un cardiologue, si vous devez subir une évaluation en profondeur de la fonction cardiaque ;

- un néphrologue (spécialiste du rein) ainsi qu'une diététiste spécialisée en maladies rénales, si vos reins ne fonctionnent pas correctement.

Antidiabétiques oraux et insuline

PRISE EN CHARGE NON MÉDICAMENTEUSE

Si vous parvenez à normaliser votre glycémie grâce à une saine alimentation et à l'exercice physique, vous pouvez vous passer de médicaments. La glycémie est généralement plus facile à normaliser sans médication si votre diabète est récent.

Au moment du diagnostic, il se peut que votre glycémie soit trop élevée. Si c'est le cas, un recours urgent à l'insuline ou à des comprimés peut s'avérer nécessaire. Cependant, dans certains cas, le médecin réduit ou suspend la médication après une perte de poids et une fois l'habitude acquise de faire plus d'exercice physique au quotidien.

LES MÉDICAMENTS PEUVENT VOUS AIDER

Malheureusement, avec le passage des années, votre pancréas produit moins d'insuline. Même si vous faites tout ce qu'il faut, il se peut que vous ayez besoin d'antidiabétiques oraux ou d'insuline. Si vous avez besoin de tels médicaments, prenez-les sans faute.

J'entends souvent dire : « Je ne prends pas de médicaments (ou « je ne prends que des comprimés »), mon diabète n'est pas aussi grave que celui de X, qui, lui, doit prendre de l'insuline. » La médication ne révèle rien sur votre état de santé. Ce sont les valeurs de la glycémie et de l'hémoglobine glyquée (HbA1c) qui permettent de juger du degré de gravité du diabète. La mesure du taux d'hémoglobine glyquée rend compte de la glycémie sur une période de trois mois (voir pages 344, 347 et 348). Si vous ne prenez pas de médicaments, mais que votre hémoglobine glyquée est élevée, vous êtes exposé à des complications plus graves qu'un sujet qui prendrait de l'insuline, mais dont le taux d'hémoglobine glyquée serait normal. Par le passé, les médecins prescrivaient l'insuline en dernier recours. Aujourd'hui, les médecins prescrivent les antidiabétiques oraux et l'insuline bien plus tôt. Il en résulte une meilleure normalisation de la glycémie et une réduction du nombre de complications.

LA MÉDICATION QUI VOUS CONVIENT

Les antidiabétiques oraux et l'insuline agissent de manière différente. Le médecin peut prescrire un ou plusieurs antidiabétiques, avec ou sans insuline. Il établira la posologie, en commençant souvent par des doses relativement faibles, quitte à les augmenter par la suite. Signalez tout éventuel effet secondaire au médecin.

Prenez les médicaments comme vous l'a prescrit le médecin.

Un médicament donne des résultats optimaux quand on le prend selon l'horaire prescrit, et avec assiduité. Pourtant, comme chacun le sait, il est si facile d'oublier si on a pris ou non ses médicaments! Le pilulier pourrait se révéler pratique. Certaines pharmacies offrent d'ailleurs de placer vos médicaments directement dans un pilulier.

Si vous tentez de devenir enceinte (ou si vous l'êtes déjà, ou si vous allaitez), demandez au médecin de vous indiquer les médicaments sans risque pour vous.

Les antidiabétiques oraux courants

On peut classer les antidiabétiques oraux en fonction des quatre principaux organes qu'ils visent.

 Les **bloqueurs du glucose au niveau hépatique** empêchent la libération de glucose par le foie.

 Les **stimulants de la sécrétion d'insuline par le pancréas** aident cet organe à produire davantage d'insuline.

 Les bloqueurs du glucose au niveau intestinal ralentissent l'absorption des glucides par le sang.

 Les **stimulants de la sécrétion d'insuline visant les intestins** agissent sur les hormones intestinales, lesquelles, à leur tour, aident le pancréas à sécréter plus d'insuline.

 Les **adjuvants de l'insuline au niveau cellulaire** aident l'insuline à faire passer le glucose du sang vers les cellules.

Les noms des médicaments les plus connus de chaque groupe figurent aux pages 321 à 326. On indique aussi leur mécanisme d'action ainsi que certains de leurs bienfaits et effets secondaires.

Le médecin peut vous prescrire un médicament qui n'est pas mentionné ici. Demandez au pharmacien à quelle catégorie ce médicament appartient et quels sont ses éventuels effets secondaires. Certains produits associent deux types d'agents, par exemple un bloqueur du glucose au niveau hépatique et un stimulant de la sécrétion d'insuline par le pancréas. Par ailleurs, un médicament peut interagir avec un autre. Ainsi, les antidiabétiques oraux sont susceptibles d'interagir avec certains médicaments prescrits pour le cœur. Informez-vous des effets secondaires qui vous concernent.

 BLOQUEURS DU GLUCOSE AU NIVEAU HÉPATIQUE

Le médecin désigne la famille à laquelle appartiennent ces médicaments par les termes « biguanides » et « antihyperglycémiques ».

Les bloqueurs du glucose au niveau hépatique empêchent la libération de glucose par le foie.

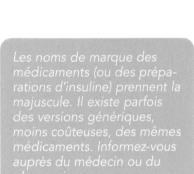

foie
estomac
pancréas
côlon
intestin grêle

Les noms de marque des médicaments (ou des préparations d'insuline) prennent la majuscule. Il existe parfois des versions génériques, moins coûteuses, des mêmes médicaments. Informez-vous auprès du médecin ou du pharmacien.

Cette famille de médicaments compte parmi les antidiabétiques oraux souvent prescrits les premiers.

- metformine (Glucophage^MD)
- metformine à action prolongée (Glumetza^MD)

MÉCANISME D'ACTION DE LA METFORMINE

L'organisme stocke le glucose excédentaire dans le foie. Chez une personne diabétique, ce glucide s'échappe du foie. La metformine aide à enrayer ou à freiner cette fuite.

À quel moment prendre le médicament?

La metformine agit de façon optimale quand elle est prise plusieurs fois par jour, avec les repas. Dans certains cas, on en prend à chaque repas et au moment de la collation de fin de journée. Le patient commence à noter une amélioration au bout de quatre à six semaines. La version à action prolongée se prend une fois par jour, en soirée.

Bienfaits

- La metformine aide à corriger l'hyperglycémie à jeun (glycémie élevée le matin, avant tout repas).
- Si vous faites de l'embonpoint, elle est une option intéressante, car elle ne cause pas de prise de poids.
- La metformine ne provoque pas d'hypoglycémie.
- Elle améliorerait aussi le taux de cholestérol.

STIMULANTS DE LA SÉCRÉTION D'INSULINE PAR LE PANCRÉAS

Le médecin désigne la famille à laquelle appartiennent ces médicaments par le terme «sécrétagogues».

Les sécrétagogues aident le pancréas à sécréter davantage d'insuline.

- glyburide ou glibenclamide (Diabeta^MD)
- gliclazide (Diamicron^MD)
- glimépiride (Amaryl^MD)

Ces variétés sont exemptes de sulfamides:

- répaglinide (GlucoNorm^MD et Prandin^MD)
- natéglinide (Starlix^MD)

Effets secondaires les plus communs

- Dérangements d'estomac et diarrhée, surtout durant le premier mois.

- Si, après un mois ou deux, ces dérangements d'estomac persistent, prévenez le médecin. Il pourrait vous prescrire un autre type de médicament.

- **Risque de grossesse:**

- Si vous êtes en préménopause, sachez que la metformine peut stimuler la fécondité. Si vous cherchez une méthode de contraception, consultez la page 395. Ce médicament n'est pas recommandé aux femmes enceintes.

- **Non recommandé:**

- en cas de maladie du foie, de maladie rénale avancée ou d'insuffisance cardiaque avancée;

- si vous êtes alcoolique ou buveur excessif périodique.

On trouvera des informations quant aux effets secondaires des médicaments sur le site <drugwatch.com>.

MÉCANISME D'ACTION

Les sécrétagogues stimulent la production d'insuline par le pancréas.

À quel moment prendre le médicament?

- Prenez le glyburide une demi-heure avant le déjeuner et le souper.

- Le gliclazide et le glimépiride sont des sécrétagogues à prise quotidienne unique. On en prend immédiatement avant ou avec le premier repas de la journée.

- Le répaglinide et le natéglinide se prennent à chaque repas.

Bienfaits

- Ces médicaments sont indiqués si votre glycémie demeure élevée deux heures après le repas.

BLOQUEURS DU GLUCOSE AU NIVEAU INTESTINAL

Le médecin désigne la famille à laquelle appartiennent ces médicaments par le terme «inhibiteurs des alpha-glucosidases».

Ils ralentissent l'absorption du glucose par l'intestin.

- acarbose (Glucobay[MD], Prandase[MD] et Precose[MD])

- chlorhydrate de colesevelam (Welchol[MD] et Lodalis[MD])

- miglitol (Glycet[MD]), disponible aux États-Unis, mais pas encore sur le marché canadien

MÉCANISME D'ACTION

L'acarbose (et le miglitol) ralentit l'absorption des glucides par l'estomac et l'intestin. Ainsi, les médicaments de cette catégorie atténuent les pics glycémiques après un repas ou une collation copieuse. La tâche du pancréas s'en trouve allégée.

Le chlorhydrate de colesevelam ralentit aussi l'absorption des glucides. Qui plus est, il élimine le cholestérol de l'intestin, ce qui contribue à abaisser le taux sanguin de «mauvais» cholestérol (le cholestérol LDL).

À quel moment prendre le médicament?

- Prenez l'acarbose (ou le miglitol) à chaque repas avec la première bouchée de nourriture contenant des glucides.

- Prenez Welchol[MD] une ou deux fois par jour, avec de la nourriture.

Bienfaits

- L'acarbose aide à réduire la glycémie deux heures après l'ingestion d'aliments.

- À eux seuls, les inhibiteurs des alpha-glucosidases ne provoquent pas de prise de poids ou d'hypoglycémie.

- Welchol^{MD} favorise la réduction du taux de cholestérol LDL.

STIMULANTS DE LA SÉCRÉTION D'INSULINE VISANT LES INTESTINS

Le médecin désigne la famille à laquelle appartiennent ces médicaments par le terme «incrétines».

Ils stimulent la production d'hormones intestinales qui abaissent la glycémie.

Médicaments:

- sitagliptine (Januvia^{MD}) et saxagliptine (Onglyza^{MD})

- linagliptine (Tragenta/Tradjenta^{MD})

Incrétines et gliptines administrées par injection:

- Le liraglutide (Victoza^{MD}) et l'exanatide (Byetta^{MD} et Bydureon^{MD}) s'administrent par injection — même s'ils sont administrés ainsi, ils diffèrent de l'insuline. Le pramlintide (Symlin^{MD}), un autre médicament injectable au mécanisme d'action semblable, a été approuvé aux États-Unis.

MÉCANISME D'ACTION

Ces médicaments stimulent la sécrétion d'hormones intestinales appelées incrétines, qui aident le pancréas à sécréter plus d'insuline, ce qui permet d'abaisser la glycémie après un repas. Ces médicaments accroissent la production d'hormones intestinales. Le médicament injecté possède un mécanisme d'action comparable à celui des hormones intestinales.

Certains de ces médicaments exercent d'autres effets. Par exemple, ils ralentissent le transit de la nourriture hors de l'estomac, ce qui, en retour, ralentit le passage des sucres dans le sang. Ils peuvent aussi calmer l'appétit. Leur action s'apparente à celle des bloqueurs du glucose au niveau hépatique. Contrairement aux stimulants de la sécrétion d'insuline par le pancréas, les hormones intestinales ne sont sécrétées ou produites qu'en réaction à l'ingestion de nourriture. Ces médicaments ne provoquent donc pas d'hypoglycémie.

Effets secondaires les plus communs

Les effets secondaires de Januvia^{MD} sont habituellement très discrets. Les problèmes respiratoires sont l'effet secondaire le plus souvent signalé.

Victoza^{MD} et les autres médicaments injectables appartenant à cette famille peuvent causer des dérangements d'estomac.

Victoza^{MD} n'est pas recommandé aux patients atteints de maladies rénales chroniques. Parlez-en à votre médecin.

Ces médicaments sont surtout utiles pour les patients qui en sont aux premiers stades du diabète plutôt que pour ceux qui en sont atteints depuis de nombreuses années.

À quel moment prendre le médicament

- Prenez Januvia^{MD}, Onglyza^{MD} ou Tragenta^{MD} une fois par jour, avec ou sans nourriture.

- Victoza^{MD} s'administre par injection une fois par jour; Byetta^{MD}, aussi administré par injection, doit être pris deux fois par jour avant les repas, et Symlin^{MD} s'injecte au moment des repas.

Bienfaits

- Ces médicaments aident à réduire la glycémie dans les deux heures suivant le repas.

- *À eux seuls*, ces médicaments ne provoquent pas de prise de poids ou d'hypoglycémie.

ADJUVANTS DE L'INSULINE AU NIVEAU CELLULAIRE

Le médecin désigne la famille à laquelle appartiennent ces médicaments par les termes « thiazolidinediones », « glitazones » et « insulinosensibilisants ».

MÉCANISME D'ACTION

Ces médicaments aident le glucose à passer du sang aux cellules de l'organisme en améliorant la façon dont l'insuline agit une fois parvenue aux cellules, particulièrement aux cellules musculaires et adipeuses. En somme, ces médicaments augmentent la sensibilité à l'insuline.

Ils aident l'insuline à mieux fonctionner au niveau cellulaire.

- pioglitazone (Actos^{MD})

- rosiglitazone (Avandia^{MD})

À quel moment prendre le médicament?

La pioglitazone se prend une fois par jour, avec ou sans nourriture, en général le matin. La rosiglitazone se prend une ou deux fois par jour, au déjeuner et au souper. Il faut mettre jusqu'à six semaines avant d'observer une normalisation de la glycémie, et jusqu'à trois mois avant de ressentir tous les bienfaits du médicament.

Bienfaits

- Les adjuvants de l'insuline au niveau cellulaire réduisent la glycémie dans les deux heures suivant le repas.

- À lui seul, ce médicament ne provoque pas d'hypoglycémie.

AVERTISSEMENT

Avandia^{MD} est maintenant prescrit moins souvent en raison des risques cardio-vasculaires auquel il est associé. Les autorités sanitaires canadiennes et américaines prennent des mesures pour en restreindre la consommation.

AUTRES MÉDICAMENTS QUE L'ON POURRAIT VOUS PRESCRIRE

Médicaments pour réduire le risque de caillots (anticoagulants)

Aux adultes cardiaques, les médecins recommandent l'aspirine à faible dose.

Si l'aspirine vous occasionne des dérangements d'estomac, le médecin pourrait vous prescrire un autre médicament.

Médicaments contre le cholestérol

Si vous êtes exposé à des risques de maladie cardiaque, le médecin vous prescrira peut-être un médicament pour abaisser le taux de cholestérol (un hypocholestérolémiant) appelé statine. Les statines abaissent le taux de cholestérol LDL, c'est-à-dire le « mauvais » cholestérol. Les noms de ce type de médicament se terminent tous par « statine », par exemple atorvastatine (Lipitor^{MD}), rosuvastatine (Crestor^{MD}), simvastatine (Zocor^{MD}) et pravastatine (Pravachol^{MD}). Ces médicaments apportent de grands bienfaits aux gens ayant subi un infarctus du myocarde. La plupart des gens les tolèrent bien. Si vous ressentez des douleurs inhabituelles aux os ou aux muscles après avoir commencé à prendre des statines, signalez cet effet secondaire au médecin sans délai.

Vous trouverez de plus amples détails sur les cholestérols LDL et HDL ainsi que sur les triglycérides à la page 341.

Tricor^{MD} est un fibrate, soit une autre famille de médicaments contre le cholestérol pouvant être prescrite aux diabétiques. Les fibrates ne sont pas aussi efficaces que les statines, mais ils abaissent les triglycérides (lipides sanguins) tout en élevant le cholestérol HDL, c'est-à-dire le « bon » cholestérol.

Médicaments contre l'hypertension (antihypertenseurs)

Chez les diabétiques, les deux types d'antihypertenseurs les plus recommandés sont les inhibiteurs de l'ECA et les antagonistes des récepteurs de l'angiotensine (ARA). Les inhibiteurs de l'ECA possèdent des noms se terminant en « pril » : captopril, énalapril, fosinopril, lisinopril et ramipril. Les ARA possèdent des noms se terminant en « sartan », comme candesartan, losartan, irbésartan et valsartan. Ces deux familles de médicaments abaissent la tension artérielle et, ce faisant, protègent les reins.

Précaution durant la grossesse :

Si vous êtes enceinte ou que vous allaitez, il est conseillé de suspendre la prise de statines, d'inhibiteurs de l'ECA et de ARA. Votre médecin trouvera des solutions de rechange.

Pour normaliser la tension artérielle, le médecin peut choisir parmi plusieurs familles de médicaments, y compris certaines qui ne sont ni des inhibiteurs de l'ECA ni des ARA. Il pourrait ainsi prescrire des diurétiques.

Médicaments pour perdre du poids

L'orlistat (Xenical[MD]) est un médicament administré aux personnes désireuses de perdre du poids. Il provoque certes une perte pondérale, mais aussi des diarrhées importantes et des besoins pressants d'aller à la selle.

Informez le médecin et le pharmacien des médicaments que vous prenez. Faites-vous indiquer leurs effets secondaires et les posologies adéquates.

L'insuline

IL EST CONSEILLÉ DE COMMENCER TÔT LE TRAITEMENT.

Au fil des ans, l'hyperglycémie risque d'endommager de façon permanente les cellules du pancréas qui sécrètent l'insuline. Le diabétique a donc intérêt à prendre de l'insuline le plus tôt possible, dès que l'hyperglycémie fait son apparition. L'insuline abaisse la glycémie et protège les cellules du pancréas. Si votre glycémie est très élevée, vous pouvez avoir besoin d'insuline dès que le diagnostic est posé, ou encore après des années de maladie, si vous n'arrivez pas à normaliser votre glycémie autrement.

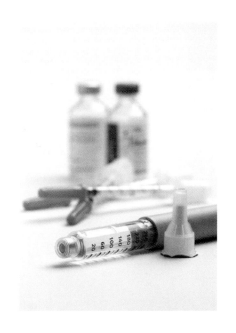

Apprivoiser l'insuline

La perspective de devoir s'injecter un médicament tous les jours est tout sauf réjouissante. Confiez vos états d'âme au médecin ou à l'éducateur agréé en diabète. Grâce à leur soutien et aux renseignements qu'ils vous transmettront, vous saurez surmonter les obstacles. Voir le cas exposé plus loin sur cette page.

Une fois le traitement commencé, bien des patients affirment que cela n'est pas aussi pénible qu'ils le craignaient. Souvent, ils se sentent mieux, grâce à la normalisation de leur glycémie. Certains patients auraient aimé commencer le traitement à l'insuline plus tôt et trouvent que les nouvelles aiguilles microfines causent très peu de douleur. Cela ne signifie pas qu'ils souhaitent être dépendants de l'insuline ! Personne ne souhaite l'être, mais les témoignages confirment que cette thérapeutique est viable.

Le témoignage de Brigitte sur le début de son traitement à l'insuline et les avantages d'un bon soutien

Quand mon médecin m'a annoncé que je devais prendre de l'insuline, j'étais terrifiée. L'infirmière du centre d'éducation sur le diabète m'a appris à utiliser la seringue. Je me suis exercée sur une orange. L'infirmière m'a beaucoup aidée. À la maison, je lisais tout ce que je pouvais trouver sur le sujet et récapitulais ce que l'infirmière m'avait appris. J'ai même été jusqu'à piquer une orange à quelques reprises. J'ai ensuite compris que je maîtrisais la technique. Ce soir-là, à 22 h, je me suis administré ma toute première piqûre. Peut-être en suant à grosses gouttes et en tremblant comme une feuille, mais j'ai réussi ! Sauf qu'en retirant l'aiguille, je me suis piquée au doigt. Je saignais et je paniquais. Je ne savais plus quoi faire. J'ai donc appelé la ligne Info-Santé sans frais. L'infirmière qui m'a répondu a été fantastique ! Elle m'a rassurée et confirmé que tout était en ordre. Elle m'a dit que je m'en étais bien tirée et m'a recommandé de bien me laver les mains. C'étaient de précieux conseils. Le lendemain, j'ai téléphoné de nouveau à l'infirmière du centre d'éducation sur le diabète. Elle a été géniale, elle aussi ! Je lui ai raconté mon appel de la veille, le fait que je me sois sentie gourde. Elle ne s'est pas moquée de moi. Si elle l'avait fait, je crois que je me serais effondrée. Elle m'a dit : « Ce sont des choses qui arrivent. Vous avez bien fait de parler à l'infirmière du service ; autrement, vous vous seriez fait du souci toute la nuit. » Quand j'y repense, je me trouve ridicule. Mais sur le coup, j'étais dépassée par les événements. J'en ris maintenant, mais à l'époque, je n'étais qu'une « néophyte ». Aujourd'hui, je n'ai plus peur de l'aiguille. J'ai mis plus de temps que la moyenne à m'habituer à l'insuline, mais tout ça, c'était il y a quatre ans. Je m'injecte désormais de l'insuline deux fois par jour. Pour maintenir mon hémoglobine glyquée à un bon niveau, je suis suivie de près par mon médecin, l'infirmière spécialisée en diabète et la diététiste.

Si votre glycémie ne s'améliore pas, demandez au médecin qu'il vous propose des solutions de rechange. Vous pourrez essayer un autre type d'insuline, ou bien une combinaison d'insuline et d'un ou plusieurs antidiabétiques oraux. Vous devrez peut-être aussi apporter de nouvelles modifications à vos habitudes de vie.

Le médecin vous viendra en aide.

Le médecin prescrira le type d'insuline qu'il juge le meilleur pour vous. Il vous en indiquera aussi la posologie. La dose de départ sera relativement faible. Le médecin ou l'équipe spécialisée en éducation sur le diabète étudiera l'évolution de votre glycémie. On vous indiquera la façon d'augmenter progressivement la dose d'insuline jusqu'à la normalisation de votre glycémie.

Cela fait, le médecin peut vous conseiller de vous en tenir à cette dose tous les jours. Dans ce cas, il est important de consommer des repas de taille similaire, à des heures régulières, et de suivre un programme d'exercice physique.

Si votre quotidien est difficilement prévisible, le médecin pourrait vous recommander un type d'insuline qu'il est possible d'ajuster. Vous pourrez ainsi modifier votre dose d'insuline de repas en repas et de jour en jour. Pour apprendre à ajuster votre dose d'insuline, vous devrez suivre une formation personnalisée avec l'éducateur agréé en diabète.

Effets secondaires de l'insuline

L'insuline n'entraîne pas autant d'effets secondaires que les antidiabétiques oraux, car elle n'est pas étrangère à l'organisme. Les effets secondaires indésirables les plus fréquents sont l'hypoglycémie et la prise de poids.

Hypoglycémie

Si votre glycémie est le plus souvent proche de la normale, vous courez un risque accru de connaître des épisodes d'hypoglycémie. De plus, les personnes âgées présentent parfois une hypoglycémie marquée. Pour approfondir vos notions sur l'hypoglycémie, consultez les pages 335 à 341.

Prise de poids

Le début d'un traitement à l'insuline entraîne plus souvent une prise de poids que celui aux antidiabétiques oraux. Voici quelques conseils pour prévenir ou freiner une prise de poids non souhaitée :

Pourquoi l'insuline cause-t-elle une prise de poids ?

L'insuline retire le glucose excédentaire du sang. Une partie de ce glucose se transforme en tissus adipeux. De plus, la prise de poids s'explique en partie par la rétention d'eau, car l'insuline a tendance à retenir le sodium dans l'organisme.

- Dans les premiers mois ou les premières semaines suivant le début du traitement à l'insuline, abaissez votre glycémie progressivement. Pour ce faire, il faut augmenter les doses d'insuline petit à petit.

- Réduisez la taille de vos portions et votre consommation de sel.

- Faites de l'exercice physique.

Seringue ou stylo injecteur?

Demandez au médecin, au pharmacien ou à l'éducateur agréé en diabète de vous indiquer la meilleure solution pour vous. Votre choix dépendra de différents facteurs, tels le nombre d'injections, votre budget (les seringues sont parfois meilleur marché) et votre aisance avec l'un ou l'autre des dispositifs.

S'injecter de l'insuline

Que vous optiez pour la seringue ou pour le stylo, demandez au pharmacien, au médecin ou à l'infirmière de vous indiquer comment et où vous injecter. La meilleure façon d'apprendre est de se faire donner une démonstration.

Entreposage de l'insuline

Conservez la fiole que vous utilisez à température ambiante. Elle se conservera ainsi sans problème pendant un mois. Rangez vos provisions d'insuline au réfrigérateur. Si vous prenez l'avion, transportez toujours votre insuline dans votre bagage à main.

Différents types d'insuline

Le type d'insuline indique si celle-ci agit dans l'organisme pendant une période prolongée ou brève: d'action prolongée, intermédiaire, brève et rapide. L'insuline basale a une action prolongée ou intermédiaire, alors que l'insuline prandiale a une action brève et rapide.

1) Insuline basale (d'action prolongée ou intermédiaire)

Ces formes d'insuline libèrent une quantité d'insuline relativement constante sur une période de 12 à 24 heures. Ceci permet de normaliser la glycémie, incluant le glucose libéré dans le sang par le foie durant la nuit.

2) Insuline prandiale (d'action brève et rapide)

Ces formes d'insuline agissent rapidement, après quoi leur effet s'estompe. Elles ont une action qui culmine, un moment où leur effet atteint son maximum. Ces formes d'insuline reproduisent l'élévation naturelle de la glycémie suivant un repas. Elles procurent une poussée d'insuline sur une période allant d'une demi-heure à quatre heures, ce qui aide à annuler l'élévation de la glycémie consécutive à un repas.

Qu'est-ce que le stylo injecteur?

Le stylo injecteur a l'apparence d'un stylo, mais plus large qu'à l'ordinaire. Il recèle en son sommet un petit réservoir d'insuline et porte une aiguille à l'autre extrémité.

Élimination sécuritaire des lancettes et des aiguilles

Placez les lancettes et les aiguilles usagées dans un contenant rigide pour aliments, un gallon vide d'eau de Javel, ou procurez-vous un contenant fait expressément pour cela à la pharmacie. Lorsque le contenant est plein, mettez le couvercle en place et scellez-le au moyen de ruban adhésif. À la pharmacie, demandez qu'on vous indique l'endroit où jeter ce contenant en toute sécurité.

Les tableaux des quatre pages suivantes montrent l'action des principaux types d'insuline dans l'organisme. Ces données sont approximatives. Le mécanisme d'action varie légèrement selon les marques. De plus, l'absorption de l'insuline peut différer d'une personne à l'autre. Votre propre réaction dépendra de la posologie et du point d'injection. Demandez au pharmacien ou à l'infirmière des brochures ou des informations sur l'insuline qu'on vous prescrit.

INSULINE BASALE: d'action prolongée

détémir (Levemir^MD)

glargine (Lantus^MD)

Commence à agir après: 1 ½ heure

Pic très faible: libération lente et constante

Durée: jusqu'à 24 heures

Schéma posologique: Habituellement une fois par jour (le soir), mais une seconde injection peut aussi être administrée à l'occasion le matin.

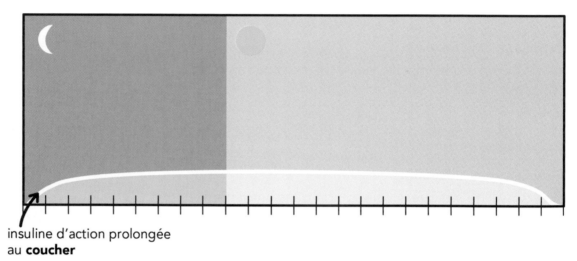

insuline d'action prolongée
au **coucher**

Ce graphique montre l'effet d'une injection d'insuline d'action prolongée sur plus de 24 heures.

Avantages:

- Si votre glycémie n'est pas constamment trop élevée, une dose de cette insuline administrée en soirée peut suffire.

- Comparée à une insuline d'action intermédiaire (voir page suivante), elle entraîne moins de risques d'hypoglycémie en milieu de nuit. Elle cause aussi une prise de poids moindre que l'insuline d'action intermédiaire.

Parmi ses inconvénients, compte notamment l'hypoglycémie et la prise de poids, cependant moins marquée qu'avec les autres insulines.

- Dans votre seringue ou stylo, ne mélangez pas cette insuline avec une insuline d'un autre type. Elle doit être administrée séparément.

- C'est une forme d'insuline habituellement plus chère que l'insuline d'action intermédiaire, et elle n'est pas prise en charge par toutes les assurances médicaments.

INSULINE BASALE : d'action intermédiaire

isophane (NPH) (Humulin^MD N et Novolin^MD N)

Commence à agir après : 1 à 3 heures

Atteint son pic en : 5 à 8 heures

Dure : jusqu'à 18 heures

Schéma posologique : Habituellement deux injections par jour (matin et soir).

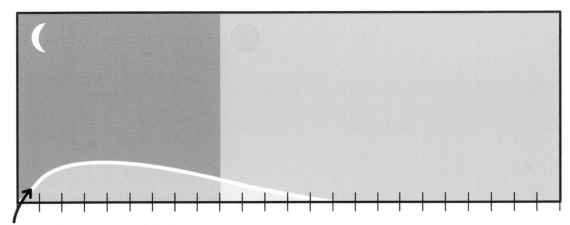

insuline d'action intermédiaire
au **coucher**

Ce graphique montre l'effet d'une injection d'insuline d'action intermédiaire.

Avantages :

- Elle est moins coûteuse que l'insuline d'action prolongée.

- Comme avec l'insuline d'action prolongée, certaines personnes atteintes d'hyperglycémie modérée peuvent s'accommoder d'une ou de deux injections quotidiennes de cette insuline.

Parmi ses **inconvénients,** on compte notamment l'hypoglycémie et la prise de poids.

- Une dose administrée en soirée peut induire une hypo-glycémie en milieu de nuit. Pour éviter cette baisse de la glycémie, certaines personnes ressentent le besoin de prendre une collation en soirée, tout en souhaitant l'éviter, à cause de l'excès de calories et de la prise du poids qu'elle entraîne.

- Si vous ne vous faites qu'une injection en soirée, la période du souper ne sera pas couverte. Vous devrez peut-être prendre un supplément d'insuline ou un anti-diabétique oral.

INSULINE PRANDIALE : d'action brève

régulière (Humulin^{MD} R ou Novolin^{MD} ge Toronto/Novolin^{MD} R)

Commence à agir après : ½ heure

Atteint son pic en : 2 à 3 heures

Dure : de 6 à 7 heures

Schéma posologique : Environ une demi-heure avant le repas, parfois pour un seul repas, parfois pour deux (selon votre glycémie). Dans d'autres cas, on la prend à tous les repas, tel qu'indiqué dans les exemples plus bas.

Insulines d'action intermédiaire et d'action brève

insuline d'action intermédiaire au **coucher**

insuline d'action brève une demi-heure avant le **déjeuner**

insuline d'action brève une heure avant le **dîner**

insuline d'action brève une demi-heure avant le **souper**

Ce graphique montre l'action d'une injection d'insuline d'action brève à chaque repas, combinée à une injection d'insuline d'action intermédiaire au coucher. Les pics de l'insuline d'action brève font voir combien dure son effet dans l'organisme. Ils suivent de très près ceux de l'élévation de la glycémie après les repas et collations.

Avantages :

Cette insuline pourrait être la bonne :

- si vous prenez des repas apportant beaucoup de fibres alimentaires, de gras ou de protéines, et comprenant des aliments à indice glycémique bas ;

- si vous digérez lentement à cause de lésions nerveuses à l'estomac (gastroparésie) liées au diabète ;

- si vous prenez des collations entre les repas, car l'action de cette insuline est plus prolongée que celle de l'insuline d'action rapide, de sorte qu'elle couvre à la fois le temps d'un repas et d'une collation.

Parmi ses **inconvénients,** on compte notamment l'hypoglycémie et la prise de poids.

INSULINE PRANDIALE : d'action rapide

aspart (NovoRapid^MD)

glulisine (Apidra^MD)

lispro (Humalog^MD)

Commence à agir après : 10 à 15 minutes

Atteint son pic en : 1 à 2 heures

Dure : de 3 à 5 heures

Schéma posologique : Tout juste avant ou même après le repas. Vous pouvez vous administrer une dose supplémentaire pour abaisser la glycémie ou vous permettre de manger davantage. Comme avec l'insuline d'action brève, vous pouvez la prendre à un seul repas, à deux repas, voire à chaque repas, tel qu'illustré plus bas.

> En ce qui concerne le calcul des glucides, demandez conseil à la diététiste, et consultez les pages 85 à 98, et 152. Vous pourrez ensuite apprendre à ajuster la quantité d'insuline rapide injectée en fonction de la quantité de glucides que vous consommez à chaque repas.

Insulines d'action prolongée et insulines d'action rapide

insuline d'action prolongée au **coucher**

insuline d'action rapide immédiatement avant ou après le **déjeuner**

insuline d'action rapide immédiatement avant ou après le **dîner**

insuline d'action rapide immédiatement avant ou après le **souper**

Ce graphique montre une injection d'insuline d'action rapide à chaque repas, prise avec une injection d'insuline d'action prolongée au coucher. Les pics de l'insuline d'action rapide font voir la durée de son effet dans l'organisme. Ils suivent de très près ceux de l'élévation de la glycémie après les repas.

Avantages :

- Si votre horaire change de jour en jour, cette forme d'insuline vous offre de la souplesse. Vous pouvez ajuster la quantité d'insuline en fonction de la quantité de nourriture ingérée à chaque repas, ainsi que déterminer le moment de la prise, en fonction de l'horaire de vos repas. Si vous ne prenez pas de collation entre les repas, cette insuline est une bonne solution.

- Elle convient bien quand vous êtes malade et que vous ne savez pas combien et quand vous allez manger.

- Avec l'insuline d'action rapide, vous pouvez obtenir une réduction des épisodes hypoglycémiques et de la prise de poids. Cette insuline est métabolisée par l'organisme rapidement, ce qui permet de réduire la tentation d'une collation.

Parmi ses **inconvénients,** on compte notamment l'hypoglycémie et la prise de poids.

- Cette insuline vous offre la possibilité de prendre un supplément d'insuline au cas où vous voudriez manger davantage. Si vous le faites trop fréquemment, toutefois, vous risquez d'ingérer un surplus de calories et de prendre du poids.

Insulines prémélangées

Ces formes d'insuline contiennent des proportions fixes de deux types d'insuline, soit d'action brève et d'action intermédiaire, ou bien d'action rapide et d'action intermédiaire. Le pourcentage le plus élevé revient à l'insuline d'action intermédiaire. Exemples de marques: NovoMix^{MD} 30 (30% d'insuline d'action rapide et 70% d'insuline d'action intermédiaire), Humulin^{MD} 30/70 (30% d'action brève et 70% d'action intermédiaire) et Humalog^{MD} Mix^{75/25} (75% d'action intermédiaire et 25% d'action rapide).

L'insuline prémélangée fonctionne bien si votre alimentation et votre niveau d'activité physique sont comparables d'une journée à l'autre. Vous pouvez prendre de l'insuline prémélangée une fois par jour (le matin) et parfois le soir. Elle permet d'éviter d'avoir à faire des ajustements quotidiens de la dose ou de prélever de l'insuline dans deux fioles différentes. Avec le stylo, vous vous contentez d'une injection au lieu de deux.

INSULINE : SCHÉMAS POSOLOGIQUES

De nombreux schémas posologiques sont possibles avec l'insuline et les antidiabétiques oraux. Le médecin et l'équipe spécialisée en éducation sur le diabète élaboreront un schéma posologique adapté à vos besoins. Ils vous enseigneront la façon d'ajuster votre propre insuline si le besoin s'en fait sentir. Voici trois exemples de schémas posologiques pour l'insuline :

Une seule injection par jour

Insuline basale (d'action prolongée ou intermédiaire), au coucher: Si vous vivez des épisodes d'hypoglycémie en milieu de nuit, l'insuline à action prolongée est une bonne solution. Cette injection quotidienne unique au coucher réduit normalement la glycémie à jeun. Le médecin augmentera progressivement la quantité d'insuline que vous prenez, jusqu'à ce que votre glycémie à jeun soit en voie de normalisation. Puisque vous partez du bon pied le matin, votre glycémie s'améliorera. La pratique de l'exercice physique et une saine alimentation amèneront des effets encore plus marqués. De plus, les éventuels antidiabétiques oraux que vous prendrez agiront mieux.

Deux injections par jour

Ajoutez une autre injection d'insuline basale le matin. Une fois votre glycémie à jeun en voie de normalisation, votre médecin se penchera sur l'évolution de votre glycémie diurne. Si celle-ci demeure élevée, peut-être aurez-vous besoin d'un supplément d'insuline durant la journée. Il pourra s'agir d'une autre injection d'insuline à action prolongée ou intermédiaire.

Deux à quatre injections par jour

Ajoutez de l'insuline prandiale (à action brève ou rapide) durant la journée, avec certains repas ou avec tous les repas. Une insuline prémélangée est une option.

Au début du traitement à l'insuline, le médecin peut maintenir une partie ou la totalité des antidiabétiques oraux que vous prenez.

Parfois, la glycémie met un mois ou deux à diminuer. L'organisme a besoin de temps pour s'adapter et se reprogrammer.

L'insuline n'agit pas en vase clos. Elle agit mieux lorsque vous vous alimentez correctement et que vous êtes actif physiquement.

Hypoglycémie

On parle d'hypoglycémie quand le taux de glucose se situe sous le seuil des 4 mmol/l (70 mg/dl). Vous avez alors le vertige, vous vous sentez faible et vous éprouvez le besoin de manger du sucre.

QUI PEUT SOUFFRIR D'HYPOGLYCÉMIE?

Si vous prenez de l'insuline ou certains antidiabétiques oraux, vous pouvez subir des épisodes d'hypoglycémie. L'insuline et les antidiabétiques oraux s'accumulent dans le sang, ce qui provoque une baisse de la glycémie. Si votre glycémie est en général proche d'un niveau normal, vous courez un risque accru de connaître des épisodes d'hypoglycémie.

Insuline: L'insuline à action prolongée (par exemple, les insulines détémir ou glargine) est la moins susceptible de provoquer une hypoglycémie. Les autres insulines ont toutes un pic d'effet maximal, donc un moment où elles agissent davantage. C'est là qu'un épisode d'hypoglycémie est le plus susceptible de survenir.

Antidiabétiques oraux: Les antidiabétiques oraux susceptibles de provoquer un épisode d'hypoglycémie appartiennent pour la plupart à la famille des stimulants de la sécrétion d'insuline par le pancréas, présentés à la page 321. Le glyburide (DiaBeta^MD) est l'antidiabétique oral le plus susceptible d'induire une hypoglycémie. Le gliclazide, le glimépiride, le répaglinide et le natéglinide peuvent aussi la causer. Si vous prenez un autre type d'antidiabétique oral, vous ne connaîtrez d'épisode d'hypoglycémie que dans des circonstances exceptionnelles, à la suite d'une séance d'exercice intense, par exemple.

Pseudo-hypoglycémie

Je ne prends pas d'insuline ni d'antidiabétique oral, mais j'ai l'impression que ma glycémie baisse. Comment expliquer cela?

Votre glycémie a peut-être subi une grande fluctuation. Ainsi, si votre glycémie, de trop élevée qu'elle était, tombe en peu de temps et devient normale, cette chute abrupte peut être perçue comme une hypoglycémie. Vous ne faites donc pas d'hypoglycémie; néanmoins, vous en éprouvez les symptômes.

Vous pouvez vérifier votre glycémie à l'aide du glucomètre. Si elle se situe sous la normale, l'appareil vous l'indiquera.

N'allez pas ingérer de sucre pour dissiper ces symptômes, si votre glycémie se situe déjà dans la normale ou au-dessus. Accordez-vous plutôt 5 à 10 minutes de repos, en position assise. Buvez un peu d'eau. Certaines personnes disent se sentir mieux après avoir mâché de la gomme sans sucre ou sucé un petit bonbon sans sucre.

Terminologie de l'hypoglycémie

Rappelons que le terme «hypoglycémie» renvoie au fait que le taux de glucose sanguin est anormalement bas. On parle alors de «faible taux de sucre» ou de «réaction hypoglycémique».

S'habituer à une glycémie normale exige du temps.

Si votre glycémie est trop élevée depuis un certain temps, il faut parfois compter un mois ou deux avant de vous habituer à des valeurs normales. Les sensations d'hypoglycémie finiront par passer avec le temps.

QU'EST-CE QUI CAUSE L'HYPOGLYCÉMIE ?

1. **Une consommation de glucides inférieure à la normale**
2. **Une pratique de l'exercice physique plus poussée qu'à l'habitude**
3. **La consommation excessive de certains médicaments**
   - Par mégarde, vous vous êtes injecté une dose trop élevée d'insuline, ou bien vous avez pris un comprimé d'antidiabétique oral de trop.
   - Les médicaments issus de la phytothérapie peuvent contribuer à une hypoglycémie.
   - Les doses d'insuline et d'antidiabétiques oraux que vous prenez sont trop élevées pour vous. Une perte de poids ou une maladie rénale comptent aussi parmi les causes possibles.
4. **La consommation d'alcool sans prise de précautions**

Hypoglycémie non ressentie

Dans une hypoglycémie non ressentie, vous n'éprouvez pas de symptômes avant de descendre sous les 3 mmol/l (55 mg/dl), ou même jamais. Si vous ne percevez pas cette hypoglycémie, vous ne saurez pas comment la corriger rapidement. Il s'agit donc d'une situation dangereuse.

Cause de l'hypoglycémie non ressentie :

Si vous avez subi des baisses de glycémie fréquentes sur de nombreuses années, vous y avez peut-être développé une tolérance. De plus, les éventuelles lésions nerveuses liées au diabète peuvent perturber la libération de certaines hormones, qui jouent un rôle important dans la sudation, le tremblement et d'autres symptômes propres à l'hypoglycémie.

Que faire alors ?

Il est essentiel de mesurer sa glycémie fréquemment. Dans le but de réduire le risque de subir un épisode d'hypoglycémie, le médecin vous suggérera peut-être de viser, pendant un certain temps, une glycémie légèrement supérieure à la cible habituelle.

SYMPTÔMES DE L'HYPOGLYCÉMIE

Sudation, étourdissements, sensation ébrieuse ou maux de tête

Pâleur ou picotements autour des lèvres, lesquelles présentent une couleur légèrement bleutée

Tremblements des mains ou des jambes (instabilité des jambes)

Confusion ou irritation soudaine (vous pouvez donner l'impression d'être ivre).

Faiblesse et palpitations cardiaques

Autres symptômes possibles : faim extrême, fatigue, nausée, anxiété, vision floue ou difficultés d'élocution.

COMMENT CORRIGER L'HYPOGLYCÉMIE EN QUATRE ÉTAPES

ÉTAPE 1. Mesurez votre glycémie.

Si elle se situe sous les 4,0 mmol/dl (70 mg/dl), passez à l'étape 2. Si vos mains tremblent fortement ou si vos symptômes sont graves, passez directement à l'étape 2.

Étape 2. Ingérez une boisson ou un aliment sucré.

Pour élever votre glycémie, avalez 15 g de sucre. La photo de la page suivante donne des idées de sources de sucre. C'est le sucre sous forme pure, non mélangé à des graisses ou à des protéines, qui donne les meilleurs résultats : il agit plus vite que s'il se présente sous la forme d'une tablette de chocolat. Les comprimés de glucose sont les sucres les plus rapides.

> *Si votre glycémie se situe sous les 3,0 mmol/dl (55 mg/dl), prenez 20 g de glucides.*

Si vous prenez de l'acarbose (Prandase^MD, Glucobay^MD ou Precose^MD) ou du miglitol (Glycet^MD), les comprimés de glucose sont le traitement recommandé. Ces médicaments ont la propriété de ralentir l'absorption des autres sucres. Si vous n'avez pas de comprimés de glucose, prenez du miel ou 250 ml (1 tasse) de lait écrémé.

Étape 3. Reposez-vous et attendez 15 minutes.

Ne cédez pas à la panique. Asseyez-vous ou étendez-vous. Laissez aux glucides le temps d'agir. Si, après 15 minutes, vous présentez toujours des symptômes d'hypoglycémie, mesurez votre glycémie de nouveau. Si celle-ci est toujours basse, reprenez les étapes 2 et 3 jusqu'à sa normalisation. Si elle ne s'élève pas, appelez un ami ou consultez le médecin.

Étape 4. Si un repas n'est pas prévu dans l'heure, prenez une collation. Cela, afin que votre glycémie ne se remette pas à baisser. Votre collation doit comprendre des protéines, des graisses ainsi que des glucides. Mangez par exemple quelques craquelins avec du fromage, du beurre d'arachide ou une dizaine d'amandes.

Ne tentez pas de traiter l'hypoglycémie avec :

- *une boisson gazeuse sans sucre ;*
- *un bonbon sans sucre ;*
- *un édulcorant hypocalorique.*

Ces aliments ne permettent pas de corriger l'hypoglycémie.

SI QUELQU'UN PERD CONNAISSANCE, COMPOSEZ LE 911 OU APPELEZ UNE AMBULANCE.

Il se produit rarement qu'une personne atteinte de diabète de type 2 perde connaissance à cause de l'hypoglycémie. Cependant, vous courez des risques particuliers si vous :

- êtes relativement âgé et en mauvaise santé ;

- faites une consommation excessive d'alcool ;

- venez d'apporter un changement important à votre médication, à vos activités physiques ou à votre alimentation.

Règle des ¹⁵/₁₅

L'expression « ¹⁵/₁₅ » fait référence aux 15 g de sucre à prendre et aux 15 minutes d'attente.

Pour corriger l'hypoglycémie, choisissez l'une de ces 7 formules apportant 15 g de glucides :

1. 175 ml (¾ tasse) de jus de fruits non sucré ou d'une boisson gazeuse ordinaire (cela équivaut à un petit contenant de jus ou à ½ cannette de 355 ml (12 oz) de boisson gazeuse)

2. 20 g de barres fruitées

3. 3 sachets de sucre (5 ml/1 c. à thé) dissous dans un verre d'eau, ou 5 cubes de sucre de 3 g chacun

4. 6 bonbons Life Savers^{MD}

5. 6 jelly beans

6. **3 à 5 comprimés de glucose (15 g chacun) tels que vendus en pharmacie**

   VOTRE MEILLEUR CHOIX

7. 15 ml (1 c. à table) de miel

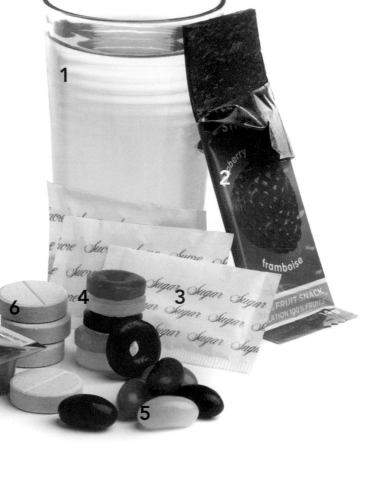

Traitement excessif de l'hypoglycémie

Lorsque vous vivez un épisode d'hypoglycémie, vous pouvez être en proie à la panique et à une faim de loup. Vous risquez alors d'ingérer beaucoup plus que les 15 ml (1 c. à table) de sucre prescrits. Peut-être avez-vous bu un grand verre de jus de fruits, puis mangé plusieurs rôties tartinées de miel? Votre glycémie parcourt maintenant des montagnes russes, soit des creux et des sommets. Une solution qui donne de bons résultats chez certains consiste à traiter l'hypoglycémie par l'ingestion de comprimés seulement, sans consommation de nourriture. C'est cette forme de glucose qui passe le plus rapidement dans le sang. Vous vous sentez donc mieux plus rapidement.

PRÉVENTION DE L'HYPOGLYCÉMIE

Quand votre glycémie baisse trop, votre cerveau et vos organes manquent de glucose. Plus l'hypoglycémie est marquée, plus le manque de glucose devient critique.

Prenez vos repas et collations à heures régulières.

- Si votre repas doit être retardé, prenez une collation légère.

- Si votre repas est riche en fibres alimentaires et possède un indice glycémique relativement bas, vous devrez peut-être repousser la prise d'insuline à action rapide.

- Si vous prenez de l'insuline à action rapide, vous avez plus de latitude pour déterminer l'heure de vos repas. Mesurez votre glycémie avant de vous injecter la quantité d'insuline correspondant au type et à la quantité de glucides que vous mangerez.

- Si vous omettez la collation, vous auriez intérêt à vous injecter de l'insuline à action rapide plutôt que de l'insuline à action brève.

Prenez une collation au besoin pour prévenir les épisodes d'hypoglycémie durant la nuit.

Beaucoup trouvent utile de prendre en soirée une collation comprenant un glucide à absorption lente associé à une protéine ou à un gras, par exemple, un ou deux craquelins de céréales complètes avec un petit morceau de fromage. Les glucides seront libérés progressivement dans votre sang durant la nuit. La taille de la collation dépend de la glycémie mesurée et des activités prévues en soirée.

Tenez compte de l'alcool.

Si vous buvez de l'alcool, contentez-vous d'une ou de deux consommations. Mangez plus, ou mélangez votre consommation avec du jus de fruits ou une boisson gazeuse. Vous devrez peut-être réduire ou omettre votre insuline ou antidiabétique oral.

Si vous ne prenez pas de collation en soirée, demandez conseil à votre médecin. Posez-vous les questions suivantes : «Est-ce que je peux changer de type ou de quantité d'insuline ou d'antidiabétique oral? Est-ce que je peux modifier l'heure de la prise des médicaments?

Tenez compte de l'exercice physique.

- Si vous avez pris votre antidiabétique oral ou votre insuline et que vous faites plus d'exercice que prévu, vous aurez peut-être besoin de manger davantage. Par exemple, pour chaque demi-heure d'exercice modéré, mangez une tranche de pain de plus, un morceau de fruit ou 175 ml (¾ tasse) de yogourt. Un exercice intense exige que vous ingériez plus de nourriture. En vue d'un exercice à venir, vous pouvez réduire la dose d'insuline ou d'antidiabétique oral, ou déplacer l'heure de leur prise. Si vous cherchez à perdre du poids, c'est la meilleure option.

- Ne faites pas d'exercice au moment où votre insuline atteint un pic.

- Ne faites pas d'exercice peu de temps après l'injection dans un muscle qui sera sollicité durant la séance. Ainsi, si vous prévoyez marcher, ne vous injectez pas dans la jambe. Un muscle sollicité par l'effort absorbe l'insuline rapidement.

Tenez compte des journées où vous êtes malade.

- Quand vous êtes malade, votre glycémie a tendance à s'élever, mais elle peut aussi diminuer, surtout si vous avez des vomissements ou de la diarrhée. Il est important de mesurer votre glycémie au moins toutes les quatre heures en cas de maladie.

Ajustez l'insuline ou les antidiabétiques oraux selon vos besoins.

- Parlez au médecin ou à l'éducateur agréé en diabète afin d'apprendre comment déterminer la dose d'insuline qui est sans risque. Le professionnel pourrait vous suggérer de modifier les moments de prise des médicaments afin de réduire les épisodes hypoglycémiques.

- Après une perte de poids, vous avez normalement besoin de moins d'insuline ou d'antidiabétiques oraux.

Quand consulter le médecin ou l'éducateur agréé en diabète?

- *Si vous subissez régulièrement plus de deux épisodes d'hypoglycémie (surtout des creux sous les 3 mmol (55 mg/dl)) par jour, ou trois ou quatre épisodes par semaine.*

- *Si votre hypoglycémie vous amène à perdre connaissance, ne serait-ce que pendant une brève période.*

Notez vos épisodes d'hypoglycémie ainsi que d'autres mesures de votre glycémie, et apportez les résultats au cabinet du médecin.

Mesurez votre glycémie.

Si votre glycémie est préoccupante, il est essentiel de la mesurer régulièrement.

Par exemple:

- *Mesurez-la avant et après les séances d'exercice et durant l'effort, s'il est intense. La glycémie peut chuter dans les 24 heures suivant une séance d'exercice physique intensive.*

- *Mesurez votre glycémie avant d'aller au lit.*

- *Mesurez-la aussi lorsque vous consommez de l'alcool.*

- *Faites-le quand vous êtes malade.*

CONSIGNES DE SÉCURITÉ EN MATIÈRE D'HYPOGLYCÉMIE

Ayez toujours du sucre sous une forme quelconque avec vous.

Gardez-en dans votre poche ou votre sac à main, dans votre voiture (sous le pare-soleil ou dans la boîte à gants), ainsi que près du lit. Ayez toujours du sucre sur vous lorsque vous sortez marcher ou faites un exercice quelconque.

Portez un bracelet ou un collier vous identifiant comme diabétique.

Ayez dans votre portefeuille une carte indiquant que vous êtes diabétique et fournissant la liste de vos médicaments. Demandez à l'éducateur de vous renseigner sur le bracelet pour diabétiques (MedicAlert[MD]).

Informez votre entourage que vous êtes sujet à des épisodes d'hypoglycémie.

Informez votre famille, vos amis et connaissances, vos collègues de travail et vos compagnons de promenade de votre état.

Quand vous consommez de l'alcool, prenez des précautions.

L'alcool peut déclencher un épisode d'hypoglycémie marquée. Cela est préoccupant si vous vivez seul. Si vous avez beaucoup bu et pris votre insuline, quelqu'un doit veiller à votre état toutes les deux à quatre heures durant la nuit afin de s'assurer que votre glycémie ne chute pas.

Sécurité au volant

- Mesurez votre glycémie avant de prendre le volant afin de vous assurer qu'elle n'est pas trop basse ou trop élevée. Procédez à d'autres tests, comme vous le recommanderont le médecin et l'éducateur agréé en diabète.

- Si vous faites une crise d'hypoglycémie, quittez la chaussée, arrêtez la voiture et corrigez votre état sans délai. Avant de reprendre le volant, mesurez votre glycémie afin de vous assurer qu'elle est égale ou supérieure à 5 mmol (90 mg/dl). Si le repas est prévu dans plus d'une heure, prenez une collation légère comportant des protéines et des glucides. Mesurez votre glycémie une heure plus tard.

- Demandez au médecin s'il est prudent pour vous de conduire si : 1) vous avez subi un épisode d'hypoglycémie marquée au cours duquel vous avez perdu connaissance, ne serait-ce que pendant un bref moment ; 2) vous avez des épisodes d'hypoglycémie qui passent inaperçus.

Quand vous vivez un épisode d'hypoglycémie, vous pouvez facilement passer pour ivre.

Si vous portez un collier ou un bracelet de diabétique, les passants seront plus enclins à vous aider.

Si vous vivez seul

Si vous êtes relativement âgé et en mauvaise santé, l'hypoglycémie risque de provoquer de la désorientation. En plus des précautions énumérées sur cette page, vous songerez peut-être à porter une « ligne de vie » (il s'agit d'un dispositif qui se met autour du cou ou qu'on garde près de soi la nuit ; en cas d'urgence, il vous permet d'obtenir de l'aide par simple pression d'un bouton). Consultez le médecin ou l'éducateur agréé en diabète au sujet d'une éventuelle modification de votre médication. Il se peut qu'une autre combinaison de médicaments vous mette davantage à l'abri des épisodes d'hypoglycémie.

Examens de laboratoire de pratique courante

Pourquoi les examens de laboratoire sont-ils importants?

Ce n'est pas parce que vos épisodes d'hyperglycémie, d'hypertension artérielle et d'hypercholestérolémie passent inaperçus qu'ils n'entraînent pas de dommages. Les analyses sanguines et autres examens permettront, à votre médecin et à vous-même, de faire le point sur votre état de santé. Les examens indiquent aussi les médicaments dont vous avez besoin, et en quoi les modifications à apporter à vos habitudes de vie amélioreront votre bien-être.

Quels sont les examens de laboratoire importants dans votre cas?

Les examens importants pour les diabétiques sont décrits aux pages 344 à 346. Le tableau des pages 347 et 348 énumère ces examens et la fréquence à laquelle on doit les subir. Il indique également les valeurs souhaitables pour chacun d'eux, les «valeurs cibles». Si vous vivez au Canada, consultez le tableau de la page 347. Les lecteurs américains se référeront au tableau de la page 348. N'hésitez pas à photocopier les pages qui vous intéressent. Inscrivez votre nom au haut de la feuille ainsi que les résultats de vos examens de laboratoire. Lorsque vous consultez le médecin et l'éducateur, demandez-leur les résultats manquants et remplissez les cases vides. Ce tableau sert à vous rappeler les examens de laboratoire importants que vous subissez régulièrement. Votre médecin est une personne très occupée. Souvent, il ne tient qu'à vous de demander de subir tel ou tel examen de laboratoire.

Conseil: Demandez au médecin de subir les examens de nouveau dans trois à six mois. Passez les examens de laboratoire deux semaines avant la date prévue pour votre consultation. Quand vous verrez le médecin, il aura déjà vos résultats en main.

Valeurs cibles individuelles et fréquence des examens

Le médecin pourrait fixer des cibles qui s'écartent légèrement de celles suggérées dans les tableaux, surtout si vous êtes relativement âgé. Il se peut aussi que vous deviez passer certains examens à une fréquence différente de celle qu'indiquent les tableaux.

MESURES DE LA GLYCÉMIE ET AUTRES EXAMENS

Hémoglobine glyquée (HbA1c)

Pour la personne atteinte de diabète, ce test est d'importance primordiale. Plus le taux d'hémoglobine glyquée est élevé, plus le risque de subir des complications s'accroît. Cette valeur est une moyenne qui rend compte des fluctuations de la glycémie sur une période de trois mois. Le test fournit ainsi une vue d'ensemble de l'état de santé du patient et constitue un complément aux mesures de la glycémie effectuées à la maison. Si votre taux d'hémoglobine glyquée est au-dessus de la normale, le médecin pourrait vous demander de subir cet examen tous les trois mois. Entre-temps, tentez d'apporter à votre mode de vie des changements qui normaliseront votre glycémie. Si votre taux d'hémoglobine glyquée est normal, le médecin pourra se contenter d'une mesure ou deux par année.

Mesure de l'hémoglobine glyquée (HbA1c) à domicile

À l'heure actuelle, rien ne garantit que les résultats fournis par ces trousses soient aussi exacts que ceux obtenus en laboratoire. Si vous consultez le médecin au moins tous les trois ou six mois, il est superflu d'effectuer ce test à domicile. Le médecin peut demander le test d'hémoglobine glyquée pour vous.

Glycémie à jeun

Cet examen se fait le matin à jeun, à la maison ou en laboratoire.

Glycémie au hasard

Ce test peut être fait à tout moment de la journée. Si vous l'effectuez à la maison, notez l'heure à laquelle la mesure est prise.

TENSION ARTÉRIELLE

Une tension artérielle normale contribue à protéger les vaisseaux sanguins, les yeux et les reins des complications du diabète. Le médecin doit la vérifier à chaque rendez-vous. Vous pouvez aussi la mesurer en pharmacie, au centre d'éducation sur le diabète ou à une halte-accueil pour personnes âgées. Il est également possible de faire le test à domicile (voir page 356).

POIDS

Un excédent de poids corporel entraîne une surcharge pour le cœur et pour les autres organes, entre autres le pancréas. Si vous souffrez d'embonpoint, celui-ci doit produire davantage d'insuline. Pour être à l'écoute de son état de santé, il

---

Qu'est-ce que l'hémoglobine glyquée (HbA1c) ?

Le taux d'hémoglobine glyquée indique la quantité de glucose fixé aux globules rouges. Ceux-ci ont une durée de vie de trois mois environ. Durant cette période, plus la quantité de glucose présent dans le sang est élevée, plus la quantité de glucose fixé aux globules rouges le sera aussi. Par ailleurs, la mesure de la glycémie à jeun ou au hasard ne rend compte que de la glycémie au moment précis de l'examen.

Certains problèmes de santé, comme l'anémie, peuvent influer sur l'exactitude des taux d'hémoglobine glyquée.

Tour de taille et IMC :

- *Mesurez votre tour de taille un peu au-dessus de l'os iliaque. Si votre tour de taille dépasse 102 cm (40 po) chez les hommes et 88 cm (35 po) chez les femmes, il y a danger pour la santé. Réduire ce chiffre ne serait-ce qu'un peu est déjà salutaire.*

- *L'IMC (indice de masse corporelle) est le rapport du poids relativement à la taille. Pour en apprendre davantage sur le sujet, cherchez « IMC » sur Internet.*

importe donc de surveiller son poids. Perdre un peu de poids ou prévenir une prise de poids est déjà une réussite. Aussi, quelques fois par année, vous devriez mesurer votre tour de taille. L'embonpoint siégeant au niveau de la taille est le plus pernicieux.

SECTION DOSAGE DU CHOLESTÉROL

Cholestérol LDL ou «mauvais» cholestérol

Ce cholestérol s'accumule dans les vaisseaux sanguins en les obstruant.

Cholestérol HDL ou «bon» cholestérol

Ce cholestérol aide à éliminer les dépôts indésirables qui se forment à l'intérieur des vaisseaux sanguins. C'est ce cholestérol qu'il faut privilégier.

Triglycérides

Les triglycérides sont des lipides sanguins qui obstruent les vaisseaux. Leur taux sanguin augmente en même temps que la glycémie ou avec la consommation régulière d'alcool: l'excédent de sucre ou d'alcool dans le sang se transforme en triglycérides.

EXAMENS DE LA FONCTION RÉNALE

Rapport albumine-créatinine (RAC)

Le RAC rend compte de la quantité d'albumine (une protéine) présente dans les urines. En temps normal, l'albumine ne s'échappe pas du sang. Cependant, quand la fonction rénale commence à être altérée, l'albumine passe dans les urines (voir pages 33 à 37). On parle aussi de «microalbuminurie» (soit une petite quantité (*micro*) d'albumine dans les urines). Le RAC est un examen d'importance cruciale, car il permet de reconnaître les troubles rénaux à un stade précoce. Il indique aussi si vous êtes exposé à un risque cardio-vasculaire. Si c'est le cas, votre médecin et vous saurez prendre des mesures nécessaires pour protéger vos reins et votre cœur, ainsi que pour normaliser vos glycémie et tension artérielle. Peut-être devrez-vous prendre un autre médicament. Le médecin pourrait aussi demander d'autres analyses du sang et des urines afin d'évaluer l'état de vos reins, par exemple l'évaluation du débit de filtration glomérulaire (eDFG), qui mesure le taux de passage du liquide à travers les filtres rénaux.

EXAMEN DES PIEDS

Il est essentiel de procéder à un examen quotidien des pieds. En cas de problèmes de pied urgents, consultez le médecin sans délai. Par ailleurs, certains troubles peuvent être détectés par le médecin ou l'infirmière spécialisée lors de l'examen

Les trois paramètres essentiels:

*La mesure de l'**hémoglobine glyquée**, de la **tension artérielle** et du **cholestérol** sont trois examens importants pour les personnes diabétiques. Ces trois paramètres rendent compte de l'état de santé des vaisseaux sanguins.*

Si vous avez récemment subi une infection aux reins ou à la vessie, vos urines pourraient présenter un taux anormalement élevé de protéines. Une fois l'infection résorbée, cette valeur revient à la normale.

Pour rappeler gentiment au médecin ou à l'infirmière de vous examiner les pieds, vous pourriez retirer chaussures et chaussettes avant qu'il ou elle n'entre dans la salle d'examen. Vous serez ainsi prêt à passer un examen des pieds, qui ne prendra pas plus de cinq minutes!

Pour en apprendre davantage sur les affections oculaires associées au diabète, consultez les pages 38 à 41.

du pied. Le monofilament et le diapason permettent de déterminer la qualité de la sensibilité nerveuse de la plante des pieds (voir page 287). Si vous présentez des lésions nerveuses, vous courez un risque accru de souffrir de problèmes de pied. Consultez à ce sujet les pages 30 à 32, ainsi que 282 à 296. En prenant votre pouls, le médecin se fera une idée de la quantité de sang qui parvient aux jambes, aux pieds et aux orteils.

EXAMEN DU FOND DE L'ŒIL

En examinant le fond de l'œil, l'optométriste ou l'ophtalmologiste peut normalement apercevoir l'intérieur des vaisseaux sanguins. La seule autre façon d'y parvenir est la chirurgie. Les yeux sont comme des fenêtres ouvertes sur le corps et permettent d'évaluer l'état de santé de tous ses vaisseaux sanguins : si ceux des yeux semblent atteints, les autres vaisseaux sanguins de l'organisme sont sans doute endommagés, eux aussi. Grâce à l'examen systématique de l'œil, l'optométriste est souvent le premier à constater le diabète chez le patient. Si c'est votre cas, l'optométriste vous conseillera de consulter le médecin sans délai.

L'examen régulier de l'œil sert à dépister les affections oculaires le plus tôt possible. On a alors le temps d'intervenir et de prendre des mesures correctives. Une chirurgie oculaire au laser permet parfois d'éviter l'aggravation d'une affection. Une fois que l'optométriste a constaté votre diabète, il vous indiquera à quelle fréquence le consulter, normalement une fois l'an.

Comment l'examen du fond de l'œil se déroule-t-il?

Durant cet examen, l'optométriste dépose sur les yeux quelques gouttes de liquide pour dilater les pupilles. Une fois cela fait, il peut examiner le fond de l'œil dans son intégralité. Après l'examen, votre vue risque d'être floue et vos yeux seront hypersensibles à la lumière pendant quelques heures. Demandez à quelqu'un de vous raccompagner à la maison. Si vous devez vous exposer au soleil, portez des verres fumés tant que vos pupilles n'auront pas repris leur taille normale.

Autres épreuves et examens

Cette section explique les examens les plus courants dans le diagnostic du diabète. Cependant, le médecin pourrait en demander bien d'autres, par exemple un examen de la fonction thyroïdienne et une formule sanguine complète, ces analyses permettant d'évaluer l'état des glandes hormonales et des cellules sanguines.

Examens importants dans le suivi du diabète

Valeurs de laboratoire jugées normales au Canada

L'Association canadienne du diabète a mis a jour ses lignes directrices en matière de pratique clinique, de manière à tenir compte des avancées les plus récentes dans la prise en charge du diabète. Le tableau suivant présente les examens utilisés dans l'évaluation du diabète et les valeurs cibles généralement admises. Les valeurs cibles qui s'appliquent à votre cas particulier dépendent de différents facteurs :

- Depuis combien de temps avez-vous le diabète ?
- Est-ce que votre taux de HbA1c est élevé ?
- Subissez-vous des épisodes d'hypoglycémie fréquents ?
- Êtes-vous enceinte ?
- Êtes-vous âgé ? Votre santé est-elle précaire ?
- Avez-vous déjà subi un infarctus du myocarde ou eu d'autres problèmes de santé ?

Si votre HbA1c est supérieure à 7 %, le médecin pourrait vous recommander de viser des glycémies au hasard inférieures aux 5 à 10 mmol/l indiquées ici. Cependant, si vous êtes relativement âgé et susceptible de subir des épisodes d'hypoglycémie, le médecin pourrait vous recommander une cible plus élevée. Autre exemple : Si vous souffrez de troubles cardiaques, le médecin peut viser une cible inférieure à celle du tableau en ce qui a trait au cholestérol LDL.

Montrez cette page au médecin et demandez-lui de vous indiquer les valeurs cibles qui s'appliquent à votre cas.

Examens et valeurs cibles	Inscrivez ici vos résultats et la date de l'examen.			
Examens couramment effectués au diagnostic, puis tous les trois mois				
MESURE DE LA GLYCÉMIE, DE LA TENSION ARTÉRIELLE ET DU POIDS				
HbA1c (glycémie moyenne au cours des trois derniers mois) **Valeur cible: 7% ou moins**				
Glycémie à jeun **Valeur cible: 4 à 7 mmol/l**				
Glycémie au hasard (n'importe quand durant la journée) **Valeur cible: 5 à 10 mmol/l si mesurée deux heures après le repas**				
TENSION ARTÉRIELLE **Cible:** $^{130}/_{80}$				
POIDS **Votre cible:** _____				

Examens couramment effectués au moment du diagnostic, plus fréquemment en présence d'anomalies				
DOSAGE DU CHOLESTÉROL				
SOIT cholestérol LDL (jeûne de huit heures) **Valeur cible: 2 mmol ou moins**				
OU apo B (aucun jeûne requis) **Valeur cible: 0,8 g/l ou moins**				
Cholestérol autre que le cholestérol HDL **Valeur cible: 2,6 mmol/l ou moins**				
Examens de la fonction rénale				
Rapport albumine-créatinine (RAC) (urines) **Valeur cible: moins de 2 mg/mmol**				
Évaluation du débit de filtration glomérulaire (eDFG) **Valeur cible: plus de 60 ml/minute**				
EXAMEN DES PIEDS				
Inclut test au monofilament ou au diapason, pouls et examen général du pied. À domicile, faites un examen des pieds tous les jours. **Valeur cible: présence de sensibilité et pouls perceptible**				
EXAMEN DU FOND DE L'ŒIL				
Des gouttes seront administrées. **Valeur cible: absence de rétinopathie**				

Source: The Complete Diabetes Guide (Robert Rose, 2013).

Examens importants dans le suivi du diabète

Valeurs de laboratoire jugées normales aux États-Unis

L'American Diabetes Association a mis à jour ses lignes directrices en matière de traitement du diabète de manière à tenir compte des avancées les plus récentes dans la prise en charge du diabète. Le tableau suivant présente les examens utilisés dans l'évaluation du diabète et les valeurs cibles généralement admises. Celles qui s'appliquent à votre cas particulier dépendent de différents facteurs :

- Depuis combien de temps avez-vous le diabète ?

- Est-ce que votre taux de HbA1c est élevé ?

- Subissez-vous des épisodes d'hypoglycémie fréquents ?

- Êtes-vous enceinte ?

- Êtes-vous âgé ? Votre santé est-elle précaire ?

- Avez-vous déjà subi un infarctus du myocarde ou eu d'autres problèmes de santé ?

Si votre (HbA1c) est supérieure à 7 %, le médecin pourrait vous recommander de viser des glycémies au hasard inférieures aux 70 à 130 mmol/l indiquées ici. Cependant, si vous êtes relativement âgé et susceptible de subir des épisodes d'hypoglycémie, le médecin pourrait vous recommander une cible plus élevée. Autre exemple : Si vous souffrez de troubles cardiaques, le médecin peut viser une cible inférieur à celle du tableau en ce qui a trait au cholestérol LDL.

Montrez cette page au médecin et demandez-lui de vous indiquer les valeurs cibles qui s'appliquent à votre cas.

Examens et valeurs cibles	Inscrivez ici vos résultats et la date de l'examen.			
Examens couramment effectués au moment du diagnostic, puis tous les trois mois				
MESURE DE LA GLYCÉMIE, DE LA TENSION ARTÉRIELLE ET DU POIDS				
HbA1c (glycémie moyenne au cours des trois derniers mois) **Valeur cible: moins de 7 %**				
Glycémie à jeun **Valeur cible: 70 à 130 mg/dl**				
Glycémie au hasard (n'importe quand durant la journée) **Valeur cible: moins de 180 mg/dl si mesurée deux heures après le repas**				
TENSION ARTÉRIELLE **Cible: moins de $^{140}/_{80}$**				
POIDS **Votre cible: _____**				

Examens couramment effectués au moment du diagnostic, plus fréquemment en présence d'anomalies				
DOSAGE DU CHOLESTÉROL				
Cholestérol LDL («mauvais» cholestérol) **Valeur cible: moins de 100 mg/dl**				
Cholestérol HDL («bon» cholestérol) **Valeur cible: plus de 40 mg/dl (hommes) plus de 50 mg/dl (femmes)**				
Triglycérides (Lipides sanguins; ils s'élèvent avec la glycémie.) **Valeur cible: moins de 150 mg/dl**				
Examens de la fonction rénale				
Rapport albumine-créatinine (RAC) (urines) **Valeur cible: moins de 2 mg/mmol**				
Évaluation du débit de filtration glomérulaire (eDFG) **Valeur cible: plus de 60 ml/minute**				
EXAMEN DES PIEDS				
Inclut test au monofilament ou au diapason, pouls et examen général du pied. À domicile, faites un examen des pieds tous les jours. **Valeur cible: présence de sensibilité et pouls perceptible**				
EXAMEN DU FOND DE L'ŒIL				
Des gouttes seront administrées. **Valeur cible: absence de rétinopathie**				

Source: The Complete Diabetes Guide (Robert Rose, 2013).

Mesurer sa propre glycémie

Vous pouvez mesurer votre propre glycémie à l'aide du glucomètre conçu pour usage à domicile. La surveillance régulière de la glycémie et du taux d'hémoglobine glyquée (HbA1c) fournit au médecin de précieuses données sur votre état. Celles-ci indiquent à quel moment de la journée votre glycémie a tendance à être élevée ou basse. La mesure de la glycémie vous permettra également de découvrir les changements à apporter à votre mode de vie et d'établir quels médicaments vous font du bien et lesquels ne vous conviennent pas.

QU'EST-CE QU'UN GLUCOMÈTRE ET COMMENT S'UTILISE-T-IL ?

Le glucomètre est compact et facile à transporter. Même s'il est facile à utiliser, certaines directives sont toujours bonnes à rappeler (voir l'encadré dans la marge). Tous les glucomètres ont leurs particularités, mais partagent des fonctions communes. Il s'agit essentiellement de piquer le doigt avec une aiguille spéciale, puis de déposer une goutte de sang sur une bandelette réactive qu'on introduit dans un petit appareil (le glucomètre) qui mesure la quantité de glucose présente dans la goutte de sang.

DOIS-JE MESURER MA GLYCÉMIE À DOMICILE ?

C'est au médecin qu'il faut poser la question. S'il souhaite que vous mesuriez votre glycémie, demandez-lui à quelle fréquence le faire. Si vous prenez de l'insuline ou un anti-diabétique oral de la famille des stimulants de la sécrétion d'insuline par le pancréas (traitements susceptibles de provoquer une hypoglycémie), le médecin vous demandera sans doute de mesurer votre glycémie pour des raisons de sécurité. Autrement, la mesure de la glycémie pourrait être facultative.

La mesure de la glycémie n'est qu'un outil. En elle-même, elle ne contribue pas à normaliser la glycémie ; elle ne fait qu'indiquer sa valeur. Pour la normaliser, vous devez changer de médicament, ou apporter des modifications à votre alimentation ou à votre programme d'exercice physique. Si vous vous donnez la peine de vous procurer un glucomètre et de mesurer votre glycémie, faites quelque chose d'utile de vos résultats afin que l'exercice ne soit pas vain.

Apprendre à utiliser le glucomètre

- *Demandez au personnel du magasin ou de la pharmacie où vous achetez l'appareil de vous indiquer la façon de l'utiliser.*

- *Au centre d'éducation sur le diabète, demandez l'aide de l'infirmière.*

- *Lisez le mode d'emploi ou téléphonez au fabricant. La plupart d'entre eux offrent une assistance téléphonique sans frais. Vous pourrez vous faire aider par le préposé au service à la clientèle.*

- *Consultez des vidéos ou des guides d'instructions pas à pas que vous trouverez en ligne. Explorez le site Web du fabricant ou le site <YouTube.com>. Faites des recherches en tapant le nom du fabricant de votre glucomètre.*

Concernant votre glycémie, le médecin pourrait vous donner des objectifs à atteindre plus élevés ou plus bas que ceux indiqués dans les tableaux (voir pages 348 et 349).

OBJECTIFS À ATTEINDRE EN MATIÈRE DE GLYCÉMIE

Vous mesurez votre glycémie depuis un certain temps et notez vos résultats. Le présent guide vous indiquera comment évaluer votre état.

Glycémie à jeun (GAJ) ou avant tout repas:
moins de 7 mmol/l (130 mg/dl).

Deux heures après le repas:
moins de 10 mmol/l (180 mg/dl).

Pour éviter un épisode d'hypoglycémie:
maintenez votre glycémie au-dessus de 4 mmol/l (70 mg/dl).

Une hyperglycémie occasionnelle due à un repas copieux est moins préoccupante qu'une glycémie perpétuellement au-dessus des valeurs cibles. Si les valeurs mesurées sont constamment trop élevées, que pouvez-vous faire pour les abaisser? Devez-vous consulter le médecin afin qu'il vous prescrive un autre médicament?

À QUELLE FRÉQUENCE MESURER MA GLYCÉMIE ?

Parlez-en au médecin ou à l'éducateur agréé en diabète. L'horaire de mesure est personnalisé. Certains mesurent leur glycémie quelques fois par semaine, tandis que d'autres le font plusieurs fois par jour. Des mesures plus fréquentes fournissent un tableau plus complet de la maladie. Voici quelques lignes de conduite.

Si vous ne prenez pas d'insuline ou d'antidiabétiques oraux, voici les moments où vous pourriez faire des tests :

- À jeun : au lever, avant toute nourriture.

- Deux heures après avoir mangé : votre glycémie atteint un pic une heure après le repas ; après deux heures, elle devrait redescendre.

- Avant et après les séances d'exercice physique (donnez-vous d'abord le temps de récupérer).

- Toutes les fois que vous éprouvez un malaise.

Si vous prenez de l'insuline ou des stimulants de la sécrétion d'insuline par le pancréas, mesurez aussi votre glycémie dans les circonstances suivantes :

- Avant les repas. C'est essentiel si vous prenez de l'insuline à action rapide et que vous souhaitez en ajuster la dose.

- Avant d'aller au lit, afin de déterminer s'il est opportun de prendre une collation, ou pour ajuster la dose d'insuline prise en soirée.

- Dès que vous avez l'impression que votre glycémie est trop basse ou trop élevée.

- Avant de prendre le volant.

- Après avoir consommé de l'alcool.

- Après un exercice prolongé, mesurez votre glycémie pour voir les effets à long terme, sur 12 à 24 heures.

Le médecin ou l'éducateur agréé en diabète vous suggérera de prendre des mesures plus fréquentes si :

- *vous êtes malade ;*

- *vous êtes enceinte ou vous planifiez une grossesse ;*

- *vous avez commencé à prendre un nouveau médicament ;*

- *vous avez une infection ;*

- *vous avez enregistré de nombreuses glycémies trop basses.*

Notez vos résultats.

Même si la mémoire de votre glucomètre peut retenir de très nombreux résultats, il est utile de les avoir par écrit. Si vous notez déjà le contenu de vos repas et de vos séances d'exercice, inscrivez vos résultats de glycémie dans le même cahier. Vous distinguerez des tendances et des schémas. Ainsi, vous apprendrez à reconnaître les épisodes d'hyperglycémie et d'hypoglycémie, et les périodes problématiques qui nécessitent des ajustements.

AVANTAGES DE LA MESURE DE LA GLYCÉMIE

Il est impossible de toujours savoir si on se trouve en état d'hyperglycémie ou d'hypoglycémie en se basant uniquement sur ses impressions. La mesure de la glycémie dissipe les doutes. En étant fixé, vous prendrez les mesures adéquates.

Corriger l'hyperglycémie

Pour corriger une glycémie trop élevée, sortez vous promener ou faites 10 minutes de vélo stationnaire. Une autre possibilité consiste à sauter la collation prévue ou à manger moins au repas suivant. Si vous mesurez votre glycémie avant de manger et deux heures après le repas, vous découvrirez le genre de nourriture qui a tendance à trop l'élever. Si vous prenez de l'insuline d'action rapide, vous pourrez alors en augmenter la dose afin d'éviter l'hyperglycémie.

En somme, les mesures obtenues vous indiqueront si vous devez augmenter la dose de médicament, modifier son schéma posologique ou changer de médicament. Par exemple, si votre glycémie à jeun est constamment trop élevée, vous avez peut-être intérêt à prendre un bloqueur du glucose au niveau hépatique. Ce médicament aidera à ralentir la libération de glucose par le foie en début de journée. Si votre glycémie est normale le matin, mais constamment élevée après les repas, vous avez peut-être intérêt à vous faire prescrire un autre type d'antidiabétique oral ou d'insuline.

Corriger l'hypoglycémie

Pour corriger une glycémie trop basse, vous pouvez prendre du sucre afin d'éviter qu'elle ne chute davantage. Si vous avez des hypoglycémies qui passent inaperçues (voir page 336), il est essentiel d'utiliser le glucomètre. Celui-ci pourra alors vous indiquer le moment où la glycémie remonte dans la plage des valeurs sûres.

La mesure de la glycémie stimule la motivation.

Bien des diabétiques estiment que la mesure régulière de la glycémie les aide à rester sur la bonne voie. Par exemple, si un patient constate que sa glycémie est un peu élevée avant le souper, il pourra réduire la taille de ses portions. Comme il a aussi découvert que certains aliments élevaient trop sa glycémie, il consommera moins de ces aliments en particulier.

La mesure de la glycémie aide à faire face à différentes circonstances :

- la réduction ou l'augmentation de la nourriture ou de l'exercice physique ;

- un voyage, par exemple la traversée de plusieurs fuseaux horaires ;

- la consommation d'alcool ;

- la maladie, où la glycémie peut atteindre des valeurs très élevées ou très basses.

LES DÉFIS QUE PRÉSENTE LA MESURE DE LA GLYCÉMIE

Coût

Le coût des nombreuses mesures finit par peser.

Douleur

Même si les nouvelles lancettes sont très fines, le test risque d'être douloureux si le bout de vos doigts est très sensible.

Courbe d'apprentissage et enregistrement des résultats

Vous devez apprendre à utiliser le glucomètre, mais aussi à interpréter les résultats. Si vous mesurez votre glycémie à la même heure tous les jours et obtenez des résultats semblables, la mesure de la glycémie ne vous apprendra rien de nouveau. Si vos mesures révèlent des glycémies trop élevées, mais que vous ne modifiez pas votre alimentation ou votre programme d'exercice, demandez-vous alors à quoi sert la prise de ces mesures. En résumé, la mesure de la glycémie et les démarches à entreprendre doivent marcher main dans la main.

Temps consacré

Si vous mesurez votre glycémie trois fois par jour, cet exercice pourrait prendre 15 minutes de votre temps (cinq minutes chaque fois). Il serait préférable et davantage bienfaisant de marcher cinq minutes trois fois par jour. Cela représenterait un total de 15 minutes d'exercice.

Le glucomètre peut être une source de stress.

En constatant une hyperglycémie, vous risquez d'éprouver de l'irritation. Si vous ne faites rien contre cela, cette irritation risque à son tour de déstabiliser votre glycémie. Peut-être ne savez-vous pas interpréter les résultats ; l'incertitude mène à de l'anxiété. Or, les hormones du stress provoquent une élévation de la glycémie. Ainsi, l'utilisation du glucomètre peut en elle-même perturber la glycémie. L'obtention de valeurs hyperglycémiques en irrite certains à un point tel qu'ils cherchent consolation dans la nourriture et mangent encore plus !

Vous vous connaissez mieux que quiconque. Vous connaissez vos réactions au stress et ce qui stimule votre motivation. Posez-vous la question suivante : est-ce que mesurer ma glycémie m'aidera ou me nuira ? Si cet exercice est susceptible de vous nuire, contentez-vous de la mesure de l'hémoglobine glyquée (HbA1c) et ne mesurez votre glycémie que périodiquement, pour des raisons de sécurité.

Que vous mesuriez votre glycémie à domicile ou non, il importe que vous disposiez d'une vue d'ensemble de votre état de santé. Afin de l'évaluer, faites mesurer votre taux d'hémoglobine glyquée (HbA1c) tous les trois mois (ou à la fréquence recommandée par le médecin).

La mesure régulière de la glycémie donne de meilleurs résultats si elle vous amène à modifier vos habitudes de vie.

Mesure de la tension artérielle

Qu'est-ce qu'un tensiomètre (ou sphygmomanomètre), et comment s'utilise-t-il?

Le tensiomètre grand public est compact et facile d'utilisation, même s'il ne se transporte pas aussi aisément que le glucomètre. Assurez-vous que le brassard convienne à votre bras. Détendez-vous pendant cinq minutes dans une pièce paisible. Trente minutes avant le test, évitez le tabac et les boissons caféinées. Vous êtes alors prêt à mesurer votre tension artérielle. Installez le brassard autour de votre bras dénudé et appuyez sur le bouton. Le brassard se gonfle automatiquement, puis l'appareil fournit les résultats. Pour obtenir des instructions détaillées, adressez-vous au pharmacien, à l'éducateur agréé en diabète ou au médecin, ou faites des recherches sur Internet.

Apprenez la façon de mesurer la tension artérielle, tout comme vous pourriez chercher à en savoir plus concernant l'usage du glucomètre (voir page 351).

Horaire de la mesure de la tension artérielle

Voici de bons moments pour mesurer la tension artérielle: au lever, à jeun et au coucher.

Mesure 6 : Rester optimiste

Faire face au stress

Le stress est incontournable et fait naturellement partie de la vie. Nous nous rendons nous-mêmes nerveux à cause de nos attentes. Les gens autour de nous sont aussi une source de stress. En fait, le stress fait partie intégrante des rapports humains et de la réalité, qui consiste à régler ses factures, à travailler, à s'occuper de soi-même et d'autrui. Même les gens qui voient la vie à travers des lunettes roses le connaissent.

Une certaine dose de stress est bienfaisante. C'est lui qui nous aide à nous lever le matin. Qui nous motive et nous pousse à accomplir des choses. Il nous permet de nous réaliser. Le stress fait tourner le monde, donne du piquant à la vie et la rend perpétuellement captivante.

C'est quand il nous domine, quand nous ne savons plus comment composer avec lui, que le stress devient pernicieux. Il risque alors d'influer négativement sur le diabète, la tension artérielle et la santé en général. Il ne faut pas faire comme s'il n'existait pas. Si vous êtes dépassé par le stress, prenez des mesures pour l'atténuer !

Le stress nous pousse à nous fixer des attentes et des objectifs.

Vivez selon la devise : Un esprit sain dans un corps sain !

QUEL EST VOTRE NIVEAU DE STRESS ?

Sur une échelle de 1 à 10, où situeriez-vous votre niveau de stress actuel ?

C'est une question que je pose souvent aux patients qui se présentent à la clinique du diabète. Je leur demande d'évaluer leur niveau de stress sur une échelle de 1 à 10, « 1 » correspondant à un niveau très faible, et « 10 » à un stress énorme. Prenez conscience du fait qu'au fil des jours, ce niveau varie.

Stress de niveau très faible (0 à 1)

Je n'ai jamais rencontré personne qui m'ait affirmé ne vivre aucun stress (0 sur 10), ou même un stress évalué à 1. Et vous, connaissez-vous quelqu'un qui aurait un niveau de stress de 0 ou de 1 ?

Un tel niveau de stress me paraît quasi inimaginable. L'individu qui s'y identifierait serait peut-être dénué de motivation et si indifférent à la vie (ou drogué), qu'il ne prendrait plus part à ce qui se déroule autour de lui.

Stress de niveau faible (2 à 4)

Un petit pourcentage de mes patients dit vivre un niveau de stress de 2, 3 ou 4. Cela signifie probablement que malgré leur diabète, ils profitent d'un important soutien de leur entourage. Cela peut aussi vouloir dire que tout en vivant un niveau de stress moyen, ils composent avec ce dernier de manière habile. Grâce à une gestion prudente et au soutien dont ils jouissent, ils parviennent à réduire leur niveau de stress.

Stress de niveau moyen (5 à 7)

En général, au moment de recevoir le diagnostic de diabète, les patients situent le niveau de leur stress entre 5 et 7. Peut-être vous êtes-vous senti ainsi au moment de recevoir le vôtre. Mais le diabète est rarement l'unique source de stress en jeu. L'étape de la vie à laquelle le patient se trouve au moment du diagnostic compte aussi pour beaucoup. Peu importe où vous en êtes dans votre vie, les sources de stress sont multiples. Peut-être êtes-vous un célibataire d'âge assez avancé, une mère d'adolescents, ou un professionnel au sommet de sa carrière. Peut-être avez-vous des petits-enfants, ou souffrez-vous d'une charge de travail excessive. Êtes-vous endetté ? Êtes-vous atteint de nombreuses affections ? Endurez-vous une douleur chronique ? Avez-vous récemment vécu un divorce, une perte d'emploi ou la disparition d'un être cher ? Peut-être que des membres de votre famille vous accablent avec leurs exigences et leurs doléances. Prenez-vous soin d'un parent âgé, ou bien êtes-vous vous-même âgé et aux prises avec les affres du vieillissement ? Nul ne peut faire disparaître le stress d'un coup de baguette magique, mais on peut parvenir à l'atténuer.

Stress de niveau élevé (8 à 10)

Un stress constamment élevé, attribuable aux circonstances que vous vivez, peut être évalué à 8, 9 ou 10. Le deuil d'un conjoint ou la perte d'un emploi qu'on croyait assuré pour la vie, voilà des événements susceptibles de vous accabler. Peut-être les incompatibilités de caractères au travail ou à la maison prennent-elles trop de place ? La violence verbale, physique ou sexuelle engendre aussi beaucoup de stress. Le diagnostic de diabète ou les complications de la maladie peuvent alors pousser le niveau de stress à 9 ou à 10.

À son tour, ce stress déstabilise votre glycémie. Si vous fixez le niveau de votre stress à 10, c'est-à-dire au niveau le plus élevé, vous en connaissez sans doute la raison. Votre stress pourrait retomber à mesure que vous apprenez à composer avec le diabète ou à la faveur de la résolution des crises. Il est essentiel de le réduire, ce niveau étant dangereux. Poursuivez votre lecture afin de découvrir des méthodes de gestion du stress.

DIABÈTE ET STRESS

Changements provoqués par le stress de niveau moyen-élevé sur le corps

Quand le niveau de stress est constamment élevé ou qu'il passe du niveau moyen à élevé, l'organisme produit des hormones de stress. Ces hormones voyagent dans le sang et agissent sur l'organisme de différentes façons. Par exemple, elles élèvent la glycémie et la tension artérielle.

*Puisque nous ne pouvons pas toujours agir sur les causes du stress, **il nous faut modifier notre réaction au stress**. En consultant les pages 358 à 369, vous trouverez des suggestions pour composer avec le stress et atténuer le risque de complications du diabète. Ce ne sont pas toutes les suggestions qui vous conviendront. Lisez-les cependant toutes afin de découvrir la recette qui est la bonne pour vous.*

Pour réduire le stress au travail, envisagez les options suivantes:

- réduire vos heures de travail ou modifier votre horaire;

- déléguer une partie de votre charge de travail;

- vous fixer des tâches prioritaires;

- aborder avec votre patron la question d'une éventuelle modification de l'espace de travail ou des responsabilités, afin d'éviter les incompatibilités de caractères;

- en dernier recours, évaluer de changer d'emploi.

Consultez un professionnel s'il le faut:

Parlez de votre stress au médecin ou à l'équipe spécialisée en éducation sur le diabète. Peut-être vous dirigera-t-on vers un conseiller en dépendances, un professionnel de la santé mentale, un travailleur social, un psychologue ou un psychiatre (médecin spécialiste de la santé mentale). Des médicaments pourraient vous être utiles pendant un certain temps pour mieux faire face au stress ou pour mieux dormir. Si vous êtes victime d'une quelconque forme de violence, cherchez la sécurité d'un refuge.

Prenez le temps de vivre. Aimez-vous l'arôme du café? Certains apprécient la fraîche odeur des vêtements sur la corde à linge ou celle de leurs cheveux lavés. D'autres, le parfum de la lotion après-rasage. Une simple sensation olfactive influe instantanément sur votre humeur.

Elles affaiblissent le système immunitaire, exacerbent l'inflammation dans les vaisseaux sanguins et mettent les nerfs en état de surexcitation. Vous éprouverez une sensation de malaise, subirez des dérangements d'estomac, la qualité de votre sommeil sera compromise et vous vous sentirez inquiet et abattu. Avec le temps, un niveau de stress élevé accroît le risque de complications du diabète, notamment d'infarctus du myocarde et d'accident vasculaire cérébral.

Lorsque le stress devient insupportable

Il serait sage de demander de l'aide avant que le stress n'occasionne des ennuis de santé graves. Si vous ne le gérez pas adéquatement, il cause en effet des problèmes. Le stress pousse certains individus vers les dépendances, entre autres à la nourriture, à l'alcool et aux drogues. La dépendance procure peut-être un sentiment de bien-être pendant une brève période, mais, avec le temps, elle risque de tout détruire, y compris l'individu et sa famille. Si vous estimez que vous avez besoin d'aide, n'hésitez pas à aller en chercher.

CONSEILS POUR COMBATTRE LE STRESS

Réduisez un peu la cadence.

Vous sentez-vous déprimé, triste, en colère, sur le point d'éclater?

Je sais ce que vous éprouvez. Je vis parfois cette détresse quand les circonstances paraissent pénibles et sans espoir. Pour faire face aux événements, je ralentis un peu le pas et m'efforce de revenir aux valeurs fondamentales. Je me répète que je ne peux faire que mon possible, pas plus. Cette attitude vous aidera aussi.

Le stress peut aussi bien vous stimuler que vous pousser à l'épuisement professionnel. Ralentir ne serait-ce qu'un peu est déjà bienfaisant. Une fois que vous avez reconnu votre principale source de stress, voyez si vous pouvez agir sur elle. Si la source d'ennuis concerne le travail, envisagez les options qui s'offrent à vous pour changer les choses. Seriez-vous perfectionniste? Si c'est le cas, vous êtes bien le seul à croire que la perfection est de ce monde. Rien ne sert de persévérer dans une situation qui vous rend malade.

Contentez-vous de vivre un jour à la fois, un pas à la fois. Fixez-vous des objectifs petits et atteignables. Demandez au médecin, à un autre professionnel ou à un ami ce que vous devriez faire dans l'immédiat. Planifiez aussi des changements pour un peu plus tard, au moment où vous serez prêt.

Pensez santé.

Certaines pensées agissent comme des maladies.

Ruminez-vous beaucoup de pensées négatives?

Les pensées négatives s'accumulent, les unes sur les autres, et vous empoisonnent. Si vous vous persuadez que vous ne prendrez jamais le dessus sur le diabète, vous entretenez le découragement. Vous risquez alors de manger plus et d'agir moins. Tentez de remplacer ces idées noires par des pensées positives. Répétez-vous par exemple que vous pouvez commencer par apporter de petits changements à intervalles réguliers afin de normaliser votre glycémie. Votre perspective change alors du tout au tout. En entretenant une attitude optimiste, vous vous donnez l'élan nécessaire pour progresser. Concentrez-vous sur les changements positifs déjà apportés et sur les aspects intéressants de votre vie. C'est ce qui compte, en définitive.

Vous arrive-t-il parfois de trop penser?

Est-ce que la situation était aussi grave que vous le craigniez? Avez-vous pu régler le problème? Est-ce que vos amis ont vraiment pensé tout ce mal de vous, tel que vous l'imaginiez? Nous ne sommes pas tous de bons communicateurs. Les difficultés que nous vivons dans nos rapports avec autrui reposent souvent sur des malentendus. Nous croyons connaître les pensées et les émotions de l'autre, l'opinion qu'il a de nous, mais nos hypothèses sont-elles fondées? Les mots donnent souvent lieu à des malentendus, et les silences aussi sont souvent mal interprétés. Parfois, ce sont nos émotions qui engendrent du stress, alors que l'autre n'avait nullement l'intention de nous perturber. Ne conservez pas de lettres ou de souvenirs s'ils vous occasionnent du stress ou de la douleur. Même si elle est parfois difficile à adopter, la meilleure attitude consiste à laisser le passé en paix. Il est très difficile de s'élever au-dessus de vieilles rancunes et hostilités. Cependant, celles-ci alimentent le stress. Cherchez donc à vous en détacher afin d'alléger le fardeau qui pèse sur vous.

Trop penser vient parfois compliquer les choses. La vie est plus simple que nous l'imaginons. On se laisse moins envahir par les événements en évitant de trop réfléchir. Prenez plutôt du recul et soufflez. Les choses finiront par s'arranger.

Videz-vous le cœur.

Il est normal de parfois vivre de la colère. D'autres fois, nous rions, et le rire est une chose merveilleuse. En certaines occasions, ce qui nous fait le plus défaut, c'est un peu de solitude et de silence. Le plus souvent, nous parlons pour exprimer nos émotions, car c'est ce qui soulage le plus. Partager nos troubles et douleurs fait du bien. Si nous ne nous les exprimons pas, les émotions restent en nous, s'accumulent et finissent par nous rendre malades.

La pensée, un outil puissant

Si vous remplacez les idées noires par des pensées positives, vous ne tarderez pas à noter des résultats. Entretenez des pensées favorables à votre sujet et faites des compliments à autrui.

Tenue d'un journal personnel

Il est réconfortant de coucher par écrit vos émotions (voir pages 61 à 62), surtout lorsque vous tentez de découvrir comment celles-ci influent sur vos habitudes. C'est aussi une bonne façon d'extérioriser ce que vous ressentez. Cependant, cela ne veut pas dire que vous devez conserver ces écrits. Il est parfois préférable de les effacer ou de les jeter, parce qu'on peut trouver irritant le fait de ne pas voir clair dans ses affaires.

Trouver un confident sûr est parfois ardu. Peut-être avez-vous la chance d'avoir un ami ou un membre de la famille avec qui échanger. Pourquoi ne pas parler à un directeur de conscience religieuse, à un conseiller, au médecin ou à l'infirmière spécialisée ? Parler et avoir quelqu'un pour vous écouter sont des éléments essentiels de la santé mentale.

La tristesse fait partie intégrante de la nature humaine. Les bons temps ont bien meilleur goût quand nous avons connu des temps difficiles.

Tenez-vous occupé. Il n'y a rien de pire que d'être oisif et de ne se préoccuper que de ses petits problèmes.

Il est parfois permis de se défouler.

Ne faites pas semblant d'être heureux alors que vous ne l'êtes pas. Il nous arrive parfois de pleurer, et les larmes sont bienfaisantes. Si nous étions programmés pour ne pas pleurer, nous ne disposerions pas de glandes lacrymales. Les pleurs font partie intégrante de la nature humaine. Ils constituent une façon de calmer les tensions qui s'accumulent en nous. Pleurer extériorise nos émotions. C'est lorsque nous ne pouvons nous arrêter de le faire qu'il faut songer à aller chercher de l'aide.

Pour certains, le cri est parfois bienfaisant ! Il ne s'agit pas de crier des injures à quelqu'un ou à soi-même, mais de pousser un cri libérateur. Installez-vous dans un lieu isolé, où personne ne vous entendra et ne pensera que vous êtes bizarre. Cela explique peut-être la popularité des montagnes russes. En les descendant, on peut se laisser aller à pousser des cris de terreur qui, à la fin, se transforment en cris de joie. En sortant du manège, vous vous sentez ragaillardi. En somme, le cri est une façon efficace d'exprimer ses émotions.

Apprenez encore et toujours.

Votre cafard repose peut-être sur un malentendu. L'ennui, l'oisiveté ou l'épuisement sont aussi des sources de cafard. Tentez d'apprendre une nouvelle discipline qui vous absorbera complètement. Faites bon usage des livres, des magazines, de la radio et de l'ordinateur. Renseignez-vous sur le diabète et la gestion du stress. Ainsi, vous cesserez de vous sentir désemparé. Entretenez votre stimulation en vous intéressant à des jeux, au bricolage, aux mots croisés, aux cartes, au jardinage ou aux voyages.

Avez-vous parfois l'impression que vous en apprenez davantage avec d'autres personnes que laissé à vous-même ? Joignez-vous alors à un groupe ou à un cours. Est-ce que vous pourriez aider les autres en leur enseignant quelque chose, servir de modèle, faire du bénévolat ? Si vous travaillez auprès des démunis, vos propres préoccupations prendront un relief différent. Vous réaliserez par le fait même que d'autres personnes ont besoin de vous.

Amusez-vous bien !

Le simple fait de sourire rend optimiste. Il est parfois difficile de le faire, mais cela fonctionne.

Gardez le contact avec ce qui vous rend heureux : famille et amis, animaux de compagnie, souvenirs, musique, plantes, sports, passe-temps ou télévision. Des objets ainsi que des habitudes simples et familières contribuent à notre bien-être. Sortez de la maison de temps à autre pour entretenir votre vie sociale. Prenez un thé, ou, si cela vous convient, une bière ou un verre de vin avec des amis ou des membres de votre famille. Riez et amusez-vous. Commencez à planifier des vacances dès maintenant !

Le rire, un merveilleux remède

Y a-t-il quoi que ce soit d'amusant dans le fait de devoir suivre un plan de repas, de faire de l'exercice et de prendre des médicaments ou de l'insuline ? En réalité, pas grand-chose ! Et c'est exactement pour cela que nous avons besoin de l'humour et du rire en guise de contrepoids.

Il faut parfois jeter un regard décontracté sur nos problèmes. C'est l'occasion de se rendre compte que certains d'entre eux ne sont pas aussi immenses qu'ils le paraissent. Le rire nous aide à accepter nos limites, sans nous empêcher de prendre soin de nous-même du mieux que nous pouvons.

Pourquoi le rire est-il bon pour la santé ?

Le rire nous aiderait à vivre plus longtemps — plus longtemps et plus heureux. Incroyable mais vrai, il renforce notre résistance à la maladie et à l'infection, et accélère la guérison. En riant, nous respirons plus profondément. Le sang enrichi en oxygène et les « hormones du bonheur » (les endorphines) envahissent le corps.

Quand on pense à toutes les mauvaises choses pouvant accompagner le diabète, le stress monte, entraînant avec lui la glycémie et la tension artérielle. L'humour et le rire nous permettent de faire face aux problèmes, de traverser les périodes difficiles.

Comment intégrer le rire dans votre vie

Les enfants possèdent cette merveilleuse façon de rire et de ricaner, même dans l'adversité. Quant à nous, nous n'avons pas à jouer l'adulte tout le temps. En retrouvant l'enfant enjoué en nous, nous renouons avec le bonheur. Apprenons des enfants, jouons et rions avec eux ! Si vous avez des petits-enfants ou de jeunes enfants dans votre entourage, il peut être salutaire de jouer avec eux dans le carré de sable, ou bien de travailler l'argile ou la pâte à modeler. Vous vous rappelez que les montagnes russes sont un bon endroit pour crier ? Pour certains d'entre nous, un tour dans un manège plus tranquille est déjà amusant.

Quels sont les gens qui savent vous faire rire ? Passez plus de temps avec ces personnes. Certains riaient davantage quand ils étaient jeunes. Si tel est votre cas, pourquoi ne pas reprendre contact avec vos amis d'enfance ou de jeunesse ? Et si vous ne pouvez pas renouer avec les amis du passé, faites des activités susceptibles de vous faire rencontrer des gens.

Un bonne séance de rire peut aussi :

- *diminuer la tension artérielle et protéger le cœur ;*
- *améliorer le fonctionnement du cerveau ;*
- *vous aider à vous relaxer et à vous sentir mieux ;*
- *apaiser la colère ;*
- *vous aider à créer des liens avec votre entourage.*

Quelles sont les choses qui vous font rire ? Une émission de radio ou de télévision, un film, un livre, une B.D., les blagues qui circulent sur Internet, la vieille histoire de famille ? Allez-y, amusez-vous ! Si une chose vous fait rire, c'est bon et vous en avez besoin. Encore mieux, partagez vos plaisirs avec quelqu'un possédant le même sens de l'humour que vous ; le rire n'en sera que meilleur. Il est contagieux.

Croyez en quelque chose.

La croyance en quelque chose donne de l'espoir. L'espoir se renouvelle, comme les fleurs au printemps après un long et dur hiver.

L'essentiel est de croire en vous. Soyez fier de ce que vous êtes et du chemin que vous avez parcouru. Ne jugez pas de votre réussite d'après la position que vous occupez, mais selon les obstacles que vous avez surmontés pour en arriver où vous êtes aujourd'hui. Peut-être avez-vous dû vaincre des obstacles majeurs. C'est tout à votre honneur !

Croire en quelque chose de plus grand que soi procure espoir et réconfort à bien des gens. La fréquentation régulière d'un lieu de culte équivaut à une réduction planifiée du stress. C'est l'occasion d'abandonner les soucis quotidiens à une puissance supérieure, ne serait-ce que pendant une brève période. Des études montrent que la croyance spirituelle en un être supérieur de même que la prière sont très importantes pour la santé et la longévité. Vous vous intégrez ainsi à un réseau de soutien réunissant les membres de votre communauté et d'autres personnes, ailleurs sur terre. La prière et la méditation fournissent l'occasion de vous recueillir en toute quiétude. En chantant des hymnes et des prières, vous éprouvez une sensation de communion. De plus, cela vous fait respirer profondément et évacuer vos tensions. L'écoute de ces sons familiers exerce un effet calmant.

Les voies de la guérison

Personne n'est parfait. Le bien et le mal sont intrinsèques à la nature humaine. Nous savons accomplir des choses merveilleuses en *même temps* que nous commettons des erreurs. En vous ouvrant à la compassion, à l'indulgence et au respect, vous vous donnez de l'espoir ainsi qu'à votre entourage. Surmonter les événements terriblement blessants de la vie est un combat. Il s'agit de découvrir les voies de la guérison. Vous pouvez vivre ce processus dans l'intimité de votre foyer, au sein d'un groupe de soutien, dans des séances de consultation ou encore auprès de la famille et des amis. Certains pensent que le chemin qu'on appelle la vie est plus aisé à parcourir en venant en aide à

N'est-ce pas vrai ?

La majeure partie de notre vie consiste en de petits événements vécus au quotidien, et non en de grandes occasions et en de grands succès. Profitez bien de ces petits moments.

Que vous soyez religieux ou non, l'amour de la nature est une forme de spiritualité. Nous vivons beaucoup dans les grandes villes, loin de la nature. Les nouvelles technologies continuent de nous éloigner du plein air, car nous passons de plus en plus de temps enfermés, devant un écran. Pourtant, enfoui profondément en nous, il y a le besoin d'établir des liens avec la nature. Cela explique peut-être la popularité du jardinage. Certaines villes ont des sentiers pour randonneurs et des parcs, et nous avons aussi de magnifiques parcs naturels qui nous permettent de pratiquer la randonnée. Toucher la terre de ses mains procure un bienêtre fondamental, tout comme le fait de sentir le vent sur son visage la nuit, en contemplant les étoiles.

autrui. Un des bienfaits les plus importants de l'entraide et du bénévolat, c'est qu'il nous aide à croître. Les possibilités de faire du bénévolat sont multiples. Optez pour quelque chose qui vous plaît et qui met à profit vos points forts. Trouvez votre propre voie.

Que votre foyer soit votre cocon !

Maintenez votre maison propre, confortable et sécuritaire. De simples fleurs dans un vase peuvent vous remonter le moral pendant des jours. Les petites améliorations donnent du pep. Changez les coussins de votre sofa ou accrochez un nouveau tableau au mur. D'ailleurs, vous pouvez obtenir tout un effet en repeignant vos murs ! Songez à des couleurs sereines, pastel ou pâles (pourquoi pas vert sauge ou bleu ciel ?) mariées à des tons blancs ou ivoire. À la maison, des parfums apaisants (cannelle, orange ou lavande) vous aideront à vous détendre.

Fournissez à votre cerveau de bons aliments.

Le cerveau régit l'humeur. Pour fonctionner convenablement, il a besoin d'éléments nutritifs. Un apport adéquat en magnésium, en vitamines B (en particulier la niacine, la vitamine B6 et l'acide folique) et en gras oméga-3 améliore l'humeur et réduit le stress. Les aliments renfermant une protéine appelée tryptophane possèdent aussi la propriété de remonter le moral et de favoriser le sommeil. Le lait en est particulièrement riche. Les autres sources intéressantes de ce nutriment sont le yogourt, le fromage, les œufs, les bananes et les arachides. Pour obtenir tous les nutriments essentiels, mangez des aliments bons pour la santé, variés et colorés, en quantité convenant à vos besoins. Mangez lentement et à heures régulières. Partagez vos repas avec la famille et les amis. À l'occasion, sachez vous faire plaisir. Si votre poids est source de stress, songez à vous défaire de votre pèse-personne. Pour peu que vous surveilliez votre poids avec le médecin, vous n'avez pas besoin de vous peser tous les jours.

Exercice et soleil

À la maison comme au travail, demeurez actif. Mettez-vous à l'abri du stress. Marchez, roulez à vélo ou faites d'autres exercices. Un peu d'embonpoint n'empêche pas la bonne forme physique ! Quand vous vous dépensez physiquement, vous sécrétez des hormones dites du bonheur. Celles-ci favorisent la détente, abaissent la glycémie et la tension artérielle, tout en calmant l'inflammation dans l'organisme.

Mettre de l'ordre dans votre maison peut vous aider à perdre du poids. Voici comment.

- *Vivre dans le désordre est source de stress et donne naissance à un sentiment d'échec, qui peut pousser à manger à l'excès.*

- *Si votre réfrigérateur, votre congélateur et vos armoires débordent d'aliments hypercaloriques, vous vous exposez à la tentation.*

- *Quand votre cuisine est propre et ordonnée, vous avez plus de plaisir à manger à la maison.*

Pour en apprendre davantage sur les sources alimentaires de vitamines et de minéraux, consultez les tableaux des pages 133 et 134. Vous trouverez des détails sur les gras oméga-3 aux pages 57 et 120.

La «déprime hivernale» frappe davantage les peuples vivant sous des latitudes nordiques et les travailleurs de quart. Cette déprime s'expliquerait en partie par un manque d'exposition à la lumière. L'exposition, 30 minutes par jour, à une lampe fluorescente spéciale reproduisant la lumière du jour aide certaines personnes à surmonter la dépression. Pour vous renseigner plus à fond sur le sujet, consultez le médecin ou l'association en santé mentale de votre région.

Marcher à l'extérieur apporte le bienfait supplémentaire de l'exposition à la lumière. La lumière solaire (même à travers une fenêtre) stimule les sens et remonte le moral. La vitamine D que nous prodigue le soleil améliore aussi notre humeur.

Témoignage d'Alice

Au début, je ne pouvais marcher que cinq minutes d'un coup. Progressivement, j'ai pu me rendre à 10, à 15, puis à 20 minutes. Inutile de dire que je suis fière de ma performance de 30 minutes! J'ai découvert que cet exercice me faisait du bien de plusieurs façons et qu'il m'était salutaire tant sur le plan physique que sur le plan émotionnel. Il me donne des ailes, tout simplement. Maintenant, les difficultés qui surgissent me semblent plus faciles à surmonter. Comme nous avons des enfants et des petits-enfants, il y a toujours beaucoup d'action à la maison, et je constate que cette agitation me remonte le moral. Je me dis alors que tout ne va pas si mal, que le verre est à moitié plein, et non à moitié vide.

Soignez votre apparence.

Prenez tous les jours une douche relaxante ou un bain de courte durée. Soignez vos ongles et cheveux. À la maison, le pyjama ou le survêtement sont confortables, certes; cependant, se mettre parfois sur son trente-et-un est une bonne façon de se valoriser et de s'aimer.

Conseils de beauté pour s'habiller:

- Des vêtements trop amples ou trop ajustés risquent de ne pas vous faire paraître sous votre meilleur jour.

- Un pantalon noir ou sombre affine les hanches et la taille, et fait paraître le corps plus grand. Efforcez-vous également de vous tenir et de marcher bien droit.

- Pourquoi ne pas porter un t-shirt ou un chandail débardeur de couleur unie et y superposer une chemise ou une veste de couleur claire (les couleurs unies, les imprimés à petits motifs ou les rayures verticales fines sont faciles à agencer). Optez pour un pull avec encolure en « V », cintré, dont le bord inférieur frôle à peine la taille.

- Donnez la touche finale à votre allure en choisissant un bel accessoire: montre, bracelet ou ceinture.

Musique

La musique améliore l'état de santé des enfants et des adultes, y compris ceux aux prises avec une maladie chronique. Pour réduire le stress, choisissez une musique qui vous rappelle des moments agréables. Vous pouvez écouter de la musique sur un baladeur MP3 en marchant, ou sur votre chaîne stéréo en faisant du vélo stationnaire ou du tapis roulant. Battez du pied, dansez au son de la musique rock, country, pop ou gospel qui vous plaît, ou détendez-vous, les

Un sourire engageant est la chose la plus importante que l'on puisse arborer.

pieds surélevés, en écoutant de la musique classique. Si vous êtes musicien, évacuez le stress en vous défoulant sur la batterie, en grattant la guitare ou en pianotant. Si vous ne vous considérez pas comme un grand chanteur, mais que vous aimez quand même chanter, alors faites-le à l'église ou à la maison, sous la douche. Chanter ou entendre chanter (même des chanteurs moyennement doués) nous offrent un réconfort allant puiser dans nos racines profondes.

Le toucher

Le toucher, dans ses formes convenables et acceptées, peut prendre bien des formes et possède la propriété d'induire la détente et le bien-être. Serrer la main de quelqu'un, tenir un proche par la main, embrasser un proche, se faire caresser, recevoir une manucure, se faire masser les pieds ou le dos, se faire donner une coupe de cheveux avec shampoing, brosser les cheveux d'un enfant, tenir un bébé ou un enfant dans ses bras, danser avec quelqu'un, sont tous des formes de toucher qui font du bien. Prendre soin d'un chien ou d'un chat est aussi une merveilleuse occasion de pratiquer le toucher. Un animal de compagnie a autant besoin de vous que vous avez besoin de lui.

Quand vous êtes seul, détendez-vous dans la baignoire et sentez les bienfaits de l'eau chaude sur votre corps. Lorsque vous vous sentez stressé, votre circulation ralentit et vos mains refroidissent. Massez-les et réchauffez-les en y faisant pénétrer de la crème pour les mains. Commencez par les poignets et continuez jusqu'au bout des doigts. Peut-être pourrez-vous plus tard masser ou stimuler d'autres parties de votre corps. Il est bon de libérer ses tensions. Dans le plaisir sexuel, obtenu seul ou avec un partenaire, l'organisme produit des «hormones du bonheur».

Dormez de sept à huit heures par nuit.

Le manque de sommeil aggrave le stress, provoque une prise de poids et élève la glycémie. Chacun a des besoins de sommeil différent. Cependant, si vous souffrez de stress, il faut vous octroyer de sept à huit heures de sommeil par nuit. Les conseils suivants ne s'appliquent sans doute pas tous à vous, mais si vous avez des troubles du sommeil, il vaut la peine d'en essayer quelques-uns. Même un changement mineur peut être déterminant.

Couchez-vous à la même heure.

- Essayez d'aller au lit et de vous lever à des heures régulières.

- Respectez un rituel du coucher. Par exemple, passez-vous la soie dentaire, brossez-vous les dents, prenez une douche ou un bain rapide.

Si votre conjoint ronfle...

Si ses ronflements perturbent votre sommeil, songez à trouver une solution. Des bouchons d'oreille ou un ventilateur produisant un bruit de fond feront parfois l'affaire. Pouvez-vous faire chambre à part ? Est-ce que votre conjoint est en mesure de faire quelque chose pour réduire son ronflement, par exemple, mieux contrôler ses allergies ou dormir sur le côté ? Le ronflement peut être symptôme d'apnée du sommeil. Pour approfondir le sujet, parlez-en au médecin.

- Si vous avez la télévision, l'ordinateur ou le téléphone cellulaire dans la chambre à coucher, éteignez ces appareils 15 minutes avant de vous mettre au lit. Vous donnez ainsi à votre esprit et à vos yeux la possibilité de décompresser. Si vous voulez lire avant d'éteindre la lumière, optez pour un livre léger plutôt que pour une lecture qui troublerait votre sommeil. Afin que votre corps puisse se relaxer, repoussez les conflits au lendemain.

Évitez ou diminuez la caféine, la nicotine et l'alcool trois à quatre heures avant d'aller au lit. Aussi, évitez de boire du liquide une heure ou deux avant le coucher afin de ne pas avoir besoin de vous lever la nuit.

La pratique de l'exercice physique durant la journée ou en début de soirée induit une fatigue propice au sommeil. Par ailleurs, bien des gens tombent endormis immédiatement après l'effort qui accompagne les rapports sexuels.

Évitez les collations copieuses avant d'aller au lit. Si la faim vous empêche de dormir ou vous réveille, vous devriez peut-être prendre une collation légère en soirée. Un verre de lait ou une petite banane sont de bons choix, car le tryptophane qu'ils contiennent contribue à induire le sommeil. Une collation trop copieuse risque au contraire de perturber le sommeil.

Durant le jour, contentez-vous si possible de siestes brèves.

Un matelas confortable favorise un bon sommeil. Si vous avez des douleurs lombaires, découvrez les conseils donnés à la page 246 sur les positions à adopter en dormant.

Si possible, maintenez la température de la chambre à 18 °C (65 °F). Si vous avez froid aux pieds, portez des chaussettes de laine chaudes et amples.

Une pièce sombre et tranquille favorise grandement le sommeil.

Si vous ne dormez pas après avoir passé une demi-heure au lit, levez-vous. Lisez ou regardez la télévision jusqu'à ce que la fatigue se réinstalle. Reprenez alors le rituel que vous avez adopté à l'heure du coucher. Essayez la relaxation concentrée (voir page 369) ou écoutez une musique apaisante, par exemple des bruits de vagues qui vous endorment tout en vous berçant.

Autres méthodes de détente

Êtes-vous victime du stress? Essayez une de ces méthodes de détente. La première exige moins d'une minute et la deuxième, quelques minutes seulement. Pour la troisième méthode, de 10 à 15 minutes vous suffiront.

Consultez le médecin si l'insomnie vous tient toujours éveillé. Croyez-vous faire de l'apnée du sommeil? Vous avez intérêt à en parler à un spécialiste, à vous rendre à une clinique du sommeil ou à prendre un somnifère. La prise de somnifères pendant une brève période peut vous aider à surmonter une période particulièrement stressante.

Respiration profonde → moins d'une minute

Durant la journée, dès que vous vous sentez stressé, prenez de profondes respirations. Il suffit de vous arrêter et de respirer profondément à quelques reprises. L'exercice n'exige qu'une minute, mais procure un apport massif en oxygène, ce qui favorise la détente.

Brefs exercices → une à trois minutes

L'exécution de quelques petits exercices permet de calmer les tensions qui s'accumulent dans les muscles. Essayez les haussements d'épaules, les rotations de la cheville ou les étirements (voir page 241). Si la tension siège au niveau du cou, inclinez la tête vers la poitrine, maintenez-la dans cette position pendant 10 secondes, puis faites-la se mouvoir d'un côté à l'autre.

Pour une relaxation complète, gagnez d'abord un lieu paisible et sombre, puis :

1. Installez-vous sur une chaise confortable ou étendez-vous par terre.

2. Les yeux fermés, respirez profondément et lentement.

3. Détendez lentement tous les muscles des bras et des jambes. Essayez de chasser toute pensée en vous concentrant sur la détente musculaire.

4. Détendez ensuite le ventre, les fesses, le dos, le visage et le cou. Poursuivez la détente jusqu'à ne plus sentir de tension dans vos muscles. Vous aurez l'impression de vous enfoncer doucement dans la chaise ou le lit.

5. Continuez à respirer profondément. Chaque fois que vous expirez, prononcez mentalement et lentement le mot « calme ».

Yoga, exercices Pilates et tai-chi → 15 minutes ou plus

Tous ces programmes d'exercice possèdent une composante « relaxation ». Ils se basent sur des mouvements lents, bien maîtrisés, ainsi que sur des postures qui ont pour but de détourner votre attention des distractions du monde extérieur. L'exécution des exercices exige des niveaux de souplesse et de condition physique variés. Si vous n'avez jamais fait ni yoga, ni Pilates, ni tai-chi, demandez à un moniteur du centre de conditionnement physique s'ils pourraient être bienfaisants dans votre cas. S'il vous donne le feu vert, allez-y.

Si vous consacrez ne serait-ce que 1 % de votre journée à la détente, l'exercice n'aura exigé qu'une dizaine de minutes de votre temps. Il peut néanmoins apporter une amélioration notable de votre glycémie et de votre tension artérielle.

Faire face à la dépression

Il ne faut pas confondre dépression et stress. La dépression est comme un lourd nuage noir planant au-dessus de votre tête. Un jour, pour une raison quelconque, parfois sans raison, ce nuage crève. Vous le sentez peser de tout son poids sur vous et sur tout ce que vous entreprenez. Il vous empêche de sortir du lit, de communiquer avec les membres de votre famille ou vos amis et d'accomplir les tâches qui vous incombent. Il vous dérobe votre joie de vivre et vous éloigne des personnes qui vous aiment. Si vous vous croyez déprimé, parlez-en au médecin ou à un professionnel de la santé mentale. Si le cœur vous en dit, passez le test ci-dessous.

Si vous vous croyez déprimé, faites ce petit test* :

Au cours des deux dernières semaines, à quelle fréquence avez-vous été dérangé(e) par les problèmes suivants ? (Encerclez votre réponse puis additionnez les réponses encerclées.)	Jamais	Plu-sieurs jours	Plus de la moitié du temps	Presque tous les jours
Ressentir peu d'intérêt ou de plaisir à faire des choses.	0	1	2	3
Se sentir triste, déprimé ou désespéré.	0	1	2	3
Avoir des difficultés à s'endormir ou à rester endormi, ou trop dormir.	0	1	2	3
Se sentir fatigué ou avoir peu d'énergie.	0	1	2	3
Avoir peu d'appétit ou trop manger.	0	1	2	3
Avoir une mauvaise perception de soi — penser que l'on est un perdant, que l'on ne satisfait pas ses propres attentes ou celles de sa famille.	0	1	2	3
Rencontrer des difficultés à se concentrer sur des choses telles que lire le journal ou regarder la télévision.	0	1	2	3
Bouger ou parler si lentement que les autres le remarquent, ou, au contraire, être très agité et bouger beaucoup plus que d'habitude.	0	1	2	3
Penser qu'il serait mieux d'être mort, ou penser à se blesser d'une façon ou d'une autre.	0	1	2	3
Une fois vos points additionnés, allez à la page 371 et lisez la section « À quel moment faut-il aller chercher de l'aide ? ».	0	+ _____	+ _____	+ _____
			Total:	_____

* Ces questions sont tirées du Questionnaire sur la santé du patient (PHQ-9) élaboré par les médecins Robert L. Spitzer, Janet B.W. Williams, Kurt Kroenke et leurs collègues, avec l'aide d'une bourse de Pfizer inc. Pour accéder au questionnaire original, conçu pour être utilisé par les professionnels de la santé, visitez le site www.pfizer.com. On y explique comment distinguer la dépression légère de la dépression grave.

Diabète et dépression

Quand vous êtes en dépression, vous devenez léthargique et indifférent à la pertinence de vos choix alimentaires. Vous risquez alors de prendre du poids et d'aggraver votre diabète. Par ailleurs, composer avec le diabète n'est pas facile, surtout si vous êtes aux prises avec des complications. Ces difficultés peuvent contribuer à la dépression. En premier lieu, il est essentiel de vaincre la dépression. Une fois celle-ci soulagée, vous vous sentirez mieux, et il sera plus aisé de prendre en charge votre diabète.

À quel moment faut-il aller chercher de l'aide?

Si vous avez accumulé cinq points ou plus dans le questionnaire de la page 370, il *se peut* que vous souffriez de dépression. Parlez-en à votre médecin ou à un professionnel de la santé mentale afin qu'ils vous évaluent plus en profondeur. Cela est particulièrement important si vous avez obtenu un score élevé au questionnaire ou si vous êtes en proie à des idées dépressives tenaces. Si des fantasmes d'automutilation ou d'agressivité envers autrui s'imposent fortement à vous, essayez d'obtenir de l'aide. Au besoin, ayez recours à un service d'écoute téléphonique d'aide d'urgence.

Si le médecin juge que vous êtes déprimé, demandez-lui si vous devriez consulter un spécialiste, et, si oui, lequel? Certains parviennent à traiter leur dépression grâce à l'exercice physique (voir pages 220 à 264) et aux changements apportés à leur vie afin de mieux gérer le stress (voir pages 358 à 369). Un professionnel de la santé mentale pourra vous aider à apporter de tels changements. D'autres personnes bénéficient de la prise d'antidépresseurs. Le médecin pourrait vous en prescrire pour un certain temps. Il est aussi possible que vous en ayez besoin toute votre vie. Les médicaments, s'ils sont nécessaires, aideront à dissiper le noir nuage et permettront au soleil de briller à nouveau.

Certains antidépresseurs, mais pas tous, entraînent une prise de poids. L'embonpoint accroît quant à lui le risque de développer ou d'aggraver le diabète. Pour découvrir les options qui s'offrent à vous, parlez au médecin.

Mesure 7 : S'adapter au diabète, à toutes les étapes de la vie

Les recommandations faites dans cet ouvrage en vue de prévenir ou d'atténuer les complications du diabète valent aussi pour les enfants et les adolescents.

Aux pages 375 à 379, on propose des habitudes de vie saines, valables pour les enfants d'âge préscolaire et visant à prévenir le diabète de type 2.

Les adolescents ayant déjà développé le diabète de type 2 consulteront les pages 379 à 385.

Parents ou responsables d'un enfant ou d'un adolescent atteint de diabète de type 2, cette section s'adresse à vous également.

À table, prenez votre temps:

La table réunit les membres de la famille, leur permet de converser et de tisser un réseau de relations pour la vie. Des études révèlent que les enfants qui ont l'habitude de souper en famille:

- *fument, boivent et se droguent en général moins que les autres;*

- *poussent leurs études plus loin;*

- *ont des habitudes alimentaires plus saines.*

De l'âge préscolaire à l'adolescence

Il y a 30 ans, le diabète de type 2 était presque inconnu chez les enfants et les adolescents. Aujourd'hui, le risque de diabète qui pèse sur la jeunesse est comparable à un tsunami sur le point de déferler. Si l'on veut endiguer cette immense vague de complications à venir, c'est maintenant qu'il faut agir. Les enfants et adolescents mangent davantage, font moins d'exercice et pèsent plus que jamais auparavant. Un enfant faisant de l'embonpoint deviendra un adulte qui en sera atteint également. Sa vie s'en trouvera abrégée. Les générations futures souffriront de diabète, de maladie cardiaque et de cancer.

Cet état de fait est largement attribuable à la technologie moderne et à une consommation excessive d'aliments sucrés et gras. La télévision, l'ordinateur et Internet, la voiture, les machines distributrices, les supermarchés géants et les établissements de restauration rapide sont à l'origine de plusieurs problèmes de santé. Malgré tout, nous avons encore le pouvoir d'exercer une influence salutaire sur nos enfants.

La génétique et le mode de vie partagé font du diabète de type 2 une affaire de famille. En général, si un parent ou un aidant est lui-même inactif et regarde beaucoup la télévision, ses enfants risquent d'avoir les mêmes habitudes. Si les parents consomment des tonnes de croustilles de pommes de terre, boivent des litres de boisson gazeuse et mangent dans les établissements de restauration rapide, ce comportement est perçu comme la normalité par leurs enfants. Une fois devenus adultes, ceux-ci reproduiront les mêmes comportements. Il est souhaitable d'offrir aux enfants des options de vie plus actives. Plus ils assimilent jeunes l'art de faire les courses à l'épicerie, de préparer des repas bons pour la santé et de bien manger, mieux c'est.

CONSEILS AUX PARENTS ET AUX AIDANTS POUR TRANSMETTRE DE BONNES HABITUDES EN MATIÈRE D'EXERCICE ET D'ALIMENTATION

C'est vous qui déterminez ce que mangent vos enfants et les formes d'exercice physique qu'ils pratiquent. C'est vous qui faites l'épicerie. C'est vous qui décidez de consacrer du temps et de l'argent à la malbouffe plutôt que de prendre un repas à la maison. C'est vous qui pouvez éteindre la télévision pour contrecarrer l'influence des publicités alimentaires sur les enfants. Vous savez ce qui est bon pour eux. Un enfant de deux ou quatre ans ne peut pas le savoir, malgré ses éventuelles protestations. Les règles et lignes de conduite que vous inculquez à vos enfants alors qu'ils sont tout petits et jeunes, ils les emporteront avec eux dans leur vie d'adolescents et d'adultes. Différentes suggestions suivent. En voici une ou deux, pour commencer.

- **Gardez les enfants actifs et occupés, et limitez les heures de télévision.** Dès les jeunes années, il est conseillé de restreindre l'utilisation des appareils électroniques, tels les jeux vidéo, l'ordinateur et la télévision. Plus on limite le temps passé devant les écrans de toute sorte, plus les enfants auront la possibilité de jouer — par jouer, on entend consacrer du temps encadré à interagir avec les parents, de même que passer du temps non encadré à jouer seul ou avec d'autres enfants. Rendez-vous souvent au terrain de jeu. Suspendez une balançoire à un arbre de la cour. Dès qu'ils sont dehors, les enfants bougent et brûlent des calories.

- **Réduisez la consommation de jus de fruits, de boissons gazeuses et d'autres boissons sucrées.** Limitez la quantité de jus de fruits quotidienne à 125-175 ml (de 4 à 6 oz). Évitez de servir aux jeunes enfants des boissons gazeuses ou d'autres boissons sucrées. De plus, limitez la consommation de croustilles de pommes de terre et d'autres formes de malbouffe hypercalorique. En limitant ces boissons et aliments, votre enfant se présentera à table avec un bon appétit pour le repas ou la collation, et il sera moins difficile. Aussi, il aura plus d'appétit pour les repas si vous encouragez le plein air et les jeux actifs, été comme hiver.

- **Pendant la journée, offrez de l'eau.**

- **Servez les repas et collations à heures régulières.** Proposez à l'enfant une routine qui le sécurisera. Habituez-le à attendre l'heure du repas ou de la collation pour manger.

La Société canadienne de pédiatrie recommande de limiter le temps total passé devant l'écran à moins d'une heure ou deux par jour, pour tous les membres de la famille. L'American Academy of Pediatrics suggère quant à elle de ne pas laisser les enfants âgés de moins de deux ans regarder la télévision. Pour de plus amples détails sur le sujet, consultez les sites www.cps.ca et www.aap.org.

À la maison comme à l'école, faites de l'eau votre boisson de choix.

> *Donnez le bon exemple en mangeant vous-même des aliments bons pour la santé.*

> **Autres ressources:**
> *Il existe beaucoup de très bons livres sur la puériculture. Vous pouvez les emprunter à la bibliothèque, ou les acheter en librairie ou sur Internet. Par exemple, achetez une édition mise à jour du livre du docteur Spock, Comment soigner et éduquer son enfant, ou visitez le site www.ellynsatter.com.*

> **Pour mesurer les portions, servez-vous de vos mains.** *Consultez le Guide alimentaire aux pages 54 à 57. Un tout-petit se contente de portions de la taille de ses mains. Au moment de connaître une poussée de croissance, il a plus d'appétit et a besoin de plus de nourriture. En vieillissant, les mains de l'enfant grandissent, suivant son appétit.*

- **Offrez des aliments bons pour la santé.** Pour découvrir des idées de repas et de collations, consultez les pages 151 à 198. En guise de collation, offrez des aliments nutritifs, par exemple des craquelins et du pain de blé entier, des fruits et légumes (en petits morceaux ou partiellement cuits, pour éviter le risque d'étouffement), du lait, du fromage et du yogourt, du beurre d'arachide, des haricots rouges ou bruns, des œufs cuits durs et des tranches d'avocat. Si vous proposez aux enfants des aliments santé (au lieu de biscuits et de croustilles), ils les accepteront.

- **À table, tenez des conversations légères.** En mangeant, éteignez le téléviseur. Servez les repas dans une atmosphère calme et décontractée. Que chacun en profite pour raconter sa journée. Efforcez-vous d'éviter les sujets polémiques.

- **Ne forcez pas un enfant à manger.** Ne lui demandez pas de manger un aliment dont il ne veut pas, ni de vider son assiette. Cela vous paraîtra peut-être étrange, l'instinct parental étant d'inciter l'enfant à manger. Trop souvent cette démarche ne donne rien, car, comme nous le savons, un enfant peut faire preuve de beaucoup d'entêtement.

- **Encouragez les bonnes manières à table.** Suivant leur inclination, les enfants préfèrent certains aliments et en rejettent d'autres. Chacun est différent. Si un enfant n'apprécie pas tel ou tel aliment, mieux vaut ne pas l'accabler. Établissez seulement la règle selon laquelle ils doivent éviter les expressions: «J'haïs ça!» ou «C'est dégueu!» Dans certains cas, l'enfant recule devant une nouvelle saveur. Le plus souvent, toutefois, c'est pour attirer l'attention qu'il dit du mal de sa nourriture. Mais si l'enfant répète qu'il déteste un plat sans même y goûter, à la longue, il finira par le détester véritablement. Encouragez-le à s'exprimer positivement sur la nourriture.

- **Inculquez à vos enfants le respect de la nourriture.** Offrez-lui de petites portions et laissez-le manger par lui-même. Si l'enfant refuse de manger son plat, en tout ou en partie, retirez-le-lui à la fin du repas. Louangez-le pour ce qu'il a réussi à manger sans faire de commentaires sur ce qu'il a laissé de côté. Il est conseillé de ne pas proposer d'autres aliments que ceux initialement prévus. Si l'enfant chipote, sortez-le de table et offrez-lui un jouet pour s'occuper. Vous détournez ainsi son attention de la nourriture et évitez en même temps que la table devienne un lieu de conflit. Votre enfant ne mourra pas de faim pour avoir omis de manger l'un des groupes alimentaires ou même pour avoir sauté un repas par-ci par-là. Si vous avez l'habitude de servir les repas et les collations à heures fixes, vous n'êtes jamais plus qu'à quelques heures du prochain repas. Soyez cohérent et rigoureux dans le respect de l'horaire. Vous constaterez que votre enfant commencera à apprécier ses repas et qu'il laissera très peu de nourriture dans son assiette.

- **Cuisinez avec les enfants.** L'enfant peut apprendre certaines manipulations culinaires dès l'âge de trois ou quatre ans. Montrez-lui les photos des repas de ce livre. Donnez-lui la chance de vous « aider » à préparer le repas. Commencez par des plats faciles, comme les céréales froides (déjeuner 1), le sandwich roulé (dîner 2) ou la salade de poulet chaud (souper 3). Devenu adolescent, l'enfant devrait savoir préparer la plupart des repas de ce livre. Il aura dès lors le savoir-faire et l'assurance nécessaires pour cuisiner et découvrir de nouvelles recettes et de nouveaux aliments santé.

- **À l'occasion, faites de la place aux gâteries.** Le contenu de votre garde-manger et de votre réfrigérateur devrait consister essentiellement en des aliments bons pour la santé. À l'occasion, offrez des gâteries, en quantité raisonnable. Les enfants adorent le chocolat, le gâteau, la crème glacée et les bonbons, autant que les adultes. Pourvu qu'ils comprennent que ces gâteries ne sont pas au menu tous les jours, ils ont le feu vert. Qu'ils se régalent !

- **Couchez les enfants à heures régulières.** Le sommeil est important pour la régularisation de l'appétit. Un sommeil inadéquat va de pair avec l'embonpoint et le diabète. Habituer l'enfant à des heures de sommeil régulières présente l'avantage non négligeable d'offrir un répit aux parents ou à l'aidant. Vous avez besoin de cette pause tous les soirs afin d'être en mesure, le lendemain matin, de jeter un regard neuf sur votre enfant. Il est essentiel d'être rigoureux et cohérent dans l'application des règles. Si votre enfant apprend que le coucher est fixé à 7 ou à 8 h, il s'y adaptera. Si l'enfant a été actif durant la journée ou en soirée, il ressentira la fatigue nécessaire pour bien dormir. Durant les 30 minutes avant l'heure prévue pour le coucher, mettez en place un rituel qui fonctionne bien. Il est conseillé d'écarter tout facteur de distraction. Éteignez les appareils électroniques. Donnez le bain à l'enfant, brossez-lui les dents, puis lisez-lui une histoire au lit.

Cadeaux

Faites en sorte que vos enfants puissent jouer dehors de manière active et sécuritaire toute l'année.

- *Balles et ballons de toute sorte (soccer, basket-ball, volley-ball et football)*
- *Bâton, gant et balle de base-ball*
- *Jeu de poches*
- *Jeu de raquettes consistant à attraper une balle de Velcro^{MD}*
- *Raquettes et volants de badminton*
- *Jeu de quilles avec boules*
- *Jeu de balles wiffle (balles de plastique trouées) et bâtons de plastique ou bâtons de golf en plastique*
- *Disques volants (Frisbee^{MD}) de différents types et de différentes couleurs*
- *Cerceaux et cordes à sauter*
- *Flotteurs, jouets flottants et gilets de sauvetage*
- *Ensemble de palmes, masque et tuba*
- *Trousse de plage : seaux avec petite pelle et râteau*
- *Patins à roues alignées et planche à roulettes avec équipement de protection*
- *Bicyclette, tricycle, remorque pour vélo*
- *Équipement pour la pratique amusante et sécuritaire du vélo : casque, décorations et clochettes pour guidon, siège coussiné, paniers et réflecteurs*
- *Agrès de pêche et cannes à pêche (à la taille de l'enfant)*
- *Filet à papillons, filet à poissons, loupe et réceptacles pour insectes*
- *Pelles et râteaux à la taille de l'enfant afin qu'il vous aide à jardiner*
- *Livres sur les animaux, les oiseaux, les insectes, la météorologie et les étoiles*

Donnez des cadeaux favorisant une vie saine et active à tous les membres de la famille !

Cadeaux coûtant moins de 10 $

- Mini-haltères ou bandes élastiques
- Abonnement à la patinoire, au gymnase, à la piscine du centre sportif ou de l'aréna du quartier
- Gourde d'eau
- Écran solaire
- Lotion pour les mains ou les pieds
- Chaussettes
- Pilulier
- Sac-repas isolé

Cadeaux coûtant moins de 25 $

- Vidéo d'exercice
- Podomètre
- CD de musique entraînante pour accompagner la danse ou les exercices sur chaise
- Trousse de lavage et de polissage de voiture
- Sac de fèves à réchauffer au micro-ondes pour soulager les muscles endoloris du cou et des épaules
- Sac de sport, maillot de bain et serviettes spéciales
- Vêtements et attirail pour la pêche ou pour la randonnée pédestre
- Trousse de jardinage avec transplantoir, gants et semences
- Panier-cadeau de tisanes, boissons hypocaloriques et chocolat chaud léger
- Panier-cadeau de condiments faibles en sodium
- Livre traitant de cuisine ou de santé pour les diabétiques

Cadeaux coûtant de 50 à 100 $

- Trousse de réanimation cardio-vasculaire (à demander aux associations cardio-vasculaires de la région)

- Mini-exerciseur
- Bâtons de marche nordique
- Chaussures de marche de qualité
- Jeux vidéo Wii de Nintendo[MD]
- Abonnement d'un mois au gymnase

Cadeaux coûtant plus de 100$

- Vélo à position allongée (vélo «couché») muni d'une selle large et confortable et d'un soutien pour le dos.
- Vélo stationnaire ou vélo de ville
- Tapis roulant

Le plus beau cadeau que vous puissiez faire à un enfant ou à un adolescent, c'est votre temps, votre écoute et votre parole.

ÊTES-VOUS UN ADOLESCENT ATTEINT DE DIABÈTE DE TYPE 2? VOICI DE QUOI VOUS DONNER MATIÈRE À RÉFLEXION.

Réduisez votre consommation de boissons gazeuses, de jus de fruits et d'autres boissons sucrées.

À la maison, vous buvez beaucoup de cola et mangez souvent des croustilles? Y a-t-il des magasins et des cafés près de chez vous ou de l'école? Est-ce que les machines distributrices vous invitent à acheter des boissons gazeuses? Si ces distributrices et boutiques étaient éloignées, peut-être ne songeriez-vous même pas à boire des boissons sucrées. Saviez-vous que les boissons gazeuses et les jus de fruits favorisent l'obésité? Bien des écoles ont remplacé les boissons gazeuses par du jus de fruits, mais celui-ci peut aussi occasionner une prise de poids. Certains jus de fruits renferment même plus de sucre que les boissons gazeuses (voir pages 87 à 89). En outre, de nombreuses boissons vendues dans les distributrices contiennent aussi de la caféine. Les boissons «énergisantes» ont une teneur particulièrement élevée en caféine et en sucre. Il n'y a pas de mal à boire une boisson gazeuse à l'occasion, mais le faire tous les jours n'est pas bon pour la taille. Si vous êtes diabétique, ces boissons sont très mauvaises pour la glycémie. Songez à réduire votre consommation de boissons sucrées.

Incitez les écoles à dire «non» aux machines distributrices et «oui» à l'exercice physique.

Certaines communautés estiment que le principe «loin des yeux, loin du cœur» doit s'appliquer aux boissons et aliments tentateurs: elles sortent les distributrices des écoles. En outre, elles adoptent des règlements visant à limiter l'ouverture de

Quantité de sucre par portion de 500 ml (16 oz):

- **0 cuillerée à thé:** l'eau.

- **35 à 45 ml (7 à 9 cuillerées à thé):** les boissons énergétiques (pour sportifs), p. ex. Gatorade^{MD}, Thirst Quencher^{MD} et PowerAde^{MD}.

- **55 à 75 ml (11 à 15 cuillerées à thé):** les boissons énergisantes, p. ex. Red Bull^{MD}, Monster^{MD}, Rockstar^{MD}, Full Throttle^{MD} et Amp^{MD}; les colas et le soda mousse; le jus d'orange ou de pomme non sucré; les laits sucrés; les barbotines (boissons glacées de type « sloche »; les cafés glacés sucrés.

- **120 ml (24 cuillerées à thé):** certaines boissons énergisantes, p. ex. Gatorade^{MD}.

Les **boissons énergétiques** sont des boissons sucrées auxquelles on a ajouté des sels minéraux (sodium et potassium) afin de remplacer ceux perdus lors d'une sudation intense. Si vous ne faites pas de séances d'exercice, ces boissons ne vous conviennent pas, car elles ne font qu'apporter des calories dont vous n'avez pas besoin.

Les **boissons énergisantes** contiennent encore plus de sucre que les boissons énergétiques. De plus, elles renferment beaucoup de caféine. Elles élèvent la glycémie et font engraisser. En outre, elles sont susceptibles de provoquer la déshydratation (voir page 384).

nouveaux cafés et de dépanneurs dans un rayon de 2 km autour des écoles. Les parents devraient aussi songer à acheter moins de malbouffe et davantage d'aliments bons pour la santé. Est-ce que vous estimez que ces mesures pourraient contribuer à réduire la prévalence du diabète chez les plus jeunes?

Par ailleurs, certaines écoles intensifient le programme d'activité physique en vigueur durant la journée scolaire. En additionnant les pauses d'exercice de cinq minutes faites au milieu des cours, on en arrive à un total d'une demi-heure d'exercice par jour. Les élèves apprennent plus facilement si leur cerveau reçoit un apport massif d'oxygène.

L'école ou l'épicerie du coin gagne de l'argent chaque fois que vous achetez des boissons gazeuses ou de la malbouffe, mais vous demeurez libre de boire de l'eau et de consacrer votre argent à des choses non dommageables pour la santé. Et il ne tient qu'à vous d'être plus actif. Si quelque chose vous préoccupe, confiez-vous à vos parents, au conseil étudiant ou même au conseil municipal ou communautaire. Avez-vous des parents, des grands-parents, une tante ou un oncle qui souhaitent combattre le diabète? Vous devez partager vos préoccupations et tenter d'imaginer des solutions. À la maison, commencez à faire des choix santé.

Faites de l'exercice physique.

Exercice et technologie

La recherche montre que les plus jeunes passent en moyenne quatre à six heures assis devant le téléviseur. Combien de temps passez-vous devant l'écran chaque jour? Vous êtes-vous déjà arrêté à penser que plus vous passez de temps devant un écran (télé, ordinateur, jeux vidéo, téléphone cellulaire et textos), moins il vous en reste pour bouger et être actif? Afin de garder une bonne forme physique, vous devriez, selon les médecins, limiter le temps passé devant l'écran à deux heures au maximum. Si cela paraît impossible, mettez d'abord en place une des deux mesures suivantes. Nul besoin de bouleverser toutes vos habitudes du jour au lendemain. Commencez par quelques petits changements qui vous aideront à normaliser votre glycémie et à vous sentir mieux.

- Pourquoi ne pas renoncer à une heure de télévision ou d'ordinateur par jour?

Parents : Retirez télévisions et ordinateurs des chambres à coucher, la vôtre comme celles de vos adolescents. Expliquez-leur les répercussions négatives de l'abus de télévision et d'ordinateur chez une personne diabétique.

- Si vous ne savez pas à quoi occuper l'heure ainsi libérée, essayez le plein air avec des amis, faites une balade à vélo ou donnez un coup de main pour l'entretien de la maison.

Parents : Vos enfants sont-ils conduits à l'école en autobus ? Peuvent-ils s'y rendre à pied, du moins en partie, sans danger ? Ont-ils la possibilité d'aller à pied chez leurs amis ou à leurs activités ? Lorsque les parents conduisent leurs enfants en tout temps et en tous lieux, ces derniers perdent l'habitude de se déplacer à vélo ou à pied. Ils finissent par prendre l'habitude de ce service de chauffeur. Est-ce que vos enfants plus âgés sont assez grands pour accompagner les plus jeunes et s'en porter responsables ? Quand les enfants vont à l'école en groupe, leur sécurité se trouve assurée.

Selon certaines études, les jeunes devraient faire au moins 90 minutes (1 ½ heure) d'exercice par jour. Cette quantité d'exercice est supérieure à celle recommandée pour les adultes désireux de prévenir les maladies chroniques.

La bonne nouvelle, c'est que des changements même mineurs peuvent avoir avec le temps de profondes répercussions.

Essayez de mettre en place un changement par semaine. *Si vous mesurez votre glycémie, observez l'effet d'une bonne alimentation et de la pratique de l'exercice physique sur vos résultats. Le jour où votre taux d'hémoglobine glyquée (HbA1c) et votre poids se mettront à fléchir, vous serez fier.*

- Prévoyez des visites chez les personnes âgées et les grands-parents. Certains sont peut-être aussi atteints de diabète. Vous apprendrez à leur contact. Souhaitez-vous aider les enseignants et les adultes dans les activités parascolaires, ou faire de petits boulots, comme la livraison de journaux, la tonte de pelouses ou le gardiennage ? Si vous êtes un adolescent plus âgé, avez-vous un emploi à temps partiel ? En vous tenant occupé, votre esprit se développe. De plus, l'activité vous éloigne du sofa.

- Après l'école, allez vous balader avec vos parents, vos amis ou votre chien dans un endroit sans danger.

- Exercez-vous au panier de basket-ball, ou frappez des ballons sur un terrain de soccer.

Est-ce que votre grand-mère, votre père ou votre tante aime cuisiner ? Aidez-les à préparer de bons repas. Essayez quelques-unes des recettes proposées dans ce livre. En apprenant à cuisiner et à bien manger, vous grandirez en force et maîtriserez plus facilement votre diabète.

- Faites du vélo avec votre frère, votre sœur ou un ami.

- Allez nager, faire du patin à roues alignées ou de la planche à roulettes. L'hiver, patinez, skiez ou faites de la planche à neige.

- Pourquoi ne pas vous adonner à des sports d'équipe, comme le soccer, le base-ball ou le hockey ?

- Demandez à un adulte, ou à une sœur ou un frère plus âgé, de vous aider à aménager une surface pour jouer au hockey de ruelle (hiver comme été) avec des buts amovibles. Équipez-vous de bâtons de hockey et de rondelles molles, ou encore de balles de tennis.

Parents : Si vous vivez sous des latitudes nordiques, une patinoire d'arrière-cour, même petite, fournit une bonne occasion d'envoyer les enfants jouer à l'extérieur l'hiver.

- Allez au parc avec un frère, une sœur ou un cousin plus jeune pour jouer à des jeux de plein air.

- Existe-t-il des installations récréatives dans votre quartier, comme un aréna, une piscine ou une salle de quilles ?

- Si vous avez l'âme musicienne, joignez-vous à une fanfare ou à une chorale.

Parents : Après le souper, allez faire une promenade en famille ou une balade à vélo. Les fins de semaine, faites de la randonnée pédestre dans la nature, jouez au Frisbee^{MD} ou au football.

Parents : En étant vous-mêmes actifs, vous servez de modèle à vos enfants. Pouvez-vous faire du vélo ou même du canot avec eux ? L'été, en vacances, pouvez-vous organiser avec vos enfants des activités comme le kayak, l'équitation, la randonnée pédestre ou les sorties à vélo ? Essayez d'inciter vos enfants à développer des intérêts et des passe-temps, et à pratiquer l'activité physique. Intéressez-vous à leurs études afin qu'ils continuent de fréquenter l'école. Des études montrent que les enfants plus actifs obtiennent de meilleurs résultats à l'école et sont moins portés à fumer et à consommer des drogues.

Parents : Est-ce que vos enfants et adolescents s'opposeront à ces changements ? Oui, sans doute. À moins que vous ne leur expliquiez pourquoi ils doivent faire beaucoup d'exercice. Insistez sur l'importance d'une saine alimentation pour l'organisme. Il est essentiel de comprendre les raisons profondes qui vous motivent.

Médicaments et insuline

L'insuline est souvent le traitement recommandé par le médecin aux jeunes personnes atteintes de diabète de type 2. Si votre glycémie se normalise, le médecin pourrait vous dire de cesser d'en prendre. Par ailleurs, il pourrait aussi vous prescrire des antidiabétiques oraux. Quand vous commencez à prendre de l'insuline ou des antidiabétiques oraux, il est très important de surveiller votre alimentation et de demeurer actif. Sinon, les stimulants de la sécrétion d'insuline par le pancréas (voir page 321) que vous prenez risquent de vous faire engraisser.

Risques associés à la grossesse chez les filles atteintes de diabète

Les médecins ne recommandent habituellement pas la metformine (un bloqueur du glucose au niveau hépatique) aux filles ayant le diabète et qui sont actives sexuellement. Si une jeune fille prenant de la metformine devient enceinte, le médicament risque de nuire au fœtus. De plus, chez l'adolescente diabétique, la grossesse comporte des risques pour l'enfant (voir pages 386 et 387).

Toute adolescente active sexuellement doit réfléchir à la contraception et à la prévention des infections transmissibles sexuellement (ITS). Cependant, cela est particulièrement important dans les cas de diabète.

Une infection peut élever la glycémie. De plus, la jeune fille atteinte de diabète court un risque accru de contracter une infection vaginale ou des voies urinaires (consultez les pages 47 et 48, ainsi que 305 à 309). Si vous tombez enceinte et que votre diabète n'est pas bien équilibré, vous risquez de donner naissance à un bébé en mauvaise santé. Il est bien plus simple de prendre la pilule anticonceptionnelle et d'utiliser le préservatif que d'être aux prises pour la vie avec une ITS, ou de tomber enceinte. Si vous avez l'impression de ne pas pouvoir aborder avec vos parents ou la personne qui s'occupe de vous des questions touchant la contraception ou la sexualité, adressez-vous à un conseiller scolaire ou à une infirmière. Vous pouvez leur parler en toute confidentialité. Vous trouverez aussi des informations sur la contraception à la page 395.

Risques associés à l'hypoglycémie

Si vous prenez de l'insuline ou un stimulant de la sécrétion d'insuline par le pancréas par voie orale, vous risquez d'avoir des épisodes d'hypoglycémie (voir pages 335 à 342). L'hypoglycémie est particulièrement dangereuse si elle survient alors que vous conduisez ou buvez. L'alcool

Pour de plus amples renseignements sur la contraception, lisez la page 395.

Si vous êtes adolescente et enceinte, suivez un programme d'éducation sur le diabète et assistez à des rencontres prénatales pour en apprendre un maximum sur la façon de mener une grossesse à terme, d'accoucher et d'avoir un bébé en santé. Lisez aussi la section «Grossesse et diabète gestationnel» aux pages 386 à 395. Sous les latitudes nordiques, les aliments frais sont parfois coûteux. Consommez la nourriture locale, comme les baies et la viande de gibier. Suivez un programme pour femmes enceintes qui met l'accent sur la saine alimentation.

est susceptible de déclencher un épisode d'hypoglycémie marquée. En outre, l'alcool, la marijuana et les drogues illicites altèrent le jugement et peuvent masquer une hypoglycémie.

Si vous avez le diabète et que vous prenez des médicaments, il est préférable de ne pas boire. Si vous tenez à boire, parlez-en à vos parents ou au médecin. Ce dernier vous conseillera sans doute d'omettre l'insuline ou l'antidiabétique oral ce soir-là. On n'est jamais trop prudent.

Parents: Si vous découvrez votre enfant ivre ou drogué, et que vous le soupçonnez d'avoir pris son insuline, vous devez le surveiller très étroitement pendant son sommeil. Peut-être sera-t-il nécessaire de le réveiller toutes les deux heures pour vous assurer que sa glycémie n'atteint pas des valeurs trop basses. Au besoin, demandez conseil en appelant une ligne d'écoute téléphonique sans frais ou le service des urgences.

AVERTISSEMENT

Les boissons énergisantes

La caféine, quelle que soit la boisson qui la contienne (y compris l'infusion de maté), n'est pas toujours mentionnée dans la liste des ingrédients des boissons énergisantes. Une quantité de 500 ml (16 oz) de boisson énergisante contient normalement de 55 à 75 ml (11 à 15 cuillerées à thé) de sucre ainsi qu'une quantité de caféine équivalant à 1,25 l (5 tasses) de café.

AVERTISSEMENT

Les symptômes de l'hypoglycémie et de l'ivresse peuvent se ressembler. Si vos amis boivent aussi, ils ne se rendront pas compte de votre état hypoglycémique et ne seront pas en mesure de vous administrer le sucre dont vous avez besoin.

L'hypoglycémie peut se manifester dans les 24 heures suivant la consommation d'alcool.

Pour en apprendre davantage sur l'alcool, consultez les pages 135 à 138.

Risque de déshydratation

Peu importe votre âge ou les médicaments que vous prenez, gardez-vous de mélanger boissons énergisantes et alcool. L'alliage entre l'hyperglycémie, les boissons énergisantes (qui renferment beaucoup de caféine) et l'alcool peut provoquer de la déshydratation. Le risque de déshydratation s'accroît si, en plus, vous vous dépensez physiquement, par exemple si vous dansez. Pour reconnaître les signes de la déshydratation, consultez la page 139.

Ne laissez pas le diabète freiner votre élan.

Vivre avec le diabète n'est pas facile, mais cela peut vous aider à réaliser que tous vos amis connaissent eux aussi des difficultés. Si vous introduisez des changements progressifs et mineurs dans votre vie, vous apprendrez à faire face aux difficultés plus aisément et vous vous sentirez mieux dans la vie de tous les jours. En matière de santé, tous les adolescents font face aux mêmes défis. Le mode de vie du diabétique vous conduira à prendre de meilleures décisions alors que vous gagnerez en âge. Fixez-vous comme objectif d'adopter la meilleure alimentation qui soit, de demeurer actif et de fréquenter l'école assidûment.

Parents: Vivre avec le diabète de type 2 représente un poids pour votre enfant. Vous aurez sans doute l'impression, certains jours, qu'il serait bon de lui donner «congé de diabète». Ce ne sont pas les écarts occasionnels qui sont inquiétants, mais bien les valeurs globales de la glycémie. Le taux d'hémoglobine glyquée (HbA1c) sur trois mois vous permettra de vous faire une bonne idée de l'état de santé de votre enfant.

Au seuil de l'adolescence, attendez-vous à des remises en question de la prise en charge du diabète. Pour un adolescent en pleine crise d'identité, le diabète représente une difficulté supplémentaire à surmonter.

L'adolescent commence à affirmer son indépendance. Il se sent souvent immortel. Pour lui, inclure dans le quotidien des mesures préventives afin d'éviter des maladies qui pourraient se produire dans un avenir lointain n'a aucun sens. Il a déjà de la difficulté à s'imaginer adulte.

En tant qu'aidant, vous devez demeurer calme et fort, être là pour l'adolescent. Même si c'est difficile, établissez des règles et fixez des limites. Celles-ci doivent être adaptées à l'âge du jeune et être justifiées. Elles vous permettent d'exprimer votre amour et le souci que vous vous faites pour l'enfant. Cet encadrement le rassurera.

Entourez-vous d'une bonne équipe (médecin, infirmière et diététiste) pour vous aider, votre enfant et vous, à bien prendre en charge le diabète. On conseille aussi de contacter un travailleur social ou un professionnel de la santé mentale. Ils vous aideront — ou aideront l'aidant — à surmonter les défis associés à l'enfant atteint de diabète. Nous avons tous parfois besoin d'une oreille attentive, d'une personne à qui nous adresser pour obtenir de l'aide. Un spécialiste du conditionnement physique peut vous suggérer des idées afin d'intensifier l'activité physique de votre enfant. Si vous vivez à la campagne ou sous les latitudes nordiques, demandez à l'infirmière ou au médecin de la région s'il existe une possibilité d'accès aux services d'une équipe spécialisée dans la prise en charge du diabète chez l'enfant, via Internet ou par téléphone.

Les règles agissent comme des garde-fous aux bords d'un pont. Elles vous guident et assurent votre sécurité.

Grossesse et diabète gestationnel

ÉVITEZ LES ENNUIS.

Il est possible d'avoir une grossesse normale et un bébé en santé tout en préservant la santé de la mère!

Vous avez le diabète de type 2 et êtes enceinte, ou bien le médecin vous a appris que vous êtes atteinte de diabète gestationnel? Le diabète gestationnel est un diabète qui se développe pendant la grossesse (voir page 17).

Entre la 24e et la 28e semaine, le médecin vous fera passer un test qui établira si vous souffrez de diabète gestationnel. Si c'est votre cas, ou si vous avez le diabète de type 2, il pourrait vous diriger vers un spécialiste, souvent un obstétricien.

Une procédure spéciale appelée amniocentèse est fréquemment pratiquée vers la 36e semaine de grossesse. Elle permet de déterminer l'état de santé de l'enfant à naître. Le médecin peut demander d'autres tests, par exemple une échographie. Celle-ci permet de visualiser le fœtus à l'aide d'ondes sonores. En étudiant l'image obtenue, le médecin se fait une idée de la taille du fœtus. Ces données sont utiles pour déterminer si vous avez besoin d'insuline.

PROBLÈMES SUSCEPTIBLES DE SURVENIR

Si votre glycémie est constamment élevée et que vous prenez trop de poids durant votre grossesse:

- votre tension artérielle pourrait s'élever (cet excédent de stress peut aussi se répercuter sur les reins, les yeux et le cœur);

- votre bébé risque de devenir trop gros; accoucher d'un bébé trop gros étant plus difficile, vous devrez peut-être subir une césarienne;

- on vous fera peut-être accoucher plus tôt que prévu si des examens révèlent que votre bébé n'est pas en bonne santé, car le nouveau-né court le risque de souffrir de difficultés respiratoires ou de jaunisse;

- le risque de perdre le bébé durant le troisième trimestre de la grossesse est plus élevé si votre glycémie n'est pas normalisée — vous réduirez ce risque en la normalisant.

À sa naissance, votre bébé peut avoir:

– des troubles respiratoires

Lorsqu'un bébé est plus gros que la moyenne ou qu'il est prématuré, il y a un risque que ses poumons ne soient pas développés correctement. Il aura besoin d'oxygène et, dans certains cas, on aura à procéder à des manœuvres de réanimation.

– la jaunisse

La jaunisse se manifeste par un jaunissement des yeux et de la peau. Ce phénomène se produit lorsque la bilirubine, substance normalement présente dans le corps, commence à s'accumuler. En temps normal, le foie retire la bilirubine excédentaire du sang. Cependant, lorsqu'un bébé naît prématurément, son foie n'est pas encore parfaitement développé et ne fonctionne donc pas adéquatement. On traite la jaunisse en plaçant le nouveau-né sous un éclairage spécial.

– de l'hypoglycémie

Si votre glycémie était élevée avant l'accouchement, votre enfant hérite de ce glucose excédentaire. En réaction à cela, son pancréas produit un supplément d'insuline dès l'utérus. Cette hypersécrétion se poursuit pendant un certain temps après la naissance et provoque chez le nouveau-né une hypoglycémie en début de vie. Un nouveau-né souffrant d'hypoglycémie est agité et pleure beaucoup. Durant les deux premiers jours de vie, il faudra mesurer sa glycémie à de nombreuses reprises. À l'hôpital, il pourrait être séparé de la mère afin de recevoir du lait maternisé ou qu'on lui administre du glucose par intraveineuse. Pour la mère, il est difficile de savoir son bébé malheureux et loin d'elle. Prévenez ou atténuez ces problèmes en prenant soin de vous dès le début de votre grossesse.

SEPT ACTIONS IMPORTANTES POUR AVOIR UN BÉBÉ EN SANTÉ

1. Faites de l'exercice physique.

L'exercice vous aidera :

- à éviter une prise de poids trop importante durant la grossesse ;

- à rendre plus efficace l'insuline et à normaliser votre glycémie ;

- à prévenir les douleurs lombaires et la constipation ;

- à vous garder en forme en vue du travail et de l'accouchement.

La marche, l'exercice sur vélo stationnaire et les exercices aérobiques sont de bonnes activités pour la femme enceinte. La natation est aussi très relaxante, surtout durant le dernier trimestre. Essayez de marcher tous les jours pendant une heure, que vous fractionnerez en quelques sorties, surtout

---

Consultation de l'optométriste

La grossesse peut toucher les yeux de la femme atteinte de diabète. Consultez l'optométriste avant le premier tiers de la grossesse.

Le lait maternel est idéal pour élever la glycémie de votre bébé.

Allaiter le nouveau-né le plus tôt possible après la naissance, voilà la meilleure façon de ramener sa glycémie à la normale (voir pages 391 à 393).

Le diabète gestationnel disparaît normalement dès la naissance du bébé. Cependant, vous risquez de refaire du diabète gestationnel à la prochaine grossesse. De plus, votre bébé et vous risquez de développer le diabète de type 2 plus tard dans la vie. Heureusement, vous pouvez réduire ces risques en suivant les mesures proposées dans la présente section.

Si votre glycémie est plus élevée le matin, c'est le moment privilégié pour aller marcher.

après les repas. Tout est question de bon sens. Les sports et les exercices qui augmentent le risque de coups ou de chutes sont dangereux.

Dans quels cas s'abstenir d'exercice ?

S'il vous faut réduire l'exercice ou garder le lit, le médecin vous préviendra. Les raisons qui commandent de garder le lit sont les saignements vaginaux persistants et la crainte d'un début de travail trop hâtif.

2. Atteignez votre poids santé.

La grossesse ne doit pas servir de prétexte pour manger n'importe quoi. Limitez la taille de vos portions et visez une prise de poids lente et progressive. Le poids que vous devez prendre dépend du poids que vous pesiez immédiatement avant de devenir enceinte. Voir les lignes de conduite exposées plus loin.

Embonpoint de plus de 14 kg (30 lb) (IMC* de 30 ou plus):	**Embonpoint atteignant 14 kg (30 lb) (IMC* de 25 à 29,9):**
Prise de poids: 5 à 9 kg (11 à 20 lb)	Prise de poids: 7 à 11 kg (15 à 25 lb)
Le médecin pourrait vous recommander de prendre moins de 5 kg (11 lb).	

Poids normal (IMC de 18,5 à 24,9):

Prise de poids: 11 à 16 kg (25 à 35 lb)

Insuffisance pondérale (IMC inférieur à 18,5), adolescente ou femme enceinte de jumeaux : Les médecins recommandent à ces femmes une prise de poids plus importante qu'aux femmes dont le poids initial est normal.

* Consultez la page 344 pour en apprendre davantage sur l'indice de masse corporelle (IMC).

> Demandez au médecin ou à la diététiste de vous indiquer la prise de poids idéale dans votre cas.

Plus vous prenez de poids durant la grossesse, plus votre bébé sera gros. Durant les trois premiers mois, vous ne devriez prendre que quelques livres (plus ou moins 1 kg). Après cela, votre poids s'élèvera progressivement. C'est dans le troisième trimestre que vous prendrez le plus de poids. Si vous faites de l'embonpoint, votre gain pondéral moyen devrait être d'une demi-livre (0,25 kg) par semaine en moyenne durant les deux derniers trimestres.

Pesez-vous une fois par semaine chez vous, ou chez le médecin lors des consultations. Ajustez vos portions ou la quantité d'exercice, selon le cas. Il est conseillé de répartir l'apport alimentaire sur toute la journée, en prévoyant trois repas et trois collations. La taille de vos collations et de vos repas (légers ou copieux, voir page 153) dépendra de votre appétit et de votre prise de poids.

3. Faites des choix de vie et d'alimentation sensés.

- **Inspirez-vous des plans de repas proposés dans le présent livre.**

  Selon l'importance de votre prise de poids, vous devrez choisir entre les repas copieux et légers.

- **Optez pour une alimentation riche en fer, en acide folique, en vitamine C, en calcium et en vitamine D.** Consultez les pages 133 et 134.

- **Durant la grossesse, prenez tous les jours un supplément de multivitamines et de minéraux pour femmes enceintes.** Idéalement, commencez trois mois avant de tomber enceinte. Il est conseillé de poursuivre la prise des suppléments durant les 6 à 12 mois d'allaitement.

- **Optez pour des aliments riches en fibres alimentaires** (voir pages 55 et 91-92), **buvez de l'eau et marchez tous les jours afin de soulager ou de prévenir la constipation.**

- **Ne fumez pas, ne buvez pas d'alcool et ne prenez pas de drogues illicites. Ces substances atteignent directement le bébé, et il n'existe pas de dose sans danger.** Au besoin, consultez un conseiller en dépendances.

- **Réduisez votre consommation de café.** Limitez votre consommation de caféine à 300 mg par jour au maximum. Cela équivaut à environ 500 ml (2 tasses) de café (soit 270 mg de caféine). Une tasse (250 ml) de thé ou une cannette de cola en apportent 45 mg environ.

- **Limitez votre consommation de poisson:** Si vous mangez du poisson presque tous les jours, demandez au médecin ou à la diététiste de vous indiquer ce qu'est une portion saine pour vous. Certains poissons renferment beaucoup de mercure, et il convient d'en limiter l'ingestion durant la grossesse.

- **Certains édulcorants hypocaloriques sont à éviter:** cyclamates et saccharine.

4. Prenez de l'insuline au besoin.

Si vous ne prenez pas d'insuline, le médecin pourrait vous en prescrire durant la grossesse, surtout au troisième trimestre. C'est la période pendant laquelle la glycémie a tendance à s'élever le plus. *L'insuline est sans risque pour le bébé.* Elle ne traverse pas la barrière placentaire. La prise d'insuline vous permettra ainsi de normaliser votre glycémie tout en

> *Si vous avez des nausées ou des vomissements,* essayez les suggestions de repas proposées à la page 148. Mangez quelques biscuits soda (à garder sur la table de chevet) avant de vous lever le matin.

> **Caféine:** La recherche ne permet pas d'établir si la caféine ingérée en grandes quantités peut causer des fausses couches. Durant la grossesse, vous pouvez choisir de ne consommer que de petites quantités de caféine ou de l'éviter complètement. Essayez le café ou le thé décaféiné, ou la boisson de céréales à la chicorée, comme le substitut Caf-Lib^MD.

Les médecins prescrivent couramment ces insulines durant la grossesse:

- *Une dose d'insuline d'action intermédiaire en soirée. Au besoin, vous prendrez une insuline d'action brève ou rapide durant le jour. L'insuline d'action brève vous permet de manger une collation entre les doses.*

- *Si vous êtes sujette aux vomissements, l'insuline d'action rapide est souvent la meilleure option. Vous pouvez la prendre dès que vous vous sentez capable de garder la nourriture.*

Demandez au médecin ou à l'éducateur agréé en diabète à quelle fréquence il vous faut mesurer votre glycémie.

Vous sentez-vous abattue?

La grossesse et la naissance d'un bébé amènent leurs lots de changements et d'émotions. Durant la grossesse ou après l'accouchement, certaines femmes se sentent irritables, déprimées ou stressées. Pour des suggestions concernant la gestion du stress, consultez les pages 358 à 369. Si vos émotions sont difficiles à vivre ou si vous vous sentez déprimée (voir page 370), prenez rendez-vous avec votre médecin. Il est parfois utile d'être orientée vers un professionnel spécialisé en dépression post-partum.

mangeant assez pour prendre le poids voulu. Le médecin suspend normalement l'administration d'insuline au moment où le travail débute. Si vous avez le diabète de type 2 et que vous avez pris de l'insuline avant de tomber enceinte, vous en aurez peut-être moins besoin, voire pas du tout, pendant l'allaitement.

Antidiabétiques oraux: Chez la femme enceinte ou qui allaite, les médecins sont d'avis qu'il vaut mieux cesser l'administration d'antidiabétiques oraux, d'antihypertenseurs, de médicaments contre le cholestérol et de la plupart des médicaments. Votre médecin pourra vous recommander d'autres médicaments, par exemple pour remplacer ceux contre l'hypertension. *Avant de devenir enceinte, ou dès que vous savez que vous l'êtes, indiquez au médecin les médicaments que vous prenez.*

5. Mesurez votre glycémie.

Durant la grossesse, le médecin vous demandera vraisemblablement de mesurer votre glycémie, surtout si vous prenez de l'insuline. Consultez les lignes de conduite relatives à la mesure de la glycémie aux pages 338 à 341. Le médecin pourrait vous recommander la prise de mesures une heure et deux heures après le repas. Si vous prenez de l'insuline d'action rapide, vous devrez aussi effectuer une mesure avant les repas.

Pour protéger le fœtus en pleine croissance, le médecin recommande que la glycémie soit un peu inférieure à celle mesurée normalement. Voici les cibles normalement recommandées; si vous faites de l'hypoglycémie, elles peuvent être augmentées.

Glycémies recommandées durant la grossesse	
Avant les repas	moins de 5,3 mmol/l ou moins (95 mg/dl)
Une heure après le repas	moins de 7,8 mmol/l ou moins (140 mg/dl)
Deux heures après le repas	moins de 6,7 mmol/l ou moins (120 mg/dl)
Si votre glycémie se situe constamment au-dessus de ces niveaux, le médecin pourrait vous recommander la prise d'insuline.	
Pour éviter un épisode d'hypoglycémie	Maintenez-vous au-dessus de 4 mmol/l (70 mg/dl).

6. Consultez le médecin régulièrement.

Durant la grossesse

Le médecin mesurera votre tension artérielle, et demandera des analyses de sang et des urines. Il surveillera la croissance et l'état de santé de votre fœtus. Il demandera certains tests (voir page 386).

Après la naissance du bébé

Environ deux à six mois après la naissance du bébé, faites vérifier votre glycémie par le médecin. Par la suite, faites-la vérifier annuellement, ou tel que vous le recommandera le médecin. Il s'agit de détecter les éventuels signes précurseurs du diabète de type 2.

Il est également conseillé de faire examiner votre thyroïde un mois environ après la naissance de l'enfant. Cela est particulièrement important si vous vous sentez fatiguée, abattue ou si vous avez de la difficulté à perdre du poids.

7. Allaiter est une protection contre le diabète.

L'allaitement atténue le risque de développer le diabète de type 2 plus tard dans la vie. Il en est ainsi parce qu'il facilite la perte de poids. Pour le nouveau-né, le fait d'être nourri au sein diminue aussi le risque de développer le diabète de type 2 à l'adolescence ou durant la vie adulte. Cela s'explique par le fait qu'en moyenne, les bébés nourris au sein accumulent moins de tissus adipeux que les bébés nourris au biberon. Une prise de poids rapide durant les six premiers mois de la vie peut faire en sorte que l'enfant prenne trop de poids une fois parvenu à l'âge de trois ou quatre ans. Ces tissus adipeux ont tendance à persister à l'adolescence et durant la vie adulte. La recherche recommande de nourrir le nouveau-né uniquement de lait maternel pendant les six premiers mois. Après cela, vous pouvez introduire des aliments solides dans son alimentation, pendant que se poursuit l'allaitement. Certains bébés se sèvrent tout naturellement vers la fin de la première année, tandis que d'autres tètent plus longtemps.

Soutien à l'allaitement

L'allaitement est une merveille pour votre santé et celle de votre bébé. Cependant, la mère qui souhaite allaiter risque de rencontrer deux obstacles. D'abord, si son mari (ou conjoint) et sa famille ne lui accordent pas leur soutien, elle risque d'être moins encline à le faire. Ensuite, de nombreuses femmes ne reçoivent pas de l'hôpital l'appui nécessaire pour bien allaiter leur bébé.

L'allaitement doit débuter tôt. La plupart des femmes ont besoin d'aide pour apprendre comment faire. Dans les maternités hospitalières, très occupées, vous n'obtiendrez pas nécessairement l'aide dont vous avez besoin. Vous risquez ainsi de rentrer à la maison sans disposer des compétences nécessaires pour bien allaiter. Cela peut être très perturbant en tant que mère et même déclencher une humeur dépressive. Une fois rentrée à la maison avec

Allaiter apporte des bienfaits au bébé. Le lait maternel:

- *est salutaire pour le cerveau du nourrisson;*

- *protège le nouveau-né des infections aux oreilles et aux poumons, de la diarrhée, des affections gingivales, de la carie dentaire, de l'asthme, des allergies et des cancers propres à l'enfance;*

- *permet d'économiser de l'argent;*

- *fournit l'occasion d'établir des liens avec le bébé.*

Pour la mère:

- *L'allaitement réduit les risques de cancer du sein et de l'ovaire, d'hypertension, d'hypercholestérolémie et de maladie cardiaque.*

Plus vous allaitez longtemps, moins vous risquez de contracter ces maladies.

L'allaitement est le meilleur choix pour votre santé et celle de votre bébé. Cependant, votre famille ou les gens de votre entourage sont peut-être davantage habitués au biberon. Peut-être devrez-vous surmonter leur résistance lorsque vous ferez ce choix important pour la santé de votre bébé et de votre propre personne.

Demandez à un médecin ou à une infirmière, à une responsable de la Ligue La Leche ou à de jeunes mères de vous recommander une sage-femme, une doula ou une conseillère en allaitement. Vous pouvez aussi trouver de l'aide sur Internet.

Personnes-ressources pour l'allaitement

Votre médecin

Consultez votre médecin ou votre obstétricien sur la question de l'allaitement.

Conseillère en allaitement

La conseillère en allaitement est une professionnelle spécialisée dans l'aide aux mères qui allaitent. Elle est également compétente quant à l'allaitement des prématurés.

Doulas

Une doula ne prodigue pas de soins médicaux et n'accouche pas les femmes enceintes. Elle offre son soutien durant le travail et après la naissance du bébé. Elle peut aussi vous conseiller sur les questions d'allaitement, vous aider à la maison et dans les soins à prodiguer au bébé.

Sages-femmes

Une sage-femme est une professionnelle de la santé qui travaille auprès des femmes enceintes et les aide au moment de l'accouchement. Elle peut agir de façon autonome ou faire équipe avec le médecin pour vous assister durant le travail, l'accouchement et l'allaitement.

un nouveau-né en larmes dans les bras, il est difficile pour la mère de faire face à l'allaitement toute seule, même en déployant de courageux efforts. Si vous n'empruntez pas la voie de l'allaitement, vous n'en êtes pas moins une bonne mère. Il y a bien d'autres façons d'exprimer votre amour. Consultez la page 394 pour des conseils sur l'alimentation au biberon.

Voici des conseils pour augmenter vos chances de réussir à allaiter :

1) Allez chercher de l'aide et du soutien avant le moment prévu pour l'accouchement.

- Trouvez une amie, un membre de la famille, une éducatrice agréée en diabète ou un membre de la Ligue La Leche qui a une expérience positive de l'allaitement. Elle pourra vous en apprendre sur le sujet, avant et après l'accouchement. Pour les cas particuliers, tel l'allaitement d'un prématuré, il vaut cependant mieux consulter un professionnel.

- Recourez au service d'une doula.

- Votre conseillère en allaitement ou votre sage-femme, si vous en avez une, peut vous être d'un précieux secours.

Ces personnes peuvent aider le mari, le conjoint ou la famille à découvrir les bienfaits de l'allaitement.

2) Essayez de vous adresser à une maison des naissances et à un hôpital qui encouragent et soutiennent l'allaitement :

- **Trouvez un hôpital ouvert à l'allaitement.** On pense ici à un hôpital qui applique des politiques favorables à l'allaitement. Les infirmières qualifiées vous initieront à allaiter et veilleront à ce que le bébé apprenne à bien téter. La conseillère en allaitement travaille à l'échelle de maternités plus vastes ; il est essentiel que vous disposiez d'une équipe de soutien ou d'un médecin qui vous appuie.

- **Il est conseillé d'entreprendre l'allaitement tôt.** Tentez d'allaiter le bébé dans les 30 minutes suivant la naissance. Le nourrisson possède alors un fort réflexe de succion. Cependant, vous n'aurez pas nécessairement accès à votre bébé sur-le-champ. Le personnel médical doit d'abord s'assurer qu'il est en bonne santé. Ne vous en inquiétez pas, mais tentez d'allaiter le bébé dès que possible.

Si vous avez subi une césarienne, il est également important que vous entrepreniez l'allaitement le plus tôt possible. Si elle est praticable, l'anesthésie locale (épidurale) est une possibilité intéressante, car elle vous laisse parfaitement consciente ou sous légère sédation. Vous voyez ainsi votre bébé naître et pouvez l'allaiter rapidement. Après une anesthésie générale, le contact avec le bébé se trouve retardé. Dès que vous avez repris conscience et êtes capable de tenir le bébé, vous pouvez allaiter.

- **Recevez le moins de médicaments possible, ou pas du tout.** Si on vous administre des médicaments au moment du travail, ceux-ci parviennent aussi au bébé. À la naissance, celui-ci risque alors d'être somnolent et peu enclin à téter. C'est pourquoi l'aide d'une sage-femme ou d'une doula est si précieuse durant le travail. Cet appui peut vous aider à supporter les douleurs du travail sans médicament, ou avec un minimum de médicament. Si on vous a administré un antidouleur ou si vous avez subi une césarienne, votre bébé sera plus alerte et disposé à téter dès que s'estompera l'effet de la médication.

- **Gardez le nouveau-né avec vous et maintenez le contact peau contre peau.** La plupart des hôpitaux autorisent la mère à garder son bébé auprès d'elle, pourvu qu'il soit en bonne santé. Vous apprendrez ainsi à reconnaître qu'il a faim et l'heure de la tété. Plus vous allaiterez et plus vous aurez de contacts peau contre peau avec votre bébé, plus vous produirez de lait !

- **Évitez le biberon, surtout durant les premiers jours.** Le médecin recommande parfois de donner au bébé un supplément alimentaire sous forme de lait maternisé ou de lait maternel tiré. Le bébé tète différemment, selon qu'il s'agit du biberon ou du sein. En lui présentant le biberon dans les jours et semaines précédant l'acceptation de l'allaitement, on compromet le succès de l'allaitement comme mode d'alimentation.

*Le **colostrum** est un lait maternel relativement épais produit par la nouvelle mère durant les premiers jours suivant la naissance de l'enfant. Il regorge de nutriments et d'anticorps qui aident à combattre les infections. Le colostrum est très important pour le nouveau-né.*

Demandez à l'avance à un membre de votre famille, à un ami ou à un professionnel de vous défendre à l'hôpital, autant après une césarienne qu'après un accouchement vaginal. Cette personne pourra parler en votre nom afin que vous ayez votre bébé le plus tôt possible et vous encourager, votre bébé et vous, à rester éveillés pour les premières tétées.

*Les **médicaments administrés pendant** l'accouchement sont notamment ceux servant à déclencher le travail et ceux contre la douleur, comme l'anesthésique de l'épidurale ou le Demerol^MD (péthidine).*

Si le bébé a besoin d'un supplément alimentaire, le biberon n'est pas la seule option qui s'offre à vous. Le nouveau-né peut être nourri à la cuillère, à la tasse ou via un fin tube fixé au sein de la mère. Si le bébé ou vous-même êtes malade, on peut alimenter le nouveau-né par voie intraveineuse.

AVERTISSEMENT

Offrir au bébé du lait en conserve, des jus de fruits ou des boissons gazeuses peut être dommageable pour le développement de son corps et de son cerveau.

Conseils pour l'alimentation au biberon

Certaines circonstances font qu'une femme ne peut pas allaiter. Par exemple, certains médicaments administrés aux adultes risquent de compromettre la santé du bébé s'ils passent dans le lait maternel. Pour sa santé et son bien-être personnel, la mère doit alors continuer à prendre son médicament et offrir à son bébé du lait maternisé au biberon.

Il se produit parfois que malgré son projet d'allaiter, la mère ne soit pas convenablement soutenue par les professionnels de la santé, la famille et les amis.

Si vous optez pour le biberon, demandez conseil à l'infirmière au sujet:

- **du** prêt de pompes tire-lait;
- **du** type et de la quantité de lait maternisé à administrer;
- **de la** santé de votre bébé;
- **de la** prise de poids normale chez un bébé en santé.

Vous apprendrez à tirer votre lait à la main ou à l'aide du tire-lait. Vous aurez alors le loisir d'offrir au bébé votre lait, du lait maternisé ou un mélange des deux.

Horaire des boires:

À votre tour, maintenant, d'accorder de l'attention à votre bébé! Tenez-le bien contre vous afin qu'il se sente en sécurité et qu'il puisse vous voir de face. Votre bébé se sent aimé quand vous le regardez, et il acquiert le langage lorsque vous parlez ou chantez durant ses boires. Ce sont des moments privilégiés qui servent à établir des liens, des moments où les «hormones du bonheur» inondent le corps. À l'occasion, le père et les autres membres de la famille peuvent aussi donner le biberon au bébé. Ce sont des occasions pour créer des liens qui dureront toute la vie.

Être mère

On devient mère le jour où on se découvre enceinte. Devenir mère est à la fois merveilleux et exigeant. Les premiers temps passés avec votre premier enfant, y compris la période d'allaitement, risquent d'être les plus difficiles, car vous découvrez alors beaucoup de choses sur vous-même et sur l'art d'être mère.

N'hésitez pas à recourir à toutes les sources d'aide possibles: infirmière, médecin, nutritionniste, responsables du programme pour nouveau-nés du centre de ressources communautaires, etc.

Toutes les mères savent que vous ferez de votre mieux pour aimer, réconforter, éduquer et soigner votre enfant, et que vous le ferez toute votre vie.

COMBIEN VOULEZ-VOUS D'ENFANTS?

Si vous souhaitez avoir un autre enfant, planifiez sa venue le plus tôt possible. La bonne nouvelle est que si vous apportez des modifications à vos habitudes de vie, vous pourrez prévenir ou retarder le diabète gestationnel durant la grossesse suivante.

Si vous avez déjà eu le diabète gestationnel, vous courez de grands risques d'en être atteinte encore une fois ou de développer le diabète de type 2. Ce risque croît avec le nombre de grossesses. Lors de la grossesse suivante, votre poids risque en effet d'être plus élevé, et votre âge sera plus avancé.

Vous pouvez réduire les risques après la naissance de votre bébé:

- Mangez bien, mais moins, afin de perdre du poids progressivement. Tentez de retrouver votre poids d'avant la grossesse, ou un poids inférieur, si vous faisiez de l'embonpoint.

- Dès que vous aurez récupéré de l'accouchement ou de la césarienne, reprenez votre marche quotidienne et vos autres exercices.

Contraception

Vous voudrez peut-être laisser s'écouler quelques années entre deux grossesses. Ou peut-être ne voulez-vous plus d'enfants, surtout si vous avez développé des complications du diabète. Avec le médecin ou l'infirmière, abordez la question des moyens de contraception, de leur efficacité et de leurs éventuels effets secondaires. Sur Internet, cherchez par exemple «ligne d'écoute» et «contraception».

Ligature des trompes ou vasectomie

Il s'agit d'interventions aux conséquences permanentes (on peut parfois inverser une vasectomie, mais une telle opération se réalise rarement avec la ligature des trompes).

Contraception temporaire

Les contraceptifs recommandés aux femmes diabétiques sont les contraceptifs oraux à faible dose et le dispositif intra-utérin (DIU), mis en place par un médecin. Les autres possibilités sont le diaphragme ou la cape cervicale, employés avec une mousse ou une gelée spermicide, et le préservatif combiné à une mousse spermicide. Durant l'allaitement, ces méthodes sont sans risque. Demandez au médecin ou à l'infirmière de vous informer sur les autres options.

Contraception d'urgence

Après des rapports sexuels non protégés, la femme diabétique peut prendre un contraceptif oral, la «pilule du lendemain». Celle-ci n'est pas conçue pour être prise régulièrement.

Si vous avez le diabète de type 2 et souhaitez devenir enceinte:

Il est préférable de concevoir un enfant alors que votre glycémie est normalisée. Le premier trimestre de la grossesse est celui du développement des organes du fœtus. Une glycémie bien maîtrisée durant cette période réduit le risque de problèmes de santé pour le bébé.

AVERTISSEMENT

Certains antidiabétiques oraux peuvent stimuler la fécondité, surtout chez la femme en préménopause (voir pages 319 à 391). Si vous ne souhaitez pas courir d'autres risques pour la santé à cette étape de votre vie, assurez-vous d'être à l'abri d'une grossesse non désirée.

N'oubliez pas qu'à part l'abstinence, la seule chose qui vous protège des infections transmissibles sexuellement est le préservatif, utilisé correctement.

AVERTISSEMENT

Cette section s'adresse aux adultes qui sont seuls ou qui, à l'intérieur d'un couple, souhaitent avoir ensemble des rapports sexuels.

Pour en apprendre davantage sur la contraception, consultez la page 395.

Pour vous protéger des infections transmissibles sexuellement (ITS), utilisez le préservatif. Celui-ci est nécessaire aussi quand on a un nouveau partenaire sexuel. Les infections transmissibles sexuellement (VIH, herpès labial — «feu sauvage» — etc.) peuvent emprunter la voie des contacts buccaux et génitaux entre deux personnes. Si vous avez des doutes sur l'état de santé de votre partenaire et sur les risques qu'il représente, parlez-en à une infirmière spécialisée (en appelant une ligne d'écoute téléphonique sans frais et confidentielle). Elle pourra aussi vous aider, votre partenaire et vous, à prendre les précautions qui s'imposent afin de vous protéger des ITS.

Pour trouver une ligne d'écoute sans frais, cherchez «ligne d'écoute», «sans frais» et «ITS» sur Internet, en ciblant la région que vous habitez. Les ITS sont parfois appelées MTS (maladies transmises sexuellement). Il faudra peut-être faire une recherche avec ce mot également.

Diabète et sexualité

Les rapports sexuels procurent plusieurs bienfaits :

- C'est une façon merveilleuse de vivre l'intimité.
- Ils stimulent la circulation.
- Ils contractent puis détendent les muscles.
- Ils libèrent des hormones apaisantes.
- Ils favorisent le sommeil.
- Si la séance est active et prolongée, ils abaissent la glycémie.

RÉSOLUTION DES PROBLÈMES SEXUELS LIÉS AU DIABÈTE

Les types et causes des changements sexuels ont été abordés dans la section «Complications du diabète», aux pages 48 et 49. On y explique pourquoi une glycémie élevée pendant des années peut occasionner des lésions aux vaisseaux sanguins et aux nerfs qui parcourent les organes génitaux. Les hommes risquent, à des degrés divers, d'avoir de la difficulté à obtenir une érection (dysfonctionnement érectile). Chez la femme, la sécheresse vaginale et des changements de la sensibilité peuvent survenir. Le diabète est également susceptible d'entraîner un état de fatigue ou de préparer le terrain à la dépression, ce qui diminue l'appétit sexuel.

Le vieillissement entraîne certains changements naturels dans la vie sexuelle. Chez l'homme, le pénis ne devient plus ferme aussi rapidement que durant la jeunesse, et chez la femme, la réponse sexuelle peut être plus lente que par le passé. Cela est normal et ne doit pas être confondu avec une incapacité à avoir des rapports sexuels. Les rapports sexuels sont plus longs et plus tendres, et ils font encore de la place à la jouissance et au plaisir.

Le simple fait d'avoir le diabète ou de vieillir n'entraîne pas automatiquement l'apparition de changements sur le plan sexuel. Vous pouvez régler ou atténuer les problèmes avec ouverture d'esprit, en faisant de l'exercice régulièrement et en mangeant bien. L'exercice stimule les vaisseaux sanguins de tout le corps, y compris ceux des organes génitaux ! Tâchez de maintenir votre glycémie, votre taux de cholestérol et votre tension artérielle à des niveaux normaux.

De nos jours, nous sommes bombardés par des images sexuelles, mais la sexualité reste toujours l'un des sujets les plus difficiles à aborder. Si vous ressentez de la gêne à en parler avec votre conjoint ou partenaire, sachez que vous n'êtes pas seul, même si vous partagez le même lit, que ce soit depuis 5 ou 50 ans. Bien qu'il vous soit probablement difficile de parler de sexualité à un professionnel de la santé, prenez votre courage à deux mains et allez-y. Votre médecin est occupé et ne vous posera peut-être pas de questions sur votre vie sexuelle, mais cela ne veut pas dire qu'il ne soit pas en mesure de vous aider. Ne souffrez pas en silence.

L'homme qui était auparavant épanoui dans sa relation, mais qui commence à avoir des érections plus lentes ou moins fermes peut être tenté de mettre fin à sa vie sexuelle. De même, si vous êtes une femme souffrant de sécheresse vaginale ou d'un manque de libido, vous serez peut-être encline à vous détourner de votre conjoint, quitte à compromettre un pan important de votre relation. Ces changements risquent de déboucher sur de la frustration, voire de l'amertume. Parlez ensemble de ce qui compte pour vous en tant qu'individu et en tant que couple.

Si votre conjoint ou vous-même vivez des difficultés dans votre vie sexuelle, il vaut la peine de chercher des solutions. J'espère qu'après la lecture de la présente section, il vous sera plus facile de communiquer. En plus d'échanger avec votre conjoint, essayez de parler au médecin ou à un autre professionnel de la santé. Si possible, consultez un sexothérapeute ensemble.

Sexualité et intimité

La vie sexuelle se déroule entre les oreilles bien plus qu'entre les jambes. La sexualité, c'est votre façon d'habiter votre personne, votre corps et votre sexe. C'est la façon dont vous vous exprimez avec les vêtements, dans votre tenue et votre sourire. Ce sont les amis que vous fréquentez et les compliments que vous échangez entre vous. La parole, le rire, le partage et le toucher participent tous à sexualité. C'est l'estime que vous porte votre entourage, pour ce que vous êtes, tout simplement. Peut-être n'avez-vous pas de partenaire sexuel, mais vous demeurez un être sexué. La sexualité fait partie de chacun de nous.

L'intimité sexuelle est quelque chose que vous ne partagez qu'avec une seule personne, que vous ne vous permettez avec personne d'autre. C'est la connaissance que vous avez de la façon dont votre corps et celui de votre partenaire réagissent. La jouissance et le plaisir sont essentiels malgré le vieillissement et les changements que celui-ci impose au corps.

La sexualité est également conditionnée par la façon dont on vous a traité durant l'enfance, l'adolescence et la vie adulte. Si vous avez vécu des traumatismes ou des abus dans le passé, ceux-ci se répercutent sur la façon dont vous vous

Qu'est-ce qu'un sexothérapeute?

C'est un conseiller qui se spécialise dans les relations amoureuses. Le sexothérapeute comprend l'importance de la sexualité dans une relation. En outre, il saura vous faire des suggestions sur la façon de résoudre les problèmes physiques et émotionnels susceptibles de surgir dans votre couple. Pour trouver un sexothérapeute dans votre région, cherchez «sexothérapeute» sur Internet ou visitez le site www.aasect.org.

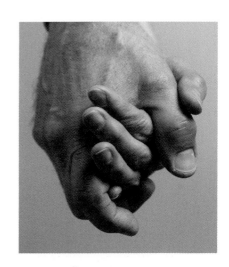

percevez et vous percevez la sexualité. Peut-être avez-vous de la difficulté à vous rapprocher de votre conjoint dans l'intimité sexuelle. En conséquence, peut-être ne faites-vous pas de place à la sexualité dans votre vie; d'autres choses vous apportent de la plénitude. Peut-être avez-vous vécu une relation sexuelle malheureuse et avez-vous de la difficulté à être à l'aise sexuellement avec l'être cher qui fait maintenant partie de votre vie. Si vous sentez que vous avez besoin du soutien d'un conseiller, n'hésitez pas!

La vie sexuelle d'un couple peut prendre différents chemins. Chacun aime conduire à sa façon: rapidement, lentement, doucement ou impétueusement, fréquemment, occasionnellement, ou jamais. Dans certains couples se côtoient des appétits sexuels similaires, dans d'autres ils sont opposés. L'intérêt pour la sexualité peut être grand ou faible. Certains perçoivent les rapports sexuels comme une chose décevante ou comme une corvée. Peut-être constituent-ils un élément revigorant et important de la vie, surtout qu'en vieillissant, vous disposez de plus temps. Certains atteignent le sommet de leur vie sexuelle alors qu'ils sont dans la quarantaine ou la cinquantaine, ou plus tard encore.

SIX ACTIONS POUR FAIRE FACE AUX CHANGEMENTS DE LA SEXUALITÉ

La première action à prendre est de trouver les moyens d'améliorer votre santé et, par le fait même, votre circulation sanguine et les influx nerveux vers vos organes génitaux. Il est essentiel de faire de l'exercice physique et de bien manger. La deuxième action consiste à vous permettre de vous réaliser et, la troisième, à utiliser des lubrifiants si cela est nécessaire, que vous soyez seul ou en couple.

Les trois dernières actions visent essentiellement les couples, bien que, si vous êtes seul, une partie de l'information vous concerne aussi. Avec la quatrième, vous trouverez des idées favorisant le romantisme et l'intimité, et différentes positions permettant des rapports sexuels plus aisés. La cinquième action consiste à utiliser des médicaments en vue d'obtenir de meilleures érections ou d'exciter la libido, ou encore des aides à l'érection (par exemple l'anneau pénien ou la pompe à vide). Le choix entre médicaments et appareils dépendra de l'ampleur des problèmes sexuels à surmonter, ainsi que du coût et des effets secondaires possibles des traitements. La dernière action et non la moindre est de respecter votre éventuel désir de ne pas prendre de médicaments et de ne pas utiliser d'aide à l'érection. Cherchez alors d'autres trucs pour rehausser l'ensemble de votre vie sexuelle (voir action 4, pages 402 à 404) et de nouvelles façons de faire au lit (voir action 6, pages 411 à 416).

Quel que soit votre choix, ces six actions permettent toutes d'améliorer la qualité de votre vie sexuelle.

1) Stimulation de la circulation sanguine et des nerfs

- **Ayez une glycémie normalisée.** Dans certains cas, la normalisation de la glycémie renverse les dommages subis par les vaisseaux sanguins et les nerfs; le dysfonctionnement érectile et la sensibilité vaginale sont alors atténués. Quand votre glycémie est bien normalisée, vous regorgez d'énergie et êtes prêt pour l'activité sexuelle.

- **Maintenez votre tension artérielle et votre cholestérol sanguin à de bons niveaux et faites l'effort de cesser de fumer.** Ces changements améliorent également l'état des vaisseaux sanguins, faisant en sorte que plus de sang parvienne au pénis ou au vagin.

Si vous êtes fumeur, vous risquez davantage d'avoir des problèmes d'érection que le non-fumeur, car le tabac rétrécit les vaisseaux sanguins. Il réduit aussi la quantité d'oxyde nitrique que vous produisez (voir plus bas, sous «Exercice»). Si vous êtes fumeur, voilà une autre très bonne raison de cesser de fumer. Consultez le chapitre «Abandonner le tabac», aux pages 265 à 280.

- **Adoptez une saine alimentation.** Une alimentation bonne pour le cœur est bonne pour les organes génitaux (voir pages 120 à 123). Les antioxydants et nutriments aident à entretenir la santé des vaisseaux sanguins et des nerfs qui parcourent les organes génitaux.

- **Faites de l'exercice physique régulièrement.** L'exercice aide à augmenter l'apport de sang et d'oxygène aux organes génitaux. Il stimule les vaisseaux sanguins et les amène à produire une substance appelée oxyde nitrique. Celui-ci participe à la stimulation des organes génitaux de l'homme et de la femme.

Prenez-vous des médicaments contre la dépression ou l'hypertension? Certains croient que ces médicaments ont des répercussions sur leur capacité à obtenir une érection ferme. La bonne nouvelle, c'est que la pratique régulière de l'exercice physique permet de soigner l'hypertension et les troubles de l'humeur. Le médecin pourrait alors réduire la dose de vos médicaments ou vous en prescrire d'autres.

Le fait d'être actif contribue à stimuler la libido chez l'homme et la femme. Jeune ou âgé, vous pouvez garder la forme grâce à la marche et à un régime alimentaire équilibré. Un être en forme dispose de plus de souplesse et de plus d'énergie pour les rapports sexuels.

- **Réduisez votre consommation d'alcool.** Le premier verre semble détendre, mais le deuxième et les suivants risquent de ralentir ou d'inhiber l'érection chez l'homme.

Les hommes et les femmes en bonne condition physique se sentent plus séduisants.

Prenez rendez-vous avec le médecin pour passer un examen physique complet.

- *Le médecin pourra ainsi exclure d'autres causes (outre le diabète) à l'origine d'un éventuel dysfonctionnement érectile, de sécheresse vaginale ou de réduction de la libido, chez l'homme ou la femme. Les médicaments, tels certains antihypertenseurs et antidépresseurs, peuvent inhiber la libido ou causer d'autres troubles. Si vous prenez ces médicaments, demandez s'il existe des options de rechange.*

- *Si vous avez récemment subi un infarctus ou une intervention chirurgicale, demandez au médecin à partir de quel moment les rapports sexuels sont sans risque. En général, si vous pouvez tolérer un exercice modéré, ceux-ci ne vous feront pas courir de danger.*

- *Le médecin peut vous diriger vers un urologue ou un gynécologue afin que vous lui exposiez vos préoccupations au sujet de la libido, du désir ou du fonctionnement des organes génitaux.*

- *Cherchez à vous inscrire à un centre d'éducation sur le diabète. Vous y obtiendrez des conseils sur la normalisation de la glycémie, du taux de cholestérol et de la tension artérielle.*

2) Accomplissement personnel

Peut-être êtes-vous veuf, divorcé ou célibataire, et n'avez-vous pas de partenaire sexuel actuellement. Vous êtes peut-être marié ou vivez avec un conjoint, mais sans avoir de relations sexuelles. Vous n'en demeurez pas moins un être sexué. Il est toujours possible de poser des actes qui soient gratifiants sur les plans sexuel et affectif. Que vous viviez une relation sexuelle ou non, la première étape dans le maintien de la composante sexuelle de votre personne consiste à prendre soin de *vous*. Nous sommes parfois si pris par le travail ou les soins à prodiguer aux autres que nous oublions de prendre soin de nous-mêmes, c'est-à-dire de nous réserver le temps de nous détendre et de faire les choses qui nous plaisent (voir la mesure 6, «Rester optimiste», aux pages 357 à 372).

Intimité physique non sexuelle

- amitié avec un ami proche

- visite des petits-enfants

- contact impliquant le toucher (qu'il s'agisse de se faire couper les cheveux ou de recevoir un massage des pieds; voir page 367)

- animal de compagnie (le caresser, parler ou jouer avec lui)

- souvenirs précieux d'êtres chers (parcourir des albums de photos et des carnets de souvenirs en écoutant de la musique)

Accomplissement sexuel

La masturbation aide l'organisme à produire des «hormones du bonheur» (endorphines). Elle calme les tensions et aide à mieux dormir la nuit. Elle contribue aussi à l'entretien et à l'élasticité des tissus érectiles (présents dans le pénis de l'homme et le clitoris de la femme). Certains hommes et femmes utilisent un lubrifiant ou un vibrateur (voir pages 415 et 416), et estiment que cela enrichit leur expérience.

- **Femmes:** Certaines femmes affirment qu'en vieillissant, elles deviennent plus à l'aise avec leur propre corps. Elles savent maintenant ce qui leur procure du plaisir et de quelles stimulations visuelles ou pensées elles ont besoin pour atteindre l'orgasme. La masturbation devient plus naturelle.

- **Hommes:** Êtes-vous un homme n'ayant pas de partenaire sexuelle, à la libido faible ou atteint de dysfonctionnement érectile? Vous serez peut-être intéressé de savoir que les médicaments ou dispositifs employés par les couples afin de soutenir l'érection de l'homme peuvent très bien être utilisés pour améliorer ou rendre possible la masturbation. On pense ici aux médicaments,

Marcher et demeurer actif physiquement aident à se tenir en forme. Cela donne l'énergie et le dynamisme nécessaires pour accomplir des choses, y compris la masturbation.

aux pompes, aux anneaux péniens ou aux traitements locaux (crèmes, suppositoires d'alprostadil ou injections), utilisés afin de provoquer une érection. Ces options seront abordées aux pages 409 à 411.

3) Lubrifiants

Si vous avez une impression de sécheresse durant les rapports sexuels ou lors de la pratique de la masturbation, songez à vous procurer un lubrifiant. On en trouve en vente libre à la pharmacie. Les hommes comme les femmes peuvent l'utiliser. Si vous en appliquez sur vos organes génitaux, ceux-ci seront plus doux au toucher et l'activité sexuelle s'en trouvera facilitée. Pour la femme diabétique qui souffre de sécheresse vaginale, le lubrifiant aide à réduire le risque d'infections à champignons (consultez les pages 305 à 309 pour de plus amples détails).

- Achetez d'abord un lubrifiant à base d'eau, comme K-Y^{MD}, Wet^{MD} ou Sliquid^{MD}, ou une marque meilleur marché.

- Si vous trouvez que le lubrifiant à base d'eau s'évapore trop rapidement, essayez-en un à base de silicone. Cependant, ce type de lubrifiant part difficilement au lavage et ne doit pas être utilisé avec les jouets sexuels.

- Les lubrifiants se vendent en pharmacie. Vous les trouverez en emballages uniques, en tubes ou en petits flacons.

- Évitez les lubrifiants « chauffants », parfumés ou colorés, susceptibles d'irriter la peau. Les lubrifiants parfumés peuvent aussi contenir du sucre ajouté, lequel favoriserait les infections vaginales ou des voies urinaires.

AVERTISSEMENT

N'utilisez pas comme lubrifiant les crèmes à base d'huile ou de gelée de pétrole (Vaseline^{MD}). Ces produits risquent de provoquer la perforation des préservatifs. Ils sont également plus difficiles à laver après les rapports sexuels et peuvent tacher les draps et les vêtements.

Vérifiez la date de péremption du lubrifiant pour vous assurer qu'elle n'est pas dépassée. Appliquez le lubrifiant une fois vos mains propres, afin de ne pas lui transmettre de bactéries, ou utilisez un lubrifiant en emballage unique.

Gels hydratants vaginaux

Il ne faut pas confondre hydratant vaginal et lubrifiant vaginal. Le gel hydratant sert à entretenir l'hydratation du vagin plusieurs jours de suite. Il est conseillé d'essayer d'abord un lubrifiant. Si, après cela, vous souffrez toujours de sécheresse vaginale, vous pourrez essayer un gel hydratant vaginal afin de voir s'il vous apporte un soulagement. Les marques les plus connues sont Replens^{MD}, Gyne-Moistrin^{MD}, Hyalfem^{MD} et K-Y Liquibeads^{MD}. L'introduction du gel hydratant dans le vagin s'effectue à l'aide d'un applicateur. On administre normalement le produit tous les jours pendant une semaine, puis deux ou trois fois par semaine ensuite. Certains de ces gels provoquent des pertes blanches inoffensives.

Témoignage de Jacinthe

J'ai commencé à avoir un problème de sécheresse vaginale qui rendait les rapports sexuels douloureux. Après un certain temps, je trouvais des prétextes pour ne pas faire l'amour. Je savais que cela pesait sur la relation avec mon époux, mais j'ignorais quoi faire. Lors de mon rendez-vous semestriel avec l'infirmière spécialisée en éducation sur le diabète, j'ai décidé de me confier à elle.

Elle m'a demandé si je connaissais l'usage du lubrifiant. J'en ignorais à peu près tout. Elle m'a expliqué que le produit se vendait en pharmacie pour 5 $ environ. Elle m'a conseillé d'acheter un lubrifiant à base d'eau. Vous rirez peut-être, mais j'en étais encore à demander où il fallait le mettre! Elle m'a appris qu'on en appliquait une petite quantité (le bout du petit doigt) immédiatement avant les rapports, que je devais m'ouvrir les jambes et l'étendre avec les doigts sur le clitoris, les petites lèvres, la vulve et même un peu dans le vagin.

Je l'ai essayé. Vous ne pouvez pas savoir la différence que cela fait! Le lubrifiant a réglé mon problème de sécheresse, et nos rapports sexuels sont redevenus agréables. La solution était si simple, et j'ai mis tellement de temps à la découvrir!

Améliorez la qualité de vos rapports sexuels grâce à une bonne communication. Exprimez ce qui vous tient à cœur.

4) Créer l'intimité

Entretenez votre relation à l'extérieur du cadre des activités domestiques habituelles. Il est essentiel de prendre du temps et pour soi et pour le couple. En passant du temps avec votre conjoint, vous vous donnez la chance de converser, d'avoir du plaisir, de consolider vos liens et de créer l'intimité. Quand viendra le temps d'aborder et d'envisager de nouvelles approches pour la gestion des changements sur le plan sexuel, vous serez alors plus à l'aise. Cela peut signifier, par exemple, de prendre ensemble la décision de faire l'essai d'un médicament ou d'une aide à l'érection (voir action 5). Pourquoi ne pas explorer de nouvelles techniques au lit (voir action 6) ?

Entretenez votre relation et célébrez votre couple.

Prenez vos repas ensemble pour vous donner l'occasion de converser.

Chaque jour, faites quelque chose avec votre conjoint, ne serait-ce qu'une activité simple. Faites-vous des compliments. Remerciez-vous. Éteignez parfois le téléviseur et l'ordinateur, et sortez vous promener. Tenez-vous par la main. Les touchers, les baisers et les caresses sont toujours appréciés. Soyez prévenant et gentil, veillez au bien-être de l'autre, et vous vous sentirez bien aussi.

Réservez une soirée pour les sorties, et respectez cet engagement. Regardez des films romantiques ou partagez un repas en toute intimité. On n'est jamais trop âgé pour le romantisme !

Dans votre relation, concentrez-vous sur chacun en tant qu'individu aux émotions uniques. Vous avez tous deux un corps, des corps qui ne sont pas parfaits, mais qui peuvent être sensuels et séduisants. Quel que soit votre taille ou votre morphotype, ce qui séduit se trouve d'abord à l'intérieur, dans votre désir de donner et de recevoir.

Injectez plus d'intimité dans la relation.

Songez à des activités qui favoriseraient le toucher, le plaisir et la jouissance partagés durant les moments passés ensemble. Voici quelques suggestions.

- **Massage sensuel :** Frictionnez-vous avec une crème ou une huile à massage. Certaines personnes apprécient les massages au dos ou aux pieds. Cette activité peut se suffire à elle-même.

- **Massage sexuel :** Vous pouvez pousser le massage sensuel un peu plus loin et masser les organes génitaux de votre partenaire. Cette activité débouchera peut-être sur une séance de masturbation commune ou mutuelle. Si vous ne savez pas trop comment faire, demandez à votre partenaire comment il ou elle s'y prend afin que l'on vous guide. Le lubrifiant aide à oublier la sécheresse vaginale et augmente le plaisir des deux partenaires (voir page 415).

Dans les rapports sexuels, réservez de la place à vos besoins particuliers.

Vous avez peut-être des douleurs au dos ou un handicap. De petits changements dans vos habitudes sexuelles pourraient contribuer à améliorer les relations sexuelles, ou à les ramener, ainsi que l'intimité, dans votre vie.

Séances brèves ou prolongées?

Parfois, on est d'humeur pour une brève séance seulement. À ce moment précis, peut-être qu'un seul membre du couple ressent le besoin de détente. Il n'y a pas de mal à se contenter d'une séance éclair! D'autres fois, il est favorable d'aménager une séance d'amour l'après-midi ou en début de soirée. Nul besoin de toujours repousser les rapprochements sexuels en fin de journée: à l'heure du coucher, vous risquez de vous retrouver sans énergie.

Positions confortables

Souffrez-vous d'arthrose, de douleurs lombaires ou d'un handicap qui rend les rapports sexuels difficiles ou douloureux? Il suffit parfois d'un léger aménagement, comme un oreiller placé sous le dos de l'homme ou de la femme, ou encore sous les hanches de la femme, pour faire une grande différence. Essayez des positions qui s'écartent de la figure «habituelle». Peut-être vous voudrez en parler et en rire, ou expérimenter des positions confortables pour vous deux. Il n'y a pas de règle universelle! Discutez de différentes positions avec votre partenaire. Le simple fait d'en parler peut être source d'excitation et d'intimité.

La sexualité est tout aussi variée que les personnalités de chacun.

N'oubliez pas qu'une bonne communication est à la base de toute intimité.

Voici quelques idées pour les couples homme-femme:

- Si elle a des douleurs au dos, aux genoux ou aux hanches: L'homme est sur le dessus en position du missionnaire; un petit coussin sous le bas du dos de sa partenaire ou un coussin triangulaire sous ses genoux assurera un soutien pour le dos de celle-ci. Pour ôter de

> *Accepter les changements de la sexualité est difficile, mais cela n'équivaut pas à renoncer à l'intimité.*

> **Conseils utiles avant toute activité sexuelle:**
> - *Soyez bien reposé.*
> - *Détendez-vous et essayez d'oublier vos soucis.*
> - *N'abusez pas de l'alcool et ne prenez pas de drogues illicites.*
> - *Ne mangez pas de repas lourds.*
> - *Installez-vous dans une pièce à la température agréable, ni trop chaude ni trop froide.*
> - *Les hommes savent qu'il y a des moments de la journée où ils ont des érections plus facilement. Cela dépend du moment de la prise des médicaments et de l'humeur.*

Si la fatigue ou la perte de fermeté des érections rend les rapports trop ardus ou difficiles, songez à des solutions de rechange. On peut ici penser au vibrateur et aux autres jouets sexuels (voir page 416). Les relations sexuelles bucco-génitales sont aussi à envisager. Si vous n'en avez jamais eues, mais êtes désireux de les essayer, lisez les pages 411 à 416.

la pression des hanches de sa partenaire, l'homme peut essayer de placer ses jambes à l'extérieur des siennes. Placer un oreiller sous ses fesses peut être utile si les deux membres du couple sont grands.

- <u>S'il a des douleurs au dos, aux hanches ou aux genoux, ou s'il fait de l'embonpoint</u> : La femme a avantage à se placer sur le dessus. Ainsi, l'homme n'a pas à supporter son propre poids. De plus, cette position est souvent très agréable pour la femme. Il peut être utile de placer un petit oreiller ou une serviette sous le dos de l'homme.

- <u>Si les deux ont mal aux genoux</u> : 1) Étendus ou debout, essayez de vous placer en cuillère (l'homme derrière la femme, la poitrine contre son dos, les deux partenaires étant orientés vers la même direction). 2) Si vous êtes étendus, il peut être utile de mettre un oreiller entre vos genoux. 3) Si vous êtes debout, la femme peut prendre appui sur une table ou un lit élevé (ce qui réduira le poids que doivent supporter ses genoux), l'homme s'installant derrière elle. Cette pénétration par derrière s'avère pratique pour les couples de partenaires faisant de l'embonpoint, surtout lorsque la femme s'incline vers l'avant (ou se rapproche du bord du lit alors que l'homme est en position debout).

- Les livres ou DVD sur la sexualité vous donneront des idées. Vous y trouverez peut-être de nouvelles positions plus stimulantes et faciles à réaliser pour vous. Tournez-vous vers les ressources qui présentent des idées d'autostimulation ou qui s'adressent aux couples adultes en respectant les deux partenaires. Ce n'est pas parce que vous voyez tel ou tel gadget à la télévision ou sur Internet qu'il faut céder à la pression et l'essayer alors qu'il ne vous « ressemble » pas.

Craignez-vous l'incontinence urinaire durant les rapports sexuels ?

On conseille de se vider la vessie et de prendre une douche immédiatement avant les activités sexuelles. Certaines mesures prises bien avant les rapports sont utiles également : buvez de l'eau pour éclaircir votre urine, urinez régulièrement et réduisez votre consommation de café, de thé, d'alcool et de tabac. De la sorte, vous réduisez l'irritation de la vessie et, ainsi, le risque de fuites. La constipation peut contribuer à l'incontinence. Faites donc de l'exercice quotidiennement, consommez beaucoup de fibres alimentaires et buvez de l'eau. Pour maintenir le tonus des muscles du plancher pelvien, il est important de faire régulière-ment les exercices de Kegel (sur Internet, cherchez « exercices de Kegel pour femme » ou « exercices de Kegel pour homme »).

Si vous êtes atteint d'un handicap physique *découlant, par exemple, d'une lésion à la moelle épinière, ou si vous vous déplacez en fauteuil roulant, consultez le document pleasureABLE : Sexual Device Manual for Persons with Disabilities. Vous le trouverez en cherchant sur Internet : « DHRN sex manual » (en anglais seulement).*

5) Médicaments et aides à l'érection

Si vous avez de la difficulté à obtenir ou à maintenir une érection, parlez-en au médecin. Il pourra vous suggérer et prescrire un médicament ou une aide à l'érection, voire les deux. Dans certains cas, le médecin vous dirigera vers un urologue. Cette section présente les différents médicaments et dispositifs d'aide à l'érection, ainsi que leur mécanisme d'action.

Le médecin recommande le plus souvent les médicaments favorisant l'érection appartenant à la famille du Viagra^{MD} (appelés inhibiteurs de la phosphodiestérase de type 5 ou inhibiteurs de la PDE5). Si vos taux d'hormones sexuelles sont trop bas, le médecin pourrait recommander la prise de testostérone chez l'homme, ou d'œstrogène chez la femme. À la place des médicaments, il pourrait aussi vous suggérer la pompe à vide (dispositif en forme de cylindre qui produit un vide autour du pénis et provoque son érection, après quoi il est retiré). La prostaglandine est une autre option. Elle s'applique sur le pénis ou à l'intérieur de celui-ci.

Certains couples souhaitent découvrir des options sans médicament ni utilisation d'aide à l'érection. Ces solutions méritent d'être abordées plus longuement dans le cabinet du médecin. Certains médecins ne prennent pas le temps de les mentionner. Si vous souhaitez approfondir le sujet, consultez les pages 411 à 416.

La mise en place, au moyen d'une intervention chirurgicale, de tiges gonflables dans le pénis est un traitement de dernier recours pour traiter le dysfonctionnement érectile avancé, envisageable quand les autres méthodes ont échoué. Il s'agit d'une intervention pratiquée par un urologue. Je ne l'aborde pas dans le présent ouvrage. Pour en apprendre davantage sur le sujet, cherchez « implant pénien » sur Internet.

PARLEZ AU MÉDECIN.

Les différents médicaments et dispositifs ont des niveaux d'efficacité et d'innocuité variés. Si une option ne vous convient pas (à cause de votre état de santé ou d'interactions médicamenteuses), le médecin vous suggérera sans doute autre chose. De la même façon, si vous essayez un traitement et que celui-ci ne fonctionne pas, votre médecin devrait avoir une solution de rechange. Il est essentiel de connaître la posologie du médicament et de bien comprendre comment utiliser de manière sécuritaire les aides à l'érection. Chaque traitement présente des bienfaits et des effets indésirables. Ne commandez pas de dispositifs ou de médicaments par la poste ou sur Internet, à moins que le médecin ne l'ait recommandé et que vous sachiez qu'il est approuvé par les autorités médicales.

Produits à base de plantes médicinales et autres produits en vente libre

Avant l'arrivée du Viagra^{MD} et des autres inhibiteurs de la PDE5, les médecins prescrivaient parfois la yohimbine dans le traitement du dysfonctionnement érectile. De nos jours, elle est moins prescrite, car les inhibiteurs de la PDE5 sont plus efficaces. De plus, la yohimbine présente des risques et ses bienfaits sont plutôt discrets et inconstants.

Il existe de nombreux médicaments distribués sur Internet ou en vente libre censés améliorer l'érection. Les publicités et les prix bas peuvent vous allécher, mais méfiez-vous des contrefaçons. Ces produits sont souvent sans effet, sauf dans les cas les plus bénins de dysfonctionnement érectile. De plus, ils n'ont pas fait l'objet de recherches scientifiques rigoureuses. On a constaté que certains d'entre eux ne contiennent pas de principe actif, alors que d'autres renferment des quantités dangereuses de médicaments ou d'additifs. Gardez-vous d'en consommer!

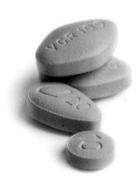

Si un inhibiteur de la PDE5 demeure sans effet chez vous, il vaut la peine d'essayer les autres médicaments de cette famille. Parlez-en au médecin.

AVERTISSEMENT

Les médecins ne prescrivent pas le Viagra^MD et les autres inhibiteurs de la PDE5 aux patients recevant de la nitroglycérine. Il vous faut aussi éviter le Viagra^MD :

- en cas de trouble rénal ou hépatique ;

- si vous avez une hypotension ou une hypertension très marquée ;

- si vous avez subi un infarctus, un accident vasculaire cérébral ou si vous souffrez d'une maladie cardiaque quelconque ;

- en présence de certaines affections oculaires.

Outre ses bienfaits très publicisés, il faut aussi connaître les risques associés à ce médicament.

Parlez-en au médecin.

Le Viagra^MD et les autres inhibiteurs de la PDE5

Ces médicaments aident le pénis à se remplir de sang. *En soi, ils n'augmentent pas la libido.* Pour que le médicament donne des résultats, vous devez l'associer à des préliminaires afin de parvenir à un certain état d'excitation et d'obtenir une érection.

Les substances appartenant à cette famille de médicaments s'appellent « inhibiteurs de la phosphodiestérase de type 5 » ou « inhibiteurs de la PDE5 ». Il s'agit :

- du sildénafil (Viagra^MD) ;

- du vardénafil (Levitra^MD) ;

- de l'avanafil (Stendra^MD), dont la vente est approuvée aux États-Unis, mais pas au Canada ;

- du tadalafil (Cialis^MD), dont l'action est prolongée.

Le sildénafil, le vardénafil et l'avanafil agissent pendant quatre à six heures. Le tadalafil agit dans l'organisme pendant une période pouvant atteindre 36 heures, ce qui signifie que vous pouvez avoir des rapports sexuels sur toute cette période, soit d'une journée et demie à deux jours. Tous les inhibiteurs de la PDE5 doivent être pris une heure environ avant le moment prévu pour les rapports sexuels.

Un repas contenant une grande quantité de gras influe sur la capacité d'absorption des inhibiteurs de la PDE5 à action brève, comme le Viagra^MD, le Levitra^MD et le Stendra^MD. Évitez les repas gras et lourds ; autrement, l'effet du médicament risque d'être décevant. La nature du repas n'influe pas sur Cialis^MD, car son action est plus prolongée. Certains se demandent si la consommation d'alcool inhibe l'effet du médicament. Vous pouvez boire de l'alcool avec ces médicaments, mais une consommation excessive se répercute négativement sur les capacités sexuelles de tous les hommes. Évitez donc l'alcool ou n'en consommez qu'avec modération.

Prendre des inhibiteurs de la PDE5 régulièrement peut se révéler dispendieux, et ces médicaments ne sont pas remboursés par la plupart des assurances médicaments. Heureusement, certains d'entre eux existent sous forme générique (et non sous le nom de marque). Ces versions sont meilleur marché. Vous pourrez aussi trouver des inhibiteurs de la PDE5 sous leur nom de marque, mais à prix avantageux. Demandez au pharmacien de vous indiquer les prix.

Les inhibiteurs de la PDE5 sont une excellente option pour les hommes diabétiques, mais ils ne conviennent pas forcément à votre cas.

EFFETS SECONDAIRES DES INHIBITEURS DE LA PDE5

Parmi les effets secondaires, on note des maux de tête, de la congestion nasale, de la rougeur au visage, des modifications de la vision et des indigestions. Consultez le médecin après avoir essayé le médicament. Si vous avez des réactions, notez les effets observés et discutez de la posologie. Bien que cela soit très rare, si une érection dure plus de quatre heures, consultez un urgentiste sans délai. Dans le cas d'une perte de vision ou d'audition (phénomènes aussi très rares), cessez de prendre le médicament. Consultez un médecin ou un spécialiste sans attendre.

Hormonothérapie pour homme et pour femme

Si les analyses sanguines révèlent un déséquilibre des hormones sexuelles, le médecin pourrait vous recommander une hormonothérapie. Il s'agira d'un apport en testostérone pour l'homme, et en œstrogène pour la femme.

Testostérone: La testostérone est présente aussi bien chez l'homme que chez la femme, mais en quantité beaucoup plus grande chez le premier, pour qui elle joue un rôle important dans la libido. Le taux de testostérone diminue progressivement avec l'âge; ce phénomène accompagne naturellement le vieillissement. Les hommes diabétiques sont plus susceptibles que les autres de présenter des taux de testostérone trop faibles. En ramenant le taux de testostérone à son niveau normal, on peut stimuler la libido de l'homme, et l'aider à éjaculer et à atteindre l'orgasme plus facilement. Cette démarche thérapeutique ne facilite toutefois pas forcément l'érection. Pour obtenir une érection satisfaisante, l'homme doit normalement prendre en plus un inhibiteur de la PDE5 ou recourir à une aide à l'érection. Les inhibiteurs de la PDE5 agissent plus efficacement chez les hommes dont le niveau de testostérone est normal. Celle-ci peut être administrée sous forme de comprimés, de gel, de crème, ou encore par injection.

*La **prise de testostérone** n'améliore pas forcément l'érection, mais elle provoque habituellement une stimulation de la libido et une amélioration de l'énergie.*

Œstrogène: L'œstrogène est présent aussi bien chez la femme que chez l'homme, mais en quantité beaucoup plus grande chez la femme. Quand celle-ci vieillit, l'œstrogène continue de procurer des bienfaits, notamment le maintien d'une ossature solide. Il assure le confort et la lubrification naturelle du vagin. Toutefois, chez la femme ménopausée, le taux d'œstrogène diminue. Pour stimuler la libido de la femme ou pour réduire sa sécheresse vaginale, le médecin pourrait donc prescrire de l'œstrogène, sous forme de comprimés, de gel appliqué sur le bras ou de timbre à apposer sur la peau. Une crème d'œstrogène peut également être appliquée autour du vagin, ou être administrée sous forme de comprimés, de crème ou d'anneau introduit dans le vagin.

*L'**œstrogène** est susceptible d'élever la glycémie. Les femmes constatent souvent des fluctuations de la glycémie pendant leurs règles: en général, elle s'élève avant et durant celles-ci. Les variations du taux d'œstrogène au moment de la ménopause peuvent provoquer ces fluctuations de la glycémie.*

AVERTISSEMENT

Si vous êtes sujet à des saignements ou que vous prenez un anti-coagulant comme la warfarine, l'anneau pénien et la pompe à vide peuvent accroître le risque de meurtrissure.

Effet charnière

La pompe à vide provoque le gonflement des petits tubes externes du pénis, mais pas celui des tubes internes de l'organe, fixés à l'os iliaque (de sorte que l'érection obtenue manque de rigidité et de maintien). Cela signifie que l'érection obtenue à l'aide d'une pompe à vide et main-tenue avec un anneau pénien peut pivoter à sa base, à la manière d'une charnière. Durant les activités sexuelles, certains hommes trouvent utile d'ajuster l'angle de pénétration pour éviter de glisser hors de leur partenaire, surtout quand le couple adopte la position du missionnaire. Certains couples utilisant la pompe trou-vent que la position du mis-sionnaire inversée (la femme sur l'homme) fonctionne bien.

Certains se procurent un dis-positif conçu spécialement pour mettre en place l'anneau pénien, ou utilisent un tuyau de plastique rigide acheté en quincaillerie. La pièce s'appelle «raccord». Elle a l'apparence d'un rond de ser-viette et existe en différentes tailles. Elle doit pouvoir s'enfiler sur le pénis en érec-tion, mais ne pas être trop large, afin que l'anneau puisse y être installé. Enfilez-la (avec l'anneau en place) sur le pénis aussi bas que possible. Faites alors glisser l'anneau prudem-ment sur la base du pénis.

L'œstrogène apporte beaucoup de bienfaits à l'organisme, mais le médecin doit mettre les femmes ménopausées en garde contre la prise de suppléments d'œstrogène, car chez certaines d'entre elles, l'hormonothérapie accroît le risque de cancer du sein, de maladie cardiaque et d'accident vasculaire cérébral. De plus, l'hormonothérapie élève la glycémie. Cela dit, dans bien des cas, les bienfaits de l'œstrogène dépasse-raient ses risques. Les doses plus faibles d'œstrogène et de testostérone comportent heureusement moins de risques tout en conservant des bienfaits.

Avec le médecin, discutez des vertus et risques de l'hormonothérapie à base de testostérone ou d'œstrogène.

Anneau pénien et pompe à vide

Bien utilisés, l'anneau pénien ou la pompe à vide sont de très bonnes options non médicamenteuses pour les hommes atteints de dysfonctionnement érectile. Vous pouvez les acheter sans ordonnance. Soyez prudent, cependant, car on trouve sur Internet de nombreux produits bon marché, mais de mauvaise qualité, ou des produits usagés. Ne blessez pas votre pénis ! Achetez plutôt des produits de qualité **et observez toujours les instructions fournies par le fabricant**.

Anneau pénien: Si vous parvenez à obtenir une érection, mais que vous ne pouvez pas la maintenir aussi longtemps que vous le souhaitez, l'anneau pénien s'offre comme option peu coûteuse et efficace. Il s'agit d'un anneau de caoutchouc spécial qui s'étire et qui est mis en place à la base du pénis, une fois l'érection obtenue. Certains découvrent qu'un peu de lubrifiant étendu à la base du pénis ou sur l'anneau faci-lite la mise en place de ce dernier. L'anneau aide à maintenir la fermeté de l'érection. Ne le laissez pas en place pendant plus de 30 minutes. N'utilisez jamais un simple élastique, car il pourrait entraîner des lésions graves.

Pompe à vide pour le pénis (pompe à érection): Ce sys-tème repose sur l'utilisation conjointe de la pompe particu-lière *et* de l'anneau pénien. La pompe à vide se présente comme un tube (ou un cylindre) rigide en plastique. Vous pompez l'air entourant le pénis à la main, ce qui crée un vide. L'anneau a pour rôle de maintenir l'érection. Regardez les schémas ci-dessous. Si vous manquez de force dans la main, pourquoi ne pas acheter une pompe alimentée par une pile ? L'utilisation de la pompe exige un certain apprentissage, mais l'appareil représente une solution efficace et entraîne peu d'effets secondaires. Il s'agit d'une bonne solution de rechange aux médicaments.

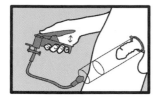 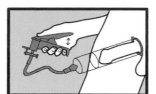  

Étape 1. Étendez un lubrifiant stérile à la base du pénis de manière à obtenir un sceau étanche. Faites ensuite glisser le tube de plastique sur le pénis.

Étape 2. En exécutant un va-et-vient, pompez l'air entourant le pénis à l'aide de la pompe à main. Vous créez ainsi un vide qui permet au sang d'affluer dans le pénis. L'érection est obtenue en quelques minutes (moins de 10).

Étape 3. L'anneau pénien est glissé sur la base du tube de plastique. Une fois le pénis en érection, faites descendre l'anneau sur la base de l'organe. L'anneau maintient l'érection. Retirez le tube de plastique. Si vous utilisez un préservatif, ayez-le à portée de main et enfilez-le.

Étape 4. Après les rapports sexuels, retirez l'anneau. L'érection disparaîtra. Ne laissez pas l'anneau en place plus de 30 minutes d'affilée.

(Vous pouvez visionner sur YouTube une vidéo sur le sujet en cherchant «Osbon ErecAid»)

Témoignage de Robert

Ma femme et moi partageons une vie sexuelle empreinte d'amour. Cependant, il y a un an, j'ai observé certains changements chez moi. Je ne parvenais plus à obtenir une érection aussi rigide qu'avant, ou je la perdais tout de suite. Je croyais qu'il s'agissait d'un simple effet du vieillissement. C'est alors que j'ai lu que le diabète pouvait causer cela (je vivais avec le diabète depuis 11 ans).

Nous avons abordé la question du Viagra^MD, mais avec mon diabète, je ne voulais pas prendre encore plus de médicaments. Nous avons étudié d'autres possibilités et opté pour la pompe à érection.

Nous nous sommes procuré l'appareil. Nous avons bien ri, car elle était plus grosse que nous l'imaginions. Les instructions mentionnaient que si on n'avait pas obtenu d'érection depuis quelque temps, il était essentiel de se familiariser avec l'utilisation de la pompe. Lors de la première utilisation, j'ai pompé lentement, j'ai relâché le vide, j'ai pompé encore une fois lentement, et ainsi de suite pendant plus de 10 minutes. Je ressentais une succion, mais sans obtenir d'érection. Déçu, j'ai compris que ça n'allait pas fonctionner dès la première fois. Alors, en suivant les instructions, je me suis exercé tout seul pendant deux semaines. Après une semaine de répétitions, j'y suis parvenu! En maintenant la pompe en place, je réussissais à maintenir mon érection pendant une minute. Je laissais alors s'échapper le vide et répétais l'opération une fois ou deux. Je suis vite devenu à l'aise avec l'instrument, et j'ai su l'utiliser à la bonne vitesse et à la bonne pression pour obtenir une érection. La deuxième semaine, je me suis exercé quelques fois en mettant aussi l'anneau pour conserver l'érection. Je peux maintenant obtenir une érection en deux ou trois minutes environ à l'aide de la pompe.

Le moment était venu de l'essayer avec ma conjointe! Je me suis mis au lit comme à l'habitude, après m'être brossé les dents. Je me suis ensuite donné une érection avec la pompe, et j'ai mis l'anneau en place. Je me suis étendu et nous avons entrepris des préliminaires intimes. Quand nous avons été prêts, ma femme s'est installée sur moi et m'a aidé à introduire mon pénis dans son vagin. Sans donner plus de détails, je peux vous assurer que la séance a été un franc succès! Ma femme a avoué qu'elle trouvait mon pénis moins chaud qu'à l'habitude, mais qu'autrement, il était rigide. Le plaisir était de nouveau au rendez-vous.

C'était il y a six mois environ. Je suis maintenant plus heureux, et il y a une bonne raison à cela: je me suis mis à marcher davantage. J'envisage même d'abandonner le tabac. Maintenant que ma femme et moi avons découvert la pompe, nous sommes un peu plus à l'aise pour aborder le sujet. Parfois, nous avons des rapports en n'utilisant que l'anneau, sans la pompe, mais le plus souvent nous avons besoin des deux. Sans doute que la pompe n'est pas pour tout le monde, mais elle nous a fait du bien.

Si vous êtes à l'aise avec le médecin ou l'urologue, demandez-lui de vous recommander une marque de pompe ou d'anneau pénien. Le médecin ou l'infirmière pourront vous en expliquer le fonctionnement.

Où acheter la pompe: 1) Dans un commerce d'appareils médicaux; 2) Demandez au pharmacien qu'il vous en commande une; 3) Achetez-en une sur <amazon.com> ou faites des recherches sur les noms de marque: une pompe haut de gamme Osbon^{MD} coûte environ 500$. On trouve des versions acceptables chez Encore^{MD} ou Augusta^{MD} pour 150 à 250$. Normalement, l'anneau pénien coûte à lui seul moins de 20$. Certaines assurances médicaments couvrent ces dispositifs. Après un an ou deux, la pompe revient moins chère pour le couple qu'un médicament provoquant l'érection qui coûte 10$ ou davantage *chaque fois*.

Application de médicaments sur le pénis ou dans celui-ci

La prostaglandine E1 (alprostadil) est un médicament vendu sur ordonnance qui stimule la circulation sanguine dans le pénis. Elle s'administre de trois façons: 1) injection dans le pénis (IIC); 2) introduction d'un petit suppositoire dans le méat urinaire (Muse^{MD}); 3) application sur le gland sous forme de crème (Vitaros^{MD}).

IIC - injection dans le pénis

Le nom médical de ce mode d'administration est «injection intracaverneuse» (IIC). L'alprostadil agit souvent mieux en association avec deux autres médicaments, la papavérine et la phentolamine; cette solution d'injection est appelée Trimix^{MD}. Une autre association s'appelle Bimix^{MD} et ne contient pas d'alprostadil. L'injection s'administre dans le côté du pénis environ 10 minutes avant le moment prévu pour les rapports sexuels (ou la masturbation). Le médicament agit pendant une heure. Il permet d'obtenir une érection en stimulant la circulation sanguine dans le pénis. De meilleurs résultats sont obtenus lorsque vous êtes détendu, excité et stimulé. Même si le médicament n'est pas efficace chez tous les hommes diabétiques, il satisfait bon nombre d'entre eux. Certains estiment que l'IIC procure une érection plus rigide que les inhibiteurs de la PDE5.

Muse^{MD} - une pilule pour le pénis

«Muse» est l'acronyme de Médicament Urétral pour la Stimulation de l'Érection. Ici, l'alprostadil, au lieu d'être injecté, est introduit sous forme de petit suppositoire dans le méat urinaire. L'introduction du médicament se fait environ 10 minutes avant le moment prévu pour les rapports sexuels.

Le médicament provoque l'érection, mais n'est pas aussi efficace que l'IIC chez les hommes atteints de diabète. De plus, son prix est élevé. Cependant, si la perspective d'une injection ne vous enchante pas, il vaut la peine de l'essayer.

Demandez au médecin, à l'urologue ou encore à l'infirmière de vous montrer (ou à votre conjointe en même temps qu'à vous-même) la façon d'utiliser l'IIC, Muse^{MD} ou Vitaros^{MD}.

Avec l'utilisation d'un médicament ou d'une aide à l'érection, une certaine intimité se crée dans le couple.

Avant d'acheter ou d'utiliser l'une de ces deux options, parlez-en à votre conjointe. Si, d'un commun accord, vous décidez d'essayer un médicament ou une aide à l'érection, consultez ensemble le médecin ou l'urologue. Ainsi, vous deviendrez tous les deux plus à l'aise pour aborder le sujet. Afin d'enrichir l'intimité et le plaisir, intégrez l'utilisation du médicament ou de l'appareil à l'ensemble de l'expérience vécue avec votre partenaire. Ainsi, pour séduire, il peut placer la «pilule bleue» ou la pompe sur la table de chevet. À titre de préliminaire, elle peut administrer l'injection (IIC) ou aider au pompage du pénis. Cette participation intensifiera le désir sexuel et l'intimité.

Vitaros^{MD} - crème à appliquer sur le pénis

Vitaros^{MD} est une crème à base d'alprostadil qu'on administre dans le méat urinaire et sur le gland. Le produit est absorbé rapidement et agit en cinq minutes. Cette nouvelle option est prometteuse pour les hommes qui ne sont pas atteints de dysfonctionnement érectile grave.

EFFETS SECONDAIRES

Chez certains hommes, l'alprostadil cause des douleurs au pénis. Si c'est le cas chez vous, une association médicamenteuse sans alprostadil pourrait être une solution de rechange. Si vous vous injectez de l'alprostadil (IIC) régulièrement, il existe un très petit risque de cicatrisation au point d'injection. Dans certains cas, le pénis maintient une érection douloureuse. Pour réduire l'érection, essayez d'éjaculer ou d'appliquer une compresse glacée. Si l'érection ne disparaît pas après quatre heures (ce phénomène est cependant rare), consultez le médecin de toute urgence. Un tel accident peut être évité grâce à une technique correcte et à un dosage adéquat du médicament. En guise de prévention, parlez-en au médecin.

6) De nouvelles approches

Certains couples constatent que les traitements proposés par la médecine ne sont pas efficaces, que les médicaments et dispositifs sont trop coûteux ou qu'ils ne leur conviennent pas. Certains recherchent des solutions de rechange plus naturelles et souhaitent découvrir d'autres façons de vivre leur sexualité. Si l'homme est incapable d'obtenir ou de garder une érection suffisamment rigide, vous pouvez chercher des solutions de rechange.

Pourquoi ne pas trouver d'autres façons de vivre sa sexualité ? Il est normal de ressentir une certaine gêne devant ce sujet. Ne laissez pas ce malaise entraver votre recherche de plaisir réciproque ! Si vous avez des limitations physiques nuisant aux rapports sexuels, si vous observez des changements dans vos érections, ou si vous notez une diminution de la sensibilité ou du désir, il est possible que votre vie sexuelle change, mais elle n'est pas terminée pour autant ! Dans le passé, vos rapports sexuels contenaient peut-être de brefs préliminaires suivis des rapports sexuels proprement dits. Maintenant, pourquoi ne pas prolonger les préliminaires sans forcément les faire suivre d'une pénétration ? Parfois, il faut réagir au changement par des solutions inventives. Si les techniques qui fonctionnaient ne marchent plus, mieux vaut se rabattre sur autre chose.

Lorsque deux personnes s'aiment et se respectent, une vie sexuelle saine n'a pas besoin de reposer sur des gestes précis. Concentrez-vous plutôt sur le partage de plaisirs.

Suggestions pour procurer du plaisir à votre femme si elle souffre de sécheresse vaginale, ou d'une diminution de la sensibilité ou de la libido.

Des lèvres et des mains douces, ainsi que des paroles gentilles et engageantes feront de vous un excellent amant. Dites tout ce qui peut vous passer par la tête pour lui rappeler qu'elle est belle et séduisante. Elle ne se lassera pas de vous entendre. Vous devez lui rappeler que vous la désirez. Caressez-la en des points précis dont vous seul détenez la clef.

Pour plusieurs, l'une des choses les plus exaltantes qui soient est d'être témoin de l'excitation de son ou sa partenaire. Si vous ne savez pas avec certitude ce qui émoustille votre conjointe, demandez-le-lui. Même après quarante ans de vie commune, il n'est jamais trop tard pour poser la question. Chaque personne possède une sensibilité au plaisir qui lui est propre.

Embrassez-la, touchez-la en ses points sensibles, peut-être le cou, le dos, les lobes des oreilles, le bout des doigts, les mamelons et la région de la vulve. Demandez-lui si telle ou telle caresse lui procure du plaisir. En comparaison du pénis, le clitoris est petit, et vous serez peut-être étonné d'apprendre qu'il possède les mêmes structures: un capuchon correspondant au prépuce, un corps caverneux et un gland. Réservez les caresses du clitoris pour la fin. Votre conjointe vous indiquera si elle en souhaite davantage.

La femme peut atteindre l'orgasme à la suite de stimulations génitales directes, sans pénétration. Ainsi, elle peut avoir un orgasme en se frottant le clitoris sur votre jambe ou votre pénis (en érection ou non). Demandez-lui si vous pouvez appliquer une généreuse dose de lubrifiant sur ses organes génitaux. Caressez-la doucement à cet endroit. Certaines femmes apprécient la stimulation directe du vagin. Caressez-lui l'intérieur des cuisses. Si elle vous ouvre les jambes, vous saurez qu'elle en attend davantage. Si vous ne souhaitez pas tenter la pénétration, elle pourra vous inviter à introduire doucement un doigt en elle. Assurez-vous que vos ongles sont courts, sans aspérités et propres. Pourquoi ne pas essayer le vibrateur et le godemiché (voir page 416)? Si vous pouvez la mettre en état d'excitation et parfois l'amener à l'orgasme, c'est merveilleux. Peut-être prendrez-vous le même chemin qu'elle. La plupart des femmes n'atteignent pas l'orgasme toutes les fois qu'elles vivent de l'intimité sexuelle (et certaines ne l'atteignent jamais), mais elles apprécient les moments passés avec l'autre et l'intimité partagée.

Si elle les appréciait, seriez-vous à l'aise avec les relations sexuelles bucco-génitales? Il s'agit de stimuler l'organe génital avec les lèvres et la langue. Si cette pratique est nouvelle pour votre partenaire, il est normal qu'elle suscite de la gêne. Cependant, si vous êtes tendre et respectueux, vous pourrez l'amener à se détendre. Elle sera peut-être disposée à tenter l'expérience. Dans le cas où elle souffrirait de sécheresse vaginale, votre bouche la maintiendra humide.

Les rapports sexuels non axés sur le contact pénien-vaginal sont différents, mais ils peuvent tout de même être intimes et stimulants pour les deux partenaires. L'essentiel est que la relation apporte du plaisir à chacun. L'attention sensuelle que vous prodiguez à votre compagne peut vous être rendue (voir page suivante) dans le cadre d'une expérience conjointe.

Ne tentez jamais d'imposer votre volonté à l'autre. Les activités sexuelles doivent être agréables pour les deux partenaires.

ÉVITER LES INFECTIONS DES VOIES URINAIRES (IVU)

Une douche prise à deux, ou seul si vous le préférez, est une bonne façon d'entreprendre une séance consacrée à l'amour. Elle vous prédispose à la relaxation, et vous en tirerez une sensation de fraîcheur et de propreté. Pour prévenir les infections vaginales ou des voies urinaires, le partenaire doit éviter les contacts avec la région anale, où sévissent les bactéries. Évitez aussi de pratiquer les relations sexuelles bucco-génitales si vous avez le diabète et êtes atteint d'une infection gingivale, orale ou linguale. Il est par ailleurs essentiel que les organes de la femme soient bien lubrifiés. Sans lubrification, la friction provoque des lésions minuscules, susceptibles de devenir le siège d'une infection à champignons.

Suggestions pour procurer du plaisir à l'homme atteint de dysfonctionnement érectile ou d'une diminution de la libido.

Si vous éprouvez de l'amour pour votre conjoint et votre relation, et que vous souhaitez vivre des moments d'intimité, il vous faudra parfois jouer un rôle plus actif dans la chambre à coucher. L'une des choses qui excite le plus l'homme est de voir sa partenaire elle-même excitée. Si, dans le passé, vous aviez l'habitude de vous étendre et de le laisser prendre les choses en main, songez maintenant à inverser les rôles. Essayer de nouvelles façons de faire au lit peut être intimidant et créer un sentiment d'embarras. Mais, avec le temps, on s'habitue à tout. Procurer du plaisir avec votre bouche est peut-être une chose à envisager. Cette pratique sert parfois de tremplin à des rapports sexuels complets. Si vous ne l'avez jamais essayée avec votre homme, ou si vous voulez découvrir de nouvelles pratiques, poursuivez votre lecture. Il existe trois étapes faciles pour commencer.

Première étape. Lorsque vous avez quelques minutes à vous, lavez-vous les mains et donnez-vous un massage des doigts relaxant. Avalez de l'eau pour vous humecter les muqueuses buccales. Sucez ensuite doucement le bout de vos doigts. Imaginez-vous que vous venez de les tremper dans du chocolat fondu. Serrez les lèvres de manière à bien enserrer le doigt, mais sans le mordre.

Deuxième étape. Un soir que vous serez assis ensemble à regarder la télé, demandez à votre conjoint si vous pouvez lui laver et lui masser les mains avec un linge chaud. Demandez-lui ensuite si vous pouvez lui embrasser les doigts. Il se questionnera peut-être sur ce que vous êtes en train de faire, mais sa curiosité sera piquée. S'il est effarouché, dites-lui que vous ne voulez pas de rapports sexuels, mais seulement le toucher. Une fois qu'il sera mis à l'aise, sucez-lui les doigts en faisant un mouvement de va-et-vient avec la bouche. Il ne pourra détacher le regard de vous !

Troisième étape. Si l'expérience est agréable pour vous deux jusque-là, vous voudrez peut-être aller un peu plus loin si vous vous sentez prêts. Prenez votre douche et sautez au lit. C'est à votre tour de lui faire plaisir. Plus tard, les rôles pourront être inversés. Embrassez-le. Faites-lui savoir que vous souhaitez vivre un moment d'intimité. Caressez-lui le dos, les oreilles et le visage, embrassez-le tendrement. À mesure qu'il se détend, baisez-lui les doigts et laissez-le regarder afin qu'il voie bien que vous le désirez. Posez la main sur son pénis et son scrotum tout en embrassant ses doigts. Vous pouvez commencer

Les touchers intimes sont très personnels. Ce qui est agréable pour l'un ne l'est pas forcément pour l'autre. Il est important de partager des moments d'intimité avec l'être aimé : aidez-vous l'un l'autre à découvrir votre propre façon d'être ensemble.

Ces caresses sont tellement stimulantes que certains hommes obtiennent parfois un orgasme sans érection, même s'il est moins intense.

à descendre en embrassant ses mamelons et son ventre, tout en caressant son pénis de la main. Prenez votre temps. Mettez son pénis dans votre bouche et, avec celle-ci, exécutez un doux mouvement de va-et-vient. Demandez-lui ce qui lui plaît le plus. Vous pourriez sentir son pénis durcir plus ou moins légèrement. Si ses nerfs ne sont pas en mesure de transmettre de signaux aux organes génitaux, il se peut qu'il n'obtienne pas d'érection. Toutefois, il sera quand même excité.

Pour vous deux, ces échanges seront un beau partage intime.

Accessoires sexuels pour couples ou célibataires

Aimez-vous utiliser des accessoires coquins dans la chambre à coucher, comme de la lingerie, des menottes ou un éclairage romantique ? Alors, vous êtes déjà un utilisateur de jouets sexuels ! Avez-vous un « masseur personnel » à la maison pour vous masser le dos et les bras ? Cet appareil est utile pour stimuler d'autres parties de votre corps ou de celui de votre partenaire, soit directement, soit par les vibrations qui transitent à travers vos doigts. Votre curiosité vous poussera peut-être à essayer le vibrateur ou le godemiché.

Vibrateurs et godemichés

Les vibrateurs et godemichés se présentent sous une variété de formes et de couleurs. Certains sont rigides (acrylique), d'autres mous (silicone). Le vibrateur est alimenté à l'électricité ou par piles (et peut être rechargé, comme un téléphone cellulaire). Le godemiché possède en général la forme d'un pénis en érection. Il n'est pas alimenté par l'électricité. L'un comme l'autre sont aptes à stimuler aussi bien l'homme que la femme. Il est préférable de les utiliser avec un lubrifiant à base d'eau. Avec un peu d'humour et d'audace, le vibrateur et le godemiché peuvent devenir un élément érotique de la vie sexuelle.

Godemichés à harnais

Si vous êtes atteint de dysfonctionnement érectile total ou partiel, le godemiché à harnais pourrait vous intéresser. Cet objet représente une façon amusante d'avoir des rapports intimes avec votre partenaire sans avoir à vous préoccuper d'obtenir une érection. Il s'agit de fixer un godemiché au-dessus de votre propre pénis, à l'aide d'un harnais. Fermement en place, il vous permet de pénétrer votre partenaire de la même façon que vous le feriez lors de rapports sexuels ordinaires. Pendant le port du godemiché, tous deux jouissent d'un contact physique complet. Le godemiché permet l'exécution des mouvements des hanches, naturels et familiers. Votre partenaire peut lubrifier puis stimuler vos organes génitaux. Si vous voulez lire un

---

AVERTISSEMENT

N'achetez que des jouets de qualité. Avant chaque utilisation, assurez-vous toujours qu'ils sont en bon état et propres. Les substances chimiques contenues dans les jouets de caoutchouc mou sont source de préoccupations : il est préférable de les recouvrir d'un préservatif. Si vous avez des allergies, par exemple au latex, évitez les jouets fabriqués de cette matière.

Pour éviter de causer des lésions ou des irritations aux tissus sensibles, n'introduisez pas le jouet trop profondément et n'en faites pas un usage trop rude ou trop fréquent. Il est également recommandé d'utiliser un lubrifiant. La femme atteinte de diabète peut souffrir d'une perte de sensibilité du vagin (à cause de la neuropathie diabétique) ; il convient donc d'être prudent et d'éviter les traumatismes.

Où acheter les jouets sexuels ?

Vous pouvez acheter des jouets sexuels discrètement, sur Internet ou par téléphone (ils vous seront expédiés par la poste). Toutefois, il demeure préférable de voir le produit avant l'achat, quand c'est possible. La plupart des gens, y compris vous peut-être, n'ont jamais mis les pieds dans une boutique érotique de leur vie. La seule pensée d'y entrer est gênante. Pourquoi ne pas vous y rendre avec votre partenaire ? Vous constaterez que les commis ne sont pas intimidants et qu'ils sont disposés à vous aider.

témoignage à ce sujet, lisez le document suivant : http :// wassersug.medicine.dal.ca/story.pdf (en anglais).

Les jouets comme éléments de la vie sexuelle

Si les jouets sexuels sont nouveaux pour vous, peut-être vous sentez-vous mal à l'aise de les utiliser. Peut-être vous demandez-vous s'ils dépouillent l'acte sexuel de son émotion. Si vous vous en servez seul, peut-être vous demandez-vous si cette pratique n'est pas trop sexuelle. Ces réserves sont normales, mais il n'en demeure pas moins qu'un adulte peut très bien profiter de ces jouets : si vos réserves d'énergie sont basses, ils vous aideront à prolonger vos séances ; si vous avez le dos ou les genoux endoloris, ils vous permettent d'accéder au plaisir sans solliciter les articulations à l'excès ; si votre partenaire ou vous-même souffrez de dysfonctionnement érectile, ils peuvent ramener le plaisir sans stress et sans préoccupations quant aux érections. En somme, ces jouets peuvent enrichir votre vie intime.

Glossaire du diabète

Athérosclérose : Durcissement et rétrécissement des vaisseaux sanguins.

Diabète de type 1 : Cette forme de diabète s'observe généralement chez les enfants et les adolescents ; on doit la traiter avec de l'insuline, car l'organisme ne peut en produire lui-même.

Diabète de type 2 : Diabète apparaissant habituellement chez les adultes ; il s'explique par de multiples facteurs : obésité, sédentarité et génétique.

Diabète gestationnel : Diabète apparaissant durant la grossesse.

Dialyse : Opération réalisée avec un appareil reproduisant le fonctionnement du rein servant à filtrer le sang.

Dysfonctionnement érectile : Chez l'homme, difficulté à obtenir ou à maintenir une érection.

Édulcorants hypocaloriques : Substances au goût sucré, mais ne contenant pas de sucre ; ces succédanés apportent peu de calories.

Examen du fond de l'œil : Examen pratiqué par l'optométriste ou l'ophtalmologiste après dilatation de la pupille afin d'étudier le fond de l'œil.

Gastroparésie : Troubles digestifs causés par des lésions nerveuses et vasculaires du tube digestif.

Glomérule : Élément du rein qui contribue à filtrer et à purifier le sang.

Glucides : Féculents, sucres présents naturellement dans les fruits, les légumes et le lait, ainsi que le sucre de table.

HbA1c : Analyse sanguine mesurant la glycémie moyenne sur une période de trois mois.

Hypoglycémie : Lorsque le taux de glucose se situe sous le seuil des 4 mmol/l (70 mg/dl).

IG : Indice glycémique.

Indice glycémique : Indice indiquant la vitesse à laquelle un aliment glucidique élève la glycémie.

Infection : Multiplication de bactéries dommageables, sur la peau ou à l'intérieur de l'organisme.

Infection des voies urinaires : Infection pouvant toucher les reins, la vessie et l'urètre.

Inflammation : Enflure et rougeur des tissus.

Insuline : Hormone sécrétée par le pancréas permettant au glucose de transiter du sang vers le cerveau, les muscles, les tissus et les organes.

Macroalbuminurie : Affection rénale de stade avancé, caractérisée par le passage de grandes quantités de protéines (albumines) dans les urines.

Maladie gingivale : Infection bactérienne grave touchant les gencives et l'os maxillaire.

Microalbuminurie : Affection rénale de stade précoce, marquée par le passage de faibles quantités de protéines (albumines) dans les urines.

Néphron : Élément du rein qui contribue à filtrer et à purifier le sang.

Neuropathie diabétique : Lésion nerveuse pouvant occasionner différents problèmes, par exemple des douleurs cutanées ou des engourdissements des pieds.

Pancréas : Organe du corps situé derrière l'estomac ; il produit l'insuline.

Prédiabète : État dans lequel la glycémie est supérieure à la normale, mais inférieure au niveau mesuré dans un cas de diabète.

Rapport albumine/créatinine (RAC) : Le RAC mesure la quantité d'albumines (une protéine) présente dans les urines, un symptôme de maladie rénale.

Récepteurs de l'insuline : Éléments situés sur les cellules du corps et permettant à l'insuline de jouer son rôle.

Rétinopathie : Lésion oculaire survenant chez la personne atteinte de diabète et touchant le fond de l'œil.

Rétinopathie non proliférante : Atteinte oculaire de stade précoce propre au diabète.

Rétinopathie proliférante : Atteinte oculaire de stade avancé propre au diabète.

Trois paramètres essentiels pour le diabétique : HbA1c (hémoglobine glyquée), tension artérielle et taux sanguin de cholestérol.

Ulcère : Plaie ouverte marquée par une dégradation cutanée poussée.

Index